TEORÍA LITERARIA

BIBLIOTECA ROMÁNICA HISPÁNICA

Fundada por DÁMASO ALONSO

I. TRATADOS Y MONOGRAFÍAS, 2

RENÉ WELLEK Y AUSTIN WARREN

TEORÍA LITERARIA

VERSIÓN ESPAÑOLA DE
JOSÉ M.ª GIMENO

PRÓLOGO DE DÁMASO ALONSO

CUARTA EDICIÓN

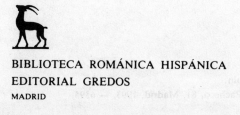

BIBLIOTECA ROMÁNICA HISPÁNICA
EDITORIAL GREDOS
MADRID

© **EDITORIAL GREDOS, S. A.**, Sánchez Pacheco, 81, Madrid, 1993, para la versión española.

Título original: *THEORY OF LITERATURE.*

Cuarta edición, 1966.
6.ª reimpresión.

Depósito Legal: M. 20066-1993.

ISBN 84-249-0003-0.

Impreso en España. Printed in Spain.

Gráficas Cóndor, S. A., Sánchez Pacheco, 81, Madrid, 1993. — 6595.

PRÓLOGO ESPAÑOL

René Wellek me ha pedido amablemente que yo escriba algunas líneas al frente de la traducción española de este libro.

Bastaba un ruego tan halagüeño para no poder negarme. Pero hay además muchas otras razones para que lo haga con especial gusto. Si yo he elegido sin vacilación este libro, en cuanto lo leí por primera vez, para que figurara en la Biblioteca Románica Hispánica, me sentía, antes que nada, movido por una entrañable afinidad: dos ilustres críticos bien alejados de mí —y que habían, en general, desconocido mi propia obra tanto como yo la de ellos—, no sólo tocaban en esta TEORÍA LITERARIA *una gran parte de los temas que más me habían preocupado a lo largo de muchos años, sino que los trataban desde un punto de vista bastante cercano al mío, tanto que yo podía asentir sin la menor violencia a las tesis fundamentales de la presente obra.*

Sólo ahora, ya en la cuesta abajo, se da uno cuenta de cuántos años tiene que pasar en la vida del hombre para que éste comprenda el sentido de su propio afán, y qué era lo que ocultamente daba, si no contenido, dirección a aquellos ímpetus de los años mozos. Ahora la imagen resulta muy nítida y coherente: somos muchos los que en esta primera mitad del siglo, esparcidos por el mundo, nos hemos situado —de una manera cada vez más decidida y consciente— frente al "poema" (frente a cada una de sus realizaciones) para preguntarle algo muy distinto de lo que el siglo XIX le había

*preguntado: no "por qué, cómo se ha originado", sino "qué es". Ya
la Retórica le había preguntado eso mismo: pero quería saber qué
era el poema, sólo para enseñar a hacer nuevos poemas. El fracaso
y descrédito de la Retórica se llama siglo XVIII. Por eso el romanticismo proclama su "guerre à la Rhétorique". Y el historicismo del
siglo XIX hace lo demás.*

*Nos damos cuenta también ahora por primera vez de que un
cambio semejante de posición se está llevando a cabo en la consideración de toda obra de arte. No cabe duda de que en la lingüística se ha producido también el mismo cambio de perspectiva. En
todos estos campos —lingüístico, literario, artístico— se ha pasado
del interés por el origen del fenómeno (punto de vista histórico o,
en general, genético) al estudio del fenómeno mismo como organismo
o como sistema (punto de vista estructural). Pero en el mundo físico
nos preocupa lo que un fenómeno tiene de común con sus homó-
logos: la ley por que todos ellos se rigen. En la obra de arte o, redu-
ciéndonos a nuestro terreno, en la literaria, el problema es mucho
más difícil y aun pavoroso. Cuando hemos encasillado un "poema"
dentro de un tipo, apenas hemos hecho nada, porque el problema
es muy diferente: se trata de llegar al esclarecimiento de la "unicidad" de ese "poema", es decir, a la interpretación de la necesidad
íntima (inexorable como una ley, pero una ley de vigencia "única")
que preside a la existencia del mismo. Ese es el problema que tienen
hoy delante los trabajadores en el campo de la estilística literaria
(no hablo, claro, de los numerosos despistados, porque ésos no tienen problema alguno). Yo también quise tantear —agónicamente—
esas sendas: mis grandes dudas sobre la posibilidad de indagación
científica de la obra literaria, pero también mi limitado optimismo,
han quedado expuestos en otra parte.*

*Esa encrucijada, ese giro (de lo genético a lo estructural), está
bien patente en el presente libro, tanto que él determina la contraposición de las dos que considero sus partes fundamentales (III, "El
acceso extrínseco al estudio de la literatura", y IV, "El estudio intrínseco de la literatura"). En la primera de ellas, Wellek y Warren pasan
revista a los métodos que buscaban la génesis de la obra; en el
fondo, porque creían que, explicada la génesis, ya estaba explicada*

*la obra misma (métodos biográfico, o psicológico, o sociológico, o de
la historia de las ideas, o de la relación con otros campos artísticos);
y en la segunda de esas dos partes iluminan los autores lo que puede
ser el estudio de los procedimientos intrínsecos mediante una serie
de ensayos en los que penetran profundamente en la entraña viva de
los problemas más apasionantes y más actuales. No por eso son
injustos o denegadores del relativo valor de los que llaman.métodos
"extrínsecos".*

*El pensamiento de los autores es muy agudo y neto, y el libro,
en su infinito despliegue y crítica de los más opuestos puntos de
vista, resulta siempre interesante. El lector español tiene aquí ahora
en pocas páginas todo lo que el mundo de la cultura ha pensado
o piensa hoy sobre el estudio de la obra literaria.*

*Se han juntado felizmente en esta labor dos investigadores pro-
cedentes de dos mundos diversos: Austin Warren, nacido en 1899
—actualmente catedrático de la Universidad de Michigan—, representa lo más granado y refinado de la cultura norteamericana, de
cuya nueva escuela de crítica es uno de los máximos representantes
(es autor de dos libros espléndidos: sobre Pope y sobre Crashaw).
René Wellek, nacido en 1903, es checoslovaco: de aquí le viene su
amplísimo conocimiento de la literatura y la crítica en el mundo
eslavo; pronto se dedicó al estudio de la literatura inglesa y alemana. (Aparte su excelente libro sobre el influjo de Kant en Inglaterra, su tema principal es —y bien lo reflejan estas páginas— el
desarrollo de la Historia de la Literatura: al tema en literatura inglesa
ha dedicado un libro admirable. Es hoy catedrático de la Universidad de Yale.)*

*La valía de los autores, lo actual de su punto de vista, la nitidez
y gallardía de su pensamiento, el inmenso caudal de noticias aquí
reunidas, que dan a la obra el carácter de una verdadera enciclo-
pedia sobre este tema, limitado, sí, pero inmenso en su limitación,
todo me animó a ofrecer al lector español este libro. Y no me arre-
dró el que la mayor parte de los ejemplos u obras literarias tomadas
como punto de referencia no pertenecieran al mundo hispánico. Las
tesis o los sistemas críticos no nacidos en tierras de lengua española van, en general, unidos a determinadas obras literarias o se han
apoyado preferentemente en determinadas obras literarias. "Hispa-*

nizar" el libro sustituyendo esos ejemplos con la mención de nuestra literatura era cometer una torpe adulteración. El lector hispánico inteligente —el único que nos interesa— nos agradecerá que le hayamos dado la obra intacta.

DÁMASO ALONSO

PRÓLOGO A LA PRIMERA EDICIÓN

El título de esta obra ha planteado más dificultades de las corrientes. Incluso un título abreviado, como, por ejemplo, "Teoría literaria y metodología de los estudios literarios", hubiera resultado excesivamente pesado. Antes del siglo XIX no hubiera habido inconveniente, porque entonces se hubiera podido llenar la portada con un título analítico completo, mientras el lomo quedaba rotulado con la palabra "Literatura".

Hemos escrito un libro que, que sepamos, carece de paralelo próximo. No se trata de una introducción a los elementos de la valoración literaria para uso de los jóvenes, ni tampoco (como los Aims and Methods de Morize) de una sinopsis de las técnicas utilizadas en la investigación erudita. La presente obra puede reclamar cierta continuidad con la Poética y la Retórica (desde Aristóteles hasta Blair, Campbell y Kames), con los estudios sistemáticos de los géneros de las bellas letras y de la estilística, o con libros titulados "Principios de crítica literaria"; pero nosotros hemos tratado de fundir la "poética" (o teoría literaria) y la "crítica" (valoración de la literatura) con el "saber" o la "erudición" ("investigación") y con la "historia literaria" (la "dinámica" de la literatura, por oposición a la "estática" de la teoría y de la crítica). Este libro se acerca más a ciertas obras alemanas y rusas, como Gehalt und Gestalt, de Walzel, Die Wissenschaft von der Dichtung, de Julius Petersen, o la Teoriya literatury, de Tomaschevski. Sin embargo, en contraposi-

*ción a los alemanes, hemos rehuido la simple reproducción de los
puntos de vista de otros y, aunque tenemos en cuenta otras perspectivas y otros métodos, hemos escrito desde un punto de vista
propio y consecuente: a diferencia de Tomaschevski, no tratamos de
dar nociones elementales de materias como la prosodia. No somos,
pues, eclécticos como los alemanes ni doctrinarios como los rusos.*

*Medido por el rasero de la pasada investigación norteamericana,
hay algo de grandioso y aun de "heterodoxo" en el mismo ensayo
de formular los supuestos en que se basan los estudios literarios
(para lo cual hay que ir más allá de "los hechos") y un tanto de
presunción en nuestro esfuerzo por pasar revista y valorar investigaciones sumamente especializadas. Inevitablemente, todo especialista quedará descontento de la exposición que aquí se hace de su
respectiva especialidad; pero no nos hemos propuesto una exhausti-
va minuciosidad: los ejemplos literarios aducidos son siempre ejemplos, no "pruebas"; las bibliografías, por su parte, son "selectivas".
Tampoco nos hemos propuesto responder a todas las interrogantes
que formulamos. Nos ha parecido fundamental para nosotros mismos
y para los demás ser internacionales en nuestra materia, formular
las preguntas justas, habilitar un organon metodológico.*

*Los autores de este libro, que se conocieron en la Universidad
de Iowa en 1939, advirtieron inmediatamente su amplia comunidad
de pareceres en teoría y metodología literarias. Aunque de distinta
procedencia y formación, ambos habían seguido una línea evolutiva
análoga, pasando por la investigación histórica y el estudio de la
"historia de las ideas" hasta llegar a la posición de que los estudios
literarios deben ser específicamente literarios. Ambos creían que "investigación" y "crítica" son compatibles; ambos se negaban a distinguir entre literatura "contemporánea" y literatura pretérita.*

*En 1941 aportaron capítulos sobre "Historia" y "Crítica" a una
obra de diversos colaboradores titulada* Literary Scholarship, *promo-
vida y publicada por Norman Foerster, a cuyo pensamiento y alien-
tos no se les oculta que deben mucho. A él dedicarían la presente
obra si no temieran suscitar una impresión errónea de la doctrina del
propio Foerster.*

Los capítulos del presente libro fueron redactados con la mira puesta en los intereses actuales. A René Wellek se deben fundamentalmente los capítulos I, II, IV-VII, IX-XIV y XIX; a Austin Warren, los III, VIII y XV-XVIII. Sin embargo, el libro es auténtico exponente de una colaboración en que el autor resulta ser la comunidad de pensamiento de dos distintos escritores. Es indudable que en terminología, tono y acento queda alguna que otra leve falta de concordancia entre los dos escritores; pero éstos se atreven a creer que puede constituir una compensación el hecho de que dos espíritus distintos lleguen a un acuerdo tan sustancial.

Sólo nos resta dar las gracias al Dr. Stevens y a la Sección de Humanidades de la Fundación Rockefeller, sin cuya ayuda esta obra hubiera sido imposible, y al rector, decanos y director de la facultad respectiva de la Universidad de Iowa, por su ayuda y generosa concesión de tiempo; a R. P. Blanckmur y J. C. Ranson, por el aliento que nos han infundido; a Wallace Fowlie, Roman Jakobson, John McGalliard, John C. Pope y Robert Penne Warren, por haber leído algunos capítulos; y a Miss Alison White, por su constante ayuda y dedicación en toda la composición de la obra.

Los autores desean también agradecer la amabilidad de algunos directores de revista y casas editoriales permitiéndoles incorporar en la presente obra algunos pasajes de sus publicaciones: a la Louisiana University Press y a Cleanth Brooks, ex director de la Southern Review, por "Mode of Existence of the Literary Work"; a la University of North Caroline Press, por una parte de "Literary History", en Literary Scholarship (ed. Foerster, 1941); a la Columbia University Press, por pasajes de "Periods and Movements in Literary History" y "The Parallelism between Literature and the Arts", en los English Institute Annuals, 1940 y 1941; y a la Philosophical Library, por pasajes de "The Revolt against Positivism" y de "Literature and Society", en Twentieth Century English (ed. Knickerbocker, 1946).

René Wellek y Austin Warren

New Haven, 1.º de mayo de 1948.

PRÓLOGO A LA SEGUNDA EDICIÓN

*Esta segunda edición es fundamentalmente una reimpresión de
la primera. Sin embargo, hemos introducido unas cuantas correcciones y aclaraciones, hemos cuidado de completar la línea expositiva
con las oportunas ampliaciones y hemos agregado además referencias
a la evolución que mientras tanto se ha registrado en el campo de la
teoría literaria.*

*En cambio, hemos decidido suprimir el capítulo último de la
primera edición, en que se trataba de la enseñanza de la literatura
en los Estados Unidos, por resultar anticuado a los diez años de
publicarse (1946), debido en parte a que algunas de las reformas que
en él se proponían se han llevado ya a la práctica en no pocos
lugares.*

*Por último, hemos puesto al día la bibliografía atendiendo a eli-
minar títulos de menor consideración o más difíciles de consultar y
sustituyéndolos por una pequeña selección del enorme caudal de
estudios dedicados a estos temas que se han publicado en el curso
de los pasados ocho años.*

RENÉ WELLEK y AUSTIN WARREN

Navidades de 1955.

I

DEFINICIONES Y DISTINCIONES

I

DEFINICIONES Y DISTINCIONES

Capítulo primero

LA LITERATURA Y LOS ESTUDIOS LITERARIOS

Hemos de establecer, ante todo, una distinción entre literatura y estudios literarios. Se trata, en efecto, de actividades distintas: una es creadora, constituye un arte; la otra, si no precisamente ciencia, es una especie de saber o de erudición.

Por supuesto, se han hecho intentos de desvirtuar esta distinción. Se ha dicho, por ejemplo, que no se puede entender de literatura si no se hace; que ni se puede ni se debe estudiar a Pope sin antes probar fuerzas con los llamados dísticos épicos, o que no es posible componer un drama isabelino sin antes escribir un drama en verso libre [1]. Sin embargo, aun sirviéndole de mucho la experiencia de la creación literaria, la tarea del estudioso es completamente distinta. El estudioso ha de traducir a términos intelectuales su experiencia de la literatura, incorporarla en un esquema coherente, que ha de ser racional si ha de ser conocimiento. Puede ocurrir que el tema de su estudio sea irracional o al menos que contenga elementos fuertemente irracionales; pero no por ello se encontrará en condiciones distintas de las del historiador de la pintura o del musicólogo o, por lo demás, de las del sociólogo o del anatomista.

Es manifiesto que esta relación plantea difíciles problemas, para los que se han propuesto diversas soluciones. Unos teóricos niegan sin más que los estudios literarios sean conocimiento, y aconsejan una "segunda creación", con resultados que hoy, a la mayoría de nosotros, nos parecen fútiles, como, por ejemplo, la descripción de Mona

Lisa que hizo Pater o los floridos pasajes de John A. Symonds o de Arthur Symons. Esta "crítica creadora" ha solido representar una inútil duplicación, o, a lo sumo, la traducción de una obra de arte a otra obra de arte, que por lo común era inferior. Otros teorizadores sacan conclusiones escépticas, bastante diferentes, de nuestra contraposición entre la literatura y su estudio, afirmando que la literatura no se puede "estudiar" en absoluto; que sólo nos es dado leerla, gozarla, apreciarla; que, aparte de esto, lo único que cabe hacer es acumular información de toda suerte *sobre* la literatura. En rigor, este escepticismo está mucho más extendido de lo que pudiera creerse manifestándose en la práctica en la insistencia en "hechos" ambientales y en el menosprecio de todo intento de ir más allá. La valoración, el gusto, el entusiasmo se dejan al cultivo personal a modo de evasión inevitable, aunque también sensible, de la austeridad de la erudición sólida. Sin embargo, esta dicotomía en "erudición" y "valoración" no tiene en cuenta para nada el verdadero estudio de la literatura, a la vez "literario" y "sistemático".

El problema estriba en abordar intelectualmente el arte, y en particular el arte literario. ¿Cabe hacer tal cosa? ¿Y cómo es posible hacerlo? Una de las respuestas dadas a esta cuestión ha sido la siguiente: es posible empleando los métodos desarrollados por las ciencias naturales, que no hay más que transportar al estudio de la literatura. Pueden distinguirse diversas clases de esta transposición. Una es el intento de alcanzar los ideales científicos generales de objetividad, impersonalidad y certeza, intento que en conjunto induce a acopiar hechos neutros. Otra es el esfuerzo por imitar los métodos de las ciencias naturales mediante el estudio de antecedentes y orígenes causales; en la práctica, este "método genético" justifica la indagación de toda relación sobre base cronológica en tanto sea posible. Aplicada más rígidamente, la causalidad científica se utiliza para explicar fenómenos literarios considerando como causas determinantes las condiciones económicas, sociales y políticas. Asimismo debe señalarse la introducción de los métodos cuantitativos que se emplean en algunas ciencias, como estadísticas, cartas y gráficas. Y, por último, se ha hecho el intento de emplear conceptos biológicos para explicar la evolución de la literatura [2].

Hoy existe unanimidad casi general sobre el hecho de que esta transposición no ha colmado las esperanzas con que se acometió. A veces, los métodos científicos han demostrado su valor en un sector muy restringido o con una técnica limitada, como el empleo de la estadística en ciertos métodos de crítica textual. Pero la mayoría de los promotores de esta irrupción científica en el terreno de los estudios literarios han confesado su fracaso y acabado en el escepticismo, o se han confortado con engañosas ilusiones sobre los éxitos futuros del método científico, como, por ejemplo, Ivor A. Richards, que solía referirse a los futuros triunfos de la neurología como solución segura de todos los problemas literarios [3].

Más adelante habremos de volver sobre algunos de los problemas que plantea esta extendida aplicación de las ciencias naturales a los estudios literarios; porque, en efecto, no pueden desecharse demasiado fácilmente, y, además, es indudable que existe un amplio campo en que las dos metodologías entran en contacto e incluso se superponen. A todos los tipos de conocimiento sistemático les son comunes métodos fundamentales como la inducción, la deducción, el análisis, la síntesis y la comparación. Pero es manifiesto que la otra solución se recomienda: la investigación literaria tiene sus métodos válidos, que no siempre son los de las ciencias naturales, pero que, no obstante, son intelectuales. Sólo una concepción muy angosta de la verdad puede desterrar del reino del saber las conquistas de las humanidades. Ya mucho antes de operarse el moderno desenvolvimiento científico, la filosofía, la historia, la jurisprudencia, la teología e incluso la filología habían forjado métodos válidos de conocimiento. Sus conquistas pueden haber quedado eclipsadas por los triunfos teóricos y prácticos de las ciencias físicas modernas; pero, no obstante, son reales y duraderas, y cabe resucitarlas o remozarlas fácilmente, a veces introduciendo en ellas alguna modificación. Lo que hay que hacer es simplemente admitir que existe esta diferencia entre los métodos y fines de las ciencias físico-naturales y los de las humanidades.

Ahora bien, definir esta diferencia constituye un problema complejo. Ya en 1883, Guillermo Dilthey estableció la distinción entre

los métodos de las ciencias naturales y los de la historia en función
de una contraposición entre explicación y comprensión [4]. El científico —decía Dilthey— da razón de un acaecimiento en función de
sus antecedentes causales, mientras que el historiador trata de comprender su sentido, proceso de comprensión que es forzosamente individual y aun subjetivo. Un año después, Guillermo Windelband, el
famoso historiador de la filosofía, atacó también el punto de vista
según el cual las ciencias históricas han de imitar los métodos de las
ciencias naturales [5]: los científicos tratan de establecer leyes generales, en tanto que los historiadores se esfuerzan por aprehender el hecho único, que no se repite. Este punto de vista fue desarrollado y,
en cierta medida, modificado por Heinrich Rickert, que trazó una divisoria no tanto entre métodos generalizadores y métodos individualiza-
dores como entre ciencia natural y ciencia cultural [6]. La ciencia cultural —decía— se interesa por lo concreto y lo individual; los individuos, sin embargo, sólo pueden ser descubiertos y comprendidos por
referencia a algún esquema de valores, lo cual no es más que otra manera de decir cultura. En Francia, A. D. Xénopol distinguía entre
ciencias naturales en cuanto se ocupan de "hechos de repetición", e
historia en cuanto se ocupa de "hechos de sucesión". En Italia, Benedetto Croce basó toda su filosofía en un método histórico, que es totalmente distinto del método de las ciencias naturales [7].

El estudio cabal y completo de estos problemas supondría zanjar
problemas como la clasificación de las ciencias, la filosofía de la historia y la teoría del conocimiento [8]. Con todo, unos cuantos ejemplos
concretos pueden indicar al menos que existe un problema real con
que se ha de enfrentar el estudioso de la literatura. ¿Por qué estudiamos a Shakespeare? Es palmario que primordialmente no nos
interesa lo que tenga en común con todos los hombres, porque en
tal caso lo mismo podríamos estudiar a otro hombre cualquiera; y
que tampoco nos importa lo que tenga en común con todos los ingleses, con todos los hombres del Renacimiento, con todos los hombres
de la época isabelina, con todos los poetas, todos los dramaturgos,
o aun con todos los dramaturgos isabelinos, porque entonces cabría
estudiar con igual justificación a Dekker o a Heywood; lo que que-

remos es penetrar qué es lo peculiar de Shakespeare, qué es lo que hace que Shakespeare sea Shakespeare, y esto constituye evidentemente un problema de individualidad y de valores. Incluso al estudiar una época, un movimiento o una literatura nacional determinada, el estudioso de la literatura se interesará por ella como individualidad dotada de cualidades y rasgos característicos· que la distinguen de otras individualidades similares.

La tesis de la individualidad puede apoyarse también en otro argumento, cual es el de que los intentos de hallar leyes generales en literatura han fracasado siempre. La llamada ley de la literatura inglesa, formulada por Louis Cazamian, la "oscilación del ritmo del espíritu nacional inglés" entre dos polos, el sentimiento y el intelecto (acompañada por la afirmación de que estas oscilaciones van haciéndose más rápidas cuanto más nos acercamos a la edad contemporánea), o es trivial o es falsa; falla por completo al aplicarla a la era victoriana [9]. La mayoría de estas "leyes" resultan ser solamente uniformidades, constantes psicológicas como acción y reacción o convención y rebelión, que, aunque estuvieran fuera de toda duda, no podrían decirnos nada verdaderamente significativo acerca de los procesos literarios. Mientras la física puede cifrar sus más altos triunfos en alguna teoría general que reduzca a una fórmula la electricidad y el calor, la gravitación y la luz, no cabe formular una ley general que satisfaga los imperativos de los estudios literarios: cuanto más general sea, tanto más abstracta y, por lo mismo, tanto más vacía parecerá, y tanto más se hurtará a nuestra aprehensión el objeto concreto de la obra de arte.

Hay, pues, dos soluciones extremas de nuestro problema. Una, puesta de moda por el prestigio de las ciencias físicas, identifica el método científico con el método histórico, conduciendo a un simple acopio de hechos o al establecimiento de "leyes" históricas sumamente generalizadas. La otra, negando que la investigación literaria sea una ciencia, afirma el carácter personal de la "comprensión" literaria y la "individualidad" e incluso la "unicidad" de toda obra literaria. Pero, en su formulación extrema, la solución anticientífica tiene también evidentes peligros. La "intuición" personal puede conducir a una simple "apreciación" emocional, a un complejo subjetivismo. Subrayar la naturaleza "individual" o incluso "única" de toda obra de arte, aunque sea saludable como reacción contra generalizaciones fáciles, es olvidar que ninguna obra de arte puede ser totalmente "única", porque entonces sería completamente incomprensible. Es cierto, sin duda, que no hay más que un _Hamlet_ o incluso que sólo existe un "Trees" de Joyce Kilmer *; pero también un montón de basura es único en el sentido de que sus proporciones precisas, posición y combinaciones químicas no se pueden reproducir exactamente. Además, todas las palabras de toda obra de arte literaria son, por su misma naturaleza, "generalidades" y no particularidades. La disputa entre lo "universal" y lo "particular" en literatura perdura desde que Aristóteles afirmó que la poesía es más universal y, por tanto, más filosófica que la historia, que sólo atiende a lo particular, y desde que Samuel Johnson afirmó que el poeta no debe "contar las listas del tulipán". Los románticos y la mayoría de los críticos modernos no se cansan jamás de subrayar la particularidad de la poesía, su "textura", su carácter concreto [10]; pero hay que reconocer que toda obra literaria es general y es particular, o —mejor quizá— es tanto individual como general. La individualidad puede distinguirse de la particularidad y unicidad completas [11]. Toda obra literaria, como todo ser humano, tiene sus características individuales; pero también comparte propiedades comunes con otras obras de arte, lo mismo que todo hombre comparte determinadas características con la humanidad, con todos los que pertenecen a su sexo, nación, clase, profesión, etc. Podemos, pues, generalizar sobre las obras de arte, sobre el teatro isabelino, sobre toda la poesía dramática, sobre toda la literatura, sobre todo el arte. La crítica literaria y la historia literaria intentan, una y otra, caracterizar la individualidad de una obra, de un autor, de una época o de una literatura nacional, pero esta caracterización sólo puede lograrse en términos universales, sobre la base de una teoría literaria. La teoría literaria, un _organon_ metodológico, es la gran necesidad de la investigación literaria en nuestros días.

---

* [Mediocre poema sentimental, muy popular en las antologías norteamericanas.]

Ocioso es decir que este ideal no disminuye la importancia de la comprensión y el goce simpatéticos como condiciones previas de nuestro conocimiento de la literatura y, por tanto, de nuestras reflexiones sobre ella; pero sólo son condiciones previas. Decir que los estudios literarios sólo sirven para el arte de la lectura es concebir erradamente el ideal del conocimiento organizado, por indispensable que sea este arte para el estudioso de la literatura. Aun cuando el término "lectura" se emplee con la amplitud suficiente para que abarque la comprensión y la sensibilidad críticas, el arte de leer es un ideal de cultivo puramente personal. Como tal es sumamente conveniente, y sirve también de base de una amplia difusión de la cultura literaria, pero no puede sustituir a la concepción de lo que hemos llamado "investigación literaria", entendida como tradición suprapersonal.

Capítulo II

NATURALEZA DE LA LITERATURA

El primer problema que se nos plantea es, evidentemente, el del objeto de la investigación literaria. ¿Qué es literatura? ¿Qué no lo es? ¿Cuál es la naturaleza de la literatura? Por sencillas que parezcan, estas preguntas rara vez se contestan claramente.

Uno de los modos de definir la "literatura" es decir que es todo lo que está en letra de molde. Nada se opondrá entonces a que estudiemos temas como "La profesión de médico en el siglo xiv", "Los movimientos planetarios en la baja Edad Media" o "Las artes mágicas en la Inglaterra de antaño". Como decía Edwin Greenlaw: "Nada que se relacione con la historia de la civilización cae fuera de nuestro campo"; no tenemos que "limitarnos a las bellas letras o a las noticias impresas o manuscritas en nuestro esfuerzo por comprender una época o una civilización", y "hemos de considerar nuestra labor a la luz de su posible contribución a la historia de la cultura" [1]. Así, pues, según la teoría propugnada por Greenlaw y la práctica seguida por muchos doctos en la materia, los estudios literarios pasan a ser no ya íntimamente afines, sino realmente idénticos a la historia de la civilización. Tales estudios sólo son literarios en cuanto se ocupan de materiales impresos o escritos, que forzosamente constituyen la fuente primaria de la mayor parte de la historia. En defensa de semejante punto de vista cabe decir, por supuesto, que los historiadores desatienden estos problemas, que se preocupan demasiado de la historia diplomática, militar y económica, y que por ello está justificado que el estudioso de la literatura invada y se haga cargo de un territorio colindante. Es indudable que no se debe prohibir a nadie que se adentre en el terreno que le plazca, y asimismo lo es que hay mucho que decir en pro del cultivo de la historia de la civilización, entendida en el más amplio sentido de la palabra. Pero, no obstante, los estudios dejan de ser literarios. No es convincente la objeción de que todo esto se reduce a un equívoco terminológico. El estudio de todo lo relacionado con la historia de la civilización desborda realmente los estudios estrictamente literarios. Porque entonces todas las distinciones desaparecen; penetran en la literatura criterios extraños, y, por consiguiente, ésta sólo se considera valiosa en cuanto aporta resultados para tal o cual disciplina colindante. Identificar la literatura con la historia de la civilización equivale a negar el campo y métodos propios de los estudios literarios.

Otra manera de definir la literatura es circunscribirla a "las grandes obras", obras que, sea cual fuere su asunto, son "notables por su forma o expresión literaria". En este caso, el criterio es el valor estético, solo o unido a altura intelectual general. Dentro de la poesía lírica, del drama y de la novela, las grandes obras se eligen con criterio estético; otros libros se estiman particularmente por su fama o por su altura intelectual, aunada a un valor estético de clase más limitada: estilo, composición y fuerza general de representación son las características que generalmente suelen tenerse en cuenta. Ello constituye un modo corriente de distinguir o de hablar de literatura. Al decir que "eso no es literatura", expresamos tal juicio de valor; y formulamos la misma clase de juicio cuando de un libro de historia, de filosofía o de ciencia decimos que entra en la esfera de la "literatura".

La mayor parte de las historias literarias estudian efectivamente a filósofos, historiadores, teólogos, moralistas, políticos y aun a algunos hombres de ciencia. Sería difícil, por ejemplo, concebir una historia literaria de la Inglaterra del siglo XVIII en que no se estudiara extensamente a Berkeley y a Hume, al obispo Butler y a Gibbon, a Burke e incluso a Adam Smith. El estudio de estos autores, aunque por lo común sea mucho más breve que el consagrado a poetas, dramaturgos y novelistas, rara vez se limita a los méritos estrictamente estéticos. En la práctica se suelen hacer estudios sumarios e inexpertos de tales autores en función de su especialidad. En rigor, a Hume no se le puede juzgar más que como filósofo; a Gibbon, como historiador; al obispo Butler, como apologista y moralista cristiano, y a Adam Smith, como moralista y economista. Pero en la mayoría de las historias de la literatura se trata de estos pensadores de un modo fragmentario, sin el adecuado contexto —la historia de su disciplina—, o sea, sin llegar a una verdadera comprensión de la historia de la filosofía, de la ética, de la historiografía, de la teoría económica. El historiador de la literatura no se convierte automáticamente en historiador propiamente dicho de estas disciplinas, sino que pasa a ser simplemente un compilador, un cohibido intruso.

El estudio de "grandes obras" aisladas es sumamente recomendable para fines pedagógicos. Todos hemos de aprobar la idea de que los estudiosos —y aun los principiantes— deben leer grandes obras o al menos buenas obras, más que recopilaciones o curiosidades históricas [2]. Cabe, sin embargo, la duda de que tal principio merezca conservarse en su pureza para las ciencias, para la historia o para cualquier otra disciplina de tipo acumulativo. En la historia de la literatura imaginativa, el limitarse a las grandes obras hace incomprensible la continuidad de la tradición literaria, la evolución de los géneros literarios y aun la misma naturaleza del proceso literario, además de velar el trasfondo de condiciones sociales, lingüísticas, ideológicas y otras circunstancias determinantes. En historia, en filosofía y materias afines introduce en rigor un punto de vista demasiado "estético". Es evidente que ninguna otra razón que no sea la de una atención especial al "estilo" expositivo y a la organización del material justifica el escoger a Thomas Huxley como el único hombre de ciencia digno de leerse entre todos los científicos ingleses. Debe notarse, además, que, salvo contadísimas excepciones, este criterio habrá de preferir los vulgarizadores a los grandes creadores. Entre Huxley y Newton, se quedará, y tendrá que quedarse, con Huxley, y tomará a Bergson para dejar a Kant.

Cuando más adecuado parece el término "literatura" es cuando se circunscribe al arte de la literatura, es decir, a la literatura imaginativa, a la literatura de fantasía. Al emplear así este término se plantean ciertas dificultades; pero las posibles alternativas que tiene en inglés, como "novela", "poesía", *fiction,* están ya hipotecadas por significados más estrictos, o bien, como "letras", "bellas letras", "buenas letras" o "literatura imaginativa", son torpes e inducen a error. Una de las objeciones que se hacen al término "literatura" es que sugiera (por su etimología de *littera*) su limitación a la literatura escrita o impresa; porque es palmario que toda concepción lógica y cabalmente trabada ha de comprender la "literatura oral". A este respecto, el término alemán *Wortkunst* y el ruso *slovesnóst* llevan ventaja a sus equivalentes ingleses.

El modo más sencillo de resolver la cuestión es deslindar el uso especial que se hace del lenguaje en literatura. El lenguaje es el material de la literatura, como lo son la piedra o el bronce de la escultura, el óleo de la pintura o los sonidos de la música; pero debe advertirse que el lenguaje no es simple materia inerte, como la piedra, sino creación humana, y como tal está cargado de la herencia cultural de un grupo lingüístico.

Las distinciones principales han de establecerse entre el uso literario, el uso corriente y el uso científico del lenguaje. Un reciente estudio de Thomas Clark Pollock sobre esta cuestión, titulado *The Nature of Literature*[3], aunque cierto dentro de sus límites, no satisface por completo, sobre todo al establecer la distinción entre lenguaje literario y lenguaje cotidiano. El problema es crucial y nada sencillo en la práctica, ya que la literatura, a diferencia de las demás artes, no tiene medio expresivo propio, y existen indudablemente no pocas formas mixtas y sutiles transiciones. Es bastante fácil distinguir entre el lenguaje de la ciencia y el de la literatura. Sin embargo, no basta la simple contraposición entre "pensamiento" y "emoción" o "sentimiento". La literatura contiene efectivamente pensamiento, y el lenguaje emocional, por su parte, no se agota en modo alguno en la literatura: piénsese, por ejemplo, en un diálogo entre enamorados o en una discusión corriente. Con todo, el lenguaje científico ideal es puramente "denotativo": tiende a una correspondencia recíproca entre signo y cosa designada. El signo es completamente arbitrario, por lo cual puede ser sustituido por signos equivalentes. El signo es también transparente; es decir, sin llamar la atención sobre sí mismo, nos remite de un modo inequívoco a lo que designa.

Así, el lenguaje científico tiende a un sistema de signos como el de las matemáticas o la lógica simbólica; su ideal es un lenguaje universal como la *characteristica universalis* que Leibniz había comenzado a proyectar a fines del siglo XVIII. Comparado con el lenguaje científico, el literario suele resultar deficiente en ciertos aspectos. Abunda en ambigüedades; como cualquier otro lenguaje histórico, está lleno de homonimias, de categorías arbitrarias o irracionales, como el género gramatical; está transido de accidentes históricos, de recuerdos y de asociaciones; en una palabra, es sumamente "connotativo". Además, el lenguaje literario dista mucho de ser meramente designativo. Tiene su lado expresivo; conlleva el tono y la actitud del que habla o del que escribe; y no declara o expresa simplemente lo que dice, sino que quiere influir en la actitud del lector, persuadirle y, en última instancia, hacerle cambiar. Hay, además, otra importante distinción que hacer entre lenguaje literario y lenguaje científico: en el primero se hace hincapié en el signo mismo, en el simbolismo fónico de la palabra. Para llamar la atención sobre él se han inventado técnicas de todas clases, como el metro, la aliteración y las escalas fónicas.

Estas distinciones del lenguaje literario respecto del lenguaje científico pueden hacerlas en distinta medida diversas obras de arte literario; por ejemplo, la textura sonora será menos importante en una novela que en ciertos poemas líricos imposibles de traducir cabalmente. El elemento expresivo será mucho menor en una "novela objetiva", que acaso disimule y casi esconda la actitud del escritor, que en una composición lírica "personal". El elemento pragmático, de poco momento en poesía "pura", puede ser considerable en una novela de tesis o en un poema satírico o didáctico. Además, el grado de intelectualización del lenguaje puede variar considerablemente: hay poemas filosóficos y didácticos que se acercan, al menos a veces, al uso científico del lenguaje. Con todo, cualesquiera que sean las formas mixtas que se pongan de manifiesto en el examen de obras de arte literarias concretas, las distinciones entre el uso literario y el uso científico parecen claras: el lenguaje literario está mucho más profundamente inserto en la estructura histórica del lenguaje; subraya la conciencia, el darse cuenta del signo mismo; tiene su lado expresivo y pragmático, lado que el lenguaje científico tratará siempre de reducir todo lo posible.

Más difícil de establecer es la distinción entre lenguaje corriente o cotidiano y lenguaje literario. El lenguaje corriente no es un concepto uniforme: comprende variantes tales como la conversación, el estilo comercial, la fraseología oficial, el lenguaje de la religión y la jerga de estudiantes. Pero es evidente que mucho de lo dicho sobre el lenguaje literario se aplica también a los demás usos del lenguaje, salvo el científico. El lenguaje cotidiano tiene también su función expresiva, aunque ésta varía desde una desvaída comunicación oficial a la súplica apasionada provocada por un momento de crisis emotiva. El lenguaje cotidiano rebosa de las irracionalidades y cambios contextuales del lenguaje histórico, aunque hay momentos en que tiende a alcanzar casi la precisión de la definición científica. Sólo en ocasiones hay conciencia de los signos mismos en el habla cotidiana. Sin embargo, esta conciencia aparece efectivamente en el simbolismo fónico de nombres y acciones. Sin duda, el lenguaje cotidiano quiere las más veces conseguir resultados, influir en actos y actitudes. Pero sería erróneo circunscribirlo simplemente a la comunicación. El parloteo de un niño durante horas enteras sin que nadie le escuche y la cháchara mundana de los adultos, casi desprovista de sentido, ponen de manifiesto que hay muchos usos del lenguaje que, estrictamente, o al menos primariamente, no son comunicativos.

Es, pues, cuantitativamente, sobre todo, como hay que distinguir el lenguaje literario de los diversos usos del lenguaje cotidiano. Los recursos del lenguaje se explotan en él mucho más deliberada y sistemáticamente. En la obra de un poeta subjetivo se nos manifiesta una "personalidad" mucho más coherente y totalizadora que la de las personas tal como las vemos en situaciones corrientes. Ciertos tipos de poesía suelen emplear con toda deliberación la paradoja, la ambigüedad, el cambio contextual de significado e incluso la asociación irracional de categorías gramaticales, como el género o el tiempo. El lenguaje poético organiza, tensa los recursos del lenguaje cotidiano y a veces llega a hacerles violencia esforzándose en despertar nuestra conciencia y provocar nuestra atención. Muchos de estos recursos los encuentra el escritor formados y preformados por la obra callada y anónima de muchas generaciones. En ciertas literaturas sumamente desarrolladas, y particularmente en ciertas épocas, el poeta no hace otra cosa que servirse de una convención establecida: el lenguaje, por así decir, poetiza por él. Sin embargo, toda obra de arte impone a sus materiales un

orden, una organización, una unidad, que a veces parece muy imprecisa, como en muchas narraciones o historias de aventura, pero que
se acrecienta hasta llegar a la estructura compleja y bien trabada de
ciertos poemas en que acaso sea casi imposible cambiar una sola
palabra o el lugar de una palabra sin menoscabar su efecto total.
La distinción pragmática entre lenguaje literario y lenguaje cotidiano es mucho más clara. Nos negamos a considerar poesía o til-
damos de simple retórica todo aquello que trata de empujarnos a una
determinada acción externa. La poesía genuina nos afecta más sutilmente. El arte impone una especie de estructura que saca el contenido de la obra del mundo de la realidad. En nuestro análisis semántico podemos, pues, volver a introducir algunos de los conceptos
corrientes en estética: "contemplación desinteresada", "distancia estética", "invención". Sin embargo, es menester advertir también que
la distinción entre arte y no arte, entre literatura y expresión lingüística no literaria es fluctuante. La función estética puede extenderse
a formas idiomáticas de la más diversa índole. Sería tener un angosto
concepto de la literatura excluir de ella a todo el arte propagandístico
o a la poesía didáctica y satírica. Hemos de admitir formas de transición como el ensayo, la biografía y un gran cúmulo de literatura
retórica. En distintos períodos de la historia, la esfera de la función
estética parece dilatarse o contraerse; en tiempos pasados, la carta
personal fue una forma de arte, como lo fue el sermón, mientras que
hoy, en consonancia con la tendencia contemporánea contra la confusión de géneros, aparece un estrechamiento de la función estética,
un marcado hincapié en la pureza del arte, una reacción contra el
panesteticismo y sus pretensiones proclamadas por la estética de fines
del siglo XIX. Lo mejor, sin embargo, parece ser no considerar literatura más que las obras en que predomine la función estética, aunque
cabe admitir la existencia de elementos estéticos tales como estilo
y composición en obras que persiguen una finalidad completamente
distinta no estética, como tratados científicos, disertaciones filosóficas,
libelos políticos, sermones.

Pero donde más diáfana se manifiesta la naturaleza de la literatura es en la esfera de la representación. El núcleo central del arte
literario ha de buscarse, evidentemente, en los géneros tradicionales
de la lírica, la épica y el drama, en todos los cuales se remite a un

mundo de fantasía, de ficción. Las manifestaciones hechas en una novela, en una poesía o en un drama no son literalmente ciertas; no son proposiciones lógicas. Existe una diferencia medular y que reviste importancia entre una manifestación hecha incluso en una novela histórica o en una novela de Balzac, que parece dar "información" sobre sucesos reales, y la misma información si aparece en un libro de historia o de sociología. Hasta en la lírica subjetiva, el "yo" del poeta es un "yo" ficticio, dramático. Un personaje de novela es distinto de una figura histórica o de una persona de la vida real. Sólo está hecho de las frases que lo retratan o que el autor pone en su boca. No tiene pasado ni futuro, y a veces carece de continuidad de vida. Esta reflexión elemental basta por sí sola para demoler las numerosas críticas dedicadas a cuestiones como Hamlet en Wittenberg, la influencia del padre de Hamlet sobre su hijo, el joven y esbelto Falstaff, "la adolescencia de las heroínas de Shakespeare", el problema de "cuántos hijos tuvo Lady Macbeth" [4]. El tiempo y el espacio de una novela no son los de la vida real. Hasta una novela sumamente realista (el mismo "trozo de vida" del escritor naturalista) está construida con arreglo a ciertas convenciones artísticas. Sobre todo desde una perspectiva histórica posterior vemos cuánto se asemejan las novelas naturalistas en la elección de asunto, en el tipo de caracterización, en los sucesos que escogen o admiten, en el modo de llevar el diálogo. De igual manera, advertimos el convencionalismo extremo de un drama, así sea el más naturalista, no sólo en el hecho de suponer un marco escénico, sino en el modo en que se tratan el tiempo y el espacio, en que se elige y se lleva el diálogo que se pretende realista y en la manera en que los personajes entran y salen de la escena [5]. Cualesquiera que sean las diferencias entre *La tempestad* y *Casa de muñecas*, una y otra obra participan de este convencionalismo dramático.

Si admitimos la calidad de "ficticio", la "invención" o la "imaginación" como característica distintiva de la literatura, entenderemos ésta en función de Homero, de Dante, de Shakespeare, de Balzac, de Keats, más que de Cicerón o de Montaigne, de Bossuet o de Emerson. No se niega que se darán casos "fronterizos", obras como *La República* de Platón, a las que sería difícil negar, al menos en los grandes mitos, pasajes de "invención" y de "ficción", aunque al propio tiempo sean fundamentalmente obras de filosofía. Este concepto de la literatura es descriptivo, no valorativo. No se infiere daño alguno a una obra grande y de influencia honda adscribiéndola a la retórica, a la filosofía, al libelismo político, todos los cuales pueden plantear problemas de análisis estético, de estilística y de composición semejantes o idénticos a los que presenta la literatura, pero en los cuales faltará la cualidad medular de ficción. Esta concepción comprenderá, pues, todas las clases de ficción, incluso la peor novela, la poesía menos estimable, el drama más burdo que quepa imaginar. La clasificación como obra de arte debe distinguirse de la valoración de ésta.

Es menester acabar con un equívoco bastante corriente. La literatura "imaginativa" no ha de emplear forzosamente imágenes. El lenguaje poético está empapado de imágenes, desde las figuras más sencillas hasta culminar en los sistemas mitológicos totales que todo lo abarcan de un Blake o de un Yeats; pero las imágenes no son esenciales a la representación fantástica ni, por tanto, a gran parte de la literatura. Hay buenas poesías que están totalmente desprovistas de imágenes; existe incluso una "poesía expositiva". Además, las imágenes poéticas no deben confundirse con las reales sensoriales y visuales. Bajo la influencia de Hegel, los estéticos del siglo XIX, como Vischer y Eduard von Hartmann, afirmaron que todo el arte es "la eclosión sensible de la idea", mientras otra escuela (Fiedler, Hildebrand, Riehl) se refería a todo él definiéndole "pura visibilidad" [6]. Pero muchas de las grandes obras literarias no evocan imágenes sensibles o, si las evocan, sólo las evocan incidentalmente, de un modo ocasional e intermitente [7]. Incluso al describir un personaje ficticio puede que el escritor no sugiera imágenes visuales en absoluto. Difícilmente podemos formarnos imagen visual de los personajes de Dostoyevski o de Henry James, aunque acabemos por conocer de un modo muy completo sus estados de ánimo, sus motivaciones, valoraciones, actitudes y deseos.

A lo sumo, el escritor sugiere un perfil esquematizado o un solo rasgo físico, como es frecuente en Tolstoi o en Thomas Mann. El hecho de que pongamos reparos a muchas ilustraciones, aunque estén ejecutadas por artistas excelentes y en algunos casos por el propio autor (como en las obras de Thackeray), demuestra que el escritor sólo nos presenta un esbozo esquemático que no quiere ser completado en detalle.

Si en poesía tuviéramos que figurarnos mentalmente todas las metáforas, quedaríamos completamente perplejos y confusos. Aunque hay lectores dados a figuraciones y hay pasajes en literatura en que parece que el texto las pide, la cuestión psicológica no debe confundirse con el análisis de los artificios simbólicos del poeta. Estos son, en su mayor parte, organización de procesos mentales que también se operan al margen de la literatura. Así, la metáfora está latente en gran parte de nuestro lenguaje cotidiano y es manifiesta en la jerga y en los adagios populares. Los términos más abstractos, por transposición metafórica, se derivan de relaciones que son en última instancia físicas (*comprender, definir, eliminar, sustancia, sujeto, hipótesis*). La poesía hace revivir este carácter metafórico del lenguaje y nos hace conscientes de él, de la misma manera que utiliza los símbolos y mitos de nuestra civilización, clásica, germana, céltica y cristiana.

Todas estas distinciones entre literatura y no literatura de que hemos tratado —organización, expresión personal, realización y utilización del vehículo expresivo, falta de propósito práctico y, desde luego, carácter ficticio, de fantasía— son repeticiones, dentro del marco del análisis semántico, de términos estéticos centenarios como "unidad en la variedad", "contemplación desinteresada", "distancia estética", "construcción" e "invención", "imaginación", "creación". Cada uno de estos términos describe un aspecto de la obra literaria, un rasgo característico de sus direcciones semánticas. En sí, ninguno satisface. Por lo menos debiera derivarse un resultado: el de que una obra de arte literaria no es un objeto simple, sino más bien una organización sumamente compleja, compuesta de estratos y dotada de múltiples sentidos y relaciones. La terminología al uso que habla de "organismo" induce un tanto a error, ya que sólo subraya un aspecto, el de la "unidad en la variedad", y conduce a paralelos biológicos no siempre oportunos. Además, la "identidad de contenido y forma" en literatura, aunque el término llame la atención a las íntimas relaciones recíprocas dentro de la obra de arte, induce a error por ser excesivamente fácil. Fomenta la ilusión de que el análisis de cualquier elemento de una obra de arte, sea de fondo o de técnica, ha de revestir igual utilidad, y así nos releva de la necesidad de ver la obra en su totalidad. "Fondo" y "forma" son términos empleados en sentidos demasiado distintos para que, meramente yuxtapuestos, sirvan; de hecho, aun después de una definición cuidadosa, no hacen tampoco otra cosa que dicotomizar sin más la obra de arte. El análisis moderno de la obra de arte ha de empezar por cuestiones más complejas: su modo de ser, su sistema de estratos [8].

CAPÍTULO III

FUNCIÓN DE LA LITERATURA

En todo estudio lógicamente concatenado, la naturaleza y la función de la literatura han de ser correlativas. La utilidad de la poesía se sigue de su naturaleza: todo objeto o clase de objetos se utiliza del modo más eficaz y racional para aquello que es, o que es fundamentalmente. Sólo reviste utilidad secundaria cuando su función primaria ha caducado: la antigua rueca pasa a ser motivo decorativo o ejemplar de museo; el piano de cola que ya no suena se convierte en útil mesa. Análogamente, la naturaleza de un objeto emana de su utilidad: es aquello para lo que sirve. Los artefactos tienen la estructura adecuada al cumplimiento de su función, junto con todos aquellos elementos accesorios que el tiempo y los materiales permitan agregarles y que el gusto considere oportunos. En toda obra literaria puede haber mucho de superfluo para su función literaria, aunque sea interesante o pueda defenderse por otros conceptos.

Ahora bien: ¿han cambiado en el curso de la historia las concepciones sobre la naturaleza y la función de la literatura? Contestar a esta pregunta no es fácil. Si nos remontamos lo suficiente, podremos decir que sí. Se puede retroceder a una época en que la literatura, la filosofía y la religión coexisten sin diferenciación neta; entre los griegos acaso se pudiera poner por ejemplo a Esquilo y a Hesíodo. Pero ya Platón puede hablar de la disputa entre poetas y filósofos como de cosa antigua y con ello decirnos algo inteligible para nosotros. En cambio, no debemos exagerar la diferencia introducida a fines del siglo XIX por doctrinas de "el arte por el arte" o por otras más recientes de "poesía pura". La "herejía didáctica", como Poe llamaba a la fe en la poesía como instrumento de edificación, no debe equipararse a la tradicional doctrina renacentista según la cual la poesía deleita enseñando o enseña deleitando.

En conjunto, la lectura de una historia de la estética o de la poética deja la impresión de que la esencia y la función de la literatura, en cuanto cabe exponerlas en amplios términos conceptuales generales, para compararlas y contrastarlas con otros quehaceres y otros valores humanos, no han cambiado fundamentalmente.

La historia de la estética casi podría resumirse como una dialéctica en que la tesis y la antítesis son el *dulce* y el *utile* de Horacio: la poesía es dulce y útil. Tomados separadamente, uno y otro adjetivo representan una herejía extrema respecto a la función de la poesía: probablemente es más fácil poner en correlación el *dulce et utile* atendiendo a la función que a la naturaleza de la poesía. El concepto de que la poesía es deleite (análogo a cualquier otro deleite) se contrapone al concepto de que la poesía es instrucción (análoga a cualquier libro de texto)[1]. Al concepto de que toda poesía es o debe ser propaganda replica el de que es o debe ser sonido e imagen puros, arabescos sin referencia al mundo de las emociones humanas. Las tesis contrapuestas acaso revistan su versión más sutil en las concepciones para las que el arte es "juego" y es "trabajo" (el "artificio" de la ficción, la "obra" de arte). Tomadas aisladamente no puede considerarse aceptable ninguna de las dos concepciones. Al decírsenos que la poesía es "juego", diversión espontánea, nos parece que no se ha hecho justicia ni a la solicitud, habilidad y plan del artista, ni a la seriedad e importancia del poema; pero si se nos dice que la poesía es "trabajo" o "artificio", advertimos la violencia que se ha hecho a su goce y a lo que Kant llamaba su "afinalidad". Hemos de definir de tal manera la función del arte que hagamos justicia al propio tiempo a lo *dulce* y a lo *utile*.

La misma fórmula horaciana ofrece un punto de partida aprovechable si, recordando que la precisión en el uso de la terminología crítica es cosa muy reciente, damos a los términos horacianos una extensión lo suficientemente amplia para que abarquen la práctica creadora latina y la renacentista. No hay por qué pensar que la utilidad del arte estribe en dar fuerza a una moraleja como la que Le

Bossu afirmaba que fue la razón que movió a Homero a componer la *Ilíada* o aun la que Hegel encontraba en su tragedia predilecta, *Antígona.* "Útil" equivale a "lo que no sea malgastar el tiempo", lo que, lejos de constituir una forma de "pasar el tiempo", merece atención intensa y seria. "Dulce" equivale a "no tedioso", a "lo que no sea forzoso deber", a "algo que se recompensa por sí mismo".

¿Cabe utilizar este doble criterio como base para definir la literatura, o es más bien un criterio de alta literatura? En los estudios de antaño rara vez aparecen las distinciones entre alta literatura, buena literatura y literatura "infraliteraria". Pueden abrigarse verdaderas dudas sobre si la literatura infraliteraria (la revistilla del montón) es "útil" o "instructiva". Por lo común se la considera simple "entretenimiento" o "evasión". Pero hay que responder a la cuestión en función de sus lectores, no en función de los lectores de "buena literatura". Por lo menos Mortimer Adler encuentra un rudimentario deseo de conocimiento en el interés del lector de novelas menos intelectual. Y por lo que se refiere a la "evasión", Kenneth Burke nos ha recordado la facilidad con que puede convertirse en acusación. El sueño de la evasión puede "ayudar a un lector a explicarse su desagrado por el ambiente en que está situado. El artista puede... volverse "subversivo" con sólo cantar, con toda inocencia, holgando a orillas del Mississipi" [2]. Respondiendo a nuestra interrogante, es probable que, para los lectores adecuados, todo el arte sea "dulce" y, *a la vez,* "útil"; que lo que articula sea superior a la propia ensoñación o reflexión autoprovocada de éstos; que les procure placer por la habilidad con que articula lo que les parece algo parecido a su propia ensoñación o reflexión, y por la liberación que experimentan mediante tal articulación.

Cuando una obra literaria funciona bien, las dos notas de placer y de utilidad no sólo deben coexistir, sino además fundirse. Hemos de afirmar que el placer de la literatura no es un placer que se elige de entre una larga lista de posibles placeres, sino que es un "placer superior", por ser placer de una clase superior de actividad, esto es, contemplación no adquisitiva. Y la utilidad —la seriedad, el carácter instructivo— de la literatura es una seriedad placentera; es decir, no es la seriedad de un deber que hay que cumplir o de una lección que hay que aprender, sino una seriedad estética, una seriedad de percepción. El relativista que gusta de la difícil poesía moderna puede siempre repudiar el juicio estético, haciendo de su' gusto una preferencia personal, a la altura de los crucigramas o del ajedrez. El educador puede situar erradamente la seriedad de un gran poema o nove-la, como cuando la encuentra en la información histórica que allega o en lo provechoso de su moraleja.

Otro punto importante: ¿tiene la literatura función o funciones? En su *Primer for Critics,* Boas expone alegremente un pluralismo de intereses y tipos de crítica correspondientes; y al final de su *Use of Poetry and the Use of Criticism,* Eliot insiste resignadamente, o al menos cansadamente, en la "variedad de la poesía" y en la diversidad de cosas que las diferentes clases de poesía pueden hacer en ocasiones distintas. Pero esto son excepciones. Tomar en serio el arte o la literatura o la poesía es, al menos por lo común, atribuirles alguna utilidad adecuada a ellos mismos. Pensando en el punto de vista de Arnold, según el cual la poesía puede sustituir a la religión y a la filosofía, dice Eliot: "...nada de este mundo ni del futuro es sustitutivo de nada..." [3]. Es decir, ninguna categoría real de valor tiene un equivalente real. No hay sustitutos reales. En la práctica, la literatura puede sustituir evidentemente a muchas cosas: a viajes, o a una estancia en países extranjeros, a la experiencia directa, o sea como una vida vicariada; y puede ser utilizada por el historiador como documento social. Pero ¿tiene la literatura una función, una utilidad que ninguna otra cosa cumpla también? ¿O es una amalgama de filosofía, historia, música e imaginación que se distribuirían en una economía verdaderamente moderna? Esta es la cuestión fundamental.

Los defensores de la literatura creen que no es una supervivencia arcaica, sino algo permanente, y así lo creen también muchos que ni son poetas ni preceptores de poética y que por ello carecen del interés profesional por la supervivencia. La experiencia del valor único de la literatura es fundamental para toda teoría relativa a la naturaleza del valor. Nuestras mudables teorías se esfuerzan en hacer justicia cada vez más a la experiencia.

Una dirección contemporánea afirma la utilidad y seriedad de la poesía considerando que la poesía allega conocimiento, una especie de conocimiento. La poesía es una forma de conocimiento: Aristóteles pareció decir algo por este tenor en su famosa máxima de que la poesía es más filosófica que la historia, ya que la historia "refiere cosas que han ocurrido, y la poesía las refiere tal como pudieran ocurrir", o sea lo general y lo probable. Ahora bien: cuando la historia, como la literatura, se presenta como disciplina vaga y mal definida, y cuando es más bien la ciencia su imponente rival, se afirma que la literatura aporta un conocimiento de aquellas particularidades de que no se ocupan ni la ciencia ni la filosofía. Aunque a un teorizador neoclásico como Samuel Johnson aún le era dado entender la literatura en función de "grande generalidad", los teóricos modernos, pertenecientes a muchas escuelas (v. gr.: Gilby, Ransom, Stace), subrayan todos el carácter particular de la poesía. Stace dice que el drama *Otelo* no trata de celos, sino de los celos de Otelo, de la determinada clase de celos que puede sentir un moro casado con una veneciana[4].

Tipicidad de la literatura o particularidad: la teoría y la apologética literaria pueden insistir en una o en otra, pues podría decirse que la literatura es más general que la historia y que la biografía, pero más particularista que la psicología o la sociología. Pero las mudanzas no sólo se producen en la teoría literaria. En la práctica literaria, el grado específico de generalidad o de particularidad varía de obra en obra y de época en época. "Pilgrim" y "Everyman" * pretenden representar a la humanidad. Pero Morose, el "humorista" de la *Epicoene* de Jonson **, es una persona muy particular y de idiosincrasia especialísima. El principio de caracterización de personajes en literatura se ha definido siempre diciendo que combina el "tipo" con el "individuo", mostrando el tipo en el individuo o el individuo en el tipo. Los ensayos de interpretar este principio o los dogmas específicos que de ellos se han derivado no han servido de gran cosa. Las tipologías literarias se remontan a la doctrina horaciana del decoro y al repertorio de tipos de la comedia latina (verbigracia: el soldado fanfarrón, el avaro, el hijo pródigo y romántico, el criado confidente). Reconocemos lo tipológico en los libros de caracteres del siglo XVII y en las comedias de Molière. Pero ¿cómo

* [Personajes alegóricos, protagonista el primero de la obra de John Bunyan *Pilgrim's Progress,* y representante el segundo de la moralidad inglesa a fines del siglo XV.]
** [Ben Jonson.]

aplicar el concepto con mayor generalidad? ¿Es el ama de *Romeo y
Julieta* un tipo? Y si lo es, ¿de qué? ¿Constituye Hamlet un tipo?
Al parecer, para un público isabelino era un hipocondríaco, algo
como si hubiera sido descrito por el doctor Timothy Bright ***;
pero también es otras muchas cosas, y a su hipocondría se le da una
génesis y un contexto particulares. En cierto sentido, el personaje
que es individuo y a la vez tipo queda constituido como tal al mos-
trarse que constituye varios tipos: Hamlet también es amante o lo
ha sido, hombre docto, buen conocedor del teatro, espadachín. Todo
hombre, incluso el más sencillo, es una convergencia o conjunto de
tipos. Los llamados tipos característicos se ven "planos", como todos
nosotros vemos a las personas con las que tenemos relaciones de una
sola clase; en los personajes "en relieve" se combinan opiniones y
relaciones, se muestran en diferentes momentos: la vida pública, la
vida privada, las tierras extranjeras [5].

Uno de los valores cognoscitivos del teatro y la novela parece ser
psicológico. Es afirmación muy corriente la de que "los novelistas
saben más de la naturaleza humana que los psicólogos". Horney recomienda como fuentes inagotables a Dostoyevski, a Shakespeare, a
Ibsen y a Balzac. E. M. Forster, en *Aspects of the Novel,* habla del
número reducidísimo de personas cuya vida íntima y motivaciones
conocemos, considerando como el gran servicio que presta la novela
el que efectivamente revele la vida interior de los personajes [6]. Es de
suponer que la vida interior que atribuye a sus personajes está sacada
de su propia vigilante introspección. Cabría afirmar, pues, que las
grandes novelas constituyen fuentes para los psicólogos, o que son
historiales, es decir, ejemplos ilustrativos, característicos; pero en
este punto parece que volvemos al hecho de que los psicólogos sólo
se sirven de la novela por su valor típico generalizado: el carácter de
Papá Goriot lo deducirán del ambiente todo (la Maison Vauquer) y
del contexto de los personajes.

Max Eastman, que es poeta de segunda magnitud, niega que el
"espíritu literario" pueda tener la pretensión de descubrir la verdad
en una era científica. El "espíritu literario" es simplemente el espí-

---

*** [Autor de un *Tratado de Melancolía* (1586), frecuentemente citado
por los críticos de *Hamlet.*]

ritu no especializado, diletante, propio de épocas precientíficas, que trata de subsistir y se aprovecha de su palabra fácil para crear la impresión de que está expresando las "verdades" verdaderamente importantes. La verdad en literatura es lo mismo que la verdad fuera de la literatura, es decir, conocimiento sistemático y susceptible de verificación objetiva. El novelista no tiene un atajo mágico por donde llegar a ese estado del conocimiento de las ciencias sociales que constituye la "verdad" con la cual hay que contrastar su "mundo", su realidad inventada, ficticia. Pero, en tal caso —cree Eastman—, el escritor imaginativo —y sobre todo el poeta— se malentiende a sí mismo si cree que su papel primordial es el de descubrir y comunicar conocimiento. Su verdadera función es hacernos percibir lo que vemos, hacernos imaginar lo que ya sabemos conceptual o prácticamente[7].

Es difícil trazar una divisoria entre modos de entender la poesía como realización de lo dado y modos de entenderla como "intuición artística". ¿Nos recuerda el artista lo que habíamos dejado de percibir, o nos hace ver lo que no habíamos visto, aunque siempre estaba ahí? Nos vienen a la memoria los dibujos en blanco y negro en que se esconden figuras o caras que se componen de puntos y líneas rotas: ahí estaban siempre, pero no las habíamos visto como conjunto, como dibujo. En sus *Intenciones*, Wilde cita el descubrimiento, hecho por Whistler, del valor estético de la niebla, el descubrimiento de los prerrafaelistas de la belleza en tipos de mujer que hasta entonces no se habían considerado bellos ni se habían considerado tipos. ¿Constituyen ejemplos de "conocimiento" o ejemplos de "verdad"? Vacilamos. Son —decimos— descubrimiento de nuevos "valores perceptivos", de nuevas "cualidades estéticas".

En general se comprende por qué los esteticistas titubean en rechazar "la verdad" como propiedad y criterio de arte[8]: por una parte, es un término honorífico, y registramos nuestro respeto serio por el arte, nuestra aprehensión del arte como uno de los valores supremos; por otra, tememos, ilógicamente, que si el arte no es "verdad", sea "mentira", como arrebatadamente lo llamó Platón. La literatura de fantasía es "ficción", una artística, verbal "imitación de la vida". Lo contrario de "ficción" no es "la verdad", sino "hechos" o "la existencia en el tiempo y en el espacio". Los "hechos" son más extraños a la literatura que la probabilidad con que ésta ha de habérselas [9].

Entre las artes, la literatura en particular parece también tener pretensión de "verdad", por la concepción del mundo *(Weltanschauung)* que toda obra dotada de cohesión artística posee. El filósofo o el crítico ha de considerar más verdaderas algunas de estas concepciones que otras (como Eliot considera más verdadera la de Dante que la de Shelley o aun que la de Shakespeare); pero toda madura filosofía de la vida ha de tener alguna medida de verdad —en todo caso, tiene la pretensión de tenerla—. La verdad *de* la literatura, tal como ahora estamos considerándola, parece ser la verdad que se contiene *en* la literatura, es decir, la filosofía, que, en forma conceptual y sistemática, existe fuera de la literatura, pero que puede aplicarse a la literatura, o que ésta puede ilustrar o incorporar. En este sentido, la verdad contenida en Dante es la teología católica y la filosofía escolástica. El concepto que Eliot tiene de la poesía en su relación con la "verdad" parece ser esencialmente de esta índole. La verdad es dominio de los pensadores sistemáticos; y los artistas no lo son, aunque acaso traten de serlo si no hay filósofos cuya obra puedan asimilar convenientemente [10].

La controversia toda parece ser, en gran medida, semántica. ¿Qué queremos decir con "conocimiento", con "verdad", con "sabiduría"? Si toda la verdad es conceptual y propositiva, las artes —el arte de la literatura inclusive— no pueden ser formas de verdad. A su vez, si se aceptan definiciones reductivas positivistas, circunscribiendo la verdad a lo que puede ser verificado metódicamente por cualquiera, entonces el arte no puede ser una forma de verdad experimentalmente. La alternativa parece ser una verdad bimodal o plurimodal: hay diversos "modos de conocer", o bien hay dos tipos fundamentales de conocimiento, cada uno de los cuales utiliza un sistema lingüístico de signos: las ciencias, que utilizan el modo "discursivo", y las artes, que utilizan el "representativo" [11]. ¿Son ambos verdad? El primero es aquel al que, por lo común, se han referido los filósofos; el segundo comprende tanto el "mito" religioso como la poesía. A este último podríamos llamarlo "verdadero" más que "verdad". La cualidad adjetiva expresaría la diferencia en el fiel de la balanza: el arte es sustantivamente bello y adjetivamente verdadero (esto es, no entra en pugna con la verdad). En su *Ars Poetica*, MacLeish trata de conciliar las pretensiones de la belleza literaria y de la filosofía mediante la fórmula de que un poema es "igual a no verdadero"; la poesía es tan grave e importante como la filosofía (ciencia, conocimiento, sabiduría) y tiene equivalencia de verdad, es vero-símil.

Susanne Langer recurre principalmente a las artes plásticas y, todavía en mayor medida, a la música más que a la literatura en su justificación del simbolismo "representativo" como forma de conocimiento. Al parecer, entiende la literatura como una especie de mezcla de lo "discursivo" y lo "representativo". Pero el elemento mítico o las imágenes arquetípicas de la literatura corresponderían a su concepto de "representativo" [12].

De los puntos de vista según los cuales el arte es revelación o intuición de la verdad debemos distinguir el concepto según el cual el arte —particularmente la literatura— es propaganda, es decir, el punto de vista de que el escritor no es descubridor, sino vendedor persuasivo de la verdad. El término "propaganda" es impreciso y requiere minucioso examen. En el habla popular sólo se aplica a doctrinas consideradas perniciosas que propagan hombres de que desconfiamos. La palabra implica cálculo, intención, y suele aplicarse a doctrinas o programas determinados bastante restringidos [13]. Circunscribiendo así el sentido del término, cabría decir que algún arte (la clase ínfima de arte) es propaganda, pero que no es posible que lo sea ningún arte grande, o buen arte, o el Arte. Sin embargo, si distendemos el término de modo que signifique "esfuerzo, sea o no consciente, enderezado a influir en los lectores para que compartan la propia actitud hacia la vida", entonces hay plausibilidad en la afirmación de que todos los artistas son propagandistas o debieran serlo, o bien (invirtiendo por completo la posición esbozada en la frase anterior) que todos los artistas sinceros y responsables están moralmente obligados a ser propagandistas.

Según Montgomery Belgion, el artista literario es " 'propagandista irresponsable'. Es decir, todo escritor adopta una concepción o teoría de la vida... El efecto de la obra se endereza siempre a *persuadir* al lector a que acepte esa concepción o teoría; pero semejante persuasión es siempre ilícita. Es decir, siempre se empuja al lector a creer algo, y su asentimiento es hipnótico... el arte de la representación seduce al lector". Eliot, que cita a Belgion, replica distinguiendo entre "poetas a quienes nos cuesta esfuerzo concebir como propagandistas" y propagandistas irresponsables, y un tercer grupo que, como Lucrecio y Dante, son propagandistas "sumamente conscientes y responsables"; y Eliot hace depender el juicio de la responsabilidad tanto de la intención del autor como del efecto histórico[14]. Las palabras "propagandista responsable" parecerán a la mayoría de la gente una contradicción de términos; pero, interpretadas como tensión de fuerzas de sentido contrario, constituyen un acierto. El arte serio implica una concepción de la vida que puede formularse en términos filosóficos, e incluso ·sistemáticos[15]. Entre la cohesión artística (lo que a veces se llama "lógica artística") y la coherencia filosófica hay alguna clase de correlación. El artista responsable no quiere confundir la emoción y el pensar, la sensibilidad y la intelección, la sinceridad de sentimiento con la adecuación de experiencia y reflexión. La concepción de la vida que el artista responsable articula perceptivamente no es sencilla, como la mayoría de las concepciones que gozan de éxito popular como "propaganda"; y una visión adecuadamente compleja de la vida no puede mover por sugestión hipnótica a una acción prematura o ingenua.

Quedan por considerar las concepciones de la función de la literatura que se arraciman en torno a la voz "catarsis". La palabra —término griego utilizado por Aristóteles en la *Poética*— tiene una larga historia. Sigue discutiéndose la exégesis del empleo que del término hace Aristóteles; pero lo que Aristóteles pudo querer decir —problema exegético de no poco interés— no debe confundirse con los problemas a que ha venido a aplicarse el término. La función de la literatura, dicen algunos, es liberarnos —seamos escritores o lectores— de la opresión de las emociones. Expresar emociones es librarse de ellas, como se dice que Goethe se libró del "Weltschmerz" escribiendo *Las cuitas de Werther*. Y también se dice que el espectador de una tragedia o el lector de una novela experimentan alivio y liberación. Se ha dotado a sus emociones de un fodo, dejándole, al término de su experiencia estética, en "calma espiritual"[16].

Pero ¿nos libera la literatura de las emociones o, al contrario, nos incita a ellas? Platón creía que la tragedia y la comedia "alimentan y dan pábulo a nuestras emociones cuando debiéramos extinguirlas". Por otra parte, si la literatura nos libera de nuestras emociones, ¿no se descargan mal cuando se gastan en ficciones poéticas? San Agustín confiesa que de joven vivió en pecado mortal; sin embargo, decía, "yo no deploraba aquello; yo, que lloraba por la muerte de Dios...". ¿Será incitante una literatura y catártica otra, o habremos de distinguir entre grupos de lectores y la naturaleza de su reacción [17]? A su vez, ¿debiera ser catártico todo el arte? Estas cuestiones constituyen problemas de los que habremos de tratar en los capítulos dedicados a las relaciones de la literatura con la psicología y con la sociedad; pero era menester suscitarlos ahora, preliminarmente.

Nuestra hipotética respuesta es que para los lectores adecuados la literatura ni estimula ni debe estimular las emociones. Las emociones representadas en literatura no son las mismas que las emociones de "la vida real" ni para el escritor ni para el lector; son recordadas tranquilamente: están "expresadas" —es decir, "liberadas"— por análisis; son las *sensaciones* de las emociones, las percepciones de las emociones.

En suma: la cuestión relativa a la función de la literatura tiene una larga historia, que en el mundo occidental va desde Platón hasta nuestros días. No es una cuestión que el poeta o los que gustan de poesía planteen instintivamente; para uno y otros, "la belleza es su pretexto de ser", como una vez se vio arrastrado a decir Emerson. La cuestión la plantean más bien los utilitaristas y los moralistas, o los hombres de Estado y los filósofos, esto es, los representantes de otros valores particulares o los árbitros especulativos de todos los valores. ¿Cuál es —preguntan— la utilidad de la poesía, *cui bono?* Y plantean la pregunta en la plena dimensión social o humana. Así provocados, el poeta y el espontáneo lector de poesía se ven obligados, en su calidad de ciudadanos moral o intelectualmente responsables, a dar a la comunidad alguna respuesta razonada. Así lo hacen en un pasaje de una *Ars Poetica*; escriben una *Defensa* o *Apología* de la poesía, equivalente literario de lo que en teología se llama "apologética" [18]. Escribiendo con esta finalidad a la vista y con este público en perspectiva, subrayan más, claro está, la "utilidad" que el "deleite" de la literatura; y de aquí que semánticamente fuera hoy fácil equiparar la "función" de la literatura a sus relaciones extrínsecas. Pero, a partir del movimiento romántico, el poeta, al ser provocado por la comunidad, ha dado a menudo una respuesta distinta: la respuesta que A. C. Bradley llama "la poesía por la poesía" [19]; y los teóricos hacen bien en dejar que el término "función" sirva a todo el campo "apologético". Utilizando así la palabra, decimos, la poesía tiene muchas funciones posibles. La primera y principal es la fidelidad a su propia naturaleza.

CAPÍTULO IV

TEORÍA, CRÍTICA E HISTORIA LITERARIAS

Vislumbrada una base racional para el estudio de la literatura, hemos de inferir la posibilidad del estudio sistemático e integrado de la literatura. Los términos más corrientes que se le aplican en inglés, que carece de término verdaderamente satisfactorio para designarlo, son "investigación erudita literaria" (*literary scholarship*) y "filología". El primer término sólo es susceptible de reparos porque parece excluir la "crítica" y subrayar la naturaleza académica de los estudios; es admisible, sin duda, si el término "investigador" o "estudioso" (*scholar*) se interpreta tan ampliamente como lo interpretaba Emerson. El segundo término, "filología", se presta a no pocas interpretaciones falsas. Históricamente se ha utilizado incluyendo en él no sólo todos los estudios literarios y lingüísticos, sino el estudio de todos los productos del espíritu humano. Aunque tuvo máxima popularidad en la Alemania del siglo XIX, todavía subsiste en títulos de revistas como *Modern Philology, Philological Quarterly* y *Studies in Philology*. Boekh, que escribió una fundamental *Encyklopädie und Methodologie der philologischen Wissenschaften* (publicada en 1877, pero basada en conferencias que en parte se remontan a 1809) [1], definía la "filología" como la "ciencia de lo conocido", y, por tanto, como el estudio de lenguas y literaturas, artes y política, religión y costumbres sociales. Prácticamente idéntica a la "historia literaria" de Greenlaw, la filología de Boekh está motivada evidentemente por las necesidades de los estudios clásicos, para los cuales parece particularmente necesario el concurso de la historia y de la arqueología.

Para Boekh, los estudios literarios sólo constituyen una rama de la filología, entendida como ciencia total de la civilización, y, en particular, como ciencia de lo que el romanticismo alemán llamaba "espíritu nacional". Hoy, a causa de su etimología y de gran parte de la labor efectiva de los especialistas, a la filología se le suele dar el sentido de lingüística, sobre todo gramática histórica y estudio de formas pretéritas de las lenguas. Como el término tiene tantos y tan distintos significados, lo mejor es abandonarlo. Otra denominación de la labor del docto estudioso de la literatura es la de "investigación". Pero este término resulta particularmente desacertado, ya que subraya la búsqueda meramente preliminar de materiales (sobre todo en su equivalente inglés, *research*, que señala directamente la acción de buscar), y establece o parece establecer una distinción insostenible entre materiales que hay que buscar y materiales de fácil consulta. Así, resulta ser "investigación" cuando se va al Museo Británico para leer una obra rara; pero, por lo visto, implica un proceso mental distinto el quedarse en casa, cómodamente sentado en un sillón, a leer una reimpresión del mismo libro. A lo sumo, el término "investigación" hace pensar en ciertas operaciones preliminares, cuya extensión y naturaleza varían mucho con la naturaleza del problema. Pero refleja mal esas sutiles preocupaciones de interpretación, caracterización y valoración que son peculiares de los estudios literarios.

Dentro de nuestro tema propiamente dicho, las distinciones entre teoría literaria, crítica literaria e historia literaria son, evidentemente, las más importantes. Debe establecerse en primer término la distinción entre el concepto de literatura como orden simultáneo y el que la entiende fundamentalmente como una serie de obras dispuestas en orden cronológico y como partes integrantes del proceso histórico. Existe, además, la ulterior distinción entre el estudio de los principios y criterios de la literatura y el de las obras de arte literarias concretas, estudiadas aisladamente o en serie cronológica. Lo más indicado parece ser llamar la atención sobre estas distinciones calificando de "teoría literaria" al estudio de los principios de la literatura, de sus categorías, criterios, etc., y diferenciando los estudios de obras concretas de arte con el término de "crítica literaria" (fundamentalmente estática de enfoque) o de "historia literaria". Ocioso es decir que el

término "crítica literaria" se utiliza a menudo de modo que acaba
por comprender toda la teoría literaria; pero este uso ignora una provechosa distinción. Aristóteles era un teórico; Sainte-Beuve era, fundamentalmente, un crítico. Kenneth Burke es, en gran parte, teórico
de la literatura, en tanto que R. P. Blackmur es crítico literario. El
término "teoría literaria" podría comprender propiamente —como
comprende este libro— la necesaria "teoría de la crítica literaria"
y la "teoría de la historia literaria".

Estas distinciones son bastante evidentes y suelen admitirse de
un modo también bastante general. Pero es menos corriente advertir
que los métodos así designados no pueden utilizarse separadamente;
que se implican mutuamente tan a fondo, que hacen inconcebible
la teoría literaria sin la crítica o sin la historia, o la crítica sin la
teoría y sin la historia, o la historia sin la teoría y sin la crítica.
Evidentemente, la teoría literaria es imposible si no se asienta sobre
la base del estudio de obras literarias concretas. No se puede llegar
in vacuo a criterios, categorías y esquemas. Pero, a la inversa, no es
posible la crítica ni la historia sin un conjunto de cuestiones, sin un
sistema de conceptos, sin puntos de referencia, sin generalizaciones.
Huelga advertir que esto no entraña un dilema insuperable: siempre
leemos con algunas concepciones previas y siempre cambiamos y mo-
dificamos estas concepciones previas con la mayor experiencia de
obras literarias. El proceso es dialéctico: una interpenetración mutua
de teoría y práctica.

Se han hecho intentos de aislar la historia literaria respecto de la
teoría y de la crítica. F. W. Bateson[2], por ejemplo, afirmaba que la
historia literaria muestra que A deriva de B, en tanto que la crítica
pronuncia el fallo de que A es mejor que B. Con arreglo a esta concepción, el primer tipo trata de hechos verificables; el segundo, de
cuestiones de opinión y de fe. Pero esta distinción es completamente
insostenible. En historia literaria no hay datos que sean "hechos"
completamente neutros. Ya en la misma selección de materiales van
implícitos juicios de valor, como asimismo en la simple distinción
previa entre obras y literatura, en la mera asignación de espacio a
este o a aquel autor. Hasta la averiguación de una fecha o de un
título presupone alguna clase de juicio, que escoge tal obra o tal
suceso particular, de entre miles y miles de otras obras y acaeci-

mientos. Aun concediendo que existan hechos relativamente neutros, como fechas, títulos, acontecimientos biográficos, lo único que con ello hacemos es admitir la posibilidad de recopilar los anales de la literatura. Pero cualquier cuestión algo más avanzada, hasta una cuestión de crítica textual o de fuente e influencias, exige actos constantes de juicio. Una afirmación, como, por ejemplo, la de que "Pope deriva de Dryden", no sólo supone el acto de seleccionar a Dryden y a Pope de entre los incontables versificadores de sus respectivas épocas, sino que requiere conocer las características de uno y otro poeta, y luego una actividad constante de sopesar, cotejar y seleccionar que es esencialmente crítica. La cuestión de la colaboración entre Beaumont y Fletcher es insoluble a menos que admitamos principio tan importante como el de que ciertos rasgos (o artificios) estilísticos se relacionan con uno más que con otro de los dos escritores; de lo contrario, habremos de aceptar las diferencias estilísticas como simple cuestión de hecho.

Pero, por lo común, la razón para aislar la historia literaria de la crítica literaria se defiende con otros argumentos. No se niega que los actos de juicio sean necesarios; pero se afirma que la historia literaria tiene sus patrones y criterios peculiares, es decir, los de las otras épocas. Hemos de penetrar en el espíritu y actitudes de épocas pasadas —dicen estos reconstruccionistas literarios—, y aceptar sus pautas, cerrando la puerta deliberadamente a las intrusiones de nuestras propias concepciones previas. Esta concepción, llamada "historicismo", fue elaborada en la Alemania del siglo XIX, aunque incluso allí ha sido criticada por teóricos de la historia tan eminentes como Ernst Troeltsch [3]. Ahora parece haber penetrado directa o indirectamente en los Estados Unidos, profesándole adhesión más o menos declarada muchos de nuestros "historiadores de la literatura". Hardin Craig, por ejemplo, ha dicho que la fase más nueva y mejor de la investigación reciente es la "evitación del pensamiento anacronista" [4]. Estudiando las convenciones del teatro inglés isabelino y lo que su público iba a buscar, Edgar E. Stoll trabaja sobre el supuesto de que la reconstrucción de la intención del autor es el propósito medular de la historia literaria [5]. Supuesto semejante va implícito en los muchos intentos de estudiar las teorías psicológicas isabelinas, como la doctrina de los humores cardinales, o de las concep-

ciones científicas o seudocientíficas de los poetas [6]. Rosemond Tuve
ha tratado de explicar el origen y sentido de las imágenes metafísicas remitiendo a la educación en la lógica de Petrus Ramus recibida por Donne y sus contemporáneos [7].
Como estos estudios no pueden por menos de convencernos de
que épocas distintas han tenido concepciones y convenciones críticas
distintas, se ha sacado la conclusión de que cada época es una unidad
autónoma expresada en su tipo de poesía propio, que carece de módulo común con cualquier otra. Este modo de ver ha sido expuesto
de un modo franco y persuasivo por Frederick A. Pottle en su obra
Idiom of Poetry [8]. Califica su posición de "relativismo crítico" y habla
de profundos "cambios de sensibilidad", de una "discontinuidad total" en la historia de la poesía. Su exposición es tanto más valiosa
cuanto que la aúna con la aceptación de normas absolutas en ética y
en religión.

En su mejor forma, esta concepción de la "historia literaria" requiere un esfuerzo de imaginación, de "endopatía", de profunda coincidencia de sentir con una época pretérita o con un gusto desaparecido.
Se han hecho esfuerzos, con buen éxito, encaminados a reconstruir
el panorama general de la vida, las actitudes, las concepciones, prejuicios y supuestos fundamentales de muchas civilizaciones. Sabemos
mucho de la actitud de los griegos ante los dioses, la mujer, los esclavos; podemos exponer detalladamente la cosmología medieval; y
no carecemos de ensayos enderezados a poner de manifiesto el modo
de ver sumamente distinto, o al menos las tradiciones y convenciones
artísticas sumamente distintas que suponen el arte bizantino y el arte
chino. Sobre todo en Alemania hay plétora de estudios, muchos de
ellos influidos por Spengler, sobre el hombre del Gótico o el hombre
del Barroco, a todos los cuales se les supone netamente separados de
nuestro tiempo, viviendo en su mundo propio.

En el estudio de la literatura, este ensayo de reconstrucción histórica se ha traducido en un gran hincapié en la intención del autor,
que, según se supone, puede estudiarse en la historia de la crítica y
del gusto literario. Suele darse por sentado que, si nos es dado averiguar esta intención y ver que el autor la ha llevado a cabo, nos es
dado también zanjar el problema de la crítica. El autor ha servido

un propósito contemporáneo, y no hay necesidad, ni aun posibilidad, de seguir haciendo la crítica de su obra. El método conduce, pues, al reconocimiento de una sola norma crítica: la del éxito contemporáneo. Hay, por tanto, no ya una o dos concepciones de la literatura, sino —dicho literalmente— centenares de concepciones independientes, distintas y que mutuamente se excluyen, cada una de las cuales es "certera" de algún modo. El ideal de la poesía se parte en tantas astillas, que no queda nada; consecuencia de lo cual ha de ser una anarquía general, o, más aún, el arrasamiento de todos los valores. La historia de la literatura queda reducida a una serie de fragmentos discontinuos, y, por tanto, incomprensibles en última instancia. Una forma más moderada la constituye la concepción de que hay ideales poéticos contrapuestos tan distintos, que· carecen de denominador común: el clasicismo y el romanticismo, el ideal de Pope y el de Wordsworth, la poesía declarativa y la poesía·alusiva.

Sin embargo, la idea de que la "intención" del autor es el objeto propiamente dicho de la historia literaria parece totalmente errada. El sentido de una obra de arte no se agota en su intención, ni siquiera es equivalente a ésta. Como sistema de valores, lleva vida independiente. El sentido total de una obra de arte no puede definirse simplemente en función del sentido que tenía para su autor y sus contemporáneos. Es más bien el resultado de un proceso de acumulación, es decir, la historia de su crítica por parte de sus muchos lectores en muchas épocas. Parece ocioso y, en rigor, imposible declarar, como hacen los adeptos al reconstruccionismo histórico, que todo este proceso no viene al caso, y que lo único que hemos de hacer es remontarnos a sus orígenes. Pero al empeñarnos en un juicio del pasado es sencillamente imposible dejar de ser hombres del siglo xx: no podemos olvidar las asociaciones de nuestro propio idioma, las nuevas actitudes adquiridas, la repercusión y el significado de los siglos pasados. No podemos convertirnos en lectores contemporáneos de Homero o de Chaucer o en espectadores del teatro de Dioniso de Atenas o del Globo de Londres. Siempre existirá una diferencia decisiva entre un acto de reconstrucción imaginativa y la participación real en un punto de vista pretérito. No nos ·es dado creer realmente en Dioniso y reírnos de él al propio tiempo, como parece que hacía el público que asistía a la representación de las *Bacantes* de Eurípides[9]; y pocos de nosotros podemos admitir como verdad a la letra los círculos del Infierno y la montaña del Purgatorio de Dante. Si realmente fuéramos capaces de reconstruir el sentido que *Hamlet* tenía para el público de su época, lo único que haríamos sería empobrecerlo; suprimiríamos los sentidos legítimos que en él han encontrado generaciones posteriores; desterraríamos la posibilidad de una nueva interpretación. Esto no constituye una defensa de la interpretación subjetiva errada y arbitraria: siempre subsistirá el problema de distinguir entre interpretaciones "acertadas" e interpretaciones erróneas, problema que exigirá solución en cada caso concreto. El historiador no se contentará con juzgar simplemente una obra de arte desde el punto de vista de nuestra época —privilegio del crítico práctico, que revalorará el pasado a tenor de las necesidades de un estilo o movimiento de nuestros días—. Acaso le sea instructivo incluso considerar una obra de arte desde el punto de vista de una tercera época, que no sea contemporánea suya ni contemporánea del autor, o pasar revista a toda la historia de la interpretación y crítica de una obra que le sirva de guía para penetrar el sentido total.

En la práctica apenas son factibles estas opciones netas entre el punto de vista histórico y el punto de vista actual. Hemos de precavernos tanto del falso relativismo como del falso absolutismo. Del proceso histórico de valoración emanan valores que, a su vez, nos ayudan a comprenderlo. La réplica al relativismo histórico no está en un absolutismo doctrinario que apele a "la inmutable naturaleza humana" o a "la universalidad del arte", sino más bien en adoptar una concepción para la cual parece adecuado el término de "perspectivismo". Hemos de poder referir una obra de arte a los valores de su época y de todos los períodos que le han sucedido. Una obra de arte tiene tanto de "eterna" (es decir, conserva una cierta identidad) como de "histórica" (o sea, varía con arreglo a un proceso que puede seguirse). El relativismo reduce la historia de la literatura a una serie de fragmentos separados y, por tanto, discontinuos, al paso que la mayoría de los absolutismos sólo sirven a una transitoria situación actual o se basan (como las pautas de los neohumanistas, marxistas o neotomistas) en algún ideal abstracto no literario que es injusto con la variedad histórica de la literatura. "Perspectivismo" significa que reconocemos que hay una poesía y una literatura comparables en todas las épocas, desenvolviéndose, modificándose, repletas de posibilidades. La literatura no es ni una serie de obras únicas sin nada en común, ni una serie de obras encerradas en ciclos temporales como Romanticismo o Clasicismo, época de Pope o época de Wordsworth. Tampoco es, desde luego, el macizo universo de identidad e inmutabilidad que un clasicismo más viejo concebía como ideal. Lo mismo el absolutismo que el relativismo son falsos; pero el peligro más insidioso que se presenta hoy, al menos en los Estados Unidos, es un relativismo equivalente a una anarquía de valores, una capitulación ante la tarea crítica.

En la práctica nunca se ha escrito ninguna historia literaria sin principios de selección y sin hacer algún intento de calificación y valoración. Los historiadores de la literatura que niegan la importancia de la crítica son ellos mismos críticos inconscientes, por lo común críticos por derivación, que lo único que han hecho es asimilar patrones o cánones tradicionales. En general, hoy son románticos retrasados que se han cerrado a todos los demás tipos de arte, y especialmente a la literatura moderna. Pero, como R. G. Collingwood ha dicho muy oportunamente: "Quien pretenda saber qué es lo que hace poeta a Shakespeare, tácitamente pretende saber si Gertrude Stein es poetisa, y si no lo es, por qué no lo es" [10].

El excluir de los estudios serios a la literatura reciente ha sido consecuencia particularmente nefasta de esta "profesoral" actitud. El término "literatura moderna" solía ser interpretado tan angostamente por los académicos, que casi ninguna obra posterior a la de Milton se consideraba objeto de estudio suficientemente respetable. Desde entonces, al siglo XVIII se le ha concedido rango bastante para poder ingresar en las historias literarias al uso, e incluso se ha puesto de moda, ya que parece ofrecer un portillo de escape para entrar en un mundo más grácil, estable y jerarquizado. La época romántica y las postrimerías del siglo XIX también empiezan ya a ser objeto de la atención de los doctos estudiosos, e incluso hay unos cuantos hombres intrépidos que en puestos académicos defienden y practican el estudio de la literatura contemporánea.

El único argumento posible contra el estudio de autores vivientes es la consideración de que el estudioso renuncia a la perspectiva de la obra completa, de la explicación que obras posteriores pueden dar de las implicaciones de las anteriores. Pero esta desventaja, sólo válida para autores en evolución, parece pequeña si se compara con las ventajas que nos brinda el conocimiento del ambiente y la época, y con las posibilidades que se nos ofrecen de conocer e interrogar personalmente al autor o al menos de mantener correspondencia con él. Si son dignos de estudio muchos autores del pasado de segunda o aun de décima categoría, también es digno de estudio un escritor de primera o aun segunda fila de nuestro tiempo. Generalmente, lo que hace reacios a los académicos a juzgar por sí mismos es falta de percepción o timidez. Afirman que esperan "el veredicto de los siglos", sin advertir que este veredicto no es más que el veredicto de otros críticos y lectores, e incluso de otros profesores. Toda la supuesta inmunidad del historiador de la literatura a la crítica y a la teoría es completamente falsa, y ello por una razón sencilla: toda obra de arte existe ahora, es accesible directamente a la observación, y es solución de ciertos problemas artísticos, se haya compuesto ayer o hace mil años. No puede ser analizada, definida o valorada sin recurrir constantemente a principios críticos. "El historiador de la literatura ha de ser crítico incluso para ser historiador" [11].

Inversamente, la historia literaria también reviste gran importancia para la crítica literaria tan pronto como esta última va más allá de la declaración subjetiva de simpatías y antipatías. El crítico que se contente con ignorar todas las relaciones históricas se extraviará constantemente en sus juicios; será incapaz de saber qué obra es original y cuál derivada; y a causa de su desconocimiento de las circunstancias históricas, disparatará constantemente en su modo de entender obras de arte concretas. El crítico que posea escasos conocimientos de historia o que carezca de ellos en absoluto está predispuesto a hacer conjeturas poco precisas, o a darse a autobiográficas

"aventuras entre obras maestras", y, en general, procurará no preocuparse del pasado remoto, encantado de cedérselo al erudito o al
"filólogo".

Ejemplo característico es el de la literatura medieval, sobre todo
la literatura medieval inglesa, que —con la posible excepción de
Chaucer— casi no ha sido abordada desde un punto de vista estético y crítico. La aplicación de la sensibilidad moderna daría una
perspectiva diferente a mucha poesía anglosajona o a la abundante
lírica medieval, del mismo modo que, a la inversa, la adopción de
puntos de vista históricos y el estudio sistemático de los problemas
genéticos podría arrojar no poca luz sobre la literatura contemporánea. El acostumbrado divorcio entre crítica literaria e historia literaria ha ido en perjuicio de una y otra.

CAPÍTULO V

LITERATURA GENERAL, LITERATURA COMPARADA Y LITERATURA NACIONAL

Dentro de la esfera de los estudios literarios hemos establecido una distinción entre teoría, historia y crítica. Sirviéndonos de otra base de clasificación, vamos a intentar ahora establecer una definición sistemática de literatura comparada, literatura general y literatura nacional.

El término *comparative literature,* empleado por los estudiosos anglosajones, es embarazoso, y constituye, indudablemente, una de las razones por las cuales esta importante modalidad de los estudios literarios ha tenido menos éxito ·académico del esperado. Matthew Arnold, inspirándose en el uso que Ampère hacía de la *histoire comparative,* fue, al parecer, el primero en utilizar el término en inglés (1848). Los franceses han preferido el utilizado anteriormente por Villemain, que había hablado de *littérature comparée* (1829), por analogía con la *Anatomie comparée* de Cuvier (1800). Los alemanes, por su parte, hablan de *vergleichende Literaturgeschichte*[1]. Sin embargo, ninguno de estos adjetivos de distinta formación resulta muy luminoso, ya que la comparación es método que utilizan toda la crítica y todas las ciencias, y de ningún modo describe cabalmente los procedimientos específicos de los estudios literarios. La comparación formal entre literaturas —o aun entre movimientos, figuras y obras— rara vez es tema fundamental de la historia literaria, si bien un libro como el *Minuet* de F. C. Green[2], en que se comparan aspectos de las literaturas francesa e inglesa del siglo XVIII, puede arrojar luz para establecer no sólo paralelos y afinidades, sino también divergencias entre el desenvolvimiento literario de una nación y el de otra.

En la práctica, el término "literatura comparada" ha abarcado y abarca todavía esferas de estudio y grupos de problemas bastante distintos. Puede significar, en primer lugar, el estudio de la literatura oral, particularmente de temas populares y de su migración; de cómo y cuándo entraron en la literatura "culta", en la literatura "artística". Este tipo de problema puede quedar relegado al "folklore", importante rama del saber que sólo en parte se ocupa de hechos estéticos, ya que estudia la civilización total de un pueblo, sus usos y costumbres, trajes, supersticiones y utensilios así como sus artes. Sin embargo, hemos de suscribir el punto de vista según el cual el estudio de la literatura oral es parte integrante de la investigación literaria, toda vez que no puede divorciarse del estudio de las obras escritas, y ha habido y hay todavía una acción recíproca constante entre la literatura oral y la literatura escrita. Sin llegar al extremo de folkloristas como Hans Naumann [3], que considera la mayor parte de la literatura oral como _gesunkenes Kulturgut_, podemos admitir que la literatura escrita de las clases cultas ha afectado profundamente a la literatura oral. La incorporación en el folklore de los libros de caballería y de la lírica trovadoresca es un hecho indudable. Aunque esto constituye un modo de ver que hubiera chocado a los románticos, que creían en la fuerza creadora del pueblo y en la antigüedad remota del arte popular, no obstante, las baladas populares, los cuentos de hadas y las leyendas, tal como los conocemos, son a menudo de origen tardío y derivados de las clases altas de la sociedad. Sin embargo, el estudio de la literatura oral ha de constituir preocupación importante de todo estudioso de la literatura que quiera comprender los procesos del desenvolvimiento literario, la génesis y la aparición de nuestros géneros y formas literarios. Es una desdicha que el estudio de la literatura oral se haya preocupado tan exclusivamente hasta ahora del estudio de los temas y sus migraciones de país en país, es decir, de la materia prima de las literaturas modernas [4]. Últimamente, sin embargo, los folkloristas han atendido cada vez más al estudio de esquemas, formas y artificios, a una morfología de las formas literarias, a los problemas del narrador y del recitador, y al

público de estas narraciones, habiendo preparado así el camino para
la íntima integración de sus estudios en una concepción general de la
investigación literaria[5]. Aunque el estudio de la literatura oral tiene
sus problemas especiales propios, los de transmisión y ambiente social[6], sus problemas fundamentales los comparte, sin duda, con la
literatura escrita; y existe entre la literatura oral y la escrita una
continuidad que no se ha interrumpido nunca. Los estudiosos de las
modernas literaturas europeas han descuidado estas cuestiones en su
propio perjuicio; en cambio, los historiadores literarios de los países
eslavos y escandinavos, donde el folklore es todavía algo vivo —o lo
era hasta hace poco—, han mantenido un contacto mucho más directo con tales estudios. Pero "literatura comparada" difícilmente es
el término justo con que designar el estudio de la literatura oral.

Otra acepción del término "literatura comparada" lo circunscribe
al estudio de las relaciones entre dos o más literaturas. Esta es la
acepción fijada por la floreciente escuela de los *comparatistes* franceses, dirigida por Fernand Baldensperger y reunida en torno a la
Revue de littérature comparée[7]. La escuela ha dedicado particular
atención —a veces mecánicamente, pero a veces también con sutileza
considerable— a cuestiones como las de renombre y penetración,
influencia y fama, de Goethe en Francia e Inglaterra, de Ossian,
Carlyle y Schiller en Francia. Ha desarrollado una metodología que,
yendo más allá del acopio de datos relativos a revistas, traducciones
e influencias, estudia detenidamente la imagen y el concepto de un
determinado autor en una determinada época, factores de transmisión
tan distintos como publicaciones periódicas, traductores, círculos y
viajeros, y el "factor receptivo", el especial ambiente y situación
literaria en que se importa al autor extranjero. En conjunto se ha
acumulado gran volumen de materiales que son testimonio de la estre-
cha unidad de las literaturas europeas occidentales particularmente,
y nuestro conocimiento del "comercio exterior" de las literaturas se ha
acrecentado enormemente.

Pero esta concepción de "literatura comparada" también tiene
sus dificultades propias, como es fácil advertir[8]. No parece que de
la acumulación de tales estudios pueda surgir ningún sistema netamente determinado. No existe distinción metodológica entre un estudio sobre "Shakespeare en Francia" y otro sobre "Shakespeare en

la Inglaterra del siglo XVIII", o entre un estudio acerca de la influencia de Edgar Poe sobre Baudelaire y otro dedicado a la influencia de Dryden sobre Pope. La comparación de literaturas, si se desentiende de las literaturas nacionales totales, tiende a restringirse a problemas externos de fuentes e influencias, renombre y fama. Tales estudios no nos permiten analizar y juzgar una determinada obra de arte, ni aun considerar el todo complejo de su génesis; en vez de ello, se dedican principalmente a las repercusiones de una obra maestra, como traducciones e imitaciones, hechas a menudo por autores de segunda categoría, o bien a la prehistoria de una obra maestra, a las migraciones y difusión de sus temas y formas. Así concebida, la "literatura comparada" presta primordial atención a los factores externos; y el ocaso de la "literatura comparada" en decenios recientes refleja el general desvío con respecto a los simples "hechos", las fuentes y las influencias.

Sin embargo, hay una tercera concepción que obvia todas estas críticas identificando la "literatura comparada" con el estudio de la literatura en su totalidad, con la "literatura universal", con la literatura "general" o "mundial". Estas ecuaciones plantean ciertas dificultades. La expresión "literatura universal", traducción del término "Weltliteratur" de Goethe [9], acaso revista innecesaria grandiosidad, implicando que la literatura debe estudiarse en las cinco partes del mundo, desde Nueva Zelanda hasta Islandia. En rigor, Goethe no pensaba en tal cosa. Con el término "literatura universal" aludía a una época en que todas las literaturas se convertirían en una sola. Es el ideal de la fusión de todas las literaturas en una gran síntesis en que cada nación desempeñaría un papel en el concierto universal. Pero el propio Goethe comprendió que se trataba de un ideal muy remoto, que no hay nación que esté dispuesta a renunciar a su individualidad. Hoy quizá estemos más alejados aún de ese estado de amalgama, y diríamos que en serio no podemos desear que se borren las diferencias entre las literaturas nacionales.

A menudo, el término "literatura universal" se emplea en un tercer sentido: puede significar el gran tesoro de los clásicos como Homero, Dante, Cervantes, Shakespeare y Goethe, cuya fama se ha extendido por todo el mundo y perdura largo tiempo. Ha pasado, pues, a sinónimo de "obras maestras", selección de obras literarias que tiene su justificación crítica y pedagógica, pero que no puede bastar al estudioso, al cual no le es dado limitarse a las grandes cumbres si quiere abarcar toda la cordillera o, para dejar el símil, si quiere entender la historia y los cambios todos. El término "literatura general", quizá preferible, presenta otros inconvenientes. Originalmente se empleó en el sentido de poética, teoría y principios de la literatura, y en decenios recientes Paul Van Tieghem [10] ha tratado de monopolizarlo para una concepción especial que se contrapone a "literatura comparada". Según él, la "literatura general" estudia aquellos movimientos y modas literarias que trascienden de lo nacional, en tanto que la "literatura comparada" estudia las relaciones recíprocas entre dos o más literaturas. Pero ¿cómo se puede determinar, por ejemplo, si el ossianismo es tema de la literatura "general" o de la literatura "comparada"? No es posible establecer una distinción válida entre la influencia de Walter Scott en el extranjero y la popularidad internacional de la novela histórica. La literatura "comparada" y la literatura "general" se funden inevitablemente. Acaso lo mejor fuera hablar simplemente de "literatura".

Sean cualesquiera las dificultades con que pueda tropezar una concepción de la historia literaria universal, importa entender la literatura como totalidad y perseguir el desenvolvimiento y evolución de la literatura sin tener en cuenta las distinciones lingüísticas. El gran argumento a favor del término "literatura comparada" o "general", o simplemente "literatura" sin más, es la falsedad evidente de la idea de una literatura nacional conclusa en sí misma. La literatura occidental, por lo menos, forma una unidad, un todo: no cabe poner en duda la continuidad entre las literaturas griega y latina, el mundo medieval occidental y las principales literaturas modernas; y sin menospreciar la importancia de las influencias orientales, sobre todo la de la Biblia, hay que reconocer una íntima unidad que comprende a toda Europa, a Rusia, los Estados Unidos y las literaturas hispanoamericanas. Este ideal fue concebido y, dentro de sus limitados medios, realizado por los fundadores de la historia literaria de comienzos del siglo XIX: los Schlegel, Sismondi, Bouterwek y Hallam [11]. Pero luego, el ulterior desenvolvimiento del nacionalismo, aunado al efecto surtido por la especialización creciente, condujo a un estudio cada vez más angosto de las literaturas nacionales. Sin embargo, en la segunda mitad del siglo xix revivió el ideal de una historia literaria universal bajo la influencia del evolucionismo. Los primeros cultivadores de la "literatura comparada" eran folkloristas, etnógrafos que bajo la influencia en gran parte de Heriberto Spencer, estudiaron los orígenes de la literatura, su diversificación en formas literarias orales y su aparición en la épica primitiva, en el drama y en la lírica [12]. Sin embargo, el evolucionismo dejó pocas huellas en la historia de las literaturas modernas y al parecer cayó en el descrédito cuando estableció un paralelo demasiado estrecho entre los cambios literarios y la evolución biológica. Por fortuna, en años recientes se observan indicios que auguran la vuelta a la ambición de una historiografía literaria general. La obra _Europäische Literatur und lateinisches Mittelalter_ de Ernst Robert Curtius (1948), en que se traza la trayectoria de temas comunes a la totalidad de la tradición occidental, y la _Mimesis_ de Eric Auerbach (1946), historia del realismo desde Homero a Joyce basada en análisis estilísticos de gran sensibilidad sobre distintos textos [13], son monumentos de erudición que desatienden los nacionalismos establecidos y demuestran convincentemente la unidad de la civilización occidental, la vitalidad del legado de la antigüedad clásica y del cristianismo medieval.

La historia literaria como síntesis, la historia literaria en escala supranacional, habrá de escribirse de nuevo. El estudio de este tipo de literatura comparada planteará grandes exigencias a la competencia lingüística de nuestros investigadores. Exige un ensanchamiento de perspectivas, una supresión de sentimientos locales y provinciales que no es fácil lograr. No obstante, la literatura es una, como el arte y la humanidad son unos, y en esta concepción estriba el futuro de los estudios histórico-literarios.

Dentro de esta enorme zona —que en la práctica es idéntica a toda la historia literaria— hay, sin duda, subdivisiones, que a veces se trazan con criterio lingüístico. Hay, en primer lugar, los grupos de las tres principales familias de lenguas europeas: las literaturas germánicas, las románicas y las eslavas. Las literaturas románicas han sido estudiadas con particular frecuencia en íntima interconexión, desde la época de Bouterwek hasta el ensayo de Leonardo Olschki, sólo en parte logrado, de escribir una historia de todas ellas en la

Edad Media [14]. En cuanto a las literaturas germánicas sólo han sido estudiadas comparadamente, por lo general, en lo que se refiere a los comienzos de la Edad Media, cuando todavía puede sentirse intensamente la proximidad de una civilización germánica general [15]. A pesar de la habitual oposición de los investigadores polacos, parece que las íntimas afinidades lingüísticas de las lenguas eslavas, aunadas a tradiciones populares comunes, que llegan incluso a las formas métricas, constituyen una buena base para una común literatura eslava [16].

La historia de temas y formas, de artificios y géneros, es, evidentemente, internacional. Aunque la mayoría de nuestros géneros proceden de la literatura de Grecia y Roma, en la Edad Media se modificaron y aumentaron muy considerablemente. Incluso la historia de la métrica, aunque íntimamente vinculada a los diferentes sistemas lingüísticos, es internacional. Además, los grandes movimientos y estilos literarios de la Europa moderna (el Renacimiento, el Barroco, el Neoclasicismo, el Romanticismo, el Realismo y el Simbolismo) rebasan muy ampliamente las fronteras de una nación, aun cuando existan importantes diferencias nacionales entre las plasmaciones de estos estilos [17]. También puede ser distinta su difusión geográfica. El Renacimiento, por ejemplo, penetró en Polonia, pero no en Rusia ni en Bohemia. El estilo del Barroco inundó toda la Europa oriental, incluso Ucrania, pero casi no tocó a la Rusia propiamente dicha. Pueden darse asimismo considerables diferencias cronológicas: el estilo barroco subsistió en las civilizaciones campesinas de Europa oriental hasta finales del siglo XVIII cuando ya el Occidente había pasado por la Ilustración, etc. En conjunto, la importancia de las barreras lingüísticas se exageró en el siglo XIX en medida de todo punto injustificada.

Este hecho se debió al nexo entrechísimo entre el nacionalismo romántico (lingüístico las más veces) y la aparición de la moderna historia literaria organizada. Hoy persiste en virtud de influencias de orden práctico tales como la identificación virtual, sobre todo en Norteamérica, entre la enseñanza de la literatura y la enseñanza de una lengua. La situación creada en los Estados Unidos a este respecto es una extraordinaria falta de contacto entre los estudiosos de la literatura inglesa, los de la literatura alemana y los de la francesa. Cada uno de estos grupos acusa una impronta totalmente distinta y utiliza métodos diferentes. En parte, estas disyunciones son, sin duda, inevitables, por la sencilla razón de que la mayoría de los hombres viven en un solo medio lingüístico; y, sin embargo, conducen a consecuencias grotescas cuando los problemas literarios sólo se estudian con referencia a puntos de vista expresados en una determinada lengua y a textos y documentos escritos en dicha lengua solamente. Aunque en ciertos problemas de estilo artístico, de metro y aun de género, son importantes las diferencias lingüísticas entre las literaturas europeas, es manifiesto que para muchos problemas de la historia de las ideas, inclusive de las ideas críticas, estas distinciones son insostenibles; se trazan divisiones artificiales a través de materiales homogéneos y se escriben historias relativas a repercusiones ideológicas por azar expresadas en inglés o en alemán o en francés. La atención excesiva a una lengua vulgar es particularmente perjudicial para el estudio de la literatura medieval, toda vez que en la Edad Media la principal lengua literaria era el latín y Europa formaba una unidad intelectual muy compacta. Una historia de la literatura medieval inglesa que desatienda el inmenso cúmulo de escritos en latín y en anglonormando dará una idea falsa de la situación literaria y de la cultura general de Inglaterra.

Esta recomendación de la literatura comparada no implica, desde luego, que se descuide el estudio de las diferentes literaturas nacionales. En rigor, lo que debiera advertirse como medular es justamente el problema de la "nacionalidad" y de las distintas contribuciones de las naciones a este proceso literario general. En lugar de estudiarse con diafanidad intelectual, el problema ha quedado desdibujado por el sentimiento nacionalista y por teorías raciales. El aislar las aportaciones exactas de la literatura inglesa a la literatura general, problema apasionante, podría tener por consecuencia un cambio de perspectiva y una valoración distinta incluso de las figuras de primera magnitud. Dentro de cada literatura nacional surgen problemas análogos en cuanto a la contribución precisa de regiones y ciudades. Teorías tan exageradas como la de Josef Nadler [18], que pretende poder distinguir los rasgos y características de cada tribu y región germanas y su reflejo en la literatura, no deben disuadirnos de examinar estos problemas, rara vez estudiados con conocimiento de los hechos y cohesión de métodos. Gran parte de lo escrito sobre el papel de Nueva Inglaterra, del Centro y del Sur de los Estados Unidos en la literatura norteamericana, y la mayoría de los escritos sobre el regionalismo, se reducen a la expresión de piadosas esperanzas, o del orgullo y resentimiento local ante los poderes centralizadores. Todo análisis objetivo tendrá que distinguir entre las cuestiones relativas a la ascendencia racial de los autores y a las sociológicas de procedencia y ambiente, por una parte, y por otra, las relativas a la influencia real del paisaje y a la tradición y modas literarias.

Los problemas de "nacionalidad" se complican extraordinariamente si hemos de decidir que literaturas en una misma lengua son literaturas nacionales distintas, como sin duda lo son la norteamericana y la irlandesa moderna. Cuestiones como la de por qué Goldsmith, Sterne y Sheridan no pertenecen a la literatura irlandesa, mientras que Yeats y Joyce sí, requieren respuesta. ¿Existen literaturas independientes belga, suiza y austríaca? Tampoco es muy fácil determinar el punto en que la literatura escrita en Norteamérica dejó de ser "inglesa colonial" para convertirse en literatura nacional independiente. ¿Se debe al simple hecho de la independencia política? ¿Es la conciencia nacional de los propios autores? ¿Es el empleo de asuntos nacionales y de "color local"? ¿O es la aparición de un neto estilo literario nacional?

Sólo cuando hayamos llegado a una decisión sobre estos problemas podremos escribir historias de literatura nacional que no sean simplemente categorías geográficas o lingüísticas; sólo entonces podremos analizar el modo preciso en que cada literatura nacional ingresa en la tradición europea. La literatura universal y las nacionales se presuponen mutuamente. Una convención europea queda modificada en cada país: hay también centros de irradiación a los diferentes países, y figuras excéntricas e individualmente grandes que realzan una tradición nacional sobre otra. Poder describir la aportación precisa de una y de otra significaría saber mucho de lo que merece saberse en el conjunto de la historia literaria.

II

OPERACIONES PRELIMINARES

CAPÍTULO VI

ORDENACIÓN Y FIJACIÓN DEL MATERIAL

Una de las primeras tareas de la investigación literaria es la reunión del material, la reparación cuidadosa de los efectos del tiempo, el estudio encaminado a establecer la paternidad, la autenticidad y la fecha. En la resolución de estos problemas se han invertido prodigiosas cantidades de sutileza y diligencia; sin embargo, el estudioso de la literatura debe darse cuenta de que estos trabajos son previos a la tarea investigadora propiamente dicha. A menudo, la importancia de estas operaciones es particularmente grande, ya que sin ellas el análisis crítico y la comprensión histórica tropezarían con obstáculos insuperables. Esta afirmación es cierta tratándose de una tradición literaria semiborrada, como la de la literatura anglosajona. Mas para el estudioso de la mayoría de las literaturas modernas, preocupado por el sentido literario de las obras, no debe exagerarse la importancia de estos estudios. O han sido ociosamente ridiculizados por su pedantería o han sido glorificados por su exactitud supuesta o real. La pulcritud y perfección con que pueden resolverse ciertos problemas ha atraído siempre a espíritus que se gozan en el trabajo metódico y en las manipulaciones intrincadas, aparte por completo del significado último que puedan tener. Estos estudios sólo han de ser objeto de crítica adversa cuando usurpen el lugar de otros estudios, convirtiéndose en especialidad impuesta de modo implacable a todo estudioso de la literatura. Se han editado meticulosamente obras literarias y se han reconstruido y discutido con el mayor detalle pasajes de los que, desde el punto de vista literario o aun histórico, no vale la pena de ocuparse en absoluto; o bien, si lo merecen, sólo son objeto de la especie de atención que el crítico textual presta a un libro. Al igual que otras actividades humanas, estos ejercicios se convierten a veces en fines de sí mismos.

Entre estos trabajos preliminares hay que distinguir dos estratos de operaciones: 1.º el ajuste y preparación de un texto; y 2.º los problemas de cronología, autenticidad, paternidad, colaboración, revisión, etc., que frecuentemente se han calificado de "crítica de fuentes". Bueno será distinguir las etapas o fases de estos trabajos. Tenemos, primeramente, la reunión y ordenación de los materiales, sean manuscritos o impresos. En la historia de la literatura inglesa, esta labor se ha llevado a cabo casi por completo, aunque en el siglo actual se han sumado a nuestro conocimiento de la historia del misticismo inglés y de la poesía inglesa unas cuantas obras bastante importantes, como *The Book of Margery Kempe*, el *Fulgens and Lucrece*, de Medwall, y *Rejoice in the Lamb*, de Christopher Smart[1]. Pero es claro que no existe tope al hallazgo de documentos personales y legales que puedan ilustrar la literatura inglesa o al menos la vida de los escritores ingleses. En decenios recientes cabe citar como ejemplos conocidos los descubrimientos sobre Marlowe hechos por Leslie Hotson o el hallazgo de los papeles de James Boswell[2]. En otras literaturas, las posibilidades de nuevos descubrimientos pueden ser mucho mayores, sobre todo en aquellas en que se ha fijado poco por escrito.

En la esfera de la literatura oral, la reunión de materiales plantea problemas especiales, como el localizar un buen cántor o narrador, tacto y habilidad para inducirlo a cantar o recitar, el método de registrar sus recitaciones por fonógrafo o por transcripción fonética, y otros muchos. Al encontrarnos con materiales manuscritos, hay que hacer frente a problemas de índole puramente práctica, como el conocimiento personal de los herederos del escritor, el prestigio social y limitaciones económicas del investigador y, a menudo, algo de habilidad detectivesca[3]. Estas pesquisas pueden exigir conocimientos especializadísimos, como los exigieron, por ejemplo, en el caso de Leslie Hotson, que tenía que conocer a fondo los procedimientos legales isabelinos para orientarse y abrirse paso a través de las ingentes masas de documentos que se conservan en el Registro Civil de Londres. Como la mayoría de los estudiosos pueden hallar sus fuentes en las bibliotecas, el conocimiento de las más importantes y la familiaridad con sus catálogos, así como con otras obras de consulta, constituye, sin duda, en no pocos aspectos, un importante bagaje de casi todos los estudiosos de la literatura [4].

Podemos dejar a bibliotecarios y bibliógrafos profesionales el detalle técnico de la catalogación y descripción bibliográfica; pero, a veces, hechos puramente bibliográficos pueden tener aplicación y valor literarios. El número y volumen de ediciones pueden arrojar luz sobre problemas de éxito y fama; el cotejo de ediciones quizá nos permita seguir las fases de la revisión hecha por el autor, y así proyectar luz sobre problemas de génesis y evolución de la obra de arte. Una bibliografía editada con pericia, como la *Cambridge Bibliography of English Literature*, alumbra territorios extensísimos a la investigación; y las bibliografías especializadas, como la *Bibliography of English Drama* de Greg, la *Spenser Bibliography* de Johnson, la *Dryden Bibliography* de Macdonald y el *Pope* de Griffith [5] pueden constituir una guía para resolver muchos problemas de historia literaria. Tales bibliografías acaso exijan investigaciones sobre usos tipográficos, y sobre historiales de libreros e impresores; y requieren conocer procedimientos tipográficos, filigranas, tipos, prácticas de composición y encuadernación. Hace falta algo así como una ciencia de bibliotecas o, en todo caso, una inmensa erudición sobre la historia de la producción bibliográfica para resolver cuestiones que, por sus derivaciones en cuanto a fecha, orden de ediciones, etc., pueden revestir importancia para la historia literaria. La bibliografía "descriptiva", que hace uso de todas las artes de cotejar y estudiar la estructura propiamente dicha de un libro, debe distinguirse de la bibliografía "enumerativa", o sea la recopilación de catálogos bibliográficos, que proporcionan datos descriptivos que sólo bastan para identificar las obras [6].

Una vez terminada la labor preliminar de reunión y catalogación del material da comienzo el proceso de edición propiamente dicho. La edición supone no pocas veces una serie extraordinariamente compleja de trabajos, incluso de interpretación y de investigación histórica. Hay ediciones que contienen crítica importante en la introducción y en las notas. En realidad, una edición puede ser un conjunto de casi todas las clases de estudios literarios. Las ediciones han desempeñado un papel muy importante en la historia de los estudios literarios: pueden servir —como la edición de las obras de Chaucer hecha por F. N. Robinson, para citar un ejemplo reciente— de arsenal del saber, de manual de todos los conocimientos que se poseen acerca de un autor. Pero, tomada en su significado fundamental de establecimiento del texto de una obra, la labor de edición tiene sus propios problemas, entre los cuales la "crítica textual" propiamente dicha es una técnica sumamente desarrollada, con una larga historia, sobre todo en los estudios clásicos y bíblicos [7].

Hay que distinguir netamente entre los problemas que plantea la edición de manuscritos clásicos o medievales, por una parte, y de textos impresos, por otra. Los manuscritos exigen primeramente saber paleografía, técnica que ha elaborado criterios sutilísimos para fechar manuscritos y ha dado a la luz útiles manuales para descifrar abreviaturas [8]. Se ha llevado a cabo una gran labor para determinar la procedencia exacta de manuscritos respecto de determinados monasterios de una determinada época. Pueden suscitarse cuestiones muy complejas en cuanto a las relaciones exactas entre estos manuscritos. La investigación debe conducir a una clasificación, que puede ilustrarse gráficamente construyendo un árbol genealógico [9]. En decenios recientes, Dom Henri Quentin y Walter W. Greg [10] han creado técnicas complejas para las cuales reclaman certeza científica, aunque otros investigadores, como Bédier y Shepard [11], afirman que no existe método completamente objetivo de establecer clasificaciones. Aunque no sea éste el lugar para resolver dicha cuestión, nosotros nos inclinaríamos a adoptar el segundo punto de vista; la conclusión que establecemos es la de que en la mayoría de los casos es aconsejable editar el manuscrito que se considera más próximo al del autor, sin tratar de reconstruir un hipotético "original". Para la edición, se hará uso, desde luego, de los resultados obtenidos en el cotejo, y la elección del manuscrito mismo queda determinada por el estudio de toda la serie de manuscritos. Las experiencias recogidas con los sesenta manuscritos de _Piers Plowman_ que se conservan y los ochenta y tres de los _Cuentos de Cantorbery_ [12] conducen, a nuestro juicio, a conclusiones que en su mayoría son desfavorables a la idea de que alguna vez haya existido un texto revisado o arquetipo autorizado análogo a la edición definitiva de una obra moderna.

El proceso de recensión, es decir, la construcción de un árbol genealógico, debe distinguirse de la crítica y enmienda textuales propiamente dichas, las cuales se basan, desde luego, en estas clasificaciones, pero han de tener en cuenta puntos de vista y criterios distintos de los que se derivan meramente de la tradición del manuscrito. La enmienda puede utilizar el criterio de "autenticidad", es decir, adopción de una determinada palabra o pasaje del manuscrito más viejo y mejor (esto es, más autorizado); pero tendrá que introducir consideraciones precisas de "corrección", como criterios lingüísticos, criterios históricos y, por último, criterios psicológicos inevitables. De otro modo no podríamos eliminar errores "mecánicos", errores de lectura, grafías equivocadas, falsas asociaciones o ultracorrecciones conscientes por parte de los amanuenses. Después de todo, hay que dejar mucho al acierto del crítico, a su gusto y a su sentido lingüístico. Los editores modernos son cada vez más reacios a tales conjeturas —y creemos que con razón—; pero parece que la reacción a favor del texto diplomático llega demasiado lejos cuando el editor reproduce todas las abreviaturas y errores del amanuense y los caprichos de la puntuación original. Eso puede importar a otros editores o, a veces, a los lingüísticos, pero es impedimento ocioso para el investigador de la literatura. No abogamos por textos modernizados, sino por textos legibles, que eviten conjeturas y cambios innecesarios y presten al lector una ayuda prudencial, reduciendo al mínimo su atención a las convenciones y costumbres de los amanuenses.

Los problemas que presenta la edición de obras impresas suelen ser algo más sencillos que los de edición de manuscritos, si bien, por lo común, son análogos. Existe, sin embargo, una diferencia, que antaño no siempre se apreciaba. En el caso de casi todos los manuscritos clásicos nos encontramos con documentos de muy distintas épocas y lugares, a siglos de distancia del original, y de aquí que estemos en libertad de servirnos de la mayoría de estos manuscritos, por ser lícito suponer que cada uno de ellos se deriva de una última autoridad antigua. Sin embargo, tratándose de libros, sólo una o dos ediciones tienen por lo común autoridad independiente. Hay que optar por una edición base, que suele ser la primera edición o bien la última revisada por el autor [13]. En algunos casos, como en las *Leaves of Grass*, de Whitman, que sufrieron numerosas adiciones y revisiones, o en la _Dunciad,_ de Pope, de la que hay por lo menos dos versiones diametralmente distintas, quizá sea necesario que la edición crítica presente todas o las dos versiones [14]. En términos generales, los editores modernos son más reacios a dar a la estampa textos eclécticos completos, si bien debe advertirse que prácticamente todas las ediciones de _Hamlet_ han sido productos híbridos del segundo in-quarto y del in-folio. En las obras del teatro inglés isabelino acaso haya que llegar a la conclusión de que a veces no hay versión definitiva que se pueda reconstruir. Al igual que en la poesía oral (v. gr., las baladas), es vana la búsqueda de un arquetipo único; pero tuvo que pasar mucho tiempo antes de que los editores de baladas renunciaran a encontrarlo. Percy y Scott mezclaron a su sabor versiones distintas (e incluso las refundieron), al paso que los primeros editores científicos, como Motherwell, optaron por una versión considerándola superior y original. Por último, Child se resolvió a dar a la estampa todas las versiones [15].

En cierto modo, las obras del teatro inglés isabelino plantean problemas textuales únicos: su corrupción es muchísimo mayor que la de la mayoría de los libros contemporáneos, de un lado, porque no se consideraba que las obras de teatro merecieran gran atención en la corrección de pruebas y, de otro, porque los manuscritos a base de los cuales se imprimían eran a menudo "borradores" sumamente corregidos por el autor o los autores, y a veces un ejemplar del apuntador que contenía revisiones escénicas y apostilladas. Había además una clase especial de in-quartos malos, que; al parecer, fueron impresos a base de reconstrucción memorística o de papeles fragmentarios de actor o quizá a base de una primitiva versión escrita en una especie de rudimentaria taquigrafía. En décadas recientes se han estudiado detenidamente estos problemas, y los in-quartos de Shakespeare se han vuelto a clasificar teniendo en cuenta los descubrimientos de Pollard y Greg [16]. Basándose en conocimientos puramente "bibliotécnicos", tales como filigranas y tipos de imprenta, Pollard demostró que ciertos in-quartos de las obras dramáticas de Shakespeare estaban fechados deliberadamente con anticipación, aunque en rigor se dieran a la estampa en 1619, como preparación para una edición de obras completas que no llegó a cristalizar.

El atento estudio de la escritura isabelina, basándose en parte en la hipótesis de que dos páginas del manuscrito que se conserva de una obra titulada *Sir Thomas More* son de letra del propio Shakespeare [17], ha tenido importantes consecuencias para la crítica textual, permitiendo ahora clasificar los probables errores de lectura del cajista inglés de la época, y el estudio de las prácticas de imprenta ha puesto de manifiesto cuáles son los errores probables o posibles. Pero el amplio margen que todavía le queda al editor en la labor de rectificación demuestra que no se ha descubierto ningún método de crítica textual verdaderamente "objetivo". Muchas de las enmiendas introducidas por Dover Wilson en su edición de Cambridge parecen basarse en conjeturas tan temerarias y ociosas como algunas hechas por editores del siglo XVIII. Sin embargo, importa observar que el brillante acierto de Theobald con que, en el relato de la muerte de Falstaff hecho por Mrs. Quickly, sustituyó la frase allí absurda de *table of green fields* (tabla de campos verdes) por *a babbled of green fields* (un balbuceo de campos verdes), lo corrobora el estudio de la escritura y pronunciación isabelina, es decir, que *a babld* pudo confundirse fácilmente con *a table*.

Los convincentes argumentos según los cuales los in-quartos (con excepción de algunos malos) se imprimieron con toda probabilidad a base del manuscrito del propio autor o de un libreto de apuntador han devuelto autoridad a las primeras ediciones y reducido algo la veneración en que se tenía al in-folio desde la época de Samuel Johnson. Los críticos textuales ingleses, que, con palabra bastante equívoca, se llaman a sí mismos "bibliógrafos" (McKerrow, Greg, Pollard, Dover Wilson), han tratado de averiguar en cada caso cuál pudo ser la autoridad manuscrita de cada edición in-quarto, y han utilizado estas teorías, a las que en parte sólo han llegado a base de investigaciones estrictamente bibliográficas, para formular complicadas hipótesis sobre la génesis, revisiones, alteraciones, colaboraciones, etc., del teatro de Shakespeare. Sólo se preocupan en parte de la crítica textual; la labor de Dover Wilson, sobre todo, pertenece más propiamente a la "crítica de fuentes".

Wilson cree en las grandes posibilidades de este método: "A veces nos es dado introducirnos en la piel del cajista, y, viendo por sus ojos, sorprender atisbos del manuscrito: la puerta del gabinete de trabajo de Shakespeare queda entreabierta" [18]. Sin duda, los "bibliógrafos" han arrojado alguna luz sobre la composición de obras dramáticas de la época isabelina, y han señalado, y quizá probado, muchas huellas de revisiones y alteraciones. Pero no pocas de las hipótesis de Dover Wilson parecen interpretaciones antojadizas, con pruebas que resultan o muy endebles o completamente nulas. Por ejemplo, ha construido la génesis de _La tempestad_ afirmando que la larga escena expositiva indica la existencia de una versión anterior en que la prehistoria de la trama había sido referida a modo de drama de construcción poco trabada al estilo del _Cuento de invierno_. Pero las ligeras inconsecuencias e irregularidades en la disposición tipográfica, etc., no pueden aportar pruebas, ni siquiera presuntivas, de tan forzadas y ociosas fantasías [19].

La crítica textual ha logrado sus mayores éxitos, pero también ha alcanzado su máximo grado de incertidumbre en lo que respecta al teatro inglés isabelino; no obstante, también es necesaria en muchos libros cuya autenticidad está, al parecer, mucho más establecida. Pascal, Goethe, Jane Austen, y aun Trollope, han salido beneficiados de la minuciosa atención que les han dedicado los editores modernos [20], aun cuando algunos de estos estudios hayan degenerado en simples listas de hábitos de imprenta y antojos de tipógrafos.

Al prepararse una edición debe tenerse presente en todo momento la finalidad que persigue y el público a que va destinada. Habrá un patrón de ediciones para un público compuesto por otros investigadores textuales, los cuales desean cotejar las más menudas diferencias entre las versiones existentes; y habrá otro patrón para los lectores en general, que sólo tienen relativo interés por las variantes ortográficas o incluso por las diferencias secundarias entre distintas ediciones.

La labor editora presenta otros problemas además del que plantea determinar el texto auténtico [21]. En la edición de obras completas se suscitan cuestiones de inclusión y exclusión, disposición u ordenación, notas, etc., que pueden variar mucho según los casos. Probablemente, la edición más útil para el investigador es la completa en orden estrictamente cronológico; pero este ideal puede resultar muy difícil o aun imposible de alcanzar. La ordenación cronológica puede basarse en puras conjeturas o romper la agrupación artística de los poemas dentro de una colección. El lector de obras literarias pondrá reparos a la mezcolanza de lo grande y lo trivial si ponemos una junto a otra, una oda de Keats y una poesía festiva que se contenga en una carta contemporánea. Quisiéramos conservar la artística ordenación de *Las flores del mal* de Baudelaire, o de las *Gedichte* de Conrad Ferdinand Meyer; pero puede que tengamos nuestras dudas sobre si es preciso conservar las complicadas clasificaciones de Wordsworth. No obstante, si tuviéramos que romper el orden en que el propio Wordsworth dispuso sus poemas para editarlos cronológicamente, tropezaríamos con grandes dificultades en cuanto a la versión que hubiéramos de elegir. Tendría que ser la primera versión, ya que dar una revisión tardía con fecha temprana desvirtuaría la imagen de la evolución de Wordsworth; pero, evidentemente, parece mal desatender por completo la voluntad del poeta e ignorar las revisiones posteriores, que indudablemente constituyeron mejoramientos en muchos aspectos. Por ello, Ernest de Selincourt se ha resuelto a conservar el orden tradicional en su nueva edición completa de las poesías de Wordsworth. Muchas ediciones completas, como las de Shelley, ignoran la importante distinción entre una obra de arte acabada y un simple fragmento o esbozo que quizá el poeta desechara. La reputación literaria de no pocos poetas se ha resentido del carácter demasiado completo de muchas ediciones al uso, en las que se encuentra el más deleznable verso ocasional o apunte de gabinete de trabajo al lado de la obra acabada y perfilada.

La cuestión de las notas habrá de decidirse también con arreglo a la finalidad de la edición[22]: la edición *variorum* de Shakespeare puede lícitamente desbordar el texto por el enorme cúmulo de anotaciones con que se pretende conservar las opiniones de todo aquel que alguna vez haya escrito algo acerca de un determinado pasaje de Shakespeare, ahorrando así al investigador una dilatada búsqueda a través de montañas de papel impreso. Pero el lector corriente necesitará mucho menos: por lo común, únicamente necesitará la información que se precise para la cabal inteligencia de un texto. Pero claro es que las opiniones en cuanto a lo que hace falta diferirán en gran manera: hay editores que informan al lector de que la reina Isabel era protestante o que le dicen quién era David Garrick, soslayando al propio tiempo todos los puntos verdaderamente oscuros (casos que en rigor se dan). Es difícil poner límite al exceso de notas, a menos que el editor sepa con toda exactitud el público y el propósito a que ha de atender.

Las notas en sentido estricto —explicativas de un texto, lingüísticas, históricas, etc.—, deben distinguirse del comentario general, que acaso se limite a acumular los materiales para la historia literaria o lingüística (es decir, indicar fuentes, paralelos, imitaciones por otros escritores), y constituir un comentario que puede ser de naturaleza estética, contener pequeños ensayos sobre determinados pasajes y, por tanto, desempeñar algo así como la función de la antología. No siempre es fácil establecer distinciones tan netas; sin embargo, la mezcolanza que se da en muchas ediciones de crítica textual —historia literaria en la forma especial de estudio de fuentes, aclaraciones lingüísticas e históricas y comentario estético— parece una discutible moda de la investigación literaria, sólo justificada por la comodidad de disponer de toda clase de información entre cubierta y contracubierta.

En la edición de epistolarios se plantean problemas especiales. ¿Deben darse a la estampa todas las cartas, aunque sean las más triviales notas de negocios? La fama de escritores como Stevenson, Meredith, Arnold y Swinburne no ha ganado nada con la publicación de cartas que nunca habían sido pensadas como obras literarias. ¿Habremos de incluir también las respuestas, sin las cuales es incomprensible más de una correspondencia? Pero claro está que por este procedimiento entra mucho material heterogéneo en las obras de un autor. Todas éstas son cuestiones de orden práctico, a las que no se puede responder sin buen sentido y constancia de principios, no escasa diligencia y a menudo ingenio y buena fortuna.

Además de la fijación del texto, en las investigaciones preliminares habrán de zanjarse cuestiones tales como las de cronología, autenticidad, paternidad y revisión. En muchos casos basta para establecer la cronología la fecha de publicación que figura en la portada del libro o los testimonios contemporáneos de la publicación. Pero estas fuentes evidentes faltan no pocas veces, como, por ejemplo, en el caso de muchas obras del teatro inglés isabelino o de un códice medieval. La pieza de teatro isabelina puede haber sido impresa mucho después de su estreno; el códice medieval puede ser copia de copia a siglos de distancia de la fecha de composición. Los testimonios externos han de ser, pues, complementados con los que aporte el propio texto, con alusiones a acontecimientos contemporáneos o a otras fuentes fechables. Estas pruebas internas que señalan algún acontecimiento externo no suelen establecer más que la fecha inicial después de la cual fue escrita esa determinada parte del libro.

Tomemos, por ejemplo, pruebas puramente internas, como las que pueden deducirse del estudio de la estadística métrica para establecer el orden de sucesión de los dramas de Shakespeare. Sólo pueden establecer una cronología relativa con amplio margen de error [23]. Aunque puede admitirse con seguridad que el número de rimas en las obras de teatro de Shakespeare va descendiendo desde *Trabajos de amor perdidos* (que es la obra que más tiene) hasta el *Cuento de invierno* (que no tiene ninguna), no cabe inferir que el *Cuento de invierno* sea forzosamente posterior a *La tempestad* (que tiene dos rimas). Como quiera que criterios como número de rimas, terminaciones femeninas, encabalgamientos, etc., no arrojan exactamente los mismos resultados, no se puede establecer una correlación fija y regular entre la cronología y las tablas métricas. Aisladas de otros testimonios, las tablas pueden interpretarse de un modo completamente distinto. Por ejemplo, un crítico del siglo XVIII, James Hurdis [24], creía que Shakespeare fue pasando del verso irregular del *Cuento de invierno* al regular de *La comedia de los errores*. Sin embargo, una juiciosa combinación de todos estos tipos de pruebas (externas, internoexternas e internas) ha llevado a una cronología del teatro de Shakespeare que sin duda es *grosso modo* cierta. Los métodos estadísticos, principalmente los aplicados a la aparición y frecuencia de ciertas palabras, también han sido utilizados para establecer una cronología relativa de los diálogos de Platón por Lewis Campbell y, sobre todo, por Wincenty Lutoslawski, que llama a su método "estilometría" [25].

Si hemos de ocuparnos de manuscritos no fechados, las dificultades cronológicas pueden multiplicarse y aun hacerse insolubles. En tal caso, quizá hayamos de recurrir al estudio de la evolución de la letra del autor. Acaso tengamos que cavilar con sellos o franquicias de cartas, estudiar el calendario y seguir escrupulosamente los desplazamientos exactos del autor, ya que pueden dar una pista para

fijar fechas. Las cuestiones cronológicas revisten muchas veces gran
importancia para el historiador de la literatura: sin tenerlas resueltas,
éste no podría seguir la evolución artística de Shakespeare o de
Chaucer, para poner ejemplos en que la fijación de fecha se debe en
un todo a los esfuerzos de la investigación moderna. Las bases las
sentaron Malone y Tyrwhitt a finales del siglo XVIII; pero desde entonces no se ha interrumpido la controversia sobre ciertos detalles.
Las cuestiones de autenticidad y atribución pueden entrañar mayor importancia todavía, y su resolución puede exigir complicadas
investigaciones estilísticas e históricas [26]. Estamos seguros de la paternidad de la mayoría de las obras de la literatura moderna. Pero existe
una nutrida literatura seudónima y anónima que a veces revela su
secreto, aun cuando este secreto no sea otra cosa que un nombre no
aunado a ninguna información biográfica y, por tanto, no más luminoso que el mismo seudónimo o anónimo.

En muchos autores se plantea el problema de un canon de sus
obras. El siglo XVIII descubrió que una gran parte de lo que se había
incluido en ediciones impresas de la obra de Chaucer (tales como
The Testament of Creseid y *The Flower and the Leaf*) no puede
ser obra auténtica suya. Incluso hoy en día, el canon de las obras de
Shakespeare dista mucho de estar fijado. Parece que el péndulo ha
oscilado hasta llegar al extremo opuesto desde la época en que Augus-
to Guillermo Schlegel afirmó con peregrina confianza que todos los
textos apócrifos son obra auténtica de Shakespeare [27]. Recientemente,
James M. Robertson ha sido el más destacado defensor de la "desin-
tegración de Shakespeare", punto de vista que dejaría a Shakespeare
con poco más que la paternidad de unas cuantas escenas de sus
obras dramáticas más famosas. Esta escuela de pensamiento supone
que incluso *Julio César* y *El mercader de Venecia* no son otra
cosa que un batiburrillo de pasajes de Marlowe, Greene, Peele,
Kyd y otros diversos dramaturgos de la época [28]. El método de Robertson consiste en su mayor parte en seguir la pista de pequeños latiguillos verbales, en descubrir discordancias y hallar paralelos literarios. El método es harto inseguro y arbitrario. Parece basarse en un
supuesto falso y en un círculo vicioso: sabemos lo que es obra de
Shakespeare por ciertos testimonios contemporáneos (la inclusión en
el infolio, la constancia de su nombre en el Registro de Obras, etc.);

pero Robertson, por un acto arbitrario de juicio estético, solamente conceptúa obra de Shakespeare algunos de los más brillantes pasajes, y niega que sea autor de todo cuanto caiga por debajo de aquéllos o presente semejanzas con la práctica seguida por dramaturgos contemporáneos. Sin embargo, no hay razón por la que Shakespeare no pudiera escribir de un modo mediocre o descuidado, o bien en diversos estilos, imitando a sus contemporáneos. En cambio, no puede defenderse en su integridad la antigua premisa de que todas y cada una de las palabras contenidas en la edición en folio son de Shakespeare.

En algunos de estos puntos no se puede llegar a ninguna conclusión totalmente definitiva, ya que el teatro inglés isabelino era un arte comunal, en que la colaboración íntima era práctica muy real. A menudo casi no se podía distinguir a los distintos autores por su estilo. Es posible que dos autores fueran ellos mismos incapaces de distinguir su respectiva aportación. La colaboración presenta a veces casos desesperados al "detective" literario [29]. Aun tratándose de Beaumont y Fletcher, caso en que se ofrece la ventaja de poder recurrir a obra escrita, sin duda alguna, únicamente por Fletcher después de la muerte de Beaumont, la divisoria entre las partes que corresponden a cada uno no está fijada sin discusión; y el caso es completamente desesperado en cuanto a *The Revenger's Tragedy*, obra que ha sido atribuida alternativamente, o en diversas combinaciones, a Webster, Tourneur, Middleton y Marston [30].

Surgen dificultades análogas al intentar averiguar la paternidad cuando, a falta de testimonios externos, una determinada manera tradicional y un estilo uniforme hacen extraordinariamente difícil la averiguación. Abundan los ejemplos en los trovadores, o en los libelistas del siglo XVIII (¿quién podrá establecer jamás el canon de los escritos de Defoe?), para no hablar de colaboraciones anónimas en publicaciones periódicas. En muchos casos, sin embargo, se puede lograr algún éxito incluso en esto. El examen de los archivos de casas editoriales o de publicaciones periódicas puede alumbrar nuevos testimonios externos; y el estudio perspicaz de eslabones de unión entre artículos de autores que se repiten y se citan a sí mismos (como Goldsmith) puede arrojar conclusiones de alto grado de certidumbre [31]. G. Udny Yule, estadístico y actuario, ha hecho uso de métodos matemáticos

muy complejos para estudiar el vocabulario de escritores como Tomás de Kempis y poder establecer la común paternidad de varios
manuscritos [32]. Los métodos estilísticos, si se desarrollan pacientemen-
te, pueden aportar pruebas que, sin llegar a la plena certeza, hagan
sumamente probable la identificación.

En la historia de la literatura, la cuestión de la autenticidad de las
falsificaciones o piadosos fraudes ha desempeñado un papel importante y ha dado valioso ímpetu a ulteriores investigaciones. Así, por
ejemplo, la controversia sobre Ossian fomentó el estudio de la poesía
popular gaélica; la entablada en torno a Chatterton tuvo por consecuencia que se intensificara el estudio de la historia y la literatura
medieval inglesa, y las falsificaciones de los Ireland de obras dramáticas y documentos de Shakespeare provocaron debates sobre éste y
sobre la historia del teatro inglés isabelino [33]. En la discusión en torno
a Chatterton, Thomas Warton, Thomas Tyrwhitt y Edmond Malone
adujeron argumentos históricos y literarios enderezados a demostrar
que los poemas atribuidos a Thomas Rowley son de factura moderna.
Dos generaciones después, W. W. Skeat, que había hecho un estudio
sistemático de la gramática del inglés medio, señaló las infracciones
de convenciones gramaticales elementales que debieran haber dela-
tado la falsificación de un modo mucho más rápido y completo.
Edmond Malone demolió las torpes falsificaciones de los Ireland;
pero incluso ellos, como Chatterton y Ossian, tuvieron defensores
de buena fe (como Chalmers, hombre de vasto saber), que no carecían
de méritos en la historia de los estudios shakespearianos.

La simple sospecha de falsificación ha obligado también a los investigadores a consolidar los argumentos en pro de la fecha y ads-
cripción tradicionales, y así ir más allá de la aceptación de la tradición hasta poner pie en argumentos positivos; así, por ejemplo, en
el caso de Hroswitha, la religiosa y poetisa sajona del siglo x, de
cuyas comedias en prosa se supuso alguna vez que habían sido fal-
sificadas por Conrad Celtes, el humanista alemán del siglo xv, o de
la *Slovo o polku Igoreve* rusa, que por lo común se atribuye al siglo xii, pero de la cual se ha afirmado, incluso en fecha reciente, que
es una falsificación del siglo xviii [34]. En Bohemia, la cuestión de las
falsificaciones de dos supuestos manuscritos medievales, la *Zelená
hora* y el *Králové dvur*, todavía dio lugar a una acalorada cuestión

política hacia 1880; y la fama del que había de ser Presidente de Checoslovaquia, Tomás Masaryk, se la granjeó en parte en aquellas lides y discusiones, que empezaron en la lingüística para crecer y desembocar en una cuestión de veracidad científica frente a ilusión romántica [35].

Algunas de estas cuestiones de autenticidad y paternidad pueden llevar implícitos problemas sumamente complejos de testimonios legales; y acaso haya que invocar al concurso de no pocas disciplinas, como paleografía, bibliografía, lingüística e historia. En la labor de desenmascaramiento de imposturas no ha habido en época reciente nada más logrado que el haber obligado a T. J. Wise a confesarse culpable de la falsificación de unos ochenta y seis *pamphlets* del siglo XIX: la pesquisa realizada por Carter y Pollard [36] obliga a estudiar filigranas, prácticas de imprenta, como procedimientos de entintar, la utilización de ciertas clases de papel y de tipos de imprenta, etcétera. (La relación directa que muchas de estas cuestiones guardan con la literatura es, sin embargo, escasa: las falsificaciones de Wise, que nunca inventó un texto, conciernen más bien al bibliófilo.)

No se debe olvidar nunca que la fijación de una fecha distinta no zanja la cuestión propiamente dicha de la crítica. Los poemas de Chatterton no son ni peores ni mejores por haber sido escritos en el siglo XVIII, extremo que suelen olvidar quienes, en su indignación moral, castigan con el desprecio y el olvido a la obra que resulta ser de factura posterior.

Las cuestiones de que hemos tratado en este capítulo son prácticamente las únicas a que se dedican los libros de texto de metodología y los manuales, como los de Morize y Rudler. Con todo, sea cual fuere su importancia, debe reconocerse que esos tipos de estudio sólo sientan las bases del análisis e interpretación propiamente dichos así como de la explicación causal de la literatura. Se justifican por la aplicación que de sus resultados se hace.

III

EL ACCESO EXTRÍNSECO AL ESTUDIO DE LA LITERATURA

INTRODUCCIÓN

Los métodos de estudio de la literatura más extendidos y florecientes se preocupan de su marco, de su medio ambiente, de sus causas externas. Estos métodos extrínsecos no se circunscriben al estudio de la literatura del pasado, sino que se aplican asimismo a la contemporánea. De aquí que el término "histórico" deba reservarse en rigor para aquel estudio de la literatura que fundamentalmente atiende a su evolución en el tiempo, sintiendo así preocupación cardinal por el problema de la historia. Aunque el estudio "extrínseco" puede encaminarse simplemente a interpretar la literatura a la luz de su contexto social y de sus antecedentes, en la mayoría de los casos se convierte en explicación "causal", pretendiendo dar razón de la literatura, explicarla y, por último, reducirla a sus orígenes (la "falacia de los orígenes"). Nadie puede negar que ha vertido mucha luz sobre la literatura el adecuado conocimiento de las circunstancias en que se ha producido; el valor exegético de tales estudios parece indudable. Pero es patente que el estudio de las causas nunca puede resolver problemas de descripción, análisis y valoración de un objeto como una obra de arte literaria. La causa y el efecto son inconmensurables: el resultado concreto de estas causas extrínsecas —la obra de arte— es siempre imprevisible.

Cabe afirmar que toda la historia y todos los factores ambientales contribuyen a la formación de una obra de arte, pero los problemas propiamente dichos empiezan cuando valoramos, comparamos y aislamos los distintos factores que se supone que determinan la obra de arte. La mayoría de los estudiosos tratan de aislar una determinada serie de acciones y creaciones humanas y de atribuir sólo a ella una influencia determinante en la obra literaria. Así, hay un grupo de estudiosos que considera a la literatura principalmente como producto de un creador individual, infiriendo de ello que la literatura debe estudiarse sobre todo a través de la biografía y la psicología del autor.

Otra corriente busca los principales factores determinantes de la creación literaria en la vida institucional del hombre: en las condiciones económicas, sociales y políticas; otro grupo afín trata de hallar la explicación causal de la literatura, en su mayor parte, en otras creaciones colectivas del espíritu humano, como la historia de las ideas, de la teología y de las demás artes. Hay, por último, un grupo de estudiosos que tratan de explicar la literatura en función del *Zeitgeist*, de una quintaesencia espiritual de la época, de un ambiente intelectual o clima de opinión, de alguna fuerza unitaria extraída mayormente de las características de las demás artes.

Estos defensores del acceso extrínseco varían en el rigor con que aplican a su estudio métodos causales deterministas y, por tanto, en las pretensiones que formulan para el éxito de su método. Los más deterministas suelen ser los que creen en la causalidad social. Tal radicalismo puede explicarse por su afiliación filosófica al positivismo y a la ciencia del siglo xix; pero no debe olvidarse que los adeptos idealistas de la *Geistesgeschichte,* adictos filosóficamente al hegelismo o a otras formas de pensamiento romántico, son también deterministas extremos y aun fatalistas en cierto sentido.

Muchos estudiosos que utilizan estos métodos tienen pretensiones mucho más modestas. Por lo común, sólo tratan de establecer un cierto grado de relación entre la obra de arte y su ambiente y antecedentes, suponiendo que alguna luz emanará de tal conocimiento, aunque acaso se les escape completamente la aplicación precisa de tales relaciones. Estos defensores más modestos parecen más avisados, ya que la explicación causal es, a buen seguro, un método cuyo valor se ha exagerado mucho en el estudio de la literatura, y con igual seguridad cabe afirmar que nunca puede zanjar los problemas críticos de análisis y valoración. Entre los distintos métodos informados por el criterio de la causalidad resulta preferible la explicación de la obra de arte en función del encuadre total, ya que es manifiestamente imposible reducir la literatura al efecto de una sola causa. Sin suscribir las concepciones propias de la *Geistesgeschichte* alemana, reconocemos que tal explicación por síntesis de todos los factores desvirtúa una crítica muy importante contra los demás métodos al uso. Las páginas que ahora siguen constituyen un intento de sopesar la importancia de estos distintos factores y de someter a crítica toda la serie de métodos desde el punto de vista de su posible aplicación a un estudio que pudiera llamarse centralmente literario o "ergocéntrieo".

CAPÍTULO VII

LITERATURA Y BIOGRAFÍA

La causa más evidente de una obra de arte es su creador, el autor; y de aquí que la explicación literaria en función de la personalidad y vida del escritor sea uno de los métodos más antiguos y cultivados de estudio de la literatura.

La biografía puede juzgarse con relación a la luz que arroja sobre la obra poética; pero ocioso es decir que cabe defenderla y justificarla como estudio del hombre de genio, de su desenvolvimiento moral, intelectual y emocional, que reviste interés intrínseco propio; y, por último, podemos entender la biografía como aportación de materiales para el estudio sistemático de la psicología del poeta y del proceso poético.

Estos tres puntos de vista deben distinguirse escrupulosamente. Para nuestro concepto de "investigación literaria" sólo hace al caso directamente la primera tesis: la de que la biografía explica e ilustra el producto efectivo de la poesía. El segundo punto de vista, que aboga por el interés intrínseco de la biografía, desplaza el foco de la atención a la personalidad humana. El tercer modo de ver considera la biografía como conjunto de materiales para una ciencia o futura ciencia: la psicología de la creación artística.

La biografía es un antiguo género literario. Antes que nada es —cronológica y lógicamente— una parte de la historiografía. La biografía no establece distinción metodológica entre un estadista, un general, un arquitecto, un abogado y un hombre que no intervenga en la vida pública. Y no es poco certera la idea de Coleridge de que una vida cualquiera, por insignificante que sea, revestiría interés si se refiere verazmente [1]. A los ojos de un biógrafo, el poeta es simplemente otro hombre cuyo desenvolvimiento moral e intelectual, carrera social y vida emocional pueden reconstruirse y valorarse por referencia a normas sacadas, por lo común, de algún sistema ético o código de moral. Sus escritos pueden aparecer como simples hechos de publicación, como acaecimientos análogos a los que se producen en la vida de cualquier hombre activo. Así considerados, los problemas del biógrafo son pura y simplemente los del historiador. Ha de interpretar documentos, cartas, manifestaciones de testigos oculares, memorias, relatos autobiográficos, y resolver cuestiones de autenticidad, veracidad de testimonios, etc. Al ponerse ya a escribir la biografía propiamente dicha, se enfrenta con problemas de presentación cronológica, de selección, de discreción o de franqueza. De tales cuestiones, que de ningún modo son específicamente literarias, trata la labor, bastante extensa, que se ha llevado a cabo sobre la biografía como género [2].

Sin embargo, en nuestro contexto son cruciales dos cuestiones de biografía literaria: ¿Hasta qué punto está justificado el biógrafo cuando utiliza para sus fines los testimonios constituidos por las obras mismas? ¿Hasta qué punto tienen aplicación e importan los resultados allegados por la biografía literaria para entender las obras mismas? Por lo común, a ambas preguntas suele darse una respuesta afirmativa. A la primera cuestión contestan afirmativamente casi todos los biógrafos sobre los cuales ejercen particular atracción los poetas, ya que éstos parecen brindar abundantes testimonios aprovechables para escribir una biografía, testimonios que faltarán —o faltarán casi por completo— en el caso de personajes históricos de mucha mayor influencia. Pero ¿es fundado este optimismo?

Hemos de distinguir dos edades del hombre, dos posibles soluciones. Para la mayor parte de los primeros tiempos de la literatura carecemos de documentos privados en que el biógrafo pueda bucear. Sólo disponemos de una serie de documentos públicos, partidas de nacimiento, certificados de matrimonio, pleitos, etc., y luego del testimonio constituido por las obras mismas. Por ejemplo, sólo muy *grosso modo* podemos seguir los desplazamientos de Shakespeare, y algo sabemos de sus finanzas; pero carecemos absolutamente de todo lo que sean cartas, diarios y memorias, si se exceptúan unas cuantas anécdotas de dudosa autenticidad. El enorme esfuerzo consagrado al estudio de la vida de Shakespeare sólo ha dado escasos resultados aprovechables en el aspecto literario, que se reducen principalmente a hechos cronológicos e ilustraciones de la posición y relaciones sociales de Shakespeare. De aquí que los que han tratado de construir una verdadera biografía de Shakespeare, de su desenvolvimiento ético y emocional, hayan llegado, si la acometieron con espíritu científico —como Caroline Spurgeon intentó en su estudio de las imágenes shakespearianas—, a una mera lista de trivialidades, o bien, si utilizaron temerariamente sus obras dramáticas y sonetos, han construido semblanzas noveladas como las de Georg Brandes o Frank Harris [3].

Todo el supuesto en que se basan estos ensayos (que probablemente deben su origen a unas cuantas indicaciones de Hazlitt y Schlegel, desarrolladas por vez primera, con bastante cautela, por Dowden) es totalmente erróneo. De las afirmaciones hechas en obras de ficción, sobre todo de las que se hacen en obras de teatro, no se deben extraer deducciones válidas para la biografía de un escritor. Es lícito abrigar graves dudas incluso acerca de la opinión al uso según la cual Shakespeare pasó por un período de depresión en que escribió sus tragedias y sus comedias amargas para lograr luego una cierta serenidad en _La tempestad_. No es evidente que un escritor haya de encontrarse en una disposición de ánimo trágica para escribir tragedias o que escriba comedias cuando se siente satisfecho de la vida. La realidad es que no existe prueba alguna de las cuitas de Shakespeare [4]. No se le puede hacer responsable del concepto que Timón o Macbeth tienen de la vida, del mismo modo que no hay por qué pensar que compartiera las opiniones de Doll Tearsheet o de Yago. No existe razón alguna para creer que Shakespeare hable por boca de Próspero: no es lícito atribuir a los autores las ideas, sentimientos, pareceres, virtudes y vicios de sus personajes. Y esto es cierto no sólo de los personajes de un drama o de una novela, sino también del yo del poema lírico. La relación que existe entre la vida privada y la obra no es una simple relación de causa y efecto.

Los defensores del método biográfico, sin embargo, suelen poner reparos a estas afirmaciones. Las circunstancias —dirán— han cambiado desde los tiempos de Shakespeare; los materiales biográficos se han multiplicado en el caso de muchos poetas, porque los poetas se han vuelto conscientes de sí mismos, han pensado en sí mismos viviendo a los ojos de la posteridad (como Milton, Pope, Goethe, Wordsworth, Byron) y nos han dejado muchas declaraciones autobiográficas, llamando también mucho la atención de los contemporáneos. Ahora el acercamiento biográfico parece fácil porque podemos cotejar y contrastar una con otra la vida y la obra. En realidad, este acercamiento incluso lo insinúa y lo exige el poeta, sobre todo el romántico, que escribe o habla de sí mismo y de sus sentimientos más íntimos, o incluso, como Byron, pasea por toda Europa el "espectáculo de su corazón sangrante". Estos poetas hablaron de sí mismos no sólo en cartas privadas, en diarios y autobiografías, sino incluso en sus obras propiamente tales. El *Prelude* de Wordsworth es una autobiografía declarada. Parece difícil no tomar estas manifestaciones, que a veces no se distinguen ni en el fondo ni aun en el tono de su correspondencia privada, por su valor externo sin interpretar la poesía en función del poeta, que él mismo la consideró, en la conocida frase de Goethe, como "fragmentos de una gran confesión".

Debemos distinguir, sin duda, dos tipos de poeta, el objetivo y el subjetivo: los poetas que, como Keats y T. S. Eliot, subrayan la "capacidad negativa" del poeta, su volverse hacia el mundo, la obliteración de su personalidad concreta, y el tipo contrario de poeta, que tiende a desplegar su personalidad, que quiere pintar un autorretrato, confesarse, expresarse [5]. En largas etapas de la historia sólo conocemos el tipo primero: las obras en que el elemento de expresión personal es muy débil, aunque el valor estético sea grande. Pueden servir de ejemplos literarios las *novelle* italianas, los libros de caballería, los sonetos del Renacimiento, el teatro inglés isabelino, las novelas naturalistas y la mayor parte de la poesía popular.

Pero incluso en el poeta subjetivo no debe ni puede negarse la diferencia entre una declaración personal de índole autobiográfica y la utilización del mismísimo motivo en una obra de arte. Una obra de arte forma una unidad en un plano completamente distinto, en una relación con la realidad completamente distinta de la que se da en el caso de un libro de memorias, un diario o una carta. Sólo por deformación del método biográfico han podido convertirse en estudio central los documentos más íntimos y, a veces, más ocasionales de la vida de un autor, mientras los poemas propiamente dichos se interpretaban a la luz de los documentos y se disponían con arreglo a una escala enteramente aparte o aun contradictoria de la que establece cualquier juicio crítico de los poetas. Así, Brandes menosprecia el *Macbeth* por falto de interés, ya que es el menos relacionado con lo que considera ser la personalidad de Shakespeare; así también Hugh Kingsmill deplora el *Schrab and Rustum* de Arnold [6].

Incluso cuando una obra de arte contiene elementos que pueden considerarse con seguridad biográficos, tales elementos quedarán dispuestos de otro modo y transformados de tal manera en la obra, que pierden todo su sentido específicamente personal, convirtiéndose simplemente en materiales humanos concretos, en elementos integrantes de una obra. Ramón Fernández ha razonado esto de un modo muy convincente a propósito de Stendhal. George W. Meyer ha demostrado lo mucho que el *Prélude* de Wordsworth, obra que se declara autobiográfica, se aparta de la vida real del poeta durante el proceso que el poema pretende describir [7].

Cabe demostrar que es falso todo el modo de ver según el cual el arte es pura y simplemente autoexpresión, transcripción de sentimientos y experiencias personales. Incluso cuando existe íntima relación entre la obra de arte y la vida del autor, nunca debe interpretarse en el sentido de que la obra de arte sea simple copia de la vida. El método biográfico olvida que una obra de arte no es simplemente la realización de la vivencia, sino que es siempre la última obra de arte en una serie de obras de arte; es un drama, una novela, un poema "determinados", en la medida en que pueden estar determinados, por la tradición y la convención literaria. En rigor, el acceso biográfico entorpece la comprensión cabal del proceso literario, ya que rompe el orden de la tradición literaria para sustituirlo por el ciclo vital de un individuo. El método biográfico ignora también hechos psicológicos sencillísimos. Una obra de arte puede dar cuerpo al "ensueño" de un autor más que a su vida real, o puede ser la "máscara", el "anti-yo" detrás del cual se oculta su verdadera personalidad, o puede ser una pintura de la vida de la que el autor quiere evadirse. No debemos olvidar además que el artista puede "sentir" la vida de un modo distinto en función de su arte: las experiencias reales las ve con la mira puesta en su utilización literaria, y le llegan ya configuradas parcialmente por tradiciones e ideas artísticas preconcebidas [8].

De todo esto hemos de sacar la conclusión de que la interpretación y utilización biográfica de toda obra de arte requiere en cada caso una indagación y un examen escrupulosos, ya que la obra de arte no es un documento biográfico. Hemos de poner graves reparos a la *Life of Traherne* de Gladys Wade, que toma por verdad biográfica literal cualquier afirmación del poeta, o los muchos libros publicados acerca de la vida de las hermanas Brontë, que no hacen más que entresacar pasajes enteros de *Jane Eyre* o de *Villette*. En su obra *The Life and Eager Death of Emily Brontë*, Virginia Moore cree que Emily experimentó las pasiones de Heathcliff; y otros afirman que una mujer no pudo escribir *Cumbres borrascosas*, y que el verdadero autor debe ser el hermano, Patrick [9]. Este es el tipo de argumento que ha movido a algunos a decir que Shakespeare debió de visitar Italia, debió de ser abogado, soldado, maestro, labrador. Ellen Terry dio la réplica demoledora a todo esto diciendo que, siguiendo los mismos criterios, Shakespeare debió de ser una mujer.

Pero —se dirá— tales ejemplos de pretenciosa insensatez no zanjan el problema de la personalidad en literatura. Leemos a Dante, a Goethe o a Tolstoy y sabemos que detrás de la obra existe una persona. Entre los escritos de un mismo autor hay una semejanza fisonómica indudable. Sin embargo, se podría preguntar si no sería mejor distinguir netamente entre la persona empírica y la obra, que sólo puede llamarse "personal" en sentido metafórico. En la obra de Milton y de Keats existe una cualidad que podemos llamar "miltoniana" o "keatsiana"; pero esta cualidad puede determinarse a base de las obras mismas, al paso que quizá no sea posible determinarla fundándose en materiales puramente biográficos. Sabemos lo que es lo "virgiliano" o lo "shakespeariano" sin tener conocimiento biográfico verdaderamente concreto de estos dos grandes poetas.

Sin embargo, hay eslabones de unión, paralelismos, semejanzas oblicuas, espejos deformantes. La obra del poeta puede ser una máscara, una convencionalización dramatizada, pero a menudo lo es de sus propias vivencias, de su propia vida. Si se emplea atendiendo a estas distinciones, el estudio biográfico reviste utilidad. En primer lugar, tiene, sin duda, valor exegético: puede explicar muchísimas alu-

siones o aun palabras de la obra de un autor. La armazón biográfica
también nos ayudará a estudiar el problema más evidente de todos
los problemas de estricta evolución que plantea la historia de la literatura: el desarrollo, maduración y posible decadencia del arte de un
autor. La biografía también acopia materiales para otras cuestiones
de historia literaria, como las lecturas del poeta, sus relaciones personales con literatos, sus viajes, los lugares y las ciudades que vio y en
que vivió; cuestiones todas ellas que pueden arrojar luz sobre la historia literaria, esto es, la tradición en que el poeta estuvo situado, las
influencias que lo formaron, las fuentes en que bebió.

Sin embargo, sea cual fuere la importancia de la biografía en estos
aspectos, resulta peligroso atribuirle importancia especialmente *crítica*.
No existen materiales biográficos que puedan modificar o influir la
valoración crítica. El criterio de "sinceridad" que a menudo se aduce
es radicalmente falso si juzga a la literatura en función de la veracidad
biográfica, de la correspondencia con la vivencia o sentimiento de un
autor tal como vienen atestiguados por testimonios externos. No existe relación alguna entre la "sinceridad" y el valor artístico, cosa que
prueban hasta la saciedad los volúmenes de poesías de amor, amor
sentido hasta morir, compuestas por adolescentes y el lúgubre verbo
religioso (por muy ferviente que sea) con que pueden llenarse bibliotecas enteras. El "Fare Thee Well" de Byron no es peor ni mejor
por dramatizar las verdaderas relaciones del poeta con su mujer, ni
"es una lástima", como piensa Paul Elmer More, que el manuscrito
no presente huellas de las lágrimas que, según los *Memoranda* de
Thomas Moore, se vertieron en él [10]. El poema existe; las lágrimas,
derramadas o no, las emociones personales, se han desvanecido y no
pueden reconstruirse, ni hay por qué.

CAPÍTULO VIII

LITERATURA Y PSICOLOGÍA

Con el término "psicología de la literatura" podemos referirnos al estudio psicológico del escritor, como tipo y como individuo, o al estudio del proceso creador, o al de los tipos y leyes psicológicas presentes en las obras literarias, o bien, por último, a los efectos de la literatura sobre los lectores (psicología del público). Del punto cuarto trataremos en el capítulo dedicado a la literatura y la sociedad; los otros tres serán estudiados uno tras otro en el presente capítulo. Probablemente sólo el tema tercero pertenece en sentido estricto a los estudios literarios. Los dos primeros son subdivisiones de la psicología del arte: aunque a veces puedan servir de seductoras vías de acceso pedagógico al estudio de la literatura, hemos de rechazar todo intento de valorar las obras literarias en función de sus orígenes (la falacia genética).

La naturaleza del genio literario siempre ha sido atractivo tema de especulación, y ya en tiempo de los griegos se entendió como emparentada con la "locura" (que debe entenderse como el campo que media entre la neurosis y la psicosis). El poeta es el "poseso": es distinto de los demás hombres, es más y menos al propio tiempo; el fondo inconsciente desde el cual habla se considera infrarracional y suprarracional a un mismo tiempo.

Otra concepción también antigua y duradera es la que entiende los "dones" del poeta como compensación: la Musa arrebató la vista de los ojos de Demódoco, pero le otorgó el don amable de la canción (*Odisea*), como al ciego Tiresias le concedieron los dioses la visión profética. Impedimento y compensación no siempre son, desde luego, tan directamente correlativos; y la dolencia o deformidad puede ser psicológica o social en vez de física. Pope era jorobado y enano; Byron tenía un pie contrahecho; Proust era un neurótico asmático, de ascendencia judía en parte; Keats era anormalmente bajo; Thomas Wolfe, mucho más alto de lo corriente. La dificultad de esta teoría es su misma facilidad. *A posteriori*, cualquier acierto puede atribuirse a la ley de la compensación, ya que todo el mundo tiene deficiencias que pueden servirle de aguijón. Es en verdad dudosa la extendida creencia de que la neurosis —y la "compensación"— distingue a los artistas de los hombres de ciencia y de otros "contemplativos": la diferencia evidente es que a veces los escritores documentan su propio caso, convirtiendo sus dolencias en material temático[1].

Las cuestiones fundamentales son éstas: primero, si el escritor es neurótico, ¿pone su neurosis los temas de sus obras, o constituye tan sólo su motivación? Si lo último, entonces el escritor no debe diferenciarse de otros contemplativos. La otra cuestión es la siguiente: si el escritor es neurótico en sus temas (como sin duda lo es Kafka), ¿cómo es que su obra es inteligible para los lectores? El escritor debe hacer mucho más que exponer el historial de un caso. O ha de tratar de un patrón arquetípico (como hace Dostoyevskii en *Los hermanos Karamásov*), o de un patrón de "personalidad neurótica" muy extendida en nuestra época.

El concepto que Freud tiene del escritor no es del todo fijo. Como muchos de sus colegas europeos, en particular Jung y Rank, era hombre de gran cultura general, con el respeto que el austríaco culto siente por los clásicos y por la literatura clásica alemana. Luego descubrió también en la literatura muchas intuiciones que anticipaban y corroboraban las suyas propias: así, por ejemplo, en *Los hermanos Karamásov*, en *Hamlet*, en *Le Neveu de Rameau* de Diderot, y en Goethe. Pero también consideraba al escritor como neurótico impenitente, al que su obra creadora defiende del derrumbamiento, pero a la vez le impide llegar a curarse verdaderamente. "El artista —dice Freud— es originalmente un hombre que se aparta de la realidad porque no puede transigir con el imperativo de renunciar a la satisfacción instintiva tal como se da primariamente, y que luego, en la vida de la fantasía, da rienda suelta a sus deseos eróticos y ambición. Pero encuentra un camino para volver de ese mundo fantástico a la realidad; con sus especiales dotes moldea sus fantasías convirtiéndolas en una nueva especie de realidad, y la gente las acepta como valiosos reflejos de la vida real. Así, siguiendo un cierto sendero, acaba por ser realmente el héroe, el rey, el creador, el favorito que quería ser, sin recorrer el camino tortuoso que supone el crear alteraciones reales en el mundo exterior". Es decir, el poeta es un soñador que tiene consideración social. En vez de modificar su carácter, perpetúa y publica sus fantasías [2].

Los párrafos transcritos se refieren seguramente al filósofo y al "científico puro" a la vez que al artista, por lo que constituyen una especie de "reducción" positivista de la actividad contemplativa a la observación y nominación y no a la actuación, con lo que apenas se hace justicia al efecto indirecto o mediato de la obra contemplativa, a las "alteraciones en el mundo exterior" efectuadas por los lectores de novelistas y filósofos. Tampoco reconoce que la creación misma es un modo de operar en el mundo exterior; que mientras al soñador le basta soñar con escribir sus ensoñaciones, el que realmente escribe está empeñado en un acto de exteriorización y de acomodación a la sociedad.

La mayor parte de los escritores se han retraído del freudismo ortodoxo o no han terminado su tratamiento de psicoanálisis..., cosa que algunos habían empezado. La mayoría no han querido "curarse" o acomodarse, pensando que dejarían de escribir si se adaptaban, o que la acomodación propuesta era acomodación a una normalidad o a un medio ambiente social que rechazaban por filisteo o burgués. Así, por ejemplo, Auden afirma que los artistas deben ser todo lo neuróticos que puedan; y muchos se han declarado de acuerdo con neofreudianos como Horney, Fromm y Kardiner en que las concepciones de Freud sobre la neurosis y la normalidad, sacadas de la Viena de fines de siglo, necesitan la corrección de Marx y de los antropólogos [3].

La teoría del arte como neurosis suscita la cuestión de la imaginación en relación con la fe: ¿No es análogo el novelista no sólo al muchacho romántico que "cuenta historias" —es decir, reconstruye su experiencia hasta acomodarla a su gusto redundando en su favor—, sino también al hombre que sufre alucinaciones, confundiendo el mundo de la realidad con el mundo fantástico de sus esperanzas y temores? Algunos novelistas (v. gr., Dickens) han dicho que veían y oían vívidamente a sus personajes, y aun que éstos se apoderaban del mando de la novela, encauzándola por derroteros distintos del designio primero del autor. Ninguno de los ejemplos aducidos por los psicólogos parece corroborar el cargo de alucinación; algunos novelistas, sin embargo, tienen la facultad, corriente entre los niños, pero poco frecuente después de la infancia, de la imaginación eidética (ni imágenes persistentes ni imágenes mnémicas y, sin embargo, de carácter perceptivo, sensorial). A juicio de Erich Jaensch, esta capacidad es sintomática de la especial integración de lo perceptivo y lo conceptual en el artista, que conserva y ha desarrollado un rasgo arcaico de la raza: siente e incluso _ve_ sus pensamientos[4].

Otro rasgo que a veces se atribuye a los literatos —y más específicamente al poeta— es la sinestesia, o vinculación de las percepciones sensoriales procedentes de dos o más sentidos, las más de las veces el oído y la vista (la _audition colorée,_ verbigracia, el sonido de la trompeta como color rojo). En cuanto rasgo fisiológico, es, al parecer, como el daltonismo, una supervivencia de un sensorio más primitivo relativamente indiferenciado. Con mucha mayor frecuencia, sin embargo, la sinestesia es una técnica literaria, una forma de transposición metafórica, la expresión estilizada de una actitud metafísico-estética ante la vida. Históricamente, esta actitud y este estilo son característicos de las épocas barroca y romántica y, por lo mismo, enfadosas para épocas racionalistas que buscan lo "claro y neto" más que "correspondencias", analogías y unificaciones[5].

Desde sus primeros ensayos críticos, T. S. Eliot ha instado a que se entienda inclusivamente al poeta como hombre en que se reproducen —o mejor, que conserva intactos— los estadios de desenvolvimiento de su raza, que mantiene abierta la comunicación con su propia infancia y con la de la raza mientras camina hacia el futuro: "El artista —escribió en 1918— es más primitivo y también más civilizado que sus contemporáneos...". En 1932 vuelve a esta concepción, hablando en particular de la "imaginación auditiva", pero también de la imaginación visual del poeta, y sobre todo de sus imágenes recurrentes, que "pueden tener valor simbólico, pero sin que nos sea dado decir de qué, porque vienen a representar honduras de sentimiento a las que no podemos asomarnos". Eliot cita con aprobación la obra de Caillet y de Bédé sobre la relación entre el movimiento simbolista y la psique primitiva, resumiendo: "La mentalidad prelógica perdura en el hombre civilizado, pero sólo se hace accesible al poeta o a través del poeta" [6].

En estos pasajes no es difícil descubrir la influencia de Carl Jung y una reafirmación de su tesis según la cual debajo de lo "inconsciente" individual —el residuo vallado de nuestro pasado, sobre todo de nuestra infancia y niñez— yace lo "inconsciente colectivo": la memoria vallada de nuestro pasado racial e incluso de nuestra prehumanidad.

Jung ha elaborado una compleja tipología psicológica, según la cual las categorías "extrovertido" e "introvertido" subdividen los cuatro tipos basados en el predominio del pensamiento, del sentimiento, de la intuición y de la sensación, respectivamente. No adscribe todos los escritores a la categoría intuitivo-introvertido, o, más generalmente, a la categoría introvertido, como pudiera suponerse. A modo de una salvaguarda más contra la simplificación, hace notar que en su obra creadora, algunos escritores revelan su tipo, mientras que otros revelan su anti-tipo, su complemento [7].

Hay que conceder que el *homo scriptor* no es un tipo único. Si ideamos una romántica mezcla de Coleridge, Shelley, Baudelaire y Poe, no tardaremos en tener que recordar a Racine, Milton y Goethe, o a Jane Austen y Anthony Trollope. Podemos empezar por distinguir entre poetas líricos y poetas románticos, y poetas dramáticos y épicos, y sus equivalentes parciales, los novelistas. Un tipólogo alemán, Kretschmer, separa los poetas (que son leptosomáticos y tienden a la esquizofrenia) de los novelistas (que son pícnicos de constitución física y maníaco-depresivos o "cicloides" de temperamento). Existe, sin duda, una pareja tipológica formada por el "poseso", el poeta automático, obsesivo o profético, y el "artífice", el escritor que fundamentalmente es artesano experto, hábil, responsable. Esta distinción parece en parte histórica: el "poseso" es el poeta primitivo, el chamán; y luego —agregamos— es el romántico, el expresionista, el superrealista. Los poetas de oficio, formados en las escuelas de bardos de Irlanda a Islandia, los poetas del Renacimiento y del Neoclasicismo son "artífices". Pero claro es que estos tipos no deben considerarse mutuamente exclusivos, sino polares; y en el caso de los grandes escritores —comprendidos Milton, Poe, James y Eliot, así como Shakespeare y Dostoyevskii—, hemos de concebir al escritor lo mismo como artesano que como poseso, pues en él llega a fundirse una visión obsesiva de la vida con una solicitud consciente y exacta por el modo de presentar esta visión [8].

Entre las polaridades modernas, la que más influencia ha ejercido acaso sea la de Nietzsche en _El origen de la tragedia_ (1872), la que existe entre Apolo y Dioniso, las dos divinidades de arte de los griegos, y las dos clases y procesos artísticos que representan: las artes de la escultura y de la música; los estados psicológicos del ensueño y de la embriaguez extática. Estos tipos corresponden aproximadamente al "artífice" clásico y al "poseso" romántico (o _poeta vates_).

Aunque no lo confiese, el psicólogo francés Ribot debe a Nietzsche el fundamento de su división de los artistas literarios con arreglo a los dos tipos principales de imaginación. El primero de éstos, el "plástico", caracteriza al artista de aguda sugestión visual, que se siente incitado principalmente por la observación del mundo exterior, por la percepción; en tanto que el "difluente" (el auditivo y simbólico) es el del poeta simbolista o del escritor de narraciones románticas (Tieck, Hoffmann, Poe), que parte de sus propias emociones y sentimientos, proyectándolos mediante ritmos e imágenes unificados por la fuerza de su _Stimmung_. Es indudable que Eliot se basa en Ribot para oponer la "imaginación visual" de Dante a la "auditiva" de Milton.

Cabe aducir otro exponente, el de Liviu Rusu, filólogo rumano contemporáneo, que distingue tres tipos fundamentales de artistas: el _type sympathique_ (entendido como festivo, espontáneo, ligero como el pájaro en su capacidad creadora), el _type démoniaque anarchique_ y el _type démoniaque équilibré_. Los ejemplos no siempre son felices; pero no cabe negar que tienen una sugestiva condición estas tesis y antítesis de lo "simpático" y lo "anárquico", con un tipo sintetizador de máxima grandeza, en que la lucha con el demonio ha acabado en triunfo, en un equilibrio de tensiones. Rusu sólo cita a Goethe como exponente de esta grandeza; pero habremos de concederla también a todos nuestros grandes nombres: Dante, Shakespeare, Balzac, Dickens, Tolstoy y Dostoyevskii [9].

El "proceso creador" debe comprender toda la trayectoria creadora, desde los orígenes subconscientes de una obra literaria a esas últimas revisiones que en algunos escritores constituyen la parte más auténticamente creadora del todo.

Hay que establecer una distinción entre la estructura mental de un poeta y la composición de un poema, entre la impresión y la expresión. Croce no se ha granjeado el asentimiento de escritores y críticos con su reducción de ambas a la intuición estética; en rigor, C. S. Lewis ha defendido plausiblemente algo parecido a la reducción contraria. Pero todo ensayo de dividirlas en *Erlebnis* y *Dichtung*, a la manera de Dilthey, también deja que desear. El pintor ve como pintor; el cuadro pintado es el esclarecimiento y terminación de su visión. El poeta es artífice de poemas; pero la materia de sus poemas es la totalidad de su vida de percepción. En el artista, sea cualquiera el medio de que se sirva, toda impresión cobra forma por su arte; no acumula experiencia incoada [10].

La "inspiración", nombre tradicional de lo inconsciente en la creación artística, se asocia clásicamente con las Musas, hijas de la memoria, y en el pensamiento cristiano con el Espíritu Santo. Por definición, el estado de un chamán, profeta o poeta en momentos de inspiración es distinto de su estado normal. En las sociedades primitivas, el chamán acaso pueda entrar voluntariamente en trance o quedar involuntariamente "poseso" por alguna fuerza espiritual ancestral o totémica. En tiempos modernos se considera que la inspiración tiene las notas esenciales de subitaneidad (como la conversión) y de impersonalidad: la obra parece escrita *a través* del artista [11].

¿Cabe provocar la inspiración? Es cierto que existen hábitos creadores, así como estimulantes y rituales. El alcohol, el opio y otras drogas embotan la conciencia, el "censor" hipercrítico, y liberan la actividad del subconsciente. Coleridge y De Quincey formularon una pretensión más grandiosa: la de que el opio alumbraba todo un mundo de nuevas experiencias y de temas literarios; pero a la luz de las modernas investigaciones clínicas parece que los elementos insólitos de la obra de tales poetas se deben a su psique neurótica y no al efecto específico de la droga. Elizabeth Schneider ha demostrado que los *"sueños de opio* literarios [de De Quincey], que tanta influencia han ejercido en escritos posteriores, en realidad difieren poco, salvo en lo trabajados que están, de una página de su diario escrita en 1803, antes de que empezara a tomar opio..." [12].

Así como a los poetas mánticos de las comunidades primitivas se les instruye en métodos para caer en trance por el cual entrar en el estado de "poseso", y así como las disciplinas espirituales de Oriente aconsejan a los religiosos que empleen lugares y horas fijos para la oración y jaculatorias especiales o *mantras,* así también los escritores del mundo moderno aprenden o creen que aprenden rituales para provocar la inspiración. Schiller ponía manzanas podridas en su mesa de trabajo; Balzac escribía en hábito de monje. Muchos escritores, tan distintos como Proust y Mark Twain, piensan "horizontalmente", e incluso escriben en la cama. Unos necesitan silencio y soledad; otros prefieren escribir rodeados de la familia o en medio del público del café. Hay casos, que llaman la atención como cosa sensacional, de autores que trabajan de noche y duermen de día. Esta devoción a la noche (horas de la contemplación, del ensueño, de lo subconsciente) es probablemente la principal tradición romántica; pero también existe, no se olvide, una tradición romántica rival, la de Wordsworth, que exalta las primeras horas de la mañana (la lozanía de la niñez). Algunos escritores afirman que sólo pueden escribir en ciertas estaciones, como Milton, que aseguraba que su vena poética sólo fluía feliz desde el equinoccio de otoño al de primavera. Samuel Johnson, al que todas estas teorías le parecían enfadosas, creía que se puede escribir en cualquier momento si uno se pone tenazmente a ello; él mismo, según confesión propia, escribía bajo presión económica. Pero cabe suponer que estos rituales, aparentemente caprichosos, tienen de común el que, en virtud de la asociación y del hábito, facilitan la producción sistemática [13].

¿Surte algún efecto demostrable sobre el estilo literario el modo de transcripción? ¿Importa que un escritor haga primero un primer borrador a pluma y tinta o que componga directamente a la máquina de escribir? Hemingway cree que la máquina de escribir "solidifica las frases antes de quedar listas para la imprenta", por lo que entorpece la revisión como parte integrante de la faena de escribir; otros suponen que ha fomentado el estilo ampuloso o periodístico. Pero no se ha hecho ninguna investigación empírica. En cuanto al dictado, lo han utilizado autores de muy diversa calidad y espíritu. Milton dictaba a un amanuense versos de *El Paraíso Perdido* ya compuestos *in mente*. Sin embargo, revisten mayor interés los ejemplos de Scott, de Goethe en su vejez y de Henry James ya viejo también, en cuya obra, aun cuando la estructura ha sido pensada de antemano, la textura verbal está improvisada. Por lo menos en el caso de James, parece posible establecer un nexo causal entre el dictado y la "segunda manera", que, dentro de su compleja elocuencia, es oral e incluso conversacional [14].

Del proceso creador mismo no se ha dicho gran cosa en el grado de generalización aprovechable en teoría literaria. Disponemos de los historiales personales de determinados autores; pero es claro que estos autores sólo suelen ser de épocas relativamente recientes y dados a entender analíticamente su arte y a escribir del mismo modo sobre él (escritores como Goethe y Schiller, Flaubert, James, Eliot y Valéry), y después tenemos las generalizaciones hechas por psicólogos sobre temas como la originalidad, la invención, la imaginación, la determinación del denominador común de la creación científica, filosófica y estética.

Todo estudio moderno del proceso creador suele dedicarse, principalmente, al papel relativo desempeñado por lo inconsciente y lo consciente. Sería fácil contraponer períodos literarios, distinguir entre períodos románticos y expresionistas que exaltan lo inconsciente, y períodos clásicos y realistas que recalcan la inteligencia, la revisión, la comunicación. Pero tal contraposición fácilmente puede caer en lo exagerado: las teorías críticas del clasicismo y del romanticismo difieren entre sí más abiertamente que la práctica creadora de sus mejores exponentes.

Los escritores más dados a hablar de su arte desean, naturalmente, tratar de sus procedimientos conscientes y técnicos, cuya invención acaso reclamen, más que de su experiencia "dada", de la experiencia no elegida que es su tema, su espejo o su prisma. Hay razones evidentes por las que los artistas conscientes de sí mismos hablan como si su arte fuera impersonal, como si escogieran sus temas por imposición del editor o a modo de gratuito problema estético. El documento más famoso sobre la cuestión, la "Filosofía de la composición", de Edgar Poe, pretende explicar por qué estrategias metodológicas, partiendo de qué primeros axiomas estéticos fue compuesto su "Cuervo" ("The Raven"). Para defender su amor propio contra la acusación de que sus fantásticas narraciones de horror eran imitaciones literarias, Poe dijo que los horrores que contenían no eran de Alemania, sino del alma; pero, no obstante, no pudo admitir que fueran de su propia alma. Poe pretendía ser un ingeniero literario, perito en manipular las almas de los demás. En él es pavorosamente acabada la división entre lo inconsciente, que pone los temas obsesivos del delirio, la tortura y la muerte, y lo consciente, que los desarrolla literariamente [15].

Si tuviéramos que idear pruebas para la determinación del talento literario, serían, sin duda, de dos clases: una, la destinada a los poetas en sentido moderno, se dedicaría a las palabras y sus combinaciones, a la imagen y la metáfora, a los nexos semánticos y fonéticos (es decir, rima, asonancia, aliteración); la otra, hecha para los narradores (novelistas y dramaturgos), afectaría a la creación de personajes y a la estructura de la trama.

El literato es especialista en asociación ("ingenio"), disociación ("juicio"), recombinación (forja de una nueva unidad a base de elementos experimentados separadamente). El vehículo empleado por el literato son las palabras. De niño acaso coleccione palabras como otros niños coleccionan juguetes, sellos o monedas. Para el poeta, la palabra no es primariamente un "signo", una ficha transparente, sino un símbolo, que vale tanto por sí mismo como en su calidad representativa; puede ser incluso un "objeto" o "cosa" caros por su sonido o por su aspecto. Algunos novelistas pueden emplear las palabras como signos (Scott, Cooper, Dreiser), en cuyo caso pueden leerse con provecho traducidos a otra lengua o ser recordados por la trama de su invención; pero, por lo común, los poetas utilizan las palabras "simbólicamente" [16].

La expresión tradicional "asociación de ideas" es nombre inexacto. Más allá del vínculo asociativo de palabra con palabra (acusado en algunos poetas), existe la asociación de los objetos a que se refieren las "ideas" de nuestra mente. Las principales categorías de tal asociación son contigüidad en el tiempo y en el espacio, y semejanza o desemejanza. El novelista acaso opere principalmente en función de la primera; el poeta, en función de la segunda (que podemos equiparar a la metáfora); pero, sobre todo en la literatura reciente, no hay que apurar demasiado la contraposición.

En su *Road to Xanadu*, Lowes, con la perspicacia de un detective brillante, reconstruye el proceso de asociación en virtud del cual el voraz y curioso lector que era Coleridge pasaba de una cita o alusión a otra. Sin embargo, en cuanto atañe a la teoría, Lowes no tarda en darse por satisfecho: unos cuantos términos puramente figurados le bastan para describir el proceso creador. Habla de los "átomos enganchados" o (con frase de Henry James) de que las imágenes e ideas caen por algún tiempo "en el pozo profundo de la cerebración inconsciente" para resurgir habiendo experimentado (en la cita de Shakespeare predilecta de los eruditos anglosajones) una "transmutación abisal". Cuando las lecturas recónditas de Coleridge reaparecen, habla, a veces, de "taracea" o de "mosaico", y otras de "milagro". Lowes reconoce formalmente que "en la cumbre de su poder, la energía creadora es tanto consciente como inconsciente..., gobierna conscientemente la muchedumbre de imágenes que en el fondo [el 'pozo' de lo inconsciente] han sufrido una metamorfosis inconsciente"; pero casi no se preocupa ni se esfuerza por definir lo realmente intencional y constructivo del proceso creador [17].

En el caso del escritor narrativo, pensamos en su creación de personajes y en su "invención" de historias. A partir de la época romántica es indudable que ambas se han entendido con harto simplismo como "originales" o copiadas de las personas reales (punto de vista que se proyecta también a la literatura del pasado), o como plagios. Sin embargo, hasta en los novelistas más "originales", como Dickens, los tipos y las técnicas narrativas son principalmente tradicionales, sacados del acervo literario profesional, institucional [18].

Cabe suponer que en la creación de personajes se funden en diversa medida tipos literarios heredados, personas reales observadas y el yo del escritor. Podríamos decir que el realista principalmente observa comportamientos o "endopatiza", mientras que el escritor romántico "proyecta"; sin embargo, es lícito dudar de que la mera observación baste para la caracterización con visos de verosimilitud. Dice un psicólogo que Fausto, Mefistófeles, Werther y Wilhelm Meister son todos "proyecciones en el mundo de la ficción de diversos aspectos del propio Goethe". Los yoes en potencia del novelista, incluso los que se consideran malvados, son todos *personae* en potencia. "Lo que en un hombre es disposición de ánimo, en otro es carácter". Los cuatro hermanos Karamásov son distintas facetas de Dostoyevskii. Tampoco hay que suponer que el novelista dependa forzosamente de la observación para crear sus heroínas. *"Madame Bovary, c'est moi"*, dice Flaubert. Sólo los yoes reconocidos desde dentro como potenciales pueden convertirse en "personajes vivos", no "planos", sino en relieve, corpóreos [19].

¿Qué clase de relación guardan estos "personajes vivos" con el yo real del novelista? Parece que cuantos más y más dispersos sean sus personajes, tanto menos definida será la "personalidad" del propio novelista. Shakespeare se diluye en sus obras de teatro; ni en ellas ni en anécdota alguna tenemos la sensación de una personalidad netamente definida e individualizada, comparable a la de Ben Jonson. El carácter del poeta —escribió una vez Keats— es no tener yo: "lo es todo y no es nada... Se deleita tanto en crear un Yago como una Imogena... Un Poeta es la cosa menos poética del mundo, porque no tiene Identidad; está constantemente dando forma y contenido al otro cuerpo" [20].

Todas estas teorías de que nos hemos ocupado pertenecen en puridad a la psicología del escritor. Los procesos de su creación constituyen objeto legítimo de la curiosidad investigadora del psicólogo. Éste puede clasificar al poeta según tipos fisiológicos y psicológicos; puede describir sus dolencias mentales; puede incluso explorar su subconsciente. Los testimonios del psicólogo pueden proceder de documentos no literarios o estar sacados de las obras mismas. En este último caso hay que contrastarlos con los testimonios documentales, para interpretarlos cuidadosamente.

¿Puede utilizarse a su vez la psicología para interpretar y valorar las obras literarias mismas? Evidentemente, la psicología puede verter luz sobre el proceso creador. Como hemos visto, se ha prestado atención a los diversos procedimientos de composición, a las costumbres de los autores en la tarea de corregir o escribir de nuevo sus obras. Se ha estudiado la génesis de éstas: las primeras etapas, los borradores, las versiones desechadas. Sin embargo, la aplicabilidad crítica de gran parte de estas noticias, sobre todo de las muchas anécdotas acerca de las costumbres de los escritores, está, a buen seguro, exagerada. El estudio de las revisiones, correcciones, etc., tiene mucho de aprovechable literariamente, ya que, rectamente utilizado, puede ayudarnos a percibir en una obra de arte fisuras, incongruencias, desviaciones, distorsiones que sirven para la labor crítica. Analizando el modo en que Proust compuso su novela cíclica, Feuillerat arroja luz sobre los volúmenes posteriores, permitiéndonos distinguir en el texto diversos estratos. El estudio de las variantes parece dejarnos atisbar en el gabinete de trabajo de un autor [21].

Sin embargo, si examinamos con más calma los borradores, las partes desechadas, las exclusiones y los cortes, llegamos a la conclusión de que, en definitiva, no son necesarios para entender la obra acabada o para formular sobre ella un juicio. El interés que entrañan es el de cualquier alternativa, es decir, que acaso pongan de relieve las cualidades del texto definitivo. Pero igual resultado puede muy bien lograrse ideando por nosotros mismos alternativas, hayan o no pasado realmente por las mientes del autor. Los versos de Keats de la "Ode to the Nightingale":

> *The same [voice] that oft-times hath*
> *Charm'd magic casements opening on the foam*
> *Of perilous seas, in faery lands forlorn*,*

pueden ganar algo de que sepamos que Keats había pensado primero en "mares implacables" e incluso en "mares sin proas" (teelless seas). Pero la condición de "implacable" o de "sin navíos", cuya noticia se conserva por azar, no difiere esencialmente de "proceloso", "estéril", "vacío", "desolado", "cruel", o cualquier otro adjetivo que el crítico hubiera podido escoger. No pertenecen a la obra de arte; ni estas cuestiones genéticas eximen del análisis y valoración de la obra propiamente dicha [22].

Resta tocar la cuestión de la "psicología" de las obras mismas. A veces, a los personajes de obras dramáticas y de novelas los consideramos "psicológicamente" verdaderos. En virtud de esta misma

---

* La misma [voz] que a veces
ha lanzado su embrujo por mágicas ventanas
que se abren a la espuma de mares procelosos,
en desoladas tierras de ensueño.

cualidad se elogian situaciones y se admiten argumentos. A veces, una teoría psicológica, sustentada consciente u oscuramente por un autor, parece casar con una figura o con una situación; así, Lily Campbell ha afirmado que Hamlet encaja en el tipo de "hombre de complexión sanguínea que sufre de hipocondría atrabiliaria", conocido de los isabelinos por sus teorías psicológicas. De igual manera, Oscar Campbell ha tratado de demostrar que Jaques, en *Como gustéis*, es un caso de "hipocondría anormal producido por adustión de la flema". Se podría demostrar que Walter Shandy sufre de la enfermedad de asociacionismo lingüístico descrita por Locke. Julien Sorel, el famoso protagonista de Stendhal, está descrito en función de la psicología de Destutt de Tracy, y las diferentes clases de sus relaciones amorosas están clasificadas, evidentemente, con arreglo al libro *Del Amor* del propio Stendhal. Los móviles y sentimientos de Rodión Raskólnikov se analizan de un modo que delata algún conocimiento de la psicología clínica. Proust tiene, sin duda, toda una teoría psicológica de la memoria, importante incluso para organizar su obra. El psicoanálisis de Freud lo utilizan muy a sabiendas novelistas como Conrad Aiken o Waldo Frank [23].

Cabe, por supuesto, plantear la cuestión de si el autor ha logrado realmente incorporar la psicología en sus personajes y en las relaciones entre ellos. No cuenta la simple exposición de su saber o de sus teorías. Éstas son "materia" o "fondo", como cualquier otra clase de información que se encuentra en la literatura, verbigracia, datos tomados de la navegación, de la astronomía o de la historia. En algunos casos cabe poner en duda o desatender la referencia a la psicología contemporánea. Los intentos de encuadrar a Hamlet o a Jaques en algún esquema de psicología isabelina inglesa resultan equivocados, ya que la psicología isabelina era contradictoria, confusa y confundente, y Hamlet y Jaques son algo más que tipos. Aunque Raskólnikov y Sorel encajan en ciertas teorías psicológicas, sólo encajan en ellas de un modo incompleto o discontinuo: Sorel se comporta a veces de un modo sumamente melodramático; el primer crimen de Raskólnikov no está motivado adecuadamente. Estas obras no son, fundamentalmente, estudios psicológicos o exposiciones de teorías, sino dramas o melodramas, en los cuales son más importantes las situaciones notables que la motivación psicológica realista. Si se examinan las novelas de "corriente de conciencia", no se tarda en advertir que no hay reproducción "real" de los procesos anímicos reales del sujeto, que la corriente de la conciencia es más bien un artificio para dramatizar el espíritu, para hacernos conscientes concretamente de cómo es Benjy, el idiota de *The Sound and the Fury* de Faulkner, o de cómo es la señora Bloom, heroína del *Ulysses* de Joyce. Pero el artificio tiene poco que resulte científico o siquiera "realista" [24].

Aun suponiendo que un autor logre que sus personajes se comporten con "verdad psicológica", muy bien podemos suscitar la cuestión de si tal "verdad" constituye un valor artístico. No poco arte grande infringe constantemente las normas de la psicología contemporánea o posterior a él. Trabaja con situaciones improbables, con motivos fantásticos. Al igual que la exigencia de realismo social, la verdad psicológica es norma naturalista sin validez universal. En algunos casos, no cabe duda de que la intuición psicológica parece exaltar el valor artístico; entonces corrobora importantes valores artísticos: los de la complejidad y de la cohesión. Pero tal intuición se puede conseguir por medios distintos del conocimiento teórico de la psicología. En el sentido de teoría consciente y sistemática del alma, la psicología no es necesaria para el arte, y en sí misma no constituye un valor artístico [25].

Para algunos artistas conscientes, la psicología puede haber tensado su sentido de la realidad, puede haber aguzado sus facultades de observación o puede haberles permitido dar con estructuras hasta entonces desconocidas. Pero, en sí misma, la psicología sólo es preparatoria del acto creador; y, en la obra misma, la verdad psicológica sólo constituye un valor artístico si exalta la cohesión y la complejidad..., en suma, si es arte.

Capítulo IX

LITERATURA Y SOCIEDAD

La literatura es una institución social que utiliza como medio propio el lenguaje, creación social. Los artificios literarios tradicionales como el simbolismo y el metro son sociales en su misma naturaleza; son convenciones y normas que sólo pueden haberse producido en la sociedad. Pero, además, la literatura "representa" "la vida"; y "la vida" es, en gran medida, una realidad social, aun cuando también hayan sido objeto de "imitación" literaria el mundo natural y el mundo interior o subjetivo del individuo. El propio poeta es miembro de la sociedad, y tiene una condición social específica; recibe un cierto reconocimiento y recompensa sociales; se dirige a un público, por hipotético que éste sea. En rigor, la literatura ha nacido, por lo común, en íntimo contacto con determinadas instituciones sociales; y puede ocurrir que en la sociedad primitiva no podamos siquiera distinguir la poesía del ritual, de la magia, del trabajo o del juego. La literatura tiene también una función o "uso" social, que no puede ser puramente individual. De aquí que una gran mayoría de las cuestiones planteadas por los estudios literarios sean, por lo menos en última instancia o por derivación, cuestiones sociales: cuestiones de tradición y convención, de normas y géneros, de símbolos y mitos. Con Tomars, podemos decir: "Las instituciones estéticas no se basan en instituciones sociales; ni siquiera forman parte de instituciones sociales: son instituciones sociales de un determinado tipo y están íntimamente relacionadas con las demás" [1].

Por lo común, sin embargo, la investigación relativa a "la literatura y la sociedad" se plantea de un modo más angosto y externo. Se formulan cuestiones sobre las relaciones de la literatura con una situación social dada, con un determinado sistema económico, social y político; se hacen intentos de exponer y definir la influencia de la sociedad sobre la literatura y de fijar y juzgar el puesto de la literatura en la sociedad. Este acercamiento sociológico a la literatura lo cultivan particularmente los que profesan una filosofía social específica. Los críticos marxistas no sólo estudian estas relaciones entre literatura y sociedad, sino que tienen también su concepto netamente definido de lo que deben ser tales relaciones, tanto en nuestra sociedad actual como en una futura sociedad sin clases. Practican la crítica valorativa, basada en criterios políticos y éticos no literarios. No sólo nos dicen lo que fueron y son las relaciones y derivaciones sociales de la obra de un autor, sino lo que hubieran debido ser o debieran ser [2]. No sólo son estudiosos de la literatura y de la sociedad, sino profetas del futuro, admonitores, propagandistas; y se les hace difícil separar estas dos funciones.

De la relación entre literatura y sociedad suele tratarse partiendo de la frase, que se remonta a De Bonald, de que "la literatura es una expresión de la sociedad". Pero ¿qué significa este axioma? Si supone que la literatura, en cualquier momento dado, refleja "rectamente" la situación social vigente, entonces es falso; pero es lugar común, trillado y vago y si sólo significa que la literatura retrata algunos aspectos de la realidad social [3]. Decir que la literatura refleja o expresa la vida es todavía más ambiguo. El escritor, inevitablemente, expresa su experiencia y concepto total de la vida; pero sería manifiestamente contrario a la verdad decir que expresa cabal y exhaustivamente la totalidad de la vida, o incluso la vida toda de una época dada. Constituye un criterio valorativo específico decir que un autor debe dar expresión plena a la vida de su época, que debe ser "representativo" de su siglo y de su sociedad. Además —ocioso es decirlo—, los términos "pleno" y "representativo" requieren no escasa medida de interpretación: en la mayor parte de la crítica social parecen significar que el autor no debe ignorar situaciones sociales específicas (verbigracia, la miserable condición del proletariado), o incluso que debe compartir con el crítico una actitud e ideología que son exclusivas de éste.

En la crítica hegeliana y en la de Taine no se hace otra cosa que equiparar la grandeza artística a la grandeza histórica o social. El artista expresa verdad y asimismo, forzosamente, verdades históricas y sociales. Si las obras de arte aportan "documentos es *porque* son monumentos" [4]. Se postula la armonía entre el genio y la época. La calidad de "representativo", la "verdad social", es, por definición, efecto y a la vez causa del valor artístico. Aunque a un sociólogo moderno puedan parecerle documentos sociales mejores, las obras de arte mediocres, medias, son, para Taine, inexpresivas y, por tanto, no son representativas. La literatura no es realmente reflejo del proceso social, sino la esencia, suma y cifra de toda la historia.

Sin embargo, más acertado parece aplazar el problema de la crítica valorativa hasta que hayamos desentrañado las relaciones que realmente existen entre la literatura y la sociedad. Estas relaciones descriptivas (a diferencia de las normativas) son susceptibles de una clasificación bastante fácil.

Tenemos primeramente la sociología del escritor y de la profesión e instituciones literarias, toda la cuestión de la base económica de la producción literaria, procedencia y condición social del autor e ideología social, que puede manifestarse en formas y actividades extra-literarias. Plantéase después el problema del fondo social, las derivaciones y propósitos sociales de las obras literarias mismas. Por último, se nos presenta el problema del público y el de la influencia social real de la literatura. La cuestión de hasta qué punto viene determinada realmente la literatura por su marco social o depende de éste, del cambio y evolución sociales, es cuestión que, de un modo u otro, habrá de entrar en las tres subdivisiones de nuestro problema: la sociología del escritor, el contenido social de las obras mismas y la influencia de la literatura en la sociedad. Habremos de decidir qué se entiende por dependencia o causalidad; y, por último, llegaremos al problema de la integración cultural y, particularmente, a cómo está integrada nuestra propia cultura.

Como todo escritor es miembro de la sociedad, cabe estudiarlo como ente social. Aunque su biografía constituye la fuente principal, tal estudio puede ampliarse fácilmente hasta abarcar el ambiente todo del que procedía y en el cual vivió. Será posible acumular noticias sobre la procedencia social, el trasfondo familiar, la posición económica de los escritores. Podemos señalar cuál ha sido la parte que exactamente corresponde a aristócratas, burgueses y proletarios en la historia de la literatura; podemos, por ejemplo, demostrar la parte predominante que los hijos de las clases de las profesiones liberales y de las comerciales tienen en la producción literaria norteamericana [5]. Las estadísticas pueden demostrar que, en la Europa moderna, la literatura ha reclutado gran parte de sus cultivadores en las clases medias, ya que la aristocracia se preocupaba de alcanzar gloria o se entregaba al ocio, mientras a las clases bajas se les brindaban escasas oportunidades de instruirse. En Inglaterra, esta generalización sólo es válida con grandes reservas. Los hijos de aldeanos y de obreros rara vez aparecen en la vieja literatura inglesa: las excepciones, constituidas por casos como los de Burns y Carlyle, se explican en parte por el democrático sistema escolar escocés. El papel desempeñado por la aristocracia en la literatura inglesa ha sido de una importancia poco común, debido en parte a haber estado menos desligada de las clases profesionales que en otros países donde no había primogenitura. Sin embargo, salvo contadas excepciones, todos los escritores rusos modernos anteriores a Goncharóv y Chéjov fueron aristócratas de origen. Hasta Dostoyevskii era prácticamente noble, aunque su padre, médico de un hospital de pobres de Moscú, no adquiriera tierras y siervos hasta años avanzados de su vida.

Es bastante fácil acopiar tales datos, pero no lo es tanto interpretarlos. ¿Determina la procedencia social la ideología y filiación sociales? Los casos de Shelley, Carlyle y Tolstoy son ejemplos evidentes de "traición" a la propia clase; fuera de Rusia, la mayoría de los escritores comunistas no son de origen proletario. Los críticos marxistas han llevado a cabo extensas investigaciones para determinar con precisión tanto la procedencia como la filiación social de los escritores rusos. Así, P. N. Sakulin basa su estudio de la literatura rusa reciente en cuidadosas distinciones entre las respectivas literaturas de los campesinos, la pequeña burguesía, la *intelligentsia* democrática, la *intelligentsia déclassée*, la burguesía, la aristocracia y el proletariado revolucionario [6]. En el estudio de la literatura más antigua, los estudiosos rusos intentan establecer minuciosas distinciones entre los muchos grupos y subgrupos de la aristocracia rusa a que cabe demostrar que pertenecieron Púschkin y Gógoll, Turguiéniev y Tolstoy en virtud de las riquezas que heredaron y de sus primeras relaciones sociales[7]. Pero es difícil probar que Púschkin representara los intereses de la nobleza campesina empobrecida, y Gógoll los del pequeño terrateniente ucraniano; semejante conclusión queda en rigor refutada por la ideología general de sus obras y por la atracción que éstas han ejercido más allá de los límites de un grupo, clase o época[8].

El origen social de un escritor sólo desempeña papel secundario en las cuestiones planteadas por su condición, filiación e ideología sociales, pues es palmario que, a veces, los escritores se han puesto al servicio de una clase distinta de la suya propia. La mayor parte de la poesía palaciega fue escrita por hombres que, aunque nacidos en una capa social más baja, adoptaron la ideología y gustos de sus protectores.

La filiación, actitud e ideología social de un escritor pueden estudiarse no sólo en sus escritos, sino a veces también en documentos .biográficos extraliterarios: El escritor ha sido ciudadano, se ha pronunciado sobre cuestiones de importancia social y política, ha tomado parte en las cuestiones de la época.

Se ha trabajado mucho sobre las ideas políticas y sociales de escritores determinados; y en época reciente se han estudiado con detenimiento cada vez mayor las derivaciones económicas de tales ideas. Así, L. C. Knights, afirmando que la actitud económica de Ben Jonson era profundamente medieval, pone de manifiesto cómo, al igual que varios de los dramaturgos de su época, satirizó la clase pujante de los usureros, monopolistas, especuladores y aventureros[9]. Muchas obras literarias —verbigracia, las historias de Shakespeare y los *Viajes de Gulliver* de Swift— se han vuelto a interpretar en íntima relación con el contexto político de la época[10]. Las declaraciones, decisiones y actividades nunca deben confundirse con las derivaciones sociales reales de la obra de un escritor. Balzac constituye un ejemplo notable de la posible escisión, pues, aunque sus simpatías declaradas estaban todas por el antiguo régimen, por la aristocracia y la Iglesia, su instinto y su imaginación eran presa mucho más del tipo adquisitivo, el especulador, el nuevo hombre fuerte de la burguesía. Entre la teoría y la práctica, entre la profesión de fe y la capacidad creadora puede haber diferencias considerables.

Una vez sistematizados, estos problemas de origen, filiación e ideología sociales conducirán a una sociología del escritor como tipo, o como tipo en un determinado tiempo y lugar. Cabe distinguir a los escritores con arreglo a su grado de integración en el proceso social. Esta integración es muy íntima en la literatura popular, pero puede llegar a los extremos de disociación, de distanciamiento social, en la bohemia, en el *poète maudit* y en el genio creador independiente. En conjunto, en la época moderna y en Occidente, el literato parece haber relajado sus vínculos de clase. Ha surgido una "intelligentsia", una clase intermedia de profesionales relativamente independiente. Será tarea de la sociología literaria determinar su condición social precisa, su grado de dependencia respecto de la clase dominadora, las fuentes económicas exactas de su sostenimiento, el prestigio del escritor en cada sociedad.

Las líneas generales de esta historia presentan ya bastante claridad. En la literatura oral popular podemos estudiar el papel del cantor o narrador, que suele depender estrechamente del favor de su público: el aedo de la Grecia clásica, el *scop* de la antigüedad teutónica, el narrador profesional de leyendas populares del Oriente y de Rusia. En el estado-ciudad de Grecia, los trágicos y los compositores de ditirambos o himnos, como Píndaro, ocupaban una posición especial, semirreligiosa, que lentamente fue secularizándose, como se advierte comparando a Eurípides con Esquilo. Entre los cortesanos del Imperio romano hemos de recordar a Virgilio, Horacio y Ovidio dependiendo de la munificencia y benevolencia de su César y de Mecenas.

En la Edad Media tenemos el monje en su celda, el trovador y *Minnesänger* en la corte o en el castillo del señor feudal, los *clerici vagantes*. El escritor es clérigo o estudiante, o bien es cantor, juglar, menestral. Pero incluso reyes como Wenceslao II de Bohemia o Jacobo I de Escocia son entonces poetas-aficionados, diletantes. En el *Meistergesang* tudesco, los artesanos se organizan en gremios poéticos, son burgueses que cultivan la poesía como un arte. Con el Renacimiento surge un grupo relativamente independiente de escritores, los humanistas, que a veces van de país en país ofreciendo sus servicios a diferentes protectores. Petrarca es el primer *poeta laureatus* moderno, poseído de un grandioso concepto de su misión, mientras Aretino es el prototipo del periodista literato, que vive del chantaje, y que es temido más que honrado y respetado.

En general, la historia de épocas posteriores es la transición del apoyo prestado por protectores, nobles o no, al prestado por editores que actúan de intérpretes del público lector. Sin embargo, el sistema de la protección aristocrática no fue universal. La Iglesia y al poco tiempo el teatro prestaron apoyo a tipos especiales de literatura. En Inglaterra, el sistema del patrocinio, al parecer, comenzó a decaer a principios del siglo XVIII. Durante algún tiempo, la situación económica de los literatos empeoró, privados de sus antiguos bienhechores y aún no sostenidos plenamente por el público lector. Los primeros años de la vida de Samuel Johnson en Grub Street y su desaire a lord Chesterfield simbolizan estos cambios. No obstante, una generación antes, Pope pudo amasar una fortuna con su traducción de Homero, pródigamente suscrita por la nobleza y los universitarios.

Sin embargo, las grandes recompensas económicas no llegan hasta el siglo XIX, cuando Scott y Byron ejercen enorme influencia sobre el gusto y la opinión pública. Voltaire y Goethe han hecho aumentar enormemente el prestigio y la independencia del escritor en Europa. El crecimiento del público lector, la fundación de las grandes revistas como la *Edinburgh Review* y la *Quarterly,* hicieron cada vez más de la literatura la "institución" que Próspero de Barante, escribiendo en 1822, calificó de casi independiente en el siglo XVIII [11].

Como afirma Ashley Thorndike, la "característica sobresaliente de las publicaciones impresas del siglo XIX no es su vulgarización ni su mediocridad, sino, antes bien, su especialización. Estas publicaciones no se dirigen ya a un público uniforme y homogéneo: están divididas entre muchos públicos y, por consiguiente, en muchos temas, intereses y fines" [12]. En *Fiction and the Reading Public,* que bien podría considerarse una homilía sobre el texto de Thorndike, Mrs. Q. D. Leavis [13] señala que el aldeano del siglo XVIII que había aprendido a leer tenía que leer lo que leían la pequeña nobleza y los universitarios; que, en cambio, a los lectores del siglo XIX no cabe calificarlos propiamente de público, sino de públicos. Nuestra época conoce todavía más multiplicaciones y subdivisiones en punto a publicaciones de todas clases: hay libros para niños de nueve o diez años, para estudiantes de enseñanza media, para "los que viven solos"; existen revistas profesionales, boletines, novelas del Oeste, historias noveladas, etc. Todos se especializan: editores, revistas y escritores.

Resulta así que el estudio de la base económica de la literatura y de la condición social del escritor va indisolublemente unido al estudio del público a que se dirige y del cual depende económicamente [14]. Hasta el mecenas aristócrata constituye un público, y, a veces, un público exigente, que no sólo exige adulación personal, sino también acomodación a las convenciones de su clase. En la sociedad más antigua, en la comunidad en que florece la poesía popular, la dependencia del autor respecto del público es todavía mayor: su obra no se transmitirá a menos que agrade inmediatamente. El papel desempeñado por el público en el teatro es al menos igualmente tangible. Se ha intentado incluso hacer remontar los cambios en los períodos y estilo de Shakespeare al cambio de público que se da al pasar del *Globe,* tablado al aire libre, en el South Bank, con su mezclada concurrencia, al *Black Friars,* local cerrado frecuentado por la buena sociedad. Más difícil resulta seguir la pista a las relaciones concretas entre autor y público en época posterior, cuando el público lector aumenta rápidamente, se vuelve disperso y heterogéneo y tales relaciones se hacen más indirectas y oblicuas. El número de intermediarios entre escritores y público aumenta. Podemos estudiar el papel desempeñado por instituciones sociales y asociaciones como el salón, el café, el club, la academia y la universidad. Podemos seguir retrospectivamente la historia de revistas, periódicos y editoriales. El crítico pasa a ser un intermediario importante; un grupo de *connaisseurs,* bibliófilos y coleccionistas puede mantener ciertas clases de literatura; y las mismas sociedades literarias pueden coadyuvar a crear un público especial de escritores o seudoescritores. Sobre todo en Norteamérica, las mujeres, que, según Thornstein Veblen, sustituyen al marido, fatigado hombre de negocios, en el "consumo" de las artes, se han convertido en activos determinantes del gusto literario.

Sin embargo, las viejas pautas no han sido sustituidas por completo. Todos los Estados modernos apoyan y fomentan la literatura en distinta medida; y la protección implica, desde luego, fiscalización e intervención [15]. Sería difícil exagerar la influencia deliberada del Estado totalitario en los últimos decenios, influencia que ha sido negativa en la supresión, la quema de libros, la censura, el silenciamiento y la represión, y positiva en el fomento del regionalismo de "sangre y tierra" o "realismo socialista" soviético. El hecho de que el Estado no haya logrado crear una literatura que, ajustándose a directrices ideológicas, siga siendo arte grande, no puede impugnar el concepto según el cual la reglamentación oficial de la literatura es eficaz brindando posibilidades de creación a quienes se identifiquen voluntaria o reaciamente con las disposiciones oficiales. Así, en la Rusia soviética, la literatura se está convirtiendo de nuevo en arte comunal, al menos en teoría, y el artista ha vuelto a ser integrado en la sociedad.

La curva del éxito, supervivencia y reafirmación de una obra o del renombre y fama de un escritor es principalmente un fenómeno social. En parte pertenece, desde luego, a la "historia" literaria, ya que el prestigio y la fama se miden por la influencia real de un escritor sobre otros, por su capacidad general de transformar y modificar la tradición literaria. En parte, el prestigio es cuestión de reacción crítica: hasta ahora, ha sido determinado principalmente sobre la base de manifestaciones más o menos formales que se suponen representativas del "lector corriente" de una época. De aquí que, aunque toda la cuestión de la mudanza constante de los gustos sea "social", pueda asentarse sobre una base más netamente sociológica: realizando una labor detallada se puede investigar la concordancia real entre una obra y aquel determinado público que la ha hecho triunfar; se pueden acumular datos sobre ediciones y sobre ejemplares vendidos.

La estratificación de toda sociedad se refleja en la estratificación de sus gustos. Aunque las normas de las clases altas suelen influir sobre las inferiores, a veces el movimiento se invierte: ejemplo elocuente lo constituye el interés por el folklore y el arte primitivo. No existe un paralelismo forzoso entre el progreso político y social y el estético: en literatura, la dirección pasó a la burguesía mucho antes que la supremacía política. La estratificación social puede quedar interferida y aun anulada en cuestiones de gustos por diferencias de edad y de sexo, por determinados grupos y asociaciones. La moda también es fenómeno importante en la literatura moderna, ya que, en una sociedad fluida que vive en régimen de competencia, las normas de las clases altas, rápidamente imitadas, están necesitadas de sustitución constante. Sin duda, los rápidos cambios de gusto actuales parecen reflejar los rápidos cambios sociales registrados en las últimas décadas y la imprecisa relación general entre el artista y el público.

El aislamiento del escritor moderno respecto de la sociedad, del que son exponentes Grub Street, la bohemia, Greenwich Village, el escritor norteamericano que emigró voluntariamente a Europa, pide ser objeto de estudio sociológico. Un socialista ruso, Gueorguii Plejanov, cree que la doctrina de "el arte por el arte" nace cuando los artistas sienten una "oposición irreductible entre sus aspiraciones y las aspiraciones de la sociedad a que pertenecen. Para que se produzca, los artistas han de ser muy hostiles a su sociedad y no han de abrigar esperanza alguna de modificarla" [16]. En su *Soziologie der literarischen Geschmacksbildung*, Levin L. Schücking ha esbozado algunos de estos problemas; en otra obra ha estudiado detenidamente el papel de la familia y de las mujeres como público en el siglo XVIII [17].

Aunque se ha acumulado abundante material, rara vez se han extraído conclusiones bien fundadas acerca de las relaciones exactas entre la producción literaria y sus fases económicas, o aun respecto a la influencia exacta ejercida por el público sobre un determinado autor. Es evidente que la relación no es de simple dependencia o de observancia pasiva de las prescripciones dictadas por el mecenas o el público. Cabe que los escritores logren crear su propio público; en rigor, como Coleridge sabía, todo escritor nuevo ha de crear el gusto que sea capaz de gozar de su obra.

El escritor no sólo experimenta la influencia de la sociedad, sino que influye en ella. El arte no sólo reproduce la Vida, sino que también le da forma. Cabe que las personas moldeen su vida siguiendo el ejemplo de héroes y heroínas de novela. La gente ha hecho el amor, ha cometido crímenes, se ha suicidado siguiendo la pauta de un libro, ya sea el *Werther* o *Los tres mosqueteros*. Pero ¿podremos

determinar con precisión la influencia de un libro en sus lectores?
¿Será posible alguna vez determinar la influencia de la sátira? ¿Cambió
Addison realmente las costumbres de su sociedad, o provocó reformas Dickens en las cárceles de acreedores, en las escuelas o en los
hospicios? [18]. ¿Fue de verdad Enriqueta Beecher Stowe "la mujercita
que hizo la guerra grande"? *. ¿Ha hecho cambiar _Lo que el viento
se llevó_ la actitud de los lectores del Norte de Estados Unidos
para con la guerra de Mrs. Beecher Stowe? ¿Qué efecto han ejercido en sus lectores Hemingway y Faulkner? ¿Hasta qué punto
influyó la literatura en la génesis del nacionalismo moderno? Sin
duda, las novelas históricas de Walter Scott en Escocia, de Enrique
Sienkievich en Polonia, de Alois Jirásek en Checoslovaquia han contribuido de modo muy concreto a acrecer el orgullo nacional y la
memoria colectiva de acontecimientos históricos.

Cabe sentar la hipótesis —plausible, sin duda— de que los jóvenes quedan influidos por sus lecturas de un modo más directo e
intenso que los viejos; que los lectores inexpertos toman la literatura ingenuamente más como transcripción que como interpretación
de la vida; que los que disponen de pocos libros los toman mucho
más en serio que los que leen mucho y por oficio. ¿Podemos ir
más allá de esta conjetura? ¿Cabe hacer uso de cuestionarios y de
cualquier otro procedimiento de indagación sociológica? Lograr una
objetividad exacta es imposible, ya que el intento de redactar historiales dependerá de la memoria y de las facultades analíticas del
interrogado, y su testimonio habrá de ser ordenado y valorado por
una mente también falible. Pero la cuestión de cómo afecta la literatura a su público es empírica y debe contestarse —si es que es
susceptible de contestación— recurriendo a la experiencia; y como
nos referimos a la literatura y a la sociedad en el sentido más amplio,
hay que apelar a la experiencia no sólo del _connaisseur_, sino de la
especie humana. Apenas hemos comenzado a estudiar tales cuestiones [19].

En buena parte, el procedimiento más corriente para abordar la
cuestión de las relaciones entre la literatura y la sociedad es el estu-

---

* Se alude a la hipótesis de que _La cabaña del tío Tom_ contribuyó a
que se declarase la Guerra de Secesión norteamericana.

dio de obras literarias como documentos sociales, como supuestos retratos de la realidad social. Tampoco se puede dudar de que quepa extraer de la literatura alguna especie de cuadro social. En rigor, ésta ha sido una de las primeras utilidades que los estudiosos sistemáticos han tratado de extraer de la literatura. Thomas Warton, el primer historiador verdadero de la poesía inglesa, afirmaba que la literatura tiene . el "mérito peculiar de registrar fielmente las características de los tiempos y de conservar la representación más pintoresca y .expresiva de las costumbres" [20], y para él, como para muchos de sus sucesores, la literatura es fundamentalmente un tesoro de trajes y costumbres, una fuente de información para la historia de la civilización, especialmente de la caballería y su decadencia. En cuanto a los lectores modernos, muchos de ellos sacan sus principales impresiones sobre sociedades extranjeras de sus lecturas de novelas, de Sinclair Lewis y Galsworthy, de Balzac y Turguiéniev.

Utilizada como documento social, puede hacerse que la literatura dé las líneas generales de la historia social. Chaucer y Langland conservan aspectos de la sociedad del siglo xIV. En el prólogo de los *Cuentos de Cantorbery* no tardó en advertirse que se contenía una sinopsis casi completa de tipos sociales. Shakespeare en *Las alegres comadres de Windsor,* Ben Jonson en diversas obras dramáticas y Thomas Deloney parecen decirnos algo acerca de la clase media de la época isabelina. Addison, Fielding y Smollett retratan la nueva burguesía del siglo xVIII; Jane Austen, la pequeña nobleza campesina y los clérigos rurales de principios del siglo xIX, y Trollope, Thackeray y Dickens, el mundo victoriano. En las postrimerías del siglo, Galsworthy nos describe la alta clase media inglesa; Wells, la clase media modesta; Bennett, las ciudades de provincias.

En cuanto atañe a la vida norteamericana, se podría reunir análoga colección de cuadros sociales utilizando desde las novelas de Enriqueta Beecher Stowe y de Howells hasta las de Farrell y Steinbeck. La vida de París y de la Francia posteriores a la Restauración parece perdurar en los centenares de personajes que pasan por las páginas de la *Comedia humana* de Balzac; y Proust dibujó con detalle infinito las estratificaciones sociales de la aristocracia francesa decadente. La Rusia de los terratenientes del siglo xIX aparece en las novelas de Turguiéniev y de Tolstoy; tenemos vislumbres del mercader y del intelectual en los cuentos y en el teatro de Chéjov y de campesinos de granjas colectivizadas en Schólojov.

Los ejemplos podrían multiplicarse indefinidamente. Se puede montar y exponer el "mundo" de cada autor, el papel que cada uno asigna al amor y al matrimonio, a los negocios, a las profesiones, su retrato de clérigos, sean estúpidos o inteligentes, santos o hipócritas; o bien cabe especializarse en los marinos de Jane Austen, en los *arrivistes* de Proust, en las casadas de Howells. Esta clase de especialización se traducirá en monografías sobre "Relaciones entre casero e inquilino en la novela norteamericana del siglo XIX", "El marinero en la novela y en el teatro ingleses" o bien sobre "Norteamericanos de origen irlandés en la novela contemporánea".

Pero estos estudios resultarán de escaso valor mientras den por sentado que la literatura es simplemente un espejo de la vida, una reproducción, y, por lo mismo, evidentemente, un documento social. Tales estudios sólo tienen sentido si conocemos el método artístico del novelista estudiado, si podemos decir —no ya en términos generales, sino concretamente— qué relación guarda el cuadro o retrato con la realidad social. ¿Es realista de propósito? ¿O es, en ciertos momentos, sátira, caricatura o idealización romántica? En un estudio de admirable lucidez sobre la aristocracia y la clase media en Alemania, Kohn-Bramstedt nos precave justificadamente diciendo: "Sólo quien tenga conocimiento de la estructura de una sociedad a base de fuentes que no sean las puramente literarias será capaz de averiguar si ciertos tipos sociales y su comportamiento se reproducen y hasta qué punto se reproducen en la novela. En cada caso ha de separarse sutilmente qué es pura fantasía, qué observación realista y qué expresión tan sólo de los deseos del autor" [21]. Haciendo uso del concepto de "tipos sociales" ideales de Max Weber, el mismo investigador estudia fenómenos sociales como el odio de clase, el comportamiento del *parvenu*, el esnobismo y la actitud hacia los judíos; y mantiene que tales fenómenos no son tanto hechos objetivos y formas de conducta como actitudes complejas, ilustradas hasta ahora mucho mejor en la novela que en otras fuentes. Los estudiosos de actitudes y aspiraciones sociales pueden aprovechar el material literario si saben interpretarlo como es debido. En rigor, para las épocas más antiguas se verán obligados a utilizar fuentes literarias o, al menos, semiliterarias, por falta de testimonios de los sociólogos de la época: escritores que se ocupan de política, de economía, y de cuestiones públicas en general.

Los héroes y heroínas de la novela, los villanos y aventureras brindan interesantes indicios de estas actitudes sociales [22]. Estos estudios obligan a adentrarse constantemente en la historia de las ideas éticas y religiosas. Conocemos la situación del traidor en la Edad Media y la actitud medieval hacia la usura que, demorándose hasta entrar en el Renacimiento, nos da a Shylock y después al avaro de Molière. ¿Qué "pecado mortal" han atribuido principalmente los siglos posteriores al villano? Y ¿se concibe su villanía en función de la moralidad personal o de la moralidad social? ¿Es el villano, por ejemplo, artista en raptos o malversador de pensiones de viudedad?

El caso clásico es el de la comedia inglesa de tiempos de la Restauración. ¿Fue simplemente el reino de los cornudos, el país encantado de los adulterios y matrimonios de apariencia, como creía Lamb? ¿O fue, como Macaulay quisiera hacernos creer, retrato fiel de una aristocracia decadente, frívola y brutal? [23]. ¿No debiéramos más bien, rechazando ambas alternativas, ver qué determinado grupo social creó este arte y para qué público? ¿No habría que tratar de indagar si fue un arte naturalista o un arte estilizado? ¿No debiéramos tener en cuenta la sátira y la ironía, la ridiculización de sí mismo y la fantasía? Como toda la literatura, tampoco estas comedias son simplemente documentos, sino obras de teatro con figuras estereotipadas, situaciones estereotipadas con matrimonios escenográficos. Edgar E. Stoll termina sus muchos argumentos sobre estos extremos diciendo: "Evidentemente, esto no es una "sociedad real", no es un retrato fiel, ni siquiera de la "vida elegante"; es palmario que no es Inglaterra, que ni siquiera es "Inglaterra bajo los Estuardo", sea antes o después de la Revolución o de la Gran Rebelión" [24]. Con todo, la saludable insistencia en la convención y la tradición que se encuentra en obras como la de Stoll no puede desentrañar por completo las relaciones entre la literatura y la sociedad. Hasta la alegoría más abstrusa, la pastoral menos real, la farsa más burda, debidamente interrogadas, pueden decirnos algo de la sociedad de un época.

La literatura sólo se produce como parte de una cultura, en un medio ambiente dentro de un contexto social. La famosa trinidad *race, milieu* y *moment* de Taine, ha conducido en la práctica al estudio exclusivo del *milieu*. La raza es una magnitud fija e incógnita, con que Taine opera muy imprecisamente. A veces, es simplemente el supuesto "carácter nacional" o el "espíritu" inglés o francés. El momento puede disolverse en el concepto de medio. Una diferencia de época significa simplemente un marco distinto; pero la verdadera cuestión de análisis sólo se plantea si tratamos de aislar el término *milieu*. Advertiremos entonces que el marco más inmediato de una obra literaria es su tradición lingüística y literaria, y que, a su vez, esta tradición está encuadrada en un "clima" cultural general. Mucho menos directamente puede relacionarse la literatura con situaciones económicas, políticas y sociales concretas. Claro es que existen relaciones recíprocas entre todas las esferas de las actividades humanas. Acaso quepa establecer una cierta relación entre los modos de producción y la literatura, ya que un sistema económico suele implicar algún sistema de autoridad y ha de influir en las formas de vida familiar; y la familia desempeña un importante papel en la educación, en los conceptos de sexualidad y amor, en toda la convención y tradición del sentimiento humano. Así, incluso es posible vincular la poesía lírica con las convenciones de amor, con los prejuicios religiosos y con las concepciones de la naturaleza. Pero estas relaciones pueden ser capciosas y equívocas.

Parece imposible, sin embargo, admitir un punto de vista que constituya una determinada actividad humana en "motor" de todas las demás, sea la teoría de Taine, que explica la capacidad creadora por un conjunto de factores climáticos, biológicos y sociales, sea la de Hegel y los hegelianos, que consideran el "espíritu" la única fuerza motriz de la historia, sea la de los marxistas, que todo lo hacen depender del sistema de producción. En los muchos siglos que transcurren entre la baja Edad Media y el nacimiento del capitalismo no se operan cambios técnicos radicales, mientras la vida cultural y la literatura en particular experimentan hondísimas transformaciones. La literatura tampoco da muchas muestras siempre, al menos inmediatamente, de advertir los cambios de orden técnico que una época experimenta: la Revolución Industrial sólo penetró en la novela inglesa en el quinto decenio del siglo XIX (con Elizabeth Gaskell, Charles Kingsley y Carlota Brontë), mucho después de que sus síntomas fueran ya manifiestos para los economistas y los sociólogos. Debe admitirse que la situación social parece determinar la posibilidad de realización de ciertos valores estéticos, pero no los valores mismos. Cabe determinar, en líneas generales, qué formas de arte son posibles en una sociedad dada, y cuáles son imposibles; pero no se puede predecir que se producirán realmente estas formas de arte. Muchos marxistas —y no sólo los marxistas— intentan pasar de la economía a la literatura con excesiva rapidez y derechura. Por ejemplo, John Maynard Keynes, hombre nada falto de cultura literaria, ha atribuido la existencia de Shakespeare al hecho de que "estábamos justamente en situación económica de permitirnos el lujo de un Shakespeare en el momento en que se presentó. Los grandes escritores florecieron en el ambiente de pujanza y euforia, y en el de falta de preocupaciones económicas por parte de la clase dominadora que produce la inflación de beneficios" [25]. Pero la inflación de beneficios no ha producido grandes poetas en otros lugares —por ejemplo, en los Estados Unidos, durante el auge del decenio 1920-1929—, y esta idea de un Shakespeare optimista no se sustrae del todo a la crítica. Tampoco es más útil la fórmula contraria, forjada por un marxista ruso: "La concepción trágica del mundo en Shakespeare fue resultado de que fuera la expresión dramática de la aristocracia feudal que en tiempos de Isabel había perdido su posición dominante" [26]. Tales juicios contradictorios, adscritos a categorías vagas como el optimismo y el pesimismo, no atienden concretamente ni al contenido social susceptible de determinación en los dramas de Shakespeare, ni a las opiniones que profesa sobre cuestiones políticas (bien manifiestas en sus dramas históricos), ni a su condición social como escritor.

Sin embargo, hay que llevar cuidado en no rechazar el enfocamiento económico de la literatura en virtud de tales citas. El propio Marx, aunque en ocasiones formuló juicios caprichosos, en general percibía agudamente el carácter oblicuo de la relación entre la literatura y la sociedad. En su *Crítica de la economía política* admite que "ciertos períodos de máximo desarrollo del arte no guardan relación directa con el desenvolvimiento general de la sociedad ni con la base material y la estructura ósea de su organización. Repárese en el ejemplo de los griegos por contraposición con las naciones modernas o aun con Shakespeare" [27]. Marx comprendió también que la moderna división del trabajo conduce a una contradicción concreta entre los tres factores ("momentos", en su terminología hegeliana) del proceso social: "fuerzas productivas", "relaciones sociales" y "conciencia". Esperaba, de un modo que difícilmente se hurta a lo utópico, que en la futura sociedad sin clases la división del trabajo volvería a desaparecer, que el artista volvería a quedar integrado en la sociedad. Creía que todo el mundo puede ser un pintor excelente e incluso original. "En una sociedad comunista no hay pintor, sino, a lo sumo, hombres que, entre otras cosas, pintan" [28].

El "marxista vulgar" nos dice que tal o cual escritor fue un burgués que pregonó opiniones reaccionarias o progresistas sobre la Iglesia y el Estado. Hay una curiosa contradicción entre este declarado determinismo que supone que la "conciencia" ha de seguir a la "existencia", que un burgués no puede remediar serlo, y el acostumbrado juicio ético que lo condena por estas mismas opiniones. Sabido es que, en Rusia, los escritores de origen burgués que se han solidarizado con el proletariado han sido blanco de constantes sospechas en cuanto a su sinceridad, y todo fallo artístico o cívico ha sido atribuido a su origen de clases. Sin embargo, si el progreso, en sentido marxista, conduce directamente desde el feudalismo pasando por el capitalismo burgués a la "dictadura del proletariado", sería lógico y consecuente que el marxista alabase en todo momento a los "progresistas"; debiera alabar al burgués cuando, en las primeras etapas del capitalismo, lucha contra el feudalismo superviviente. Pero los marxistas critican a menudo a los escritores desde el punto de vista del siglo xx, o bien, como Smirnóv y Grib, marxistas muy adversos a la "sociología vulgar", salvan al escritor burgués reconociendo su universal humanidad. Así, Smirnóv llega a la conclusión de que Shakespeare fue el "ideólogo humanista de la burguesía, el exponente del programa que perseguía cuando, en nombre de la humanidad, desafió por vez primera el orden feudal" [29]. Pero el concepto de humanismo, de la universalidad del arte, se aparta de la doctrina fundamental del marxismo, que es esencialmente relativa.

Donde mejor está la crítica marxista es al exponer las derivaciones sociales implícitas o latentes en la obra de un escritor. En este aspecto es una técnica de interpretación paralela a las que se basan en las intuiciones de Freud, de Nietzsche o de Pareto, o a la "sociología del saber" de Scheler-Mannheim. Todos estos intelectuales son suspicaces del intelecto, de la doctrina que se profesa, de la simple manifestación. La distinción cardinal es que los métodos de Nietzsche y de Freud son psicológicos, mientras que el análisis de los "residuos" y "derivados" de Pareto y la técnica del análisis de la "ideología" de Scheler-Mannheim son sociológicos.

La "sociología del saber", tal como la ilustran los escritos de Max Scheler, de Max Weber y de Karl Mannheim, ha sido desarrollada en detalle y presenta ventajas concretas sobre sus rivales [30]. No sólo llama la atención sobre las premisas y derivaciones de una posición ideológica dada, sino también subraya los cultos supuestos y prevenciones del propio investigador. Así, es crítica y consciente de sí misma hasta llegar al extremo de la morbosidad. También es menos dada que el marxismo o el psicoanálisis a aislar un solo factor presentándolo como el único determinante de un cambio. Sea cual fuere su fracaso en aislar el factor religioso, los estudios de sociología de la religión de Max Weber son valiosos por intentar determinar la influencia de los factores ideológicos sobre el comportamiento e instituciones económicos, ya que antes sólo se había hecho hincapié en el influjo económico sobre la ideología [31]. Una investigación análoga sobre la influencia de la literatura en las transformaciones sociales sería muy de desear, aunque tropezaría con dificultades semejantes. En efecto, parece tan difícil aislar el factor estrictamente literario como el religioso y responder a la cuestión de si la influencia se debe al determinado factor mismo o a otras fuerzas de las que el factor es simple portador o cauce [32].

La "sociología del saber" adolece, sin embargo, de excesivo historicismo; ha llegado a conclusiones en último término escépticas, pese a su tesis de que puede lograrse la "objetividad" sintetizando y, con ello, neutralizando las perspectivas en pugna. Al aplicarla a la literatura, se resiente también de su incapacidad para establecer la vinculación entre "contenido" y "forma". Como el marxismo, preocupado por no caer en una explicación irracionalista, es incapaz de dar una base racional a la estética y, por consiguiente, a la crítica y la valoración. Esto, desde luego, se aplica a todos los métodos extrínsecos de estudio de la literatura. Ningún estudio causal puede hacer justicia teórica al análisis, descripción y valoración de una obra literaria.

Pero el problema de "la literatura y la sociedad" puede plantearse evidentemente en términos distintos, los de las relaciones simbólicas o significativas: de consecuencia, armonía, cohesión, congruencia, identidad estructural, analogía estilística, o sea cual fuere el término con que queramos designar la integración de una cultura y la mutua relación entre las distintas actividades de los humanos. Sorokin, que ha analizado claramente las distintas posibilidades [33], ha llegado a la conclusión de que el grado de integración varía de una sociedad a otra.

El marxismo nunca responde a la cuestión del grado de dependencia de la literatura respecto de la sociedad; de aquí que casi no hayan empezado todavía a estudiarse muchos de los problemas fundamentales. A veces, por ejemplo, se ven argumentos en pro de la determinación social de los géneros, como en el caso del origen burgués de la novela, o incluso del detalle de sus actitudes y formas, como en el punto de vista de Edwin B. Burgum, no muy convicente, según el cual la tragicomedia "es resultado del choque de la seriedad de la clase media con la frivolidad aristocrática" [34]. ¿Hay determinantes sociales concretos de un estilo literario tan amplio como el Romanticismo, que, aunque asociado con la burguesía, era antiburgués en su ideología, desde sus mismos comienzos, al menos en Alemania? [35]. Aunque parece evidente que las ideologías y temas literarios dependen de alguna manera de las circunstancias sociales, rara vez se han establecido los orígenes sociales de las formas y de los estilos, de los géneros y de las normas literarias propiamente dichas [36].

Esto se ha intentado de modo concretísimo en los estudios de los orígenes sociales de la literatura: en la unilateral teoría de Bücher sobre la génesis de la poesía en los movimientos rítmicos del trabajo; en los muchos estudios hechos por antropólogos sobre la función mágica del arte primitivo; en el documentadísimo intento de George Thomson de poner en relación concreta la tragedia griega con el culto y los rituales y con una revolución social democrática en tiempos de

Esquilo; en el ensayo, algo ingenuo, de Christopher Caudwell de estudiar las fuentes de la poesía en las emociones tribuales y en la "ilusión" burguesa de la libertad individual [37].

Sólo si se pudiera demostrar de un modo concluyente la determinación social de las formas, sería posible plantear la cuestión de si las actitudes sociales no pueden hacerse "constitutivas" de una obra de arte y entrar en ella como partes efectivas de su valor artístico. Se puede afirmar que la "verdad social", aunque no es, como tal, un valor artístico, corrobora valores artísticos tales como la complejidad y la cohesión. Pero no es forzoso que sea así. Hay grandes obras literarias que tienen escasa relación con lo social, o ninguna; la literatura social sólo es una clase de literatura, y no es fundamental en teoría de la literatura, a menos que se sustente la opinión de que la literatura es fundamentalmente "imitación" de la vida tal cual es, y de la vida social en particular. Pero la literatura no es sucedáneo de la sociología ni de la política. Tiene su propia justificación y finalidad.

CAPÍTULO X

LITERATURA E IDEAS

La relación entre literatura e ideas puede entenderse de muy diversas maneras. Frecuentemente, la literatura se entiende como una forma de filosofía, como "ideas" revestidas de forma; y se analiza para extraer de ella "ideas dominantes". Se invita a los estudiantes a resumir y extractar obras de arte en función de estas generalizaciones. En muchos de los trabajos de erudición de antaño, este método se llevó a extremos absurdos: recuérdese, por ejemplo, a los eruditos alemanes estudiosos de la obra de Shakespeare, como Ulrici, que redujo la idea central de *El mercader de Venecia* al aforismo latino "summum ius summa iniuria" [1]. Aunque hoy en día la mayor parte de los investigadores desconfían de tan excesiva intelectualización, todavía se dan a la estampa estudios que se ocupan de literatura como si fuera un tratado filosófico.

El punto de vista opuesto es negar en absoluto contenido filosófico a la literatura. En una conferencia sobre "filosofía y poesía", George Boas ha expuesto sin ambages este punto de vista: "Las ideas en poesía suelen ser trasnochadas y con frecuencia falsas, y nadie que tenga más de dieciséis años puede creer que vale la pena leer poesía sólo por lo que dice" [2]. Según T. S. Eliot, "ni Shakespeare ni Dante tuvieron originalidad de pensamiento" [3]. Cabe conceder a Boas que el contenido ideológico de la mayor parte de la poesía (y él parece referirse principalmente a la poesía lírica) suele exagerarse no poco. Si analizamos muchos poemas famosos admirados por su filosofía, a menudo sólo encontramos simples lugares comunes sobre la mortalidad del hombre o lo incierto del destino. Las frases proféticas de poetas victorianos como Browning, que han impresionado a muchos lectores como una revelación, resultan ser a veces simples versiones de bolsillo de verdades de remotísima antigüedad[4]. Aunque parezca que podemos extraer alguna proposición general, como la de Keats, "la Belleza es Verdad; la Verdad, Belleza", quedamos abandonados a sacar el partido que podamos de estas proposiciones reversibles, a menos que las consideremos como la conclusión de un poema que se endereza a ilustrar lo duradero del arte y lo pasajero de las emociones humanas y de la belleza natural. Reducir una obra de arte a un enunciado doctrinal —o, peor aún, aislar pasajes— es funesto para entender la unicidad de una obra; es desintegrar su estructura e imponer criterios de valor extraños.

Sin duda, la literatura puede tratarse como documento para la historia de las ideas y de la filosofía, ya que la historia literaria corre paralelamente a la historia de la cultura y la refleja. A veces, afirmaciones explícitas o ciertas alusiones ponen de manifiesto la adhesión de un poeta a una determinada filosofía, o bien demuestran que tuvo conocimiento directo de alguna filosofía, o al menos que no se le ocultaban los supuestos generales de ésta.

En decenios recientes, todo un grupo de estudiosos norteamericanos se ha dedicado a investigar estas cuestiones, calificando su método de "historia de las ideas", término un tanto equívoco para designar el método específico y limitado desarrollado y propugnado por Arthur O. Lovejoy[5]. Éste ha demostrado brillantemente su eficacia en un libro, *The Great Chain of Being*, en que expone la idea de una escala natural desde Platón a Schelling, siguiéndola a través de todos los modos de pensamiento; esto es, la filosofía en sentido estricto, el pensamiento científico, la teología y —específicamente— la literatura. El método se distingue de la historia de la filosofía en dos aspectos. Lovejoy circunscribe el estudio de la historia de la filosofía a los grandes pensadores y entiende su propia "historia de las ideas" de modo que comprende también los pensadores menores, incluidos los poetas, a los cuales considera derivados de los pensadores. Establece además la distinción de que mientras la historia de la filosofía estudia los grandes sistemas, la historia de las ideas se ocupa de ideas tomadas aisladamente; es decir, descompone los sistemas de los filósofos en sus partes integrantes, estudiando motivos aislados, individuales.

Los particulares deslindes establecidos por Lovejoy, si bien cabe perfectamente defenderlos como base de un estudio como *The Great Chain of Being*, no logran convencer en un plano más amplio. La historia de los conceptos filosóficos pertenece propiamente a la historia de la filosofía, y en ella la incluyeron hace mucho tiempo Hegel y Windelband. Claro está que es tan unilateral estudiar ideas con exclusión de los sistemas, como lo sería restringir la historia literaria a la historia de la versificación o de la dicción o de las imágenes, olvidando el estudio de esos todos coherentes que son las obras de arte concretas. La "historia de las ideas" es simplemente una particular vía de acceso al estudio de la historia general del pensamiento, en que la literatura sólo se utiliza como documento e ilustración. Este supuesto es evidente cuando Lovejoy dice que las ideas que se contienen en la literatura reflexiva seria son en gran parte "ideas filosóficas en dilución" [6].

No obstante, la "historia de las ideas" debe ser bien recibida por los estudiosos de la literatura, y no simplemente por la luz indirecta que una mejor comprensión de la historia filosófica ha de verter sobre la literatura. El método de Lovejoy reacciona contra el excesivo intelectualismo de la mayoría de los historiadores del pensamiento; reconoce que el pensamiento, o al menos la opción entre sistemas de pensamiento, viene determinada frecuentemente por hipótesis, por hábitos mentales más o menos inconscientes; que los hombres están influidos en su adopción de ideas por su sensibilidad a diversas formas de *pathos* metafísico, y que las ideas son a menudo palabras clave, frases sacras que han de ser estudiadas semánticamente. Leo Spitzer, que se ha mostrado en desacuerdo con no pocas características de la historia de las ideas de Lovejoy, ha dado magníficos ejemplos de cómo combinar la historia intelectual y la historia semántica en estudios en que se sigue la evolución de palabras como *milieu*, "ambiente" y *Stimmung* a través de todas sus asociaciones y ramificaciones en la historia [7]. Por último, el esquema de Lovejoy presenta una característica sumamente atractiva: ignora explícitamente la división de los estudios literarios e históricos por nacionalidades y lenguas.

No es fácil exagerar el valor que para la exégesis de un texto poético reviste el conocimiento de la historia de la filosofía y del pensamiento en general. Además, la historia literaria —sobre todo cuando se ocupa de escritores como Pascal, Emerson y Nietzsche— ha de ocuparse constantemente de problemas de historia intelectual. En rigor, la historia de la crítica es simplemente una parte de la historia del pensamiento estético, al menos si se trata en sí misma, sin referencia a la obra creadora contemporánea de ella.

Sin duda alguna puede demostrarse que la literatura inglesa refleja la historia de la filosofía. La poesía isabelina está empapada de platonismo renacentista: Spenser escribió cuatro himnos en que describía la ascensión neoplatónica desde la materia hasta la Belleza celestial, y en la *Faerie Queene* zanja la disputa entre la Mutabilidad y la Naturaleza en favor de un orden eterno e inmutable. En Marlowe advertimos reflejos del ateísmo y escepticismo de su época, de influencia italiana. Incluso en Shakespeare se acusan muchas huellas del platonismo renacentista, por ejemplo, en el famoso discurso de Ulises en *Troilo*, junto con ecos del pensamiento de Montaigne y latiguillos de estoicismo. Podemos seguir la pista del estudio de la patrística y de la escolástica hecho por Donne, así como de la repercusión de la nueva ciencia en su sensibilidad. El propio Milton desarrolló una teología y una cosmogonía sumamente personales que, según uno de sus intérpretes, funden elementos materiales y elementos platónicos y beben en el pensamiento oriental y en las doctrinas de sectas contemporáneas como la de los mortalistas.

Dryden escribió poesía filosófica que expone las controversias teológicas y políticas de la época, constituyendo prueba indudable de su conocimiento del fideísmo, de la ciencia moderna, del escepticismo y del deísmo. A Thomson puede calificársele de expositor de un sistema que funde el newtonismo y Shaftesbury. El *Essay on Man* de Pope abunda en ecos filosóficos y Gray puso en hexámetros latinos las teorías de Locke. Laurence Sterne era admirador entusiasta de Locke, y utilizó sus ideas de asociación y duración, a veces para fines cómicos, a todo lo largo de *Tristram Shandy*.

Entre los grandes poetas románticos, el propio Coleridge fue un filósofo de gran ambición y bastante relieve, estudioso atento de la obra de Kant y de Schelling, cuyas concepciones expuso, aunque no siempre críticamente. A través de Coleridge, a cuya poesía no parece afectar demasiado su filosofía sistemática, muchas ideas alemanas o en general neoplatónicas entraron o volvieron a entrar en la tradición poética inglesa. En Wordsworth hay huellas de Kant, y se ha demostrado que estudió detenidamente al psicólogo Hartley. Shelley, al principio, estuvo influido profundamente por los *philosophes* franceses del siglo XVIII y por el discípulo inglés de éstos, Godwin; pero luego asimiló ideas derivadas de Spinoza, Berkeley y Platón. La controversia victoriana entre ciencia y religión encuentra expresión bien conocida en Tennyson y Browning. Swinburne y Hardy reflejan el ateísmo pesimista de la época, mientras Hopkins acusa el efecto de sus estudios sobre Duns Escoto. George Eliot tradujo a Feuerbach y a Strauss; Shaw leía a Samuel Butler y a Nietzsche. La mayoría de los escritores recientes han leído a Freud o conocen trabajos sobre su obra: Joyce no sólo conocía a Freud y a Jung, sino también a Vico, a Giordano Bruno y, por supuesto, a Santo Tomás de Aquino; Yeats estaba profundamente enfrascado en la teosofía, en la mística e incluso en la obra de Berkeley.

En otras literaturas, los estudios sobre tales problemas quizá sean más abundantes todavía. Son innumerables las interpretaciones que se han hecho de la teología de Dante. En Francia, Etienne Gilson ha aplicado su profundo conocimiento de la filosofía medieval a la exégesis de pasajes de las obras de Rabelais y de Pascal[8]. Paul Hazard ha escrito con pericia sobre *La crisis de la conciencia europea* hacia finales del siglo XVII, exponiendo la difusión de las ideas de la Ilustración y, en una obra posterior, su afirmación en toda Europa[9]. En Alemania abundan los estudios sobre el kantismo de Schiller, sobre los puntos de contacto de Goethe con Plotino y con Spinoza, sobre los de Kleist con Kant, los de Hebbel con Hegel y temas análogos. En rigor, la colaboración entre filosofía y literatura en Alemania fue a menudo extraordinariamente íntima, sobre todo durante el período romántico, cuando Fichte, Schelling y Hegel vivían con los poetas, y hasta un poeta tan puro como Hölderlin consideraba obligado especular sistemáticamente sobre cuestiones de epistemología y metafísica. En Rusia se ha tratado con frecuencia a Dostoyevskii y a Tolstoy simplemente como filósofos y pensadores religiosos, e incluso a Puschkin se le ha hecho destilar una vaga sabiduría[10]. En la época del movimiento simbolista surgió en Rusia toda una escuela de "críticos metafísicos" que interpretaban la literatura en función de sus posiciones filosóficas propias. Roszánov, Miereschkovski, Schéstov, Bierdiáyev y Vyacheslav Ivánov escribieron todos sobre Dostoyevskii [11], unas veces utilizándolo simplemente como texto para predicar sus propias doctrinas, otras reduciéndolo a sistemas, pero rara vez entendiéndolo como novelista trágico.

Sin embargo, al término o, mejor, al comienzo de estos estudios deben plantearse algunas cuestiones que no siempre se contestan claramente. ¿En qué medida los simples ecos del pensamiento filosófico en la obra del poeta definen las concepciones de un autor, sobre todo de un autor dramático como Shakespeare? ¿Qué claridad y sistema tenían las concepciones filosóficas de los poetas y otros escritores? ¿No es hartas veces un anacronismo de la peor especie dar por sentado que un escritor de siglos pasados tuvo una filosofía personal, que sintió incluso la exigencia de tenerla o que vivió entre personas que alentaban toda forma personal de opiniones o que se interesaban por ella? ¿No exageran burdamente a menudo los historiadores literarios, incluso con respecto a autores recientes, la cohesión, claridad y alcance de sus convicciones filosóficas?

Aun pensando en autores que eran profundamente conscientes o incluso, como en unos cuantos casos, filósofos especulativos, y que escribieron poesía que podría llamarse "filosófica", tendremos, no obstante, que formular preguntas como las siguientes: ¿Es mejor la poesía por ser más filosófica? ¿Cabe juzgar la poesía según el valor de la filosofía que adopta o según el grado en que da muestras de comprenderla? ¿Cabe juzgarla con criterios de originalidad filosófica, por la medida en que modificó el pensamiento tradicional? T. S. Eliot da la preferencia a Dante sobre Shakespeare porque la filosofía de Dante le parece más sólida que la de Shakespeare. Un filósofo alemán, Hermann Glockner, ha afirmado que poesía y filosofía nunca han estado tan apartadas como en Dante, porque éste tomó un sistema acabado sin modificarlo [12]. La verdadera colaboración entre filosofía y poesía se produjo cuando había poetas-pensadores como Empédocles en la época presocrática de Grecia, o durante el Renacimiento, cuando Ficino o Giordano Bruno escribían poesía y filosofía, filosofía poética y

poesía filosófica, y luego en Alemania, cuando Goethe era poeta y a
la vez filósofo original.

Ahora bien, ¿constituyen criterios de crítica literaria. los módulos
filosóficos de esta clase? ¿Habrá que condenar el *Essay on Man* de
Pope por presentar considerable eclecticismo de fuentes y una cohesión que se limita solamente a los pasajes, tomados por separado,
pero que falta por completo en la obra considerada en conjunto?
¿Hace a Shelley mejor o peor poeta el hecho de que podamos demostrar que en cierta época de su vida pasó del crudo materialismo
de Godwin a una especie de idealismo platónico? ¿Cabe desvirtuar la
impresión de que la poesía de Shelley es vaga, monótona y tediosa
—según parece ser la experiencia de una nueva generación de lectores—, poniendo de manifiesto que su filosofía, si se interpreta como
es debido, tenía sentido en su época, o que tal o cual pasaje no carece de él, sino que alude a concepciones científicas o seudocientíficas contemporáneas? [13]. Todos estos criterios se basan, sin duda, en
el equívoco intelectualista, en una confusión de las funciones de la
filosofía y del arte, en un erróneo modo de entender la manera en
que las ideas entran realmente en la literatura.

Estos reparos al excesivo intelectualismo del enfoque filosófico se
han tenido en cuenta en algunos métodos desarrollados, sobre todo,
en Alemania. Rudolf Unger, sirviéndose de las ideas de Dilthey, ha
defendido con gran claridad un planteamiento que, aunque no había
sido explotado sistemáticamente, venía utilizándose hacía ya tiempo [14].
Acertadamente mantiene que la literatura no es conocimiento filosófico traducido a imágenes y versos, sino que expresa una actitud general ante la vida; que los poetas, por lo común, contestan de un
modo no sistemático a cuestiones que también son temas de la filosofía, pero que el modo poético de responder difiere según la épocas
y las situaciones. Unger clasifica estos "problemas" del siguiente modo,
bastante arbitrario: el problema del sino, con lo que se refiere a la
relación entre la libertad y la necesidad, entre el espíritu y la naturaleza; el "problema" religioso, que comprende la interpretación de
Cristo, la actitud ante el pecado y ante la salvación; el problema de
la naturaleza, que comprende cuestiones como el sentimiento de la
naturaleza, pero también las del mito y la magia. A otro grupo de
problemas lo califica Unger de problema del hombre; afecta a

cuestiones del concepto de hombre, pero también de la relación entre el hombre y la muerte, del concepto que el hombre tiene del amor; y, por último, tenemos la serie de problemas de la sociedad, de la familia y del Estado. La actitud de los escritores debe estudiarse en relación con estos problemas, y en algunos casos se han escrito libros que tratan de exponer la historia de estos problemas en función de una supuesta evolución inmanente. Walther Rehm ha escrito una voluminosa obra sobre el problema de la muerte en la poesía alemana, y a Paul Kluckhohn debemos un estudio sobre el concepto del amor en el siglo XVIII y en la época romántica [15].

En otras lenguas también se han escrito obras parecidas. La de Mario Praz puede calificarse de estudio del problema de la carne y de la muerte como ya indica el título [16]. La *Allegory of Love,* de C. S. Lewis, además de ser una historia de las formas alegóricas, contiene mucho acerca de las mudables actitudes hacia el amor y el matrimonio, y Theodore Spencer ha escrito un libro sobre la muerte y la tragedia isabelina, que en su parte introductoria expone el concepto medieval de la muerte en oposición a las concepciones renacentistas [17]. Para limitarnos a un solo ejemplo: en la Edad Media, lo que más temía el hombre era la muerte repentina, por hacer imposible la preparación y el arrepentimiento, pero ya Montaigne empieza a creer que la mejor es una muerte rápida; ha perdido el concepto cristiano para el cual la muerte es la finalidad de la vida. Hoxie N. Fairchild ha intentado delinear las tendencias religiosas de la poesía inglesa del siglo XVIII clasificando a los escritores según el calor de sus emociones religiosas [18]. En Francia, la voluminosa *Histoire littéraire du sentiment religieux en France* del abate Bremond toma de la literatura muchos de sus materiales; y Monglond y Trahard han hecho sutilísimos estudios sobre el sentimentalismo, sobre el sentimiento prerromántico de la naturaleza y sobre la curiosa sensibilidad manifestada por los revolucionarios franceses [19].

Si se pasa revista a la lista de Unger, hay que reconocer que algunos de los problemas que enumera son simplemente problemas filosóficos, ideológicos, con respecto a los cuales el poeta sólo ha sido, como decía Sidney, el buen "filósofo popular", en tanto que otros problemas pertenecen a la historia de la sensibilidad y del sentimiento más que a la historia del pensamiento. A veces, lo ideológico se entre-

mezcla con lo puramente emocional. En su actitud para con la naturaleza, el hombre queda profundamente influido por especulaciones
cosmológicas y religiosas, pero también influyen en él directamente
consideraciones estéticas, convenciones literarias y tal vez incluso cambios fisiológicos en su manera de ver [20]. El sentimiento del paisaje,
aunque determinado también por viajeros, pintores y proyectistas de
jardines, ha experimentado profunda influencia por parte de poetas
como Milton o Thomson y por escritores como Chateaubriand y
Ruskin.

La historia del sentimiento presenta considerables dificultades, ya
que el sentimiento es huidizo y, al mismo tiempo, uniforme. Los alemanes han exagerado, sin duda, los cambios en las actitudes humanas
y han construido esquemas de su desenvolvimiento que son sospecho-
sos en su atildamiento. Con todo, no cabe duda de que el modo de
sentir cambia o, por lo menos, que tiene sus convenciones y modas.
Balzac hace un divertido comentario acerca de la frívola actitud die-
ciochesca de M. Hulot hacia el amor, distinta de la de Madame
Harneffe, que se aferra a las nuevas convenciones de la Restauración,
la convención de la pobre mujer débil, de la "hermana de la caridad" [21].
Los torrentes de lágrimas del lector y del escritor dieciochesco son
lugar común en la historia literaria: Gellert, poeta alemán de prestigio
intelectual y social, llora por la partida de Grandison y de Clemen-
tine, hasta que el pañuelo, el libro, la mesa y hasta el suelo quedan
empapados de llanto, de lo cual se jacta en una carta [22]; y aun Samuel Johson, no precisamente famoso por ternura de corazón, se
entregaba a las lágrimas y a las efusiones sentimentales con mucha
menos mesura que nuestros contemporáneos, al menos los de las clases intelectuales [23].

En el estudio del escritor considerado individualmente, el punto
de vista menos intelectualista de Unger tiene también sus ventajas,
ya que trata de definir actitudes e ideas formuladas de un modo menos tangible, menos abierto. Corre menos peligro de aislar y de reducir el contenido de una obra de arte a un simple enunciado en
prosa, a una simple fórmula.

El estudio de estas actitudes ha empujado a algunos filósofos alemanes a especular sobre la posibilidad de reducirlas a unos cuantos
tipos de *Weltanschauung*, término que se utiliza con tanta amplitud,

que lo mismo puede abarcar las ideas filosóficas que las actitudes emocionales. El ensayo más famoso es el de Dilthey, que en su práctica de historiador de la literatura ha recalcado constantemente la diferencia entre una idea y una vivencia *(Erlebnis)*. En la historia del pensamiento halla tres tipos [24]: el positivismo, que se deriva de Demócrito y de Lucrecio y comprende a Hobbes, a los enciclopedistas franceses y a los materialistas y positivistas modernos; el idealismo objetivo, que comprende a Heráclito, Spinoza, Leibniz, Schelling y Hegel, y un idealismo dualista o "idealismo de la libertad" en que están comprendidos Platón, los teólogos cristianos, Kant y Fichte. El primer grupo explica el mundo espiritual por el material; el segundo ve la realidad como expresión de una realidad interna y no reconoce pugna entre el ser y el valor; el tercero supone la independencia del espíritu con respecto a la naturaleza. Dilthey asocia después a autores determinados con estos tipos: Balzac y Stendhal pertenecen al primer tipo; Goethe, al segundo; Schiller, al tercero. Es ésta una clasificación que no se basa meramente en una adhesión y manifestaciones conscientes, sino que es deducible, según se supone, hasta del arte menos intelectual. Los tipos se asocian también con actitudes psicológicas generales: así, el realismo con el predominio del intelecto; el idealismo objetivo con el predominio del sentimiento; el idealismo dualista con el predominio de la voluntad.

Herman Nohl ha tratado de demostrar que los tipos también son aplicables a la pintura y a la música [25]. Rembrandt y Rubens pertenecen a los idealistas objetivos, los panteístas; pintores como Velázquez y Hals, a los realistas; Miguel Ángel, a los idealistas subjetivos. Berlioz pertenece al tipo primero; Schubert, al segundo; Beethoven, al tercero. La referencia a la pintura y la música es importante, ya que implica que estos tipos pueden existir también en la literatura sin contenido manifiestamente intelectual. Unger ha tratado de demostrar que las diferencias son válidas incluso para los pequeños poemas de Mörike, de Conrad Ferdinand Meyer y de Liliencron [26]; él y Nohl se esforzaron en demostrar que la *Weltanschauung* puede determinarse simplemente a base del estilo o, al menos, de escenas de una novela, desprovistas de contenido intelectual directo. Aquí, la teoría se convierte en una teoría de estilos artísticos fundamentales.

Walzel ha tratado de vincular con los *Principios de Historia del Arte* de Wölfflin y con tipologías análogas [27].

El interés de estas especulaciones es considerable, y muchas variantes de la teoría que hemos expuesto han sido forjadas en Alemania. También han sido aplicadas a la historia de la literatura. Walzel, por ejemplo, ve en la literatura alemana del siglo XIX una evolución clara desde el tipo segundo (el idealismo objetivo de Goethe y de los románticos), pasando por el tipo primero (realismo), que progresivamente se hace consciente de la fenomenalidad del mundo en el impresionismo, hasta un idealismo subjetivo, dualista, representado por el expresionismo, exponente del tipo tercero. El esquema de Walzel no enuncia simplemente la existencia de este cambio, sino que, de algún modo, es coherente y lógico. El panteísmo, en una cierta fase, conduce al naturalismo, y el naturalismo al impresionismo, y la subjetividad de éste refluye, por último, en un nuevo idealismo. El esquema es dialéctico y, en última instancia, hegeliano.

Al examinar detenida y rigurosamente estas especulaciones, no puede uno por menos de sentirse escéptico de lo perfilado de estos esquemas y de dudar del carácter sagrado de la división en tres tipos. El propio Unger, por ejemplo, distingue dos tipos de idealismo objetivo: un tipo armonioso, representado por Goethe, y uno dialéctico, representado por Boehme, Schelling y Hegel; y podrían ponerse objeciones análogas a los tipos de "positivismo", que parece abarcar multitud de puntos de vista, a veces muy divergentes. Pero más importantes que tales objeciones al detalle de la clasificación son las dudas que forzosamente surgen en cuanto a la hipótesis toda en que el empeño se basa. Toda tipología de esta clase conduce únicamente a una clasificación *grosso modo* de toda la literatura bajo tres o, a lo sumo, cinco o seis epígrafes. La individualidad concreta de los poetas y de sus obras se ignora o se reduce al mínimo. Desde un punto de vista literario, no parece que conduce a nada clasificar de "idealistas objetivos" a poetas tan distintos como Blake, Wordsworth y Shelley; por otra parte, no se consigue gran cosa con reducir la historia de la poesía a las permutaciones de tres o más tipos de *Weltanschauung*. Por último, esta posición implica un relativismo radical y excesivo. Es forzoso sentar la hipótesis de que estos tres tipos revisten igual valor y que el poeta no puede por menos de optar por uno de ellos a base

de su temperamento o de alguna concepción del mundo fundamentalmente irracional, meramente dada; de lo cual hay que colegir que
sólo hay un cierto número de tipos de *Weltanschauung* y que todo
poeta es exponente de uno de ellos. Ni que decir tiene que toda la
teoría se basa en una filosofía general de la historia que supone una
íntima y necesaria relación entre la filosofía y el arte, no sólo en el
individuo, sino en una época y en la historia. Esto nos conduce a
tratar de los supuestos de la *Geistesgeschichte*.

El término *Geistesgeschichte* puede utilizarse ampliamente como
alternativa de historia intelectual, de historia de las ideas en el sentido en que la entiende Lovejoy; y tiene la ventaja de ser un término
menos intelectualista que este último. *Geist* es un término amplio, que
suele abarcar los problemas que se consideran pertenecientes en gran
parte a la historia del sentimiento. Sin embargo, se lo asocia, lo que
parece menos conveniente, con toda la concepción de un "espíritu"
objetivo. Pero, por lo general, el término *Geistesgeschichte* se entiende en Alemania en un sentido aún más especial: con él se supone que
cada período histórico tiene su "espíritu de la época", y trata de
"reconstruir el espíritu de una época a partir de las diferentes obje-
tivaciones de una época —desde la religión hasta la vestimenta—. Buscamos la totalidad detrás de los objetos y lo explicamos todo con este
espíritu de la época" [28].

La *Geistesgeschichte* da por sentada una apretadísima cohesión de
todas las actividades culturales y de otro orden del hombre, un paralelismo completo de las artes y de las ciencias. El método se remonta
a sugestiones formuladas por los Schlegel, y ha tenido en Spengler
su intérprete más famoso, aunque también más extremoso, pero cuenta asimismo con adeptos académicos que son historiadores de la literatura por profesión, y que han utilizado el método sobre todo con
materiales literarios. Su aplicación práctica varía desde el empleo que
de él hacen dialécticos bastante moderados como Korff (que expone la
historia de la literatura alemana entre 1750 y 1830 en función de
un movimiento dialéctico de formas racionalistas a formas irracina-
listas hasta su síntesis hegeliana), hasta obras fantásticas, sofísticas,
seudomísticas, verbalistas, debidas a Cysarz, Deutschbein, Stefansky
y Meissner [29]. El método es, en gran parte, analógico: de analogía
negativa en cuanto dentro de una época dada tiende a recalcar las

diferencias y a desatender las semejanzas; de analogía positiva en cuanto tiende a recalcar las semejanzas y a desatender las diferencias entre los acaecimientos o producciones de un particular período. Las épocas romántica y barroca han resultado ser cotos de caza particularmente propicios a estos ejercicios de ingeniosidad.

Buen ejemplo de esto lo ofrece la obra de Meissner _Die geisteswissenschaftlichen Grundlagen des englischen Literaturbarocks_ (1934), que define el espíritu de la época como una pugna de tendencias antitéticas, siguiendo implacablemente esta fórmula a través de todas las actividades humanas, desde la técnica hasta las exploraciones, desde los viajes hasta la religión. Los materiales parecen ordenados con gran pulcritud en categorías tales como expansión y concentración, macrocosmos y microcosmos, pecado y salvación, fe y razón, absolutismo y democracia, "atectónica" y "tectónica". Con tal cúmulo de analogías, Meissner llega a la conclusión triunfal de que la época del Barroco acusa pugna, contradicción y tensión en todas sus manifestaciones. Sin embargo, al igual que sus colegas, Meissner nunca se plantea el problema obvio, pero fundamental, de si no cabría extraer el mismo esquema de contrarios de casi todas las demás épocas; y tampoco suscita la cuestión de si no podríamos imponer al siglo xvii un esquema de contrarios completamente distinto y ello incluso a base de las mismas citas que su vasta erudición le allega.

Análogamente, las voluminosas obras de Korff lo reducen absolutamente todo a la tesis "racionalismo", a la antítesis "irracionalismo", y a la síntesis de éstos, "romanticismo". El racionalismo también adopta rápidamente en Korff el sentido formal de "clasicismo"; el irracionalismo, el sentido de la suelta forma del _Sturm und Drang_, mientras al romanticismo alemán se le obliga a servir de síntesis. Hay escritos en alemán muchos libros que aplican este método: la obra, mucho más moderada, de Cassirer, _Freiheit und Form_, y la tortuosa _Erfahrung und Idee_ de Cysarz [30]. En algunos escritores alemanes, estos tipos ideológicos están relacionados de un modo íntimo o esfumado con tipos raciales: el alemán, o al menos el teutón, es el hombre de sentimiento, al paso que el latino es el hombre de razón; o bien los tipos pueden ser fundamentalmente psicológicos, como la acostumbrada contraposición entre lo demoníaco y lo racional. Por último, se afirma que los tipos ideológicos y los conceptos estilísticos son intercambiables: se funden con el clasicismo y el romanticismo, con el barroco y con el gótico, habiendo dado origen a un enorme cúmulo de literatura, en que la etnología, la psicología y la historia del arte se presentan en inextricable mezcolanza y confusión. Pero el supuesto todo de una completa integración de una época, de una raza, de una obra de arte es susceptible de graves objeciones. El paralelismo de las artes sólo puede admitirse con grandes reservas. El paralelismo entre filosofía y poesía está aún más expuesto a dudas; basta pensar en la poesía romántica inglesa, que floreció en época en que la filosofía inglesa y escocesa estaban dominadas completamente por la filosofía del buen sentido y el utilitarismo. Aun en los tiempos en que la filosofía parece mantener íntimo contacto con la literatura, la integración efectiva es mucho menos real de lo que se supone en la *Geistesgeschichte* alemana. El movimiento romántico alemán se estudia las más veces a la luz de la filosofía desarrollada por hombres como Fichte o Schelling, filósofos profesionales, y por escritores como Federico Schlegel y Novalis, casos fronterizos cuya obra artística real no tuvo importancia primordial ni fue artísticamente muy lograda. Muchas veces, los más grandes poetas o dramaturgos o novelistas del movimiento romántico alemán sólo tenían relación superficial con la filosofía contemporánea (como ocurría con E. T. A. Hoffmann y Eichendorff, católico de tipo tradicional) o desarrollaron un punto de vista filosófico hostil a los filósofos románticos por excelencia, como hizo Jean Paul Richter, que atacó a Fichte, o Kleist, que se sintió aplastado por Kant. La fuerte integración entre filosofía y literatura, incluso durante el movimiento romántico alemán, sólo puede demostrarse a base de fragmentos y disquisiciones teóricas de Novalis y de Federico Schlegel, discípulos de Fichte por confesión propia, cuyas especulaciones, a menudo inéditas en su época, tenían poco que ver con la producción de obras literarias concretas.

La íntima integración entre filosofía y literatura es hartas veces ilusoria, y los argumentos en su favor están exagerados porque se basan en un estudio de la ideología literaria, declaración de intenciones y programas que, acudiendo forzosamente a formulaciones estéticas existentes, acaso guarden solamente una relación remota con la práctica real de los artistas. Este escepticismo sobre la íntima integración de la filosofía y la literatura no niega, por supuesto, la existencia de muchas relaciones, ni tampoco la probabilidad de un cierto paralelismo reforzado por el común trasfondo social de una época, y, por tanto, por influencias comunes ejercidas en la literatura y en la filosofía. Pero incluso en esto, la hipótesis de un trasfondo social común puede ser ilusoria en realidad. Con frecuencia, la filosofía ha sido cultivada por una clase especial que puede ser muy distinta de la que cultiva la poesía, tanto en relaciones como en procedencia social. Mucho más que la literatura, la filosofía ha sido identificada con la Iglesia y con la Academia. Como todas las demás actividades humanas, tiene su propia historia, su dialéctica propia; sus facciones y movimientos no están, a nuestro modo ver, tan íntimamente relacionados con los movimientos literarios como suponen muchos cultivadores de la *Geistesgeschichte*.

La explicación de los cambios literarios en función de un "espíritu de la época" resulta realmente falsa cuando en vez de ser, a lo sumo, índice de un problema difícil y oscuro, este problema se convierte en una totalidad y un absoluto míticos. Por lo común, la *Geistesgeschichte* alemana sólo ha conseguido transportar criterios de un orden (de una de las artes o de la filosofía) al todo de la actividad cultural, para luego caracterizar una época, y, dentro de ella, cada obra literaria en función de términos contrapuestos tan vagos como clasicismo y romanticismo o racionalismo e irracionalismo.

El concepto de "espíritu de la época" también tiene no pocas veces consecuencias funestas para una concepción de la continuidad de la civilización occidental: las diferentes épocas se conciben como distintas y discontinuas, en medida de todo punto excesiva, y las revoluciones que muestran se entienden tan radicalmente, que el *Geisteswissenschaftler* acaba no sólo en un relativismo histórico completo (tanto vale una época como otra), sino también en una falsa concepción de la individualidad y originalidad, que vela las constantes fundamentales de la naturaleza humana, de la civilización y de las artes. En Spengler llegamos a la idea de ciclos culturales cerrados que se desarrollan con necesidad fatal: conclusos en sí mismos, aunque misteriosamente paralelos. La Antigüedad no continúa en la Edad Media; la continuidad de la evolución literaria occidental queda totalmente oscurecida, negada u olvidada.

Estos fantásticos castillos de naipes no deben oscurecer el problema real de una historia general de la humanidad o al menos de la civilización occidental. Tenemos el convencimiento de que las soluciones que brinda la *Geistesgeschichte* al uso, con su excesiva confianza en los contrarios y en las analogías, su supuesto acrítico de los vaivenes de estilos y de *Denkformen* y su creencia en una completa integración de todas las actividades del hombre, han sido prematuras y no pocas veces inmaturas.

En vez de especular sobre problemas de tan gran envergadura de la filosofía de la historia y sobre la integral suprema de la civilización, el estudioso de la literatura debe atender al problema concreto, no resuelto todavía ni siquiera estudiado convenientemente, de cómo entran realmente las ideas en la literatura. Evidentemente, no se trata de las ideas contenidas en una obra literaria en tanto estas ideas sean simple materia prima, mera información. La cuestión sólo se plantea cuando estas ideas están incorporadas efectivamente en la textura misma de la obra de arte, cuando se hacen "constitutivas", en suma, cuando dejan de ser ideas en el sentido corriente de conceptos y se convierten en símbolos o incluso en mitos. Existe el extenso dominio de la poesía didáctica, en que las ideas no están más que enunciadas, dotadas de metro o de algún hermoseamiento de metáfora o alegoría; existe la novela de ideas, como la de George Sand o de George Eliot, en que se abordan "problemas" sociales, morales o filosóficos; en un superior nivel de integración, existe una novela como *Moby Dick* de Melville, en que toda la acción tiene un sentido mítico; o un poema como el *Testament of Beauty* de Bridges, que, al menos en intención, está impregnado de una sola metáfora filosófica; y existen, por último, las novelas de Dostoyesvskii, en las que el drama de ideas se desarrolla en función concreta de personajes y acontecimientos. Los cuatro hermanos Karamásov son símbolos que representan una pugna ideológica que al propio tiempo es drama personal. La conclusión ideológica es parte integrante de la catástrofe personal de los protagonistas.

Pero estas novelas y estos poemas filosóficos, como el *Fausto* de Goethe o *Los hermanos Karamásov* de Dostoyevskii, ¿son obras de arte superiores en virtud de su importancia filosófica? ¿No habremos de concluir más bien que la "verdad filosófica" como tal no tiene valor artístico, de la misma manera que hemos dicho que la verdad psicológica o social carece de valor artístico como tal? La filosofía, el fondo ideológico, en su contexto, parecen acrecentar el valor artístico porque corroboran varios importantes valores artísticos: los de complejidad y cohesión. Una intuición teórica puede aumentar la hondura de penetración y ampliar el horizonte del poeta. Pero no es forzoso que sea así. Estorbará al artista la demasiada ideología si no la asimila. Benedetto Croce ha afirmado que *La Divina Comedia* se compone de pasajes de poesía alternados con pasajes de teología y seudociencia rimados [31]. La segunda parte del *Fausto* adolece, indudablemente, de excesiva intelectualización; está constantemente al borde de la alegoría declarada; y en Dostoyevskii percibimos a menudo la discrepancia entre el acierto artístico y el peso del pensamiento. Zóssima, el portavoz de Dostoyevskii, es un personaje logrado de un modo menos vívido que Iván Karamásov. En un plano más bajo, *La montaña mágica* de Thomas Mann es exponente de la misma contradicción: las partes primeras, con su evocación del mundo del sanatorio, son superiores artísticamente a las últimas, de grandes pretensiones filosóficas. Sin embargo, en la historia de la literatura hay a veces casos aunque, sin duda, poco frecuentes, en que las ideas entran en incandescencia, en que los personajes y las escenas no ya representan ideas, sino que realmente las personifican, en que parece operarse una cierta identificación entre la filosofía y el arte. La imagen se hace concepto y el concepto imagen. Pero ¿son éstas forzosamente las cumbres del arte, como suponen muchos críticos de inclinaciones filosóficas? Croce parece estar en lo cierto cuando, hablando de la segunda parte del *Fausto*, dice que "cuando la poesía se hace superior de esta manera, es decir, superior a sí misma, pierde rango como poesía, y debe calificarse antes bien de inferior, es decir, de falta de poesía" [32]. Por lo menos debe concederse que la poesía filosófica, por grande que sea su grado de integración, sólo es una clase de poesía, y que su puesto en la literatura no es forzosamente central, a menos que nos aferremos a una teoría de la poesía como revelación, esencialmente mística. La poesía no es sucedánea de la filosofía; tiene su justificación y su fin propios. La poesía de ideas es como otra poesía, y no debe juzgarse por el valor del material, sino por su grado de integración y de intensidad artística.

CAPÍTULO XI

LA LITERATURA Y LAS DEMÁS ARTES

Las relaciones de la literatura con las bellas artes y con la música son sumamente variadas y complejas. A veces, la poesía se ha inspirado en cuadros, en esculturas o en composiciones musicales. Al igual que las cosas y las personas, otras obras de arte pueden convertirse en temas de poesía. El hecho de que los poetas hayan descrito esculturas, cuadros o composiciones musicales no plantea problemas teóricos especiales. Se ha dicho que Spenser se inspiró en tapices y *pageants* para algunas de sus descripciones; los lienzos de Claude Lorrain y de Salvatore *Rosa* influyeron en la poesía paisajista del siglo xviii. Keats tomó detalles de su "Ode on a Grecian Urn" de un cuadro de Claude Lorrain [1]; Stephen Larrabee ha estudiado todas las alusiones a la escultura griega que se encuentran en la poesía inglesa [2]; Albert Thibaudet ha demostrado que *L'après-midi d'un faune* de Mallarmé está inspirado en un cuadro de Boucher que se conserva en la "National Gallery" de Londres [3]; algunos poetas, sobre todo del siglo xix, como Víctor Hugo, Gautier, los parnasianos y Tieck, han escrito poesías sobre cuadros determinados. Ocioso es decir que los poetas han tenido sus teorías propias sobre pintura y sus preferencias por determinados pintores, que cabe estudiar y relacionar más o menos con sus teorías y gustos literarios. El tema constituye un amplio campo de investigación, que sólo en parte se ha explorado en decenios recientes [4].

A su vez, la literatura puede convertirse, claro es, en tema de la pintura o de la música, sobre todo de la música vocal y descriptiva, del mismo modo que la literatura, en particular la lírica y la dramática, ha colaborado íntimamente con la música. Es cada vez mayor el número de estudios sobre villancicos medievales o sobre la poesía lírica isabelina en que se subraya su íntima vinculación con la música[5]. En historia del arte ha surgido todo un grupo de investigadores (Erwin Panofsky y Fritz Saxl entre otros) que estudian el sentido conceptual y simbólico de las obras de arte ("iconología") y a menudo también su relación con la literatura y su fuente de inspiración literaria[6].

Sin embargo, más allá de estas cuestiones de fuentes e influencias, de inspiración y de cooperación, se plantea un problema de mayor importancia, cual es el de que, a veces, la literatura ha intentado lograr concretamente los efectos de la pintura, convertirse en pintura verbal, o ha tratado de producir el efecto de música, de transformarse en música. La poesía ha tratado incluso de conseguir efectos escultóricos. Algún crítico, como Lessing en su *Laocoonte* e Irving Babbitt en su *New Laokoön*, puede deplorar esta confusión de géneros, pero no cabe negar que las artes han tratado de tomarse efectos unas a otras y que en medida considerable lo han logrado. Ocioso es decir que se debe negar la posibilidad de metamorfosis literal de la poesía en escultura, en pintura o en música. El término "escultórico", aplicado a la poesía, aunque sea de Landor, de Gautier o de Heredia, no es más que vaga metáfora con que se quiere decir que la poesía da una impresión algo semejante al efecto que produce la escultura griega: frescura del mármol blanco o del yeso de las copias, quietud, reposo, líneas recortadas, claridad; pero hay que reconocer que la frescura en poesía es cosa muy distinta de la sensación táctil del mármol, o de la reconstrucción imaginativa de la percepción de blancura; que la quietud en poesía es cosa muy distinta de la quietud en escultura. Cuando se califica de "poesía escultórica" la "Ode to Evening" de Collins no se dice nada que implique relación real alguna con la escultura[7]. Los únicos elementos objetivos susceptibles de análisis son lo pausado, solemne del metro, y el estilo, que es lo bastante extraño para llamar la atención sobre las palabras y, por tanto, obligar a llevar un ritmo de lectura lento.

No obstante, difícilmente cabe negar el éxito de la fórmula horaciana *ut pictura poesis*[8]. Aunque es probable que se exagere el grado de representación visual en la lectura de poesía, ha habido épocas y ha habido poetas que han obligado al lector a "ver". Puede que Lessing estuviera en lo cierto al tildar de visualmente ineficaz (aunque no forzosamente ineficaz en el aspecto poético) la descripción enumerativa de la belleza femenina en Ariosto, pero no es fácil despachar sin más a los adeptos del siglo XVIII a lo pintoresco, y la literatura moderna, desde Chateaubriand a Proust, nos ha dado muchas descripciones que al menos hacen pensar en los efectos de la pintura y que nos mueven a representarnos escenas evocadas no pocas veces por asociación con cuadros contemporáneos. Aunque cabe dudar de que el poeta pueda sugerir realmente los efectos de la pintura a lectores hipotéticos totalmente ignorantes de ésta, es manifiesto que, dentro de nuestra tradición cultural general, fueron los escritores los que sugirieron los emblemas, la pintura paisajista del siglo XVIII, los efectos impresionistas de un Whistler, etc.

Más dudoso parece que la poesía pueda producir los efectos de la música, aunque es opinión muy extendida que sí puede lograrlos. Analizada detenidamente, la "musicalidad" del verso resulta ser cosa completamente distinta de la "melodía" en la música: significa una disposición de estructuras fonéticas, el evitar la acumulación de consonantes o simplemente la presencia de ciertos efectos rítmicos. En poetas románticos como Tieck, y más adelante Verlaine, los intentos de conseguir efectos musicales se reducen, en gran parte, a esfuerzos por suprimir la estructura significativa del verso, por evitar construcciones lógicas, por recalcar connotaciones más que denotaciones; pero los contornos borrosos, la vaguedad de sentido y la ausencia de carácter lógico no son, en rigor, nada "musicales". La imitación literaria de estructuras musicales, como el *leitmotiv*, la sonata o la forma sinfónica, resulta más concreta; pero no es fácil ver por qué la repetición de motivos o una cierta contraposición o equilibrio de estados de ánimo, aunque expresamente sean imitativos de la composición musical, no son en esencia los acostumbrados artificios literarios de reiteración, contraste y otros semejantes que son comunes a todas las artes [9]. En los casos, relativamente raros, en que la poesía sugiere sonidos musicales determinados, como los versos de Verlaine "Les sanglots longs des violons" o el poema "Las Campanas" (*The Bells*) de Poe, el efecto del timbre de un instrumento o del repicar general de campanas se consigue recurriendo a medios que no están muy lejos de la onomatopeya corriente. Huelga decir que se han escrito poemas con el propósito de ponerles música, v. gr., muchas arias isabelinas y todos los libretos de ópera. En casos poco frecuentes, poeta y compositor son una misma persona; pero resulta difícil probar que la composición de la música y la composición de la letra hayan sido alguna vez un proceso simultáneo. El propio Wagner escribió algunos de sus "dramas" años antes de ponerles música; y no hay duda de que muchas composiciones líricas se han escrito para acomodarlas a melodías ya compuestas. Sin embargo, la relación entre la música y la poesía verdaderamente grande resulta bastante tenue si se piensa en el ejemplo que aportan las partituras musicales inspiradas en ésta, así sean las más logradas. Los poemas de estructura bien trabada, sumamente compacta, no se prestan para letra de composiciones musicales, pero la poesía pobre o mediocre, como muchas de las composiciones de Heine en su primera época y de Wilhelm Müller, han servido de letra para las mejores canciones de Schubert y de Schumann. Si la poesía tiene alto valor literario, su empleo como letra de una composición musical tiene a veces por consecuencia que sus formas queden borradas o desfiguradas por completo, aunque la música tenga valor por sí misma. No es menester citar ejemplos como la suerte que le cupo al *Otelo* de Shakespeare con la ópera de Verdi, ya que casi todas las adaptaciones musicales de los Salmos o de las poesías de Goethe brindan prueba suficiente de esta afirmación. Existe, sin duda, colaboración entre poesía y música; pero la poesía más excelsa no tiende a ser música ni la música más sublime necesita de palabras.

Los paralelos que se establecen entre las bellas artes y la literatura suelen reducirse a la afirmación de que este cuadro y aquel poema producen en mí la misma disposición de ánimo: por ejemplo, la de ligereza y alegría al oir un minueto de Mozart, al contemplar un paisaje de Watteau o al leer una anacreóntica; pero ésta es la clase de paralelismo que reviste escaso valor para un análisis preciso: el goce producido por una composición musical no es el goce en general, ni siquiera el de un matiz especial; es una emoción que se ciñe estrechamente a la forma musical y que, por tanto, va íntimamente vinculada a ésta. Experimentamos emociones que sólo tienen un tono general en común con las de la vida real, y aunque las definamos con toda la precisión que nos sea dable, seguiremos separados por completo del objeto concreto que las provocó. Por tanto, los paralelos entre las artes que se ciñan a las reacciones individuales de un lector o espectador y se limiten a describir alguna semejanza emocional de nuestras reacciones ante dos artes distintas nunca se prestarán a la verificación, por lo que no contribuirán a adelantar nuestro conocimiento.

Otro método corriente atiende a las intenciones y teorías del artista. Cabe, sin duda, poner de manifiesto que existen ciertas analogías en las teorías y fórmulas en que se basan las distintas artes, por ejemplo, en los movimientos neoclásico o romántico, y cabe también encontrar una cierta identidad o semejanza en las declaraciones de propósito de los artistas que cultivan artes distintas. Pero el "clasicismo" en música ha de significar cosa muy distinta de lo que significa en literatura, por la sencilla razón de que, cuando la literatura se forjaba con los preceptos y prácticas de la antigüedad, no se conocía música clásica (excepto contados fragmentos) que pudiera determinar la evolución de la música. De igual forma, antes de excavarse los frescos de Pompeya y Herculano no cabe decir que la pintura experimentara la influencia del arte clásico, pese a las frecuentes referencias a teorías clásicas y a pintores griegos como Apeles y a algunas remotas tradiciones pictóricas que se han transmitido desde la antigüedad a través de la Edad Media. En cambio, la escultura y la arquitectura quedaron determinadas por modelos clásicos y sus derivados en medida mucho mayor que las demás artes, comprendida la literatura. Así, teorías e intención consciente significan cosa muy distinta en las diversas artes y no dicen nada o dicen muy poco sobre los resultados concretos de la labor de un artista: su obra y el fondo y forma concretos de ésta.

Lo poco concluyente que para la exégesis específica puede ser el método basado en la intención del autor puede observarse del modo más patente en los raros casos en que artista y poeta son una misma persona. Por ejemplo, la comparación entre la poesía y la pintura de Blake o de Rossetti hace ver que el carácter —no simplemente la calidad técnica— de su pintura y el de su poesía son muy distintos y aun divergentes. Como ilustración de un pasaje de "El Tigre" de

Blake ("Tiger! Tiger! Burning bright...") nos encontramos con lo que nos resulta una grotesca fierecilla. Thackeray ilustró él mismo su *Feria de las vanidades*, pero la boba sonrisa de su caricatura de Becky Sharp casi no tiene nada en común con el complejo personaje de la novela. En cuanto a estructura y calidad no son comparables los *Sonetos* de Miguel Ángel con su escultura y sus cuadros, aunque en todos ellos pueden encontrarse las mismas ideas neoplatónicas y algunas semejanzas psicológicas[10]. Todo esto hace ver que el "medio", expresivo de una obra de arte (término discutible y poco afortunado) no es simplemente un obstáculo técnico que el artista haya de superar para expresar su personalidad, sino un factor preformado por la tradición y que tiene un poderoso carácter determinante que configura y modifica la formación y la expresión del artista, el cual no concibe en términos mentales generales, sino en función del material concreto; y el medio concreto tiene su historia propia, muy distinta no pocas veces de la historia de cualquier otro medio.

Más valiosa que el método que atiende a los propósitos y teorías del artista es la comparación de las artes a base de su común fondo social y cultural. Es, sin duda, posible acotar el terreno común temporal, local o social que nutre las artes y las letras, señalando así las influencias comunes que sobre ellas obran. Muchos de los paralelos que se establecen entre las artes sólo son posibles porque desatienden el fondo social radicalmente distinto a que se dirigía o de que parece proceder la obra de arte. Las clases sociales que crean o reclaman un determinado tipo de arte pueden ser completamente distintas en cualquier época o lugar. Las catedrales góticas tienen un fondo social distinto del correspondiente a la épica francesa; y muchas veces el público a que la escultura se dirige y que la sostiene es muy distinto del público de la novela. Tan falaz como el supuesto de un fondo social común de las artes en un determinado tiempo y lugar es la acostumbrada hipótesis de que el fondo intelectual es forzosamente idéntico y eficaz en todas las artes. Parece arriesgado interpretar la pintura a la luz de la filosofía contemporánea. Para mencionar un solo ejemplo: Károly Tolnai[11] ha tratado de interpretar los cuadros de Brueghel el viejo como exponente de un monismo panteísta que se alinea paralelamente a Cusano o a Paracelso y se anticipa a Spinoza y a Goethe. Más peligrosa todavía es la "explicación" de las artes en función de un "espíritu de la época", como hace la *Geistesgeschichte* alemana, movimiento que ya hemos criticado en páginas anteriores [12].

Los paralelismos auténticos que se derivan de un fondo social o cultural idéntico o semejante casi nunca han sido analizados concretamente. Carecemos de estudios que de un modo concreto hagan ver cómo, por ejemplo, todas las artes, en un determinado tiempo o lugar, ensanchan o contraen su campo sobre los objetos de la "naturaleza", o cómo las normas del arte van vinculadas a determinadas clases sociales, y con ello quedan sujetas a cambios uniformes, o cómo cambian los valores estéticos con las revoluciones sociales. Se ofrece aquí un amplio campo de investigación que apenas se ha tocado, aunque promete resultados concretos para establecer un paralelo entre las artes. Huelga decir que este método sólo puede probar influencias semejantes sobre la evolución de las distintas artes y *no* un paralelismo forzoso.

Es evidente que el método más directo para establecer un paralelo entre las artes se basa en el análisis de las obras de arte propiamente dichas y, por tanto, de sus relaciones estructurales. Nunca habrá una verdadera historia del arte y menos todavía una historia comparada de las artes si no nos concentramos en el análisis de las obras mismas y relegamos a un plano secundario los estudios sobre la psicología del lector y del espectador o del autor y del artista, como asimismo los estudios sobre el fondo cultural y social, por muy luminosos que puedan ser desde su punto de vista; por desdicha, hasta ahora casi no hemos dispuesto de instrumento alguno para establecer tal comparación entre las artes.

A este respecto se plantea una cuestión sumamente difícil: ¿cuáles son los elementos comunes y comparables de las artes? No vemos luz alguna en teorías como la de Croce, que centra todos los problemas estéticos en el acto de la intuición, misteriosamente identificada con la expresión. Croce afirma la inexistencia de modos de expresión y condena por "absurdo todo intento de clasificación estética de las artes", rechazando así *a fortiori* toda distinción de géneros y tipos [13]. Tampoco nos ayuda mucho a resolver nuestro problema la insistencia de John Dewey, en su *Art as Experience* (1934), en afirmar que existe una sustancia común entre las artes por haber "condiciones generales sin las cuales no es posible una experiencia" [14]. Existe, sin duda, un denominador común en el acto de toda creación artística o, por lo demás, en toda creación, actividad o experiencia humana. Pero esto son soluciones que no nos ayudan a establecer una comparación entre las artes. Más concretamente, Theodore Meyer Greene define los elementos comparables de las artes con los términos de complejidad, integración y ritmo, y elocuentemente defiende, como antes había hecho Dewey, la aplicabilidad del término "ritmo" a las artes plásticas [15]. Sin embargo, parece imposible superar la diferencia profunda que existe entre el ritmo de una composición musical y el ritmo de una columnata, en que ni el orden ni el *tempo* vienen impuestos por la estructura de la obra misma. Complejidad e integración son simplemente otra manera de decir "variedad" y "unidad" y, por tanto, revisten utilidad muy limitada. Son pocos los intentos de determinar tales denominadores comunes a las artes sobre base estructural que hayan llegado más lejos. George Birkhoff, matemático de Harvard, en un libro sobre la *Aesthetic Measure* [16], ha tratado, con éxito aparente, de encontrar una base matemática común a las formas de arte sencillas y a la música, incluyendo en dicha obra un estudio sobre la "musicalidad" del verso, que también se define en ecuaciones y coeficientes matemáticos. Pero el problema de la eufonía en el verso no puede resolverse independientemente del sentido de éste, y la elevada puntuación que Birkhoff concede a los poemas de Edgar Poe parece confirmar tal hipótesis. Si se aceptara, su ingenioso ensayo tendería a abrir más aún el hiato entre las cualidades esencialmente "literarias" de la poesía y las de las demás artes que participan de la "medida estética" mucho más que la literatura.

El problema del paralelismo de las artes hizo pensar desde hace mucho tiempo en aplicar a la literatura los conceptos de estilo a que se había llegado en la historia de las artes. En el siglo XVIII se establecieron innumerables comparaciones entre la estructura de la *Faerie Queene* de Spenser y el desorden espléndido de una catedral gótica [17]. En *La decadencia de Occidente*, estableciendo una analogía entre todas las artes de una cultura, Spengler habla de la "visible música de cámara de los muebles curvados, las estancias de espejos, las poesías pastoriles y los grupos de porcelana del siglo XVIII", menciona el "estilo tizianesco del nuevo madrigal" y se refiere a "el *allegro feroce* de Franz Hals" y a "el *andante con moto* de Van Dyck" [18]. En Alemania, este modo de establecer analogías entre las artes ha dado lugar a una copiosa bibliografía sobre el hombre del Gótico y el espíritu del Barroco, y ha llevado a la utilización literaria de los términos "Rococó" y "Biedermeier". En la periodización de la historia literaria, la secuencia de estilos artísticos, netamente definida Gótico, Renacimiento, Barroco, Rococó, Romanticismo, Biedermeier, Realismo, Impresionismo, Expresionismo, ha impresionado a los historiadores de la literatura y se ha impuesto también en ésta. Los citados estilos se ordenan en dos grupos principales, que reflejan fundamentalmente el contraste entre lo clásico y lo romántico: figuran a un lado el Gótico, el Barroco, el Romanticismo y el Expresionismo; al otro, el Renacimiento, el Neoclasicismo y el Realismo. El Rococó y el Biedermeier pueden interpretarse como tardías variaciones decadentes, floridas, de los estilos que les preceden, o sea el Barroco y el Romanticismo, respectivamente. No pocas veces los paralelismos se fuerzan mucho y no es difícil señalar absurdos hasta en las obras de los más renombrados estudiosos que se han servido del método [19].

El intento más concreto de transponer las categorías de la historia del arte a la literatura es la aplicación que Oskar Walzel hace de los criterios de Wölfflin. En sus *Principios de historia del arte* [20], Wölfflin distinguía, sobre base puramente estructural, entre arte renacentista y arte barroco. Construyó un esquema de contrarios aplicable a cualquier clase de cuadro, escultura u obra arquitectónica de la época. El arte renacentista —afirmaba— es "lineal", en tanto que el arte barroco es "pictórico". El término "lineal" indica que el contorno de las figuras y de los objetos está recortado netamente, mientras que el vocablo "pictórico" significa que la luz y el color, que borran el contorno de los objetos, constituyen en sí los elementos esenciales de la composición. La pintura y la escultura del Renacimiento emplean una forma "cerrada", una agrupación simétrica, equilibrada, de figuras o superficies; el Barroco prefiere una forma "abierta", una composición asimétrica que carga el acento sobre un ángulo del cuadro más que en su centro, o incluso que apunta a algo situado fuera del marco del cuadro. La pintura renacentista es "plana", o a lo sumo está compuesta de diferentes planos, mientras que la barroca tiene "profundidad" o parece que empuja la vista hacia un fondo lejano y poco determinado. Los cuadros renacentistas son "múltiples" en el sentido de tener partes netamente distintas; las obras barrocas están "unificadas", presentan una densa integración, aparecen íntimamente trabadas. Las obras de arte del Renacimiento son "claras"; las barrocas son relativamente "confusas", poco determinadas, borrosas.

Wölfflin probó sus conclusiones en un análisis de las obras de arte hecho con admirable sensibilidad y señaló la forzosidad del paso del Renacimiento al Barroco; pero es indudable que esta secuencia no puede invertirse. Wölfflin no da explicación causal del proceso, salvo señalar un cambio en la "manera de ver", proceso que, sin embargo, difícilmente cabe entender como puramente fisiológico. Esta concepción, con su hincapié en los cambios de la "manera de ver", más que en los cambios puramente estructurales, de composición, se remonta a las teorías de Fiedler y Hildebrand sobre la pura visibilidad, derivándose en última instancia de Zimmermann, estético de la escuela de Herbart [21]. Pero el propio Wölfflin, sobre todo en escritos posteriores [22], reconoció las limitaciones de su método, admitiendo que su historia de las formas no había agotado todos los problemas de la historia del arte. Ya en fecha anterior había reconocido la existencia de tipos "personales" y "locales", y no se le ocultaba que los tipos por él establecidos podían encontrarse también fuera de los siglos XVI y XVII, aunque en forma menos definida.

En 1916, recién terminada su lectura de los *Principios de historia del arte,* Walzel trató de transportar a la literatura las categorías de Wölfflin [23]. Estudiando la composición de las obras dramáticas de Shakespeare, llegó a la conclusión de que éste pertenece al Barroco, ya que sus dramas no están construidos a la simétrica manera que Wölfflin encontró en los cuadros del Renacimiento. El número de personajes secundarios, su agrupación asimétrica, la distinta importancia de los diferentes actos de una obra, todas estas características muestran que la técnica de Shakespeare es la misma que la del arte barroco; en cambio, Corneille y Racine, que construyen sus tragedias en torno a una figura central, graduando la importancia de los actos con arreglo al tradicional canon aristotélico, se asignan al tipo renacentista. En un librito titulado *Wechselseitige Erhellung der Künste* y en muchos escritos posteriores [24], Walzel trató de desarrollar y justificar esta transposición, al principio bastante modestamente y luego con pretensiones cada vez más desmedidas. Algunas de las categorías de Wölfflin pueden transponerse bastante fácilmente a la literatura. Hay una evidente oposición entre un arte que prefiere contornos claros y separación tajante de los elementos que maneja y otro de composición menos rígida y de contornos imprecisos. El intento que hace Fritz Strich de poner de relieve la oposición entre el clasicismo y el romanticismo alemanes aplicando las categorías de Wölfflin, ideadas para el Renacimiento y el Barroco, muestra que estas categorías, libremente interpretadas, pueden constituir nuevo exponente de la antigua oposición entre el poema clásico, perfecto, y la poesía romántica, inacabada, fragmentaria o borrosa [25]. Pero entonces para toda la historia de la literatura sólo nos queda una pareja de contrarios. Incluso reducidas a una nueva fórmula estrictamente literaria, las categorías de Wölfflin sólo nos ayudan a disponer las obras de arte en dos categorías, que, si se examinan detenidamente, quedan reducidas a la antigua distinción entre clásico y romántico, entre estructura rígida y estructura libre, entre arte plástico y arte pictórico, dualismo que ya conocieron los Schlegel, Schelling y Coleridge, y al que llegaron mediante razonamientos ideológicos y literarios. La pareja de contrarios de Wölfflin conduce, por una parte, a agrupar todo el arte clásico y seudoclásico y, por otra, a combinar movimientos muy distintos, como el Gótico, el Barroco y el Romanticismo. Esta teoría parece velar la continuidad indudable e importantísima entre el Renacimiento y el Barroco, del mismo modo que su aplicación a la literatura alemana por Strich establece una contraposición artificial entre la fase seudoclásica de la evolución de Schiller y Goethe y el movimiento romántico de principios del siglo XIX, teniendo que dejar sin explicar el *Sturm und Drang,* que así resulta incomprensible. En rigor, la literatura alemana de las postrimerías del siglo XVIII y comienzos del XIX forma una relativa unidad, que parece imposible romper en una antítesis irreductible. Así, la teoría de Wölfflin puede servirnos de ayuda para clasificar obras de arte y establecer o, mejor, confirmar la vieja fórmula de acción-reacción, convención-rebelión, o el tipo pendular del esquema evolutivo dualista que, sin embargo, confrontado con la realidad del complejo proceso literario, no responde ni con mucho a la extraordinaria diversidad de sus formas.

La transposición de las parejas de conceptos de Wölfflin deja también sin resolver en absoluto un importante problema. No permite explicar de ningún modo el hecho indudable de que las artes no se hayan desarrollado con igual ritmo al mismo tiempo. La literatura parece a veces que se queda a la zaga de las demás artes: por ejemplo, casi no se puede hablar de literatura inglesa en la época en que en Inglaterra se construyen las grandes catedrales. En otras épocas, la música se queda rezagada con respecto a la literatura y a las demás artes: por ejemplo, no se puede hablar de música "romántica" antes de 1800, pero mucha poesía romántica es anterior a dicha fecha. Es difícil explicar el hecho de que hubiera poesía "pictórica" al menos sesenta años antes de que lo pictórico invadiera la arquitectura [26] o el hecho, a que alude Burckhardt [27], de que *Nencia*, la descripción de la vida campesina hecha por Lorenzo el Magnífico, se anticipe en unos ochenta años a los primeros cuadros de género de Jacopo Bassano y su escuela. Aunque estuvieran mal escogidos y pudieran rebatirse, estos contados ejemplos plantean una cuestión que no cabe contestar con una teoría de excesivo simplismo según la cual, por ejemplo, la música siempre va retrasada en una generación con respecto a la poesía [28]. Es evidente que debe intentarse establecer una correlación con los factores sociales y que éstos variarán en cada caso particular.

Nos enfrentamos, por último, con el problema de que ciertas épocas o naciones fueron extraordinariamente fecundas en una o dos artes, pero completamente estériles o meramente imitativas o derivativas en otras. Ejemplo típico lo constituye el florecimiento de la literatura isabelina inglesa, que no fue acompañado de florecimiento comparable en las bellas artes; y poco se gana con especulaciones sobre la circunstancia de que, de alguna manera, el "alma nacional" se concentró en un arte o que, como dice Emile Legouis en su *Histoire de la littérature anglaise*, "Spenser hubiera sido un Tiziano o un Veronés si hubiese nacido en Italia, o un Rubens o un Rembrant si hubiera nacido en Holanda" [29]. En el caso de la literatura inglesa es fácil decir que el puritanismo fue el culpable del abandono de las bellas artes, pero eso no basta para explicar las diferencias entre la fecundidad en literatura muy profana y la esterilidad relativa en pintura. Pero todo esto nos hace desviarnos mucho para entrar de lleno en cuestiones históricas concretas.

Las diversas artes —artes plásticas, literatura y música— tienen cada una su evolución particular, con un ritmo distinto y una distinta estructura interna de elementos. Es indudable que guardan relación mutua constante, pero estas relaciones no son influencias que parten de un punto y determinan la evolución de las demás artes; han de entenderse más bien como complejo esquema de relaciones dialécticas que actúan en ambos sentidos, de un arte a otro y viceversa, y que pueden transformarse completamente dentro del arte en que han entrado. No es simple cuestión de "espíritu de la época" que determine y cale todas y cada una de las artes. Hemos de entender la suma total de las actividades culturales del hombre como todo un sistema de series que evolucionan por sí mismas, cada una con su conjunto de normas propias, que no son forzosamente idénticas a las de la serie vecina. La tarea de los historiadores del arte (en su más amplio sentido, comprendidos los historiadores de la literatura y de la música) es desarrollar un conjunto descriptivo de términos para cada arte, basado en las características específicas de cada arte. Así, la poesía necesita hoy una nueva poética, una técnica de análisis a la que no se puede llegar mediante una simple transposición o adaptación de términos de las bellas artes. Sólo cuando hayamos elaborado un eficaz sistema de términos para el análisis de las obras de arte literarias podremos delimitar los períodos literarios, pero no como entidades metafísicas dominadas por el "espíritu de la época". Una vez establecido tal esquema de evolución estrictamente literaria, podremos plantear la cuestión de si esta evolución es de alguna manera análoga a la evolución, análogamente establecida, de las demás artes. La respuesta, como es fácil comprender, no será un rotundo "sí" ni un rotundo "no", sino que adoptará la forma de una intrincada estructura de coincidencias y divergencias más que de líneas paralelas.

IV

EL ESTUDIO INTRÍNSECO DE LA LITERATURA

INTRODUCCIÓN

El punto de partida natural y sensato de los estudios literarios es la interpretación y análisis de las obras literarias mismas. En definitiva, sólo éstas justifican todo nuestro interés por la vida de un autor, por su ambiente social y por todo el proceso de la literatura. Pero —hecho curioso— la historia literaria se ha preocupado tanto del ambiente de la obra literaria, que los intentos de análisis de las obras mismas han sido escasos en comparación con los enormes esfuerzos consagrados al estudio del ambiente.

No hace falta buscar mucho para encontrar algunas razones de esta desmedida insistencia en las circunstancias ambientales antes que en las obras mismas. La historiografía literaria moderna nació en íntimo contacto con el movimiento romántico, que sólo pudo subvertir el sistema crítico del neoclasicismo con el argumento relativista, según el cual épocas distintas requieren pautas distintas. De este modo, el foco de la atención pasó de la literatura misma a su trasfondo histórico, del que se hizo uso para justificar los nuevos valores atribuidos a la literatura antigua. En el siglo .xix, la explicación por las causas se convirtió en la gran consigna, encaminada, sobre todo, a imitar los métodos de las ciencias naturales. Además, el derrumbamiento de la antigua "poética", que se produjo con el desplazamiento del interés al "gusto" personal del lector, afianzó el convencimiento de que, siendo fundamentalmente irracional, el arte debía dejarse a la "apreciación". Sir Sidney Lee, en una conferencia sobre el puesto de la literatura inglesa en la Universidad moderna, no hizo más que sintetizar la teoría de la mayor parte de la investigación literaria académica al decir: "En la historia literaria buscamos las circunstancias externas —políticas, sociales, económicas— en que la literatura se produce"[1]. La consecuencia que ha acarreado la falta de claridad sobre cuestiones de poética ha sido la asombrosa impotencia de la mayoría de los eruditos al verse enfrentados con la tarea de analizar y valorar de verdad una obra de arte.

En años recientes se ha operado una saludable reacción por la que se reconoce que el estudio de la literatura debe atender, ante todo y sobre todo, a las obras de arte mismas. Los antiguos métodos de la retórica, la poética o la métrica clásica son y deben ser revisados y replanteados en términos modernos. Actualmente se introducen nuevos métodos, basados en una revisión del mayor número de formas de la literatura moderna. En Francia, el método de la *explication de textes*[2]; en Alemania, el análisis morfológico, basado en paralelos con la historia de las bellas artes, cultivado por Oskar Walzel[3], y, sobre todo, el brillante movimiento de los formalistas rusos y de sus seguidores checos y polacos[4] han dado nuevo impulso al estudio de la obra literaria, que sólo ahora empezamos a comprender cabal y propiamente y analizar como es debido. En Inglaterra, algunos de los que han seguido a Ivor Richards han prestado gran atención al texto de las obras poéticas[5], y también en Estados Unidos, un grupo de críticos han hecho del estudio de la obra de arte el centro de su interés[6]. En la misma dirección se orientan diversos estudios de la obra dramática[7], que recalcan su diferencia con respecto a la vida y combaten la confusión entre la realidad dramática y la empírica. Análogamente, hay muchos estudios sobre la novela[8] que no se limitan a considerarla simplemente en sus relaciones con la estructura social, sino que tratan de analizar sus métodos artísticos, sus puntos de vista, su técnica narrativa.

Los formalistas rusos son los que más vigorosamente se han opuesto a la antigua dicotomía en "fondo y forma", que parte la obra de arte en dos mitades: un tosco fondo y una forma superpuesta, meramente externa[9]. Es patente que el efecto estético de una obra de arte no reside en lo que comúnmente se llama su fondo, su contenido. Son pocas las obras de arte que no resulten ridículas o carentes de sentido en sinopsis (la cual sólo puede justificarse como recurso pedagógico)[10]; pero la distinción entre forma como factor estéticamente activo, y fondo, que es estéticamente neutro, tropieza con dificultades insuperables. A primera vista, la línea divisoria puede parecer bastante neta. Si entendemos por contenido las ideas y emociones que comunica una obra literaria, en la forma quedarían comprendidos todos los elementos lingüísticos con que el contenido se expresa; pero si examinamos más de cerca esta distinción, veremos que el contenido implica algunos elementos formales; verbigracia, los acontecimientos referidos en una novela son parte del contenido, mientras que el modo en que se disponen en "argumento" es parte de la forma. Disociados de esta disposición, carecen en absoluto de efecto artístico. El común remedio propuesto, y ampliamente utilizado por los alemanes, que es la introducción del término "forma interior", término que originalmente se remonta a Plotino y a Shaftesbury, no es más que complicar las cosas, ya que la divisoria entre forma interior y forma exterior sigue completamente en tinieblas. Lo que hay que hacer es sencillamente admitir que la manera en que los acontecimientos se disponen en una trama constituye parte de la forma. Las cosas se ponen más calamitosas aún para los conceptos tradicionales cuando advertimos que hasta en el lenguaje, comúnmente considerado parte de la forma, es forzoso distinguir entre las palabras en sí, estéticamente indiferentes, y la manera en que las distintas palabras componen unidades de sonido y de significado estéticamente eficaces. Sería preferible rebautizar con el término "materiales" a todos los elementos estéticamente neutros, y llamar "estructura" a la manera en que adquieren eficacia estética. Esta distinción no es, de ningún modo, una simple renominación de la vieja pareja de conceptos —fondo y forma—, sino que cruza de parte a parte las antiguas divisorias: los "materiales" comprenden elementos antes considerados parte del contenido o fondo, y partes que se consideraban forma; la "estructura" es un concepto que abarca tanto el contenido como la forma, en cuanto organizados para fines estéticos. La obra de arte se considera, pues, como todo un sistema de signos o estructura de signos que sirve a un determinado fin estético.

CAPÍTULO XII

EL MODO DE SER DE LA OBRA DE ARTE LITERARIA

Para poder analizar los diferentes estratos de una obra de arte tenemos que plantear antes una cuestión epistemológica extraordinariamente difícil: la del "modo de ser" o la "condición ontológica" de una obra de arte literaria (que en adelante llamaremos "poema" para abreviar) [1]. ¿Qué es el poema "real"? ¿Dónde habremos de buscarlo? ¿Cómo existe? La respuesta acertada a estas cuestiones ha de resolver diversos problemas críticos y abrir un camino al análisis adecuado de una obra literaria.

A la cuestión de qué es y dónde está un poema, o más bien una obra de arte literaria en general, se han dado tradicionalmente varias respuestas, que es menester criticar y eliminar antes de poder ensayar una respuesta por nuestra parte. Una de las más corrientes y antiguas es la que afirma que el poema es un "artefacto", un objeto de la misma naturaleza que una escultura o un cuadro. Así, la obra de arte se identifica con los trazos negros de tinta sobre el papel o el pergamino, o bien, si nos referimos a un poema habilónico, con las incisiones hechas en el ladrillo. Evidentemente, esta respuesta no es nada satisfactoria. En primer lugar, existe un inmenso cúmulo de "literatura" oral; hay poemas o narraciones que nunca se han consignado por escrito y que, sin embargo, existen. Las líneas de tinta son, pues, simplemente un procedimiento de registro de un poema, que debe entenderse como existente en otro lugar. Aunque destruyamos el texto escrito o aun todos los ejemplares de un libro impreso, quizá no destruyamos el poema, ya que puede conservarse por tradición oral o en la memoria de un hombre como Macaulay, que se jactaba de saber de memoria *El Paraíso perdido* y *Pilgrim's Progress*. En cambio, si destruimos un cuadro, una escultura o un edificio, los destruimos por completo, aunque conservemos descripciones o copias en otro medio y podamos tratar de reconstruir lo perdido. Siempre crearemos una obra de arte distinta (por muy semejante que sea), en tanto que la simple destrucción de un ejemplar de un libro, o aun de todos sus ejemplares, quizá no afecte en absoluto a la obra de arte.

Que lo escrito en el papel no es el poema "real" puede demostrarse también con otro argumento. En la página impresa se contienen muchos elementos que son extraños al poema: el tamaño del tipo, la clase de tipo utilizado (redonda, cursiva), el formato del papel y otros muchos factores. Si tomáramos en serio la idea de que un poema es un artefacto, tendríamos que llegar a la conclusión de que todos y cada uno de los ejemplares constituyen una obra de arte distinta. No habría ninguna razón *a priori* por la cual los ejemplares de distintas ediciones tuvieran que ser ejemplares del mismo libro. Además, no todas las impresiones las consideramos los lectores reproducción exacta de un poema. El hecho mismo de que podamos corregir las erratas de imprenta de un texto que acaso no hayamos leído nunca, o de que, en algunos casos, poco frecuentes, nos sea dado restablecer el sentido auténtico del texto, demuestra que no consideramos las líneas impresas como el poema real. Queda demostrado, pues, que el poema (o cualquier obra de arte literaria) puede existir independientemente de su versión impresa y que el artefacto impreso entraña muchos elementos que todos hemos de considerar ajenos al poema propiamente dicho.

Con todo, esta conclusión negativa no debe cegarnos para la enorme importancia práctica de nuestros procedimientos de registrar poesía desde la invención de la escritura y de la imprenta. No cabe duda de que mucha literatura se ha perdido y, al perderse, ha quedado destruida para siempre, porque ha desaparecido toda constancia escrita y los medios teóricamente posibles de tradición oral han fallado o se han interrumpido. La escritura y, sobre todo, la imprenta han hecho posible la continuidad de la tradición literaria y deben de haber contribuido mucho a aumentar la unidad e integridad de las obras de arte. Además —al menos en ciertos períodos de la historia de la poesía—, la realización gráfica ha pasado a ser parte integrante de algunas obras de arte acabadas.

En la poesía china, como ha demostrado Ernest Fenollosa, los ideogramas pictóricos forman parte del sentido total de los poemas. Pero también en la tradición occidental tenemos los poemas gráficos de la *Antología palatina*, el "Altar" o la "Church-floor" de George Herbert, y poemas análogos de los metafísicos que en Europa pueden parangonarse al gongorismo español, al marinismo italiano, a la poesía del Barroco alemán, y lo mismo en otros países. También la poesía moderna en Norteamérica (verbigracia, E. E. Cummings), en Alemania (Arno Holz), en Francia (Apollinaire) y en otros países se ha servido de artificios gráficos, como la disposición gráfica insólita o incluso el comienzo al pie de página; diferentes colores de impresión, etcétera [2]. Ya en el siglo xviii, Sterne utilizó en la novela *Tristram Shandy* páginas blancas y jaspeadas. Todos estos artificios son parte integrante de estas obras de arte. Aunque sabemos que por lo común la poesía es independiente de ellos, en tales casos no pueden ni deben ignorarse.

Además, el papel que la impresión tipográfica desempeña en la poesía no se circunscribe de ningún modo a estas extravagancias relativamente poco frecuentes: los finales de verso, la agrupación en estrofas, los párrafos de los pasajes en prosa, las rimas visuales o los juegos de palabras que sólo son comprensibles por la ortografía, y muchos artificios semejantes, han de considerarse factores integrantes de las obras de arte literarias. Una teoría puramente oral tiende a excluir toda consideración de tales artificios, pero no pueden desatenderse en el análisis completo de muchas obras de arte literarias. Su existencia prueba simplemente que la imprenta ha adquirido mucha importancia para la práctica de la poesía en tiempos modernos, que la poesía se escribe para la vista tanto como para el oído. Aunque no es indispensable la utilización de artificios gráficos, estos son mucho más frecuentes en literatura que en música, en que la partitura escrita ocupa una posición semejante a la de la página impresa en poesía. En música, esta utilización es rara, aunque de ningún modo nula. Hay muchos curiosos artificios ópticos (colores, etc.), en partituras de madrigales italianos del siglo xvi. Händel, considerado compositor "puro", compuso un coro (*Israel en Egipto*) en que se dice que "el agua se levantaba como una muralla", y las notas de la partitura impresa forman filas de trazos uniformemente espaciados que hacen pensar en una falange o en una muralla [3].

Hemos empezado nuestra exposición con una teoría que probablemente no tiene muchos adeptos serios en la actualidad. Pasemos ahora a la segunda respuesta a nuestra pregunta. Ésta reduce la esencia de la obra de arte literaria a la secuencia de sonidos articulados por un recitador o lector de poesía; es una solución que goza de muy amplia aceptación y que defienden, sobre todo, los recitadores, pero que resulta igualmente insatisfactoria. Toda lectura en alta voz o recitación de un poema es simplemente una interpretación de un poema y no el poema mismo. Está exactamente a la misma altura que la interpretación de una pieza musical por un músico. Existe una inmensa literatura escrita —para seguir la línea de nuestro anterior razonamiento— que es posible que no sea nunca objeto de lectura en alta voz. Para negar esto habremos de suscribir alguna teoría tan absurda como la de ciertos behavioristas, según la cual toda lectura silenciosa va acompañada de movimientos de las cuerdas vocales. En rigor, la experiencia toda demuestra que, a menos que seamos casi analfabetos o que luchemos con la lectura de una lengua extranjera o que a propósito queramos articular el sonido en un susurro, por lo común leemos "globalmente", es decir, captamos las palabras impresas en conjuntos, sin dividirlas en secuencias de fonemas, por lo que no las pronunciamos ni siquiera silenciosamente. Al leer rápidamente no tenemos tiempo ni siquiera para articular los sonidos con las cuerdas vocales. Suponer, además, que un poema está en su lectura en alta voz conduce a la absurda consecuencia de que un poema no existe cuando no se pronuncia y de que con cada lectura vuelve a crearse de nuevo.

Pero —consideración de máxima importancia— toda lectura de un poema es algo más que el poema mismo: toda interpretación vocal contiene elementos que son extraños al poema, e idiosincrasias personales de pronunciación, tono, *tempo* y distribución de acentos, elementos que, o vienen determinados por la personalidad del que recita, o son síntomas y medios de su interpretación del poema. Además, la lectura de un poema no sólo agrega elementos personales, sino que representa siempre únicamente una selección de los factores implícitos en el texto de un poema: el tono de voz, la velocidad a que se lee un pasaje, la distribución e intensidad de los acentos pueden ser acertados o desacertados y, aun siendo acertados, acaso representen solamente un modo de leer un poema. Hemos de conceder la posibilidad de diversas lecturas de un poema, lecturas que, o bien consideramos malas si las creemos retorcimientos del verdadero sentido del poema, o que hemos de considerar acertadas y admisibles, pero que, con todo, podemos no considerar ideales. La recitación del poema no es el poema mismo, ya que podemos corregirla mentalmente. Incluso si oímos una recitación que consideramos excelente o perfecta, no podemos descartar la posibilidad de que otra persona, o aun el mismo recitador en otra ocasión, dé una interpretación muy distinta que destaque con igual acierto otros elementos del poema. Vuelve a servirnos la analogía con la interpretación musical: la ejecución de una sinfonía, aunque esté dirigida por un Toscanini, no es la sinfonía misma, ya que inevitablemente viene matizada por la personalidad de los ejecutantes y agrega detalles de *tempo*, *rubato*, timbre, etc., que pueden cambiar en la interpretación siguiente, si bien sería imposible negar que se ha interpretado por segunda vez la misma sinfonía. Hemos demostrado, pues, que el poema puede existir independientemente de su interpretación vocal, y que ésta contiene muchos elementos que hemos de considerar no comprendidos en el poema.

Con todo, en algunas obras de arte literarias (sobre todo en la poesía lírica), la faceta vocal de la poesía puede constituir un factor importante de la estructura general. Se puede llamar la atención hacia ella por diversos medios, como el metro, las secuencias vocálicas o consonánticas, la aliteración, la asonancia, la rima, etc. Este hecho explica —o, mejor, ayuda a explicar— la deficiencia de no pocas traducciones de poesía lírica, ya que estas estructuras fónicas potenciales no pueden transportarse a otro sistema lingüístico, aunque un traductor hábil pueda aproximarse en su idioma al efecto general que producen. Sin embargo, existe una vastísima literatura que es relativamente independiente de las estructuras fonéticas, como demuestra el efecto histórico ejercido por muchas obras hasta en traducciones pedestres. El sonido puede constituir un factor importante en la estructura de un poema; pero la respuesta según la cual el poema no es otra cosa que una secuencia de sonidos resulta tan poco satisfactoria como la solución que recurre al texto impreso.

La tercera respuesta, corrientísima, a nuestra cuestión afirma que el poema es la experiencia del lector. Se dice que un poema no es nada más que los procesos mentales de los distintos lectores, y que por ello se identifica con el estado o proceso mental que experimentamos al leer u oir un poema. Esta "psicológica" solución tampoco resulta satisfactoria. Es cierto, sin duda, que un poema sólo puede conocerse mediante experiencias individuales; sin embargo, no se identifica con tal experiencia individual. Toda experiencia individual de un poema contiene algo idiosincrásico y puramente individual; está matizada por nuestra disposición de ánimo o por nuestra preparación personal. La formación, la personalidad de cada lector, el clima cultural de una época, las concepciones previas religiosas o filosóficas o puramente técnicas de cada lector pondrán en toda lectura de un poema algo del momento, algo extraño a ella. Dos lecturas hechas en diferentes ocasiones por un mismo individuo pueden variar considerablemente, bien porque éste haya madurado intelectualmente, bien porque se vea debilitado por circunstancias momentáneas, como fatiga, preocupación o distracción. Así, toda experiencia de un poema quita algo o pone algo individual. La experiencia nunca se corresponderá exactamente con el poema: hasta un buen lector descubrirá nuevos detalles que no había advertido en anteriores lecturas, y ocioso es indicar lo contrahecha o superficial que puede ser la lectura de un lector menos formado o nada formado en absoluto.

La idea de que la experiencia mental del lector sea el poema mismo lleva a la absurda conclusión de que un poema no existe si no se experimenta y de que se recrea con cada experiencia. De esta manera no habría una *Divina Comedia,* sino tantas *Divinas Comedias* como lectores tiene, ha tenido y tendrá. Así terminamos en el escepticismo y en la anarquía más completos, y abocamos a la máxima viciosa de *de gustibus non est disputandum.* De tomar en serio este modo de ver, sería imposible explicar por qué ha de ser mejor la experiencia de un determinado lector que la de cualquier otro, y por qué es posible corregir la interpretación de otro lector. Acarrearía el acabamiento definitivo de toda la enseñanza de la literatura, que

se encamina a acrecentar la comprensión y apreciación de un texto.
Los escritos de Ivor Richards, sobre todo su libro sobre crítica práctica (Practical Criticism), han puesto de manifiesto cuánto cabe hacer
analizando la idiosincrasia individual de los lectores, y cuánto puede
conseguir un buen profesor rectificando falsos caminos. Es harto curioso, sin embargo, que Richards, que critica constantemente las experiencias de sus discípulos, se aferre a una teoría psicológica extrema
que está en abierta contradicción con su excelente práctica crítica.
La idea de que la poesía ordena nuestros impulsos y la conclusión de
que el valor de la poesía estriba en ser una especie de psicoterapia
le conduce en último término a admitir que esta finalidad la puede
cumplir lo mismo un poema malo que un poema bueno, una alfom-
bra, un búcaro, un gesto lo mismo que una sonata [4]. Así, la imagen
formada en nuestra mente no guarda relación exacta con el poema que
la provocó.

Por muy interesante que en sí misma sea, o por muy útil que
resulte para fines pedagógicos, la psicología del lector siempre quedará fuera del objeto de los estudios literarios —la obra de arte concreta—, y no podrá zanjar la cuestión de la estructura y el valor de
la obra de arte. Las teorías psicológicas han de ser teorías del efecto,
y en casos extremos pueden conducir a criterios del valor de la poesía
como el propuesto por A. E. Housman en una conferencia, The
Name and Nature of Poetry (1933), en la que dice —es de esperar que irónicamente— que la buena poesía puede reconocerse por el
calofrío que produce en el espinazo, lo cual está a la misma altura de
las teorías dieciochescas que medían la calidad de una tragedia por
la cantidad de lágrimas derramadas por el público, o del concepto
que el sondeador de opiniones del público de cinematógrafo forma
de la calidad de una película tipo comedia por el número de carca-
jadas de éste. Así, el resultado de toda teoría psicológica es la anarquía, el escepticismo, una completa confusión de valores, ya que forzosamente carece de relación con la estructura o la calidad de un
poema.

La teoría psicológica la mejora muy escasamente Ivor Richards
cuando define el poema como la "experiencia del lector ad hoc" [5].
Evidentemente, todo el problema se desplaza al concepto de lector
ad hoc, y al sentido o significado de dicho determinante. Pero, aun

suponiendo una ideal disposición de ánimo en el lector mejor dotado y de mejor formación, la definición sigue dejando que desear, ya que está expuesta a todas las críticas que hemos hecho al método psicológico. Cifra la esencia del poema en una experiencia momentánea, que ni el mejor lector podría repetir sin alterarla. Siempre se quedará corta del sentido pleno del poema, y siempre pondrá en la lectura elementos personales inevitables.

Para obviar esta dificultad se ha sugerido una cuarta respuesta, según la cual el poema es la experiencia del autor. Podemos rechazar el punto de vista de que el poema es la experiencia del autor en cualquier momento de su vida después de crear su obra, cuando la relee, porque es evidente que entonces pasa a ser simplemente lector de su obra, y está expuesto, casi tanto como cualquier otro lector, a errores y a falsas interpretaciones de su propia obra. Se podrían aducir no pocos ejemplos de evidentes interpretaciones falsas de un autor acerca de su propia obra: la vieja anécdota de Browning afirmando no entender su propio poema tiene, probablemente, su parte de verdad. A todos nos ocurre que entendemos mal o no comprendemos por completo lo que escribimos hace tiempo. De aquí que la citada respuesta haya de referirse a la experiencia del autor mientras está creando su obra. Sin embargo, con el término "experiencia del autor" podríamos referirnos a dos cosas distintas: la experiencia consciente, las intenciones que el autor quería incorporar en su obra, o la experiencia total consciente e inconsciente durante el prolongado tiempo de la creación artística. La tesis de que el poema propiamente dicho debe buscarse en las intenciones del autor está muy extendida, aun cuando no siempre se declare explícitamente[6]. Justifica muchas investigaciones históricas y radica a la base de no pocos argumentos en pro de interpretaciones concretas. Sin embargo, en la mayoría de las obras de arte carecemos de testimonios con que reconstruir las intenciones del autor, salvo la obra acabada misma. Aun disponiendo de testimonios contemporáneos en forma de declaración explícita de intenciones, tal declaración no tiene por qué obligar al estudioso moderno. Las "intenciones" del autor son siempre "racionalizaciones", comentarios que, sin duda, hay que tener en cuenta, pero que también han de ser criticados a la luz de la obra de arte acabada. Las "intenciones" del autor pueden sobrepasar con mucho la obra de arte

acabada: pueden ser simplemente manifestaciones de proyectos e
ideales, en tanto que la realización puede quedarse muy lejos o des-
viarse mucho de la meta perseguida. Si hubiéramos podido someter
a Shakespeare a un interrogatorio, probablemente hubiera expresado
su intención de escribir el *Hamlet* de una manera que nos parecería
muy poco satisfactoria. A pesar de ello, nos empeñaríamos, con muy
buen acuerdo, en encontrar en *Hamlet* sentidos (y no simplemente en
inventarlos) que, probablemente, estaban muy lejos de aparecer claramente formulados en la mente consciente de Shakespeare.

Los artistas pueden estar fuertemente influidos por una determinada situación crítica contemporánea y por determinadas fórmulas
críticas contemporáneas al dar expresión a sus intenciones; pero las
fórmulas críticas mismas podrían ser del todo insuficientes para definir su logro artístico real. La época barroca es ejemplo típico, ya que
una práctica artística que presentaba sorprendente novedad no fue
expresada ni en las manifestaciones de los artistas ni en los comentarios de los críticos. Escultor como Bernini pudo disertar ante la
Academia de París exponiendo el punto de vista de que su práctica
se acomodaba estrictamente a la de los antiguos, y Daniel Adam
Pöppelmann, arquitecto de ese edificio tan rococó que es el Zwinger
de Dresde, escribió todo un grueso folleto para demostrar la estricta
acomodación de su creación a los más puros principios de Vitruvio [7].
Los poetas metafísicos ingleses sólo tenían unas cuantas fórmulas críticas del todo insuficientes (como "versos fuertes"), que apenas rozan
la verdadera novedad de su práctica; y los artistas medievales tenían
a menudo "intenciones" puramente religiosas o didácticas que ni siquiera empiezan a expresar los principios artísticos de su práctica
artística. La divergencia entre la intención consciente y la realización efectiva es un fenómeno corriente en la historia de la literatura.
Zola creía sinceramente en su teoría científica de la novela experimental, cuando en realidad daba a la estampa novelas sumamente
melodramáticas y simbólicas. Gógoll se consideraba reformador social,
"geógrafo" de Rusia, mientras en la práctica producía novelas y cuentos repletos de fantásticas y grotescas criaturas, hijas de su imaginación. Es, sencillamente, imposible confiar en el estudio de las intenciones de un autor, ya que acaso no constituyan siquiera un comentario fidedigno de su obra, y en el mejor de los casos no son más que

comentarios. No pueden ponerse reparos al estudio de la "intención" si con ello nos referimos simplemente al estudio de la obra de arte íntegra enderezado al sentido total de ésta[8]. Pero tal acepción del término "intención" es diferente y algo equívoca.

Sin embargo, la segunda alternativa —la de que el poema real, propiamente dicho, está en la experiencia total, consciente o inconsciente, durante el tiempo en que se crea— deja también mucho que desear. Esta conclusión tiene en la práctica el serio inconveniente de reducir el problema a una incógnita completamente inaccesible y puramente hipotética que no tenemos medio de reconstruir ni siquiera de explorar. Aparte de esta insuperable dificultad práctica, la solución tampoco satisface, porque reduce la existencia del poema a una experiencia subjetiva que ya es cosa del pasado. Las experiencias del autor durante la gestación del poema cesaron precisamente cuando el poema empezó a existir. Si esta concepción fuera acertada, nunca podríamos entrar en contacto directo con la obra de arte misma, sino que constantemente tendríamos que hacer la hipótesis de que nuestras experiencias en la lectura de un poema son de algún modo idénticas a las experiencias ya largo tiempo pasadas del autor. E. M. Tillyard, en su libro sobre Milton, ha tratado de servirse de la idea de que *El Paraíso perdido* trata del estado de ánimo del autor cuando lo escribió, y no fue capaz de reconocer, en largo y a veces improcedente intercambio de argumentos con C. S. Lewis, que *El Paraíso perdido* trata, ante todo y sobre todo, de Satanás y de Adán y Eva, y de centenares y miles de distintas ideas, representaciones y conceptos, más que del estado de ánimo de Milton al crear dicha obra[9]. Que todo el contenido del poema estuvo una vez en contacto con la conciencia y el subconsciente de Milton es perfectamente cierto; pero aquel estado de ánimo es inaccesible, y en aquellos determinados momentos pudo estar repleto de miles y miles de experiencias de las que no nos es dado encontrar huella alguna en el poema mismo. Tomada al pie de la letra, toda esta solución ha de conducir a especulaciones absurdas acerca de la duración exacta del estado de ánimo del artista creador y de su contenido exacto, que puede comprender un dolor de muelas durante el período de la creación artística[10]. Todo el acercamiento psicológico a través de estados de ánimo, bien sean del que lee o del que escucha, del recitador o del autor, suscita más problemas de los que puede resolver.

Una vía de acceso mejor es, evidentemente, la que se encamina a definir la obra de arte en función de la experiencia social y colectiva. Ésta ofrece dos posibilidades de solución que, sin embargo, todavía no logran resolver satisfactoriamente nuestro problema. Cabe decir que la obra de arte es la suma de todas las experiencias pasadas y posibles del poema, solución que nos deja con una infinidad de experiencias individuales que no hacen al caso, con lecturas malas y falsas y con retorcimientos. En resumen: nos da simplemente la respuesta de que el poema está en el estado de ánimo de su lector, multiplicado hasta el infinito. Otra respuesta trata de resolver la cuestión afirmando que el poema propiamente dicho es la experiencia común a todas las experiencias del poema [11]. Pero esta respuesta reduciría evidentemente la obra de arte al denominador común de todas estas experiencias. Ahora bien: este denominador ha de ser el *mínimo* común denominador, el de la experiencia más baja, superficial y trivial. Además de sus dificultades prácticas, esta solución empobrecería por completo el sentido total de una obra de arte.

No se puede hallar respuesta a nuestra cuestión en función de la psicología individual o social. Hemos de llegar a la conclusión de que un poema no es una experiencia individual ni una suma de experiencias, sino solamente causa potencial de experiencias. La definición referida a estados de ánimo falla, porque no puede dar razón del carácter normativo del poema propiamente dicho, del simple hecho de que la experiencia de éste pueda ser acertada o desacertada. En toda experiencia individual sólo una pequeña parte puede considerarse adecuada al verdadero poema. Así, el poema real debe entenderse como una estructura de normas que sólo está parcialmente realizada en la experiencia efectiva de sus muchos lectores. Toda experiencia (lectura, recitación, etc.), es solamente un intento —más o menos afortunado y completo— de aprehender este conjunto de normas o pautas.

Tal como aquí se utiliza, el término "normas" no debe confundirse, por supuesto, con normas que son clásicas o románticas, éticas o políticas. Las normas a que nos referimos son normas implícitas, que han de extraerse de toda experiencia individual de una obra de arte y que juntas forman la unidad de la obra de arte auténtica. Es cierto que, si comparamos obras de arte entre sí, se establecerán semejanzas o diferencias entre estas normas. Partiendo de las semejanzas mismas debiera ser posible proceder a una clasificación de obras de arte con arreglo al tipo de normas que incorporan. Es posible que, finalmente, lleguemos a teorías de los géneros y, en último término, a teorías de la literatura en general. Negar esto, como ha sido negado por los que, con alguna justificación, subrayan la unicidad de toda obra de arte, parece que lleva tan lejos el concepto de individualidad, que toda obra de arte quedaría completamente aislada de la tradición, con lo que en última instancia resultaría incomunicable e incomprensible. Suponiendo que hemos de partir del análisis de una sola obra de arte, difícilmente podemos negar, con todo, que ha de haber vínculos, semejanzas, elementos o factores comunes que se acercan a dos o más obras de arte dadas, abriendo así la puerta para pasar del análisis de una obra de arte individual al de un tipo como la tragedia griega, y de éste a la tragedia en general, a la literatura en general y, por último, a alguna estructura totalizadora común a todas las artes.

Pero esto es otro problema. Nosotros, sin embargo, todavía hemos de decidir dónde y cómo existen estas normas. Un análisis más detenido de una obra de arte demostrará que lo mejor no es entenderla simplemente como un sistema de normas, sino más bien como un sistema compuesto de varios estratos, cada uno de los cuales implica su grupo subordinado propio. El filósofo polaco Roman Ingarden, en un ingenioso análisis sumamente técnico de la obra de arte literaria [12], se ha servido de los métodos de la fenomenología de Husserl para llegar a estas distinciones de estratos. No es menester que le sigamos en todos los detalles para comprender que sus distinciones generales son acertadas y útiles: tenemos, primeramente, el estrato fónico, que, por supuesto, no debe confundirse con el sonido propiamente dicho de las palabras, como nuestro anterior razonamiento habrá demostrado. Con todo, esta estructura es indispensable, ya que sólo a base de los sonidos puede surgir el segundo estrato: las unidades de sentido. Todas y cada una de las palabras tendrán su sentido, se fundirán en unidades en el contexto, en sintagmas y en estructuras de frase. De esta estructura sintáctica nace un tercer estrato, el de los objetos representados, el "mundo" del novelista, los personajes, el ambiente. Ingarden agrega otros dos estratos que acaso no haga falta distinguir como separables. El estrato del "mundo" se ve desde un determinado punto de vista, que no es forzoso que se declare, sino que se implica. Un acaecimiento presentado en literatura puede presentarse, por ejemplo, como "visto" o como "oído", e incluso el mismo acaecimiento, por ejemplo, un portavoz; un personaje puede verse en sus rasgos característicos "internos" o "externos". Y, por último, Ingarden habla de un estrato de "cualidades metafísicas" (lo sublime, lo trágico, lo terrible, lo santo), cuya contemplación nos puede brindar el arte. Este estrato no es indispensable, y puede faltar en algunas obras literarias. Quizá los dos últimos estratos puedan incluirse en el "mundo", en el reino de los objetos representados, pero también plantean problemas muy reales en el análisis literario. Al "punto de vista" se le ha dedicado gran atención, por lo menos en la novela, a partir de Henry James y de la exposición más sistemática de Lubbock de la teoría y práctica de aquél. El estrato de las "cualidades metafísicas" permite a Ingarden volver a plantear cuestiones relativas al "sentido filosófico" de las obras de arte sin el peligro de los acostumbrados errores intelectualistas.

Será útil ilustrar estas ideas recurriendo al paralelo que puede establecerse desde la lingüística. Los lingüistas como los de la Escuela de Ginebra y del Círculo Lingüístico de Praga distinguen cuidadosamente entre _langue_ y _parole_ [13], el sistema de la lengua y el acto oral individual; y esta distinción corresponde a la que existe entre la experiencia individual del poema y el poema como tal. El sistema de la lengua es un conjunto de convenciones y de normas cuyos efectos y relaciones podemos observar y calificar de poseedores de cohesión e identidad fundamentales, pese a hablas muy diferentes, imperfectas o incompletas de hablantes individuales. Por lo menos a este respecto, una obra de arte literaria ocupa la misma posición exactamente que un sistema lingüístico. Nosotros, como individuos, nunca lo realizaremos completamente, pues nunca utilizaremos nuestro propio idioma de un modo completo y perfecto. La misma situación la informa en rigor todo acto simple de conocimiento. Jamás conoceremos un objeto en todas sus cualidades, pero, no obstante, difícilmente cabe negar la identidad de los objetos, aun cuando los veamos desde distintas perspectivas. Siempre captamos alguna "estructura de determinación" en el objeto, que no hace del acto de conocimiento un acto de invención arbitraria o de distinción subjetiva, sino de reconocimiento de algunas normas que la realidad nos impone. Análogamente, la estructura de una obra de arte tiene el carácter de un "deber que tengo que cumplir". Siempre lo cumpliré de un modo imperfecto; pero, a pesar de las imperfecciones, subsiste una cierta "estructura de determinación", lo mismo que en cualquier otro objeto de conocimiento [14].

Los lingüistas modernos han analizado los sonidos potenciales como fonemas; también pueden analizar los morfemas y los sintagmas. Por ejemplo, la frase puede definirse no sólo como articulación *ad hoc*, sino también como estructura sintáctica. Fuera de la fonología, la moderna lingüística funcional aún está relativamente poco desarrollada; pero los problemas, aunque difíciles, no son insolubles ni completamente nuevos: son más bien replanteamientos de las cuestiones morfológicas y sintácticas tal como se estudiaban en las antiguas gramáticas. El análisis de una obra de arte literaria encuentra problemas análogos en las unidades de sentido y en su organización específica para fines estéticos. Problemas como los de la semántica poética, la dicción y las imágenes vuelven a plantearse en una formulación nueva y más precisa. Unidades de sentido, frases y estructuras de frase se refieren a objetos, construyen realidades imaginativas como paisajes, interiores, personajes, acciones o ideas. Éstos también pueden analizarse de un modo que no los confunda con la realidad empírica y que no desatienda el hecho de que son inherentes a las estructuras lingüísticas. Un personaje de novela sólo nace de las unidades de sentido; está hecho de las frases que pronuncia o que se pronuncian sobre él. Tiene una estructura indeterminada en comparación con una persona biológica que tiene su pasado coherente [15]. Estas distinciones de estratos tienen la ventaja de acabar con la distinción tradicional y equívoca entre fondo y forma. El fondo reaparecerá en íntimo contacto con el substrato lingüístico, en el que va envuelto y del cual depende.

Pero esta concepción de la obra literaria como sistema estratificado de normas todavía deja indeterminado el verdadero modo de ser de este sistema. Para tratar convenientemente de esta cuestión

tendríamos que zanjar controversias como las del nominalismo frente
al realismo, del intelectualismo frente al behaviorismo —en suma, todos
los problemas principales de la epistemología—. Sin embargo, para
nuestros fines bastará con evitar dos doctrinas opuestas: el platonismo extremo y el nominalismo extremo. No hace falta hipostasiar o
materializar este sistema de normas, convertirlo en una especie de
idea arquetípica que presida un reino de esencias intemporales. La
obra de arte literaria no tiene el mismo estado ontológico que la idea
de un triángulo o de un número o de una cualidad como la blancura. A diferencia de tales "subsistencias", la obra de arte literaria,
ante todo y sobre todo, es creada en un cierto momento, y, en segundo lugar, está sujeta a cambios e incluso es susceptible de destrucción completa. A este respecto se asemeja más al sistema de la
lengua, aunque, probablemente, el momento exacto de la creación
o de la muerte cabe definirlo mucho menos netamente en el caso del
lenguaje que en el de la obra de arte literaria, que por lo común es
creación individual. En cambio, debe reconocerse que un nominalismo extremo que rechaza el concepto de "sistema de la lengua"
y, por tanto, de obra de arte en el sentido que hemos apuntado o
que sólo lo admite a modo de ficción útil o de "descripción científica",
desconoce todo el problema y el punto en cuestión. Los angostos supuestos del behaviorismo califican de "místico" o de "metafísico" a
todo aquello que no se acomode a una concepción muy limitada de
la realidad empírica. Sin embargo, llamar "ficción" al fonema o "descripción científica de actos orales" al sistema de la lengua es simplemente desconocer el problema de la verdad [16]. Reconocemos normas
y desviaciones respecto de éstas y no ideamos simplemente descripciones puramente verbales. Todo el punto de vista behaviorista se basa
a este respecto en una errónea teoría de la abstracción. Los números y
las normas son los que son, los construyamos o no. Es cierto que yo
realizo el acto de contar, que yo llevo a cabo la lectura; pero la presentación de un número o el reconocimiento de una norma no son
el número o la norma mismos. La articulación del sonido *h* no es
el fonema *h*. Reconocemos en la realidad una estructura de normas
y no inventamos simplemente construcciones verbales. La objeción
de que sólo tenemos acceso a estas normas mediante actos individuales de conocimiento y de que no podemos salir o ir más allá de

estos actos, sólo es impresionante en apariencia. Es la objeción que se ha hecho a la crítica de nuestro conocimiento hecha por Kant y puede refutarse con los argumentos kantianos.

Es cierto que nosotros mismos estamos expuestos a errores de interpretación y a falta de comprensión de estas normas, pero ello no significa que el crítico asuma el papel de superhombre que critica nuestra comprensión desde fuera ni que pretenda captar el todo perfecto del sistema de normas en un acto de intuición intelectual. Lo que hacemos más bien es criticar una parte de nuestro conocimiento a la luz de la pauta más elevada fijada por otra parte. No se nos exige que nos pongamos en la situación de quien, con el fin de analizarse la vista, trate de mirarse los propios ojos, sino en la situación de quien compara los objetos que ve claramente con los que sólo alcanza a ver borrosamente, hace luego generalizaciones en cuanto a las especies de objetos que caen en las dos clases y explica la diferencia mediante alguna teoría de la visión que tenga en cuenta la distancia, la luz, etc.

Análogamente, cabe distinguir entre lecturas acertadas y lecturas erróneas de un poema, o entre reconocimiento y distorsión de las normas implícitas en una obra de arte, mediante actos de comparación, mediante el estudio de diferentes interpretaciones falsas o incompletas. Podemos estudiar las funciones, relaciones y combinaciones reales de estas normas, lo mismo que puede estudiarse el fonema. La obra de arte literaria no es un hecho empírico, en el sentido de estado de ánimo de cualquier individuo dado o de cualquier grupo de individuos, ni es un objeto ideal inmutable como un triángulo. La obra de arte puede convertirse en objeto de experiencia; admitimos que sólo es accesible a través de la experiencia individual, pero no se identifica con ninguna experiencia. Difiere de los objetos ideales, como los números, precisamente por ser accesible solamente a través de la parte empírica de su estructura, el sistema fónico, mientras un triángulo o un número pueden ser intuidos directamente. También difiere de los objetos ideales en un aspecto importante: tiene algo que puede llamarse "vida"; nace en un determinado momento, cambia en el curso de la historia y puede perecer. Una obra de arte sólo es "atemporal" en el sentido de que, si se conserva, tiene alguna estructura fundamental de identidad desde el momento de su crea-

ción; pero es también "histórica" porque tiene un desenvolvimiento
que puede describirse y este desenvolvimiento no es más que la serie
de concreciones de una obra de arte dada en el transcurso de la
historia, que hasta cierto punto podemos reconstruir a base de las
noticias dadas por críticos y lectores acerca de sus experiencias y
juicios y del efecto de una obra de arte dada sobre otras obras. Nuestra conciencia de anteriores concreciones (lecturas, críticas, errores de
interpretación) afectará a nuestra propia experiencia: anteriores lecturas pueden capacitarnos para una comprensión más profunda o
pueden provocar una reacción violenta contra las interpretaciones
predominantes en el pasado. Todo esto pone de manifiesto la importancia de la historia de la crítica o, en la lingüística, de la gramática histórica, y lleva a difíciles cuestiones acerca de la naturaleza
y los límites de la individualidad. ¿Hasta qué punto cabe decir que
una obra de arte cambia y, sin embargo, permanece idéntica? La
Ilíada todavía "existe"; es decir, puede hacerse efectiva una y otra
vez, con lo que es distinta de un fenómeno histórico, como la bata-
lla de Waterloo, que ha pasado para siempre, aunque quepa reconstruir su curso y todavía hoy puedan sentirse sus efectos. Sin embargo,
¿en qué sentido podemos hablar de identidad entre la *Ilíada* tal como
los griegos de su tiempo la oían o leían y la *Ilíada* que hoy leemos?
Aun suponiendo que conozcamos el mismo texto, nuestra experiencia real ha de ser distinta. No nos es dado cotejar su lenguaje con
el lenguaje cotidiano de Grecia, y, por tanto, no podemos percibir
las desviaciones con respecto al lenguaje coloquial, de las que forzosamente depende no escasa parte del efecto poético. No podemos
entender muchas ambigüedades verbales que son parte esencial de
los recursos expresivos de todo poeta. Evidentemente, exige, además,
un esfuerzo imaginativo, que sólo puede tener éxito muy mediocre, el
obligarnos a remontarnos en el tiempo e insertarnos en la fe griega
en los dioses o en la escala griega de valores morales. Con todo,
difícilmente cabe negar que hay una identidad sustancial de "estructura" que ha subsistido a través de los siglos. Sin embargo, esta
estructura es dinámica: se modifica a lo largo de todo el proceso de
la historia al pasar por el espíritu de sus lectores, críticos y artistas [17]. Así, el sistema de normas está sujeto a crecimiento y cambios,
y, en algún sentido, siempre estará realizado de un modo incom-

pleto e imperfecto. Pero esta concepción dinámica no significa mero subjetivismo y relativismo. Todos los diferentes puntos de vista no son en modo alguno igualmente justos. Siempre será posible determinar qué punto de vista capta la obra más completa y profundamente. En el concepto de adecuación de la interpretación va implícita una jerarquía de puntos de vista, una crítica de la aprehensión de normas. Todo relativismo queda derrotado en último término por el reconocimiento de que "lo Absoluto está en lo relativo, aunque no definitivamente ni de un modo pleno" [18].

La obra de arte aparece, pues, como un objeto de conocimiento *sui generis* que tiene un estado ontológico especial. Ni es real (como una estatua), ni mental (como la experiencia de la luz o del dolor), ni ideal (como un triángulo). Es un sistema de normas, de conceptos ideales que son intersubjetivos. Hay que suponer que existen en la ideología colectiva, con la cual cambian, sólo accesibles mediante experiencias mentales individuales basadas en la estructura fónica de sus frases.

No hemos tratado de la cuestión de los valores artísticos, pero el examen anterior habrá puesto de manifiesto que no existe estructura fuera de las normas y de los valores. No podemos comprender ni analizar ninguna obra de arte sin referencia a los valores. El mismo hecho de que yo reconozca una cierta estructura como "obra de arte" implica un juicio de valor. El error de la fenomenología pura estriba en el supuesto de que tal disociación es posible, de que los valores están superpuestos a la estructura, de que son inherentes a la estructura o existen en la estructura. Este error de análisis vicia el penetrante estudio de Roman Ingarden, que trata de analizar la obra de arte sin referencia a los valores. La raíz de la cuestión está, desde luego, en el supuesto fenomenológico de un orden eterno, atemporal, de "esencias", al que sólo posteriormente se agregan las individualizaciones empíricas. Al suponer una escala absoluta de valores, forzosamente perdemos contacto con la relatividad de los juicios individuales. Ante un Absoluto inmutable pasa, huérfana de todo valor, la corriente de los juicios individuales.

La endeble tesis del absolutismo y la antítesis igualmente endeble del relativismo han de ser superadas y armonizadas en una nueva síntesis que haga dinámica a la escala de valores misma; pero que no la abandone como tal. El "perspectivismo", según hemos bautizado tal concepción [19], no significa anarquía de valores, glorificación del capricho individual, sino un proceso para llegar a conocer el objeto desde diferentes puntos de vista que pueden ser definidos y criticados uno tras otro. Estructura, signo y valor constituyen tres aspectos del mismo problema, y no cabe aislarlos artificialmente.

Sin embargo, primeramente habremos de examinar los métodos empleados para describir y analizar los diversos estratos de la obra de arte: 1) el estrato sonoro, o sea, la eufonía, el ritmo y el metro; 2) las unidades significativas que determinan la estructura lingüística formal de una obra literaria, su estilo y la disciplina que lo estudia sistemáticamente, la estilística; 3) la imagen y la metáfora, que entre todos los artificios estilísticos son los más fundamentalmente poéticos, y que también requieren un estudio especial porque imperceptiblemente se transforman en 4) el "mundo" poético específico, en el símbolo y los sistemas de símbolos a que llamamos "mito" poético. Por su parte, el mundo proyectado por la ficción narrativa plantea 5) problemas especiales de modos y técnicas a los que dedicaremos otro capítulo. Examinados los métodos de análisis aplicables a las obras de arte suscitaremos la cuestión 6) de la naturaleza de los géneros literarios, para luego ocuparnos del problema fundamental de toda crítica: 7) la valoración. Por último, volveremos a la idea de la evolución de la literatura estudiando 8) la naturaleza de la historia literaria y la posibilidad de una historia interna de la literatura como historia de arte.

Capítulo XIII

EUFONÍA, RITMO Y METRO

Toda obra de arte literaria es, antes que nada, un conjunto de sonidos de los cuales emana el significado. En algunas obras literarias, la importancia de este estrato sonoro queda reducida al mínimo, y éste se hace, por así decir, diáfano, como ocurre en la mayoría de las novelas. Pero hasta en ellas el estrato fonético es condición previa del significado. A este respecto, la distinción entre una novela de Dreiser y un poema como *The Bells* de Edgar Poe sólo es cuantitativa, y no justifica el establecimiento de dos clases contrapuestas de literatura: novela y poesía. En muchas obras de arte —incluso, claro está, la prosa—, el estrato fónico provoca la atención, constituyendo así parte integrante del efecto estético, lo cual se aplica a mucha prosa exornada y a todo el verso, que por definición es una organización del sistema fonético de un idioma.

Al analizar estos efectos sonoros, hemos de tener presente dos principios, importantes pero no pocas veces desatendidos. Primeramente, hemos de distinguir entre ejecución y estructura de sonido. La lectura en alta voz de una obra de arte literaria es una realización de una estructura que pone algo individual y personal y que, por otra parte, puede desfigurar o hasta ignorar por completo esta última; de aquí que una verdadera ciencia de la rítmica y de la métrica no pueda basarse exclusivamente en el estudio de recitaciones individuales. También es falso un segundo supuesto muy corriente, cual es el de que el sonido debe analizarse en completo divorcio del significado. De nuestra concepción general de la integridad de cualquier obra de arte se sigue que este divorcio es falso, pero de la demostración se deduce también que el mero sonido no puede tener en sí ningún efecto estético o que, si lo tiene, es, a lo sumo, muy escaso; no existe verso "musical" sin que medie alguna concepción general de su significado o, al menos, de su tono emocional. Aun oyendo una lengua extranjera que no entendemos en absoluto, no oímos puro sonido, sino que le imponemos nuestros hábitos fonéticos, a la vez que oímos, por supuesto, la entonación expresiva que le da el que habla o lee. En poesía, el puro sonido es una ficción o una serie simplísima y sumamente elemental de relaciones (como las que se estudian en la obra de Birkhoff *Aesthetic Measure*[1]), que no pueden explicar la variedad e importancia que entraña el estrato fonético considerado como parte integrante del carácter total de un poema.

Hemos de distinguir, primeramente, dos aspectos muy distintos del problema: los elementos intrínsecos y los elementos de correlación del sonido. Por los primeros entendemos la particular individualidad del sonido *a* o *e*, o del sonido *l* o *p*, independientemente de la cantidad, porque no puede haber más o menos *aes* o *pes*. Las distinciones intrínsecas de calidad constituyen la base de los efectos que suelen llamarse "musicalidad" o "eufonía". Las distinciones de relación, en cambio, son las que pueden convertirse en base del ritmo y del metro: el tono, la duración de los sonidos, el acento, la frecuencia de repetición, elementos todos que permiten distinciones cuantitativas: el tono es más alto o más bajo, mayor o menor la duración, más fuerte o más débil el acento, mayor o menor la frecuencia de repetición. Esta distinción, bastante elemental, es importante por aislar todo un grupo de fenómenos lingüísticos, que los rusos han llamado "orquestación" (*instrumentovka*), a fin de recalcar el hecho de que la cualidad fónica es aquí el elemento que el escritor maneja o explota. El término "musicalidad" (o "melodía") del verso debiera desterrarse por inducir a error. Los fenómenos que estamos precisando no son paralelos a la "melodía" musical; en música, la melodía está determinada, desde luego, por el tono, y por ello es vagamente paralela a la entonación en el lenguaje. Hay, en rigor, considerables diferencias entre la línea de entonación de una frase dicha, con sus tonos fluctuantes, de rápidos cambios, y una melodía musical, con sus tonos fijos e intervalos determinados[2]. Por su parte, el término "eufonía" tampoco es del todo suficiente, ya que dentro de la "orquestación" hay que considerar la "cacofonía" en poetas como Browning o Hopkins, que se proponen crear efectos sonoros expresivos, deliberadamente ásperos.

Dentro de los artificios de "orquestación" hemos de distinguir entre esquemas sonoros, repetición de cualidades fónicas idénticas o afines, y la utilización de sonidos expresivos, de la imitación de sonidos. Los esquemas fonéticos han sido estudiados muy ingeniosamente por los formalistas rusos; en inglés, Walter Bate ha analizado las complejas figuras sonoras del verso de Keats, que teorizó también sobre sus procedimientos[3]. Osip Brik[4] ha clasificado las posibles figuras sonoras con arreglo al número de sonidos repetidos, al número de repeticiones, al orden en que los sonidos se siguen unos a otros en los grupos repetidos y a la posición de los sonidos en las unidades rítmicas. Esta última clasificación, que es la más útil, requiere mayor subdivisión. Cabe distinguir repeticiones de sonidos situados cerca unos de otros dentro de un solo verso, de sonidos que se producen al comienzo de un grupo y al término de otro, o al fin de un verso y al principio del siguiente, o al comienzo del verso, o simplemente en posición final. El tipo penúltimo corresponde a la figura estilística de la anáfora. El último suele comprender fenómeno tan corriente como la rima. Según esta clasificación, la rima se presenta únicamente como un ejemplo de repetición de sonidos y no debe estudiarse con exclusión de fenómenos análogos como la aliteración y la asonancia.

No hay que olvidar que el efecto de estas figuras sonoras varía según los idiomas, que cada lengua tiene su sistema de fonemas y, por lo mismo, de oposiciones y paralelos de vocales o de afinidades de consonantes, y, por último, que aun estos efectos sonoros son difícilmente separables del general tono expresivo de un poema o de un verso. El intento romántico y simbolista de identificar la poesía con el canto y con la música es poco menos que una metáfora, ya que la poesía no puede competir con la música en la variedad, claridad y estructuración de los sonidos puros[5]. Hacen falta significados, contexto y "tono" para convertir los sonidos lingüísticos en hechos artísticos.

Esto puede demostrarse claramente mediante el estudio de la rima, que es fenómeno complejísimo. La rima tiene su mera función eufónica como repetición (o cuasi repetición) de sonidos. Como Henry Lanz ha puesto de manifiesto [6], la rima de vocales está determinada por la repetición de sus armónicos. Pero, aunque esta faceta sonora pueda ser fundamental, evidentemente sólo constituye un aspecto de la rima. Estéticamente es mucho más importante su función métrica de señalar la terminación de un verso, o bien de organizadora —a veces única— de las formas estróficas. Lo más importante, sin embargo, es que la rima tiene significado, con lo cual queda profundamente complicada en todo el carácter de una obra poética. Las palabras se juntan mediante la rima, unidas o contrapuestas. En esta función semántica de la rima pueden distinguirse diversos aspectos. Cabe preguntar cuál es la función semántica de las sílabas que riman, si la rima está en el sufijo (*character: register*), en la raíz (*drink: think*) o en ambos (*passion: fashion*). Podemos preguntar también de qué esfera semántica se toman las rimas: por ejemplo, si pertenecen a una o a varias categorías lingüísticas (partes de la oración, distintos casos) o a grupos de objetos. Podríamos preguntar asimismo cuál es la relación semántica entre las palabras ligadas por la rima: si proceden del mismo contexto semántico, como ocurre en muchos de los acoplamientos corrientes (*heart: part; tears: fears*), o si sorprenden precisamente por la asociación y yuxtaposición de esferas semánticas completamente distintas. En un brillante trabajo [7], William K. Wimsatt ha estudiado estos efectos en Pope y en Byron, que se proponen conseguir un efecto chocante contraponiendo "Queens" a "screens", "elope" a "Pope" o "mahogany" a "philogyny". Por último, cabe distinguir el grado en que la rima queda complicada en el contexto total de un poema, en qué medida las palabras rimadas parecen simple relleno o, en el extremo opuesto, si podríamos conjeturar el sentido de un poema o estrofa a base solamente de las palabras que en él riman. Las rimas pueden constituir la armazón de una estrofa o quedar tan disminuidas, que su presencia apenas se note (como en la *Last Duchess* de Browning).

La rima puede estudiarse, como la ha estudiado Henry Wyld [8], en calidad de documento lingüístico para la historia de la pronunciación (Pope rimaba "join" con "shine"); mas para fines literarios hay

que tener presente que los patrones de "exactitud" han variado considerablemente en las distintas escuelas poéticas y, por supuesto, en
las distintas naciones. En inglés, que tiene predominio de rimas masculinas, las femeninas suelen surtir efecto burlesco o cómico, mientras
en latín medieval, en italiano o en polaco, las rimas femeninas suelen ser obligadas en el más grave de los contextos. En inglés se da
el problema especial de la rima visual, la rima de homónimos (que
es una forma de juego de palabras), la gran diversidad de pronunciaciones normales en diferentes épocas y lugares, la idiosincrasia de
los distintos poetas, problemas todos que casi no se han suscitado
hasta ahora. Nada hay en inglés que pueda compararse con el libro
de Viktor Zhirmunski sobre la rima [9], en el que se clasifican los
efectos de la rima mucho más detenidamente que en este bosquejo
y se hace su historia en Rusia y en los principales países europeos.

De estas estructuras fonéticas en que es decisiva la repetición
de una vocal o de una cualidad consonántica (como en la aliteración),
hemos de distinguir el problema distinto de la imitación de sonidos.
A la imitación de sonidos se le ha dedicado gran atención, tanto porque en algunos de los más famosos pasajes de virtuosismo poético
se aspira a lograrla como porque el problema está íntimamente relacionado con la antigua concepción mística que da por sentado que
el sonido ha de responder de algún modo a las cosas significadas.
Basta pensar en algunos pasajes de Pope o de Southey o recordar
cómo el siglo XVII creía entonar realmente la música del universo
(v. gr., Harsdörfer en Alemania) [10]. La idea de que una palabra representa "rectamente" la cosa o acción aludida ha sido abandonada en
general: la lingüística moderna se inclina a conceder a lo sumo una
clase especial de voces llamadas "onomatopéyicas", que en algunos
aspectos quedan fuera del sistema fonético corriente de una lengua
y se enderezan concretamente a imitar sonidos oídos (cucú, fru-fru,
zas, miau). Fácilmente puede demostrarse que idénticas combinaciones de sonidos tienen significados completamente distintos en lenguas
distintas (verbigracia: *Rock* en alemán significa "falda"; en inglés,
"roca"; *rok* en ruso significa "destino"; en checo, "año"); o que
ciertos sonidos naturales se representan de un modo muy distinto
en lenguas diferentes (verbigracia: sonar (el timbre), *ring, sonner,
läuten, zvonit*). Se puede demostrar, como divertidamente ha demos-

trado John Crowe Ransom, que el efecto sonoro de un verso como el de Tennyson *the murmuring of innumerable bees* (el zumbar de incontables abejas) depende realmente del significado; con sólo introducir una leve modificación, diciendo, en cambio, *murdering of innumerable beeves* (el tumbar de incontables ovejas), destruimos por completo el efecto imitativo.

Con todo, parece que el problema ha sido empequeñecido indebidamente por los lingüistas modernos, y que críticos modernos como Richards y Ransom lo despachan con demasiada facilidad [11]. Hay que distinguir tres distintos grados: primero, la imitación propiamente dicha de sonidos físicos, que innegablemente es afortunada en casos como el de la palabra "cucú", aunque ni que decir tiene que puede variar con arreglo al sistema lingüístico del hablante. Tal imitación del sonido debe distinguirse de la descripción compleja de sonidos, de la reproducción de sonidos naturales mediante sonidos vocales en un contexto en que las palabras, del todo desprovistas en sí de efecto onomatopéyico, quedan insertas en una estructura fónica, como la palabra *innumerable* en la anterior cita de Tennyson o muchas otras en pasajes de Homero y de Virgilio. Debe señalarse, por último, el importante estrato del simbolismo fonético o metáfora fónica, que en cada idioma tiene sus convenciones y pautas fijas. Maurice Grammont ha hecho el estudio más complejo e ingenioso del verso francés [12] en cuanto a expresividad, clasificando todas las consonantes y vocales francesas y estudiando sus efectos expresivos en diferentes poetas. Las vocales claras, por ejemplo, son susceptibles de expresar la pequeñez, la agilidad, la gracia, el *élan*, etc.

Aunque el estudio de Grammont está expuesto a la censura de simple subjetivismo, sin embargo, dentro de un sistema lingüístico dado hay algo así como una "fisonomía" de las palabras, un simbolismo fónico mucho más penetrante que la mera onomatopeya. No cabe duda de que las combinaciones y asociaciones sinestésicas calan todas las lenguas, y que estas correspondencias han sido explotadas y trabajadas con muy buen acuerdo por los poetas. Poema como la famosa composición de Rimbaud *Les Voyelles*, que establece una relación entre distintas vocales y colores, aunque se base en una tradición muy difundida [13], puede ser completamente arbitrario; pero las asociaciones fundamentales entre vocales palatales (*e* e *i*) y los objetos finos, veloces, claros y brillantes, y, a su vez, entre vocales velares (*o* y *u*) y objetos pesados, lentos, opacos, oscuros, pueden probarse mediante experimentos acústicos [14]. La obra de Carl Stumpf y de Wolfgang Köhler demuestra que también las consonantes pueden dividirse en oscuras (labiales y velares) y claras (dentales y palatales). No se trata, en modo alguno, de simples metáforas, sino de asociaciones basadas en indudables semejanzas entre el sonido y el color, que pueden observarse especialmente en la estructura de los respectivos sistemas [15]. Existen el problema lingüístico general de "sonido y sentido" [16] y el problema distinto de su explotación y organización en una obra literaria. Este último en particular sólo se ha estudiado en medida muy insuficiente.

El ritmo y el metro presentan problemas distintos de los problemas de "orquestación". Uno y otro han sido estudiados muy ampliamente, habiendo dado origen a una vastísima bibliografía. Ocioso es decir que el problema del ritmo no es en modo alguno específico de la literatura ni aun del lenguaje. Existen los ritmos de la naturaleza y del trabajo, los ritmos de las señales luminosas, los ritmos de la música y, en sentido no poco metafórico, los ritmos de las artes plásticas. El ritmo es también un fenómeno lingüístico general. No hay por qué estudiar aquí las mil y una teorías sobre su verdadera naturaleza [17]; para nuestros fines basta distinguir entre las teorías que exigen "periodicidad" como condición *sine qua non* del ritmo y las teorías que, entendiendo más ampliamente el ritmo, llegan a incluir en él hasta configuraciones no reiterativas de movimientos. El primer punto de vista identifica resueltamente el ritmo con el metro, pudiendo así exigir la repulsa del concepto "ritmo de la prosa" por contradictorio o por puramente metafórico [18]. El otro modo de ver, más amplio, está sólidamente respaldado por las investigaciones de Sievers sobre ritmos de hablas individuales y sobre una gran variedad de fenómenos musicales, incluso el canto llano y no poca música exótica, que son rítmicos, no obstante carecer de periodicidad. Así entendido, el ritmo nos permite estudiar el habla individual y el ritmo de cualquier prosa. Sin dificultad puede demostrarse que toda prosa tiene alguna forma de ritmo, que hasta la frase más prosaica puede ser escandida, esto es, subdividida en grupos de largas y breves, de sílabas tónicas y sílabas átonas. De este hecho sacó gran partido, ya en el siglo XVIII, un escritor, Joshua Steele [19], y hoy en día existe una voluminosa literatura en que se analizan páginas de prosa. El ritmo está íntimamente relacionado con la "melodía", la línea de entonación determinada por la secuencia de los tonos; y el término se utiliza a veces con tanta amplitud, que en él se incluyen el ritmo y la melodía. El famoso filólogo alemán Eduard Sievers afirmaba poder distinguir estructuras personales de ritmo y de entonación, y Ottmar Rutz ha relacionado estas estructuras con tipos fisiológicos específicos de postura corporal y de respiración [20]. Aunque se han hecho ensayos para aplicar estas investigaciones a fines estrictamente literarios, de establecer una correlación entre estilos literarios y tipos de Rutz [21], consideramos que casi todas estas cuestiones caen fuera del campo de la ciencia literaria.

Entramos en los dominios de los estudios literarios cuando hemos de explicar la naturaleza del ritmo de la prosa, la peculiaridad y la utilización de la prosa rítmica, la prosa de ciertos pasajes de la Biblia inglesa, de Sir Thomas Browne y de Ruskin o de De Quincey, en que el ritmo y a veces la melodía se imponen incluso al lector inatento. La naturaleza exacta del ritmo artístico de la prosa ha planteado dificultades muy considerables. Warner M. Patterson, en su conocido libro sobre el ritmo de la prosa [22], trató de explicarlo mediante un sistema de complicada sincopación. George Saintsbury, en su densísima historia del ritmo de la prosa inglesa [23], insiste constantemente en que el ritmo de la prosa se basa en la "variedad", pero deja totalmente indefinida su verdadera naturaleza. Si la "explicación" de Saintsbury fuera cierta, huelga decir que no habría ritmo en absoluto, pero es indudable que Saintsbury no hacía más que recalcar el peligro de que el ritmo de la prosa cayera en esquemas métricos exactos. Hoy, por lo menos, el frecuente verso suelto de Dickens nos parece una desviación desacertada y sentimental.

Otros estudiosos del ritmo de la prosa sólo atienden a un aspecto bastante distinto, la "cadencia", el ritmo final de las frases en la tradición de la prosa oratoria latina, para la que el latín tenía esquemas precisos con nombres específicos. La "cadencia", sobre todo en frases interrogativas y en exclamaciones, también es, en parte, cuestión de melodía. Al lector inglés moderno le resulta difícil percibir los complicados esquemas del *cursus* latino cuando se imitan en inglés, ya que las vocales largas y breves inglesas no están fijadas con la misma obligada rigidez que en el sistema latino; pero se ha demostrado que se ensayaron ampliamente y a veces, sobre todo en el siglo XVII, se consiguieron efectos análogos a los que ejerce el latín [24]. En general, la mejor manera de abordar el problema del ritmo artístico de la prosa es tener presente claramente que ha de distinguirse tanto del ritmo general de la prosa como del verso. El ritmo artístico de la prosa puede definirse como una organización de ritmos del habla usual. Se diferencia de la prosa ordinaria en una mayor regularidad en la distribución de acentos, que, sin embargo, no ha de llegar a un isocronismo evidente (es decir, regularidad de intervalos entre los acentos rítmicos). En una frase corriente suele haber considerables diferencias de intensidad y tono, al paso que en la prosa rítmica hay una acusada tendencia a nivelar las diferencias de acento y tono. Analizando pasajes de *El caballo de espadas* de Puschkin, Boris Tomaschevskii, uno de los primeros investigadores rusos de estas cuestiones, ha demostrado con métodos estadísticos [25] que los principios y finales de las frases tienden a una mayor regularidad rítmica que las partes centrales. Por lo común, la impresión general de regularidad y periodicidad se refuerzan mediante artificios fonéticos y sintácticos: figuras sonoras, cláusulas paralelas, equilibrio de antítesis en que toda la estructura del sentido apoya con fuerza el esquema rítmico. Hay toda clase de gradaciones, desde la prosa casi arrítmica, desde las frases cortadas llenas de acentos acumulados, hasta la prosa rítmica que se acerca a la regularidad del verso. La principal forma de transición al verso la llaman los franceses *verset*, y se presenta en los salmos anglicanos y en los escritores que tratan de conseguir efectos bíblicos como Ossian o Claudel. De cada dos sílabas tónicas del *verset*, una va acentuada con más fuerza, creándose así grupos de dos acentos semejantes a los grupos del verso dipódico.

No hemos de entrar en un análisis detallado de estos recursos. Es patente que tienen una larga historia, en la cual ha ejercido profunda influencia la prosa oratoria latina [26]. En la literatura inglesa, la prosa rítmica llega al apogeo en el siglo XVII en escritores como Sir Thomas Browne o Jeremy Taylor. En el siglo XVIII deja paso a un estilo coloquial más sencillo, aun cuando un nuevo "estilo elevado" —el de Johson, Gibbon y Burke— surgiera hacia finales del siglo [27], reapareciendo en diversas formas en el siglo xix con De Quincey y Ruskin, Emerson y Melville, y luego, aunque con arreglo a principios distintos, con Gertrude Stein y James Joyce. En Alemania puede señalarse la prosa rítmica de Nietzsche; en Rusia, famosos pasajes de Gógoll y Turguiéniev y, más recientemente, la prosa exornada de Andriei Bieli.

Sigue siendo discutido y discutible el valor artístico de la prosa rítmica. De acuerdo con la moderna preferencia por la pureza de las artes y de los géneros, la mayoría de los lectores contemporáneos prefieren que la poesía sea poética y que la prosa sea prosaica. La prosa rítmica parece considerarse una forma mixta: ni prosa ni verso. Pero esto probablemente es un prejuicio crítico de nuestra época. Es de suponer que la defensa de la prosa rítmica sería idéntica a la defensa del verso. Bien utilizada, la prosa rítmica nos obliga a tomar mayor conciencia del texto; la prosa rítmica subraya, enlaza, construye gradaciones, insinúa paralelismos, organiza el lenguaje, y organización es arte.

La prosodia o métrica es materia sobre la cual se ha efectuado un cúmulo ingente de estudios en el curso de los siglos. Podría suponerse, pues, que lo que hoy en día tendríamos que hacer no fuera más que examinar nuevos ejemplares métricos y extender tales estudios a las nuevas técnicas de la poesía contemporánea. Pero lo que en rigor ocurre es que siguen siendo inciertos los fundamentos mismos y los criterios principales de la métrica; y existe una asombrosa cantidad de ideas vagas y de terminología confusa o variable, incluso en tratados clásicos. La historia de la prosodia inglesa de Saintsbury, que nunca ha sido superada, ni aun igualada, en su escala, se basa en fundamentos teóricos completamente indefinidos y vagos. En su peregrino empirismo, Saintsbury llega a enorgullecerse de negarse a definir o aun a describir los términos que emplea; habla, por ejemplo, de largas y breves, pero no se decide a aclarar si con estos términos se refiere a distinciones de duración o a distinciones de acento [28]. En su *Study of Poetry*, Bliss Perry habla confusamente, confundiendo al lector, del "peso" de las palabras, de "la relativa altura o tono con que se indica su sentido e importancia" [29]. Fácilmente podríamos citar análogas concepciones falsas y equívocos en otras muchas obras clásicas. Aun cuando se establezcan distinciones acertadas, éstas pueden quedar disfrazadas por una terminología completamente contradictoria. Así, hay que recibir con gratitud la trabajada historia de las teorías métricas inglesas hecha por T. S. Omond y la útil sinopsis de teorías recientes debida a Pallister Barkas [30] en concepto de intentos de despejar estas confusiones, aunque las conclusiones que deducen aboguen por un escepticismo injustificado. Es forzoso multiplicar estas distinciones al considerar la enorme variedad de teorías métricas desarrolladas en Europa, sobre todo en Francia, en Alemania y en Rusia.

Para nuestros fines, lo más indicado será distinguir únicamente los principales tipos de teorías métricas, sin enredarnos en las pequeñas diferencias ni en los tipos mixtos. El tipo más antiguo puede calificarse de prosodia "gráfica", y se remonta a los manuales del Renacimiento. Opera con signos gráficos de largas y breves, que en inglés suelen representar las sílabas tónicas y átonas. Por lo general, los adeptos de la prosodia gráfica tienden a trazar esquemas o escalas métricos que suponen que el poeta observa exactamente. Todos hemos aprendido en la escuela la terminología que emplean; hemos oído hablar de yambos, de troqueos, de anapestos y de espondeos, términos que todavía hoy son los que más se entienden y los más útiles para la acostumbrada descripción y estudio de los esquemas métricos. Sin embargo, en la actualidad se reconoce ampliamente la insuficiencia de todo el sistema. Es evidente que la teoría no presta atención al sonido real, efectivo, y que su habitual dogmatismo es completamente erróneo. Hoy todo el mundo comprende que el verso sería de la más tediosa monotonía si realmente atendiera exactamente a los esquemas gráficos. En las aulas y en los libros de texto elementales es donde más se resiste a desaparecer la teoría. Sin embargo, tiene sus méritos: se concentra abiertamente sobre las escalas métricas e ignora las minucias e idiosincrasia personal del ejecutante, dificultad que muchos sistemas modernos no han podido evitar. La métrica gráfica sabe que el metro no es simplemente cuestión de sonido, que existe una estructura métrica que se entiende implícita en el poema o subyacente a él.

El segundo tipo es la teoría "musical", basada en el supuesto, acertado dentro de ciertos límites, de que el metro en poesía es análogo al ritmo en música, por lo que tiene su mejor representación en la notación musical. Una primera exposición clásica en inglés es la obra de Sidney ·Lanier titulada *Science of English Verse* (1880); pero la teoría ha sido afinada y modificada por investigadores recientes [31]; en Norteamérica parece ser la teoría preferida, al menos entre profesores de literatura inglesa. Con arreglo a este sistema, a cada sílaba se le asigna una nota musical, de altura no determinada. La duración de la nota se determina bastante arbitrariamente asignando una blanca (media nota) a una sílaba larga, una negra a una sílaba semibreve, una corchea a una sílaba breve, y así sucesivamente. Los compases se cuentan de una a otra sílaba acentuada; y la velocidad de lectura se indica vagamente poniendo compases de 3/4 ó de 3/8, o bien de 3/2 en casos raros. Con tal sistema es posible llegar a la notación de un texto inglés cualquiera; por ejemplo, un pentámetro inglés corriente, como el verso de Pope

Lo, the poor Indian whose untutored mind

puede transcribirse en 3/8 del modo siguiente [32]:

Según esta teoría, la distinción entre yambo y troqueo habrá de someterse a una interpretación totalmente nueva, caracterizándose el yambo simplemente por una anacrusis, que se considera extramétrica o se cuenta con el verso anterior. Hasta los metros más complejos pueden representarse con tal notación recurriendo a una juiciosa introducción de silencios o pausas y la manipulación de largas y breves [33]. La teoría tiene el mérito de recalcar vigorosamente la tendencia del verso al isocronismo que se percibe subjetivamente, los modos en que hacemos más lenta o más rápida, en que prolongamos o abreviamos la lectura de las palabras, en que introducimos pausas para igualar compases. La eficacia de la notación será máxima en el verso "cantable", pero parece sumamente deficiente tratándose de tipos de verso coloquial u oratorio, y suele ser impotente cuando ha de utilizarse para el verso libre o para todo verso que no sea isócrono. Algunos defensores de esta teoría niegan sencillamente que el verso libre sea verso [34]. Los teóricos del método musical pueden tratar con fortuna el metro de la balada como "dipódico" o incluso como compases compuestos dobles [35], y pueden explicar ciertos fenómenos métricos con la introducción del término "sincopación". En los versos de Browning

> *The gray sea and the long black land*
> *And the yellow half moon large and low,*

"sea" y "black" en el primer verso y "half" en el segundo pueden transcribirse como sincopados. Los méritos de la teoría musical son evidentes: contribuyó en gran manera a derrocar el usual dogmatismo escolástico, y permitió el examen y la notación de metros de que los libros de texto se olvidan (verbigracia: algunos de los complejos metros de Swinburne, Meredith o Browning). Pero tiene también graves deficiencias: da rienda suelta a lecturas personales arbitrarias; borra las distinciones entre poetas y escuelas poéticas, reduciendo todo verso a unos cuantos tipos de tiempos monótonos; parece que invita a recitar la poesía a modo de canto, o que lo implica, y el isocronismo que establece es poco menos que subjetivo: un sistema de divisiones de sonidos y pausas que resultan iguales al compararlos entre sí.

Existe una tercera teoría métrica que hoy goza de gran estima: la métrica acústica. Ésta se basa en investigaciones objetivas en las que frecuentemente se hace uso de instrumentos científicos, como el oscilógrafo, aparato que permite registrar y aun fotografiar lo que realmente ocurre en la recitación de poesía. Las técnicas de la investigación acústica científica fueron aplicadas a la métrica por Sievers y Saran en Alemania; por Verrier en Francia, que utilizó materiales ingleses en su mayor parte, y por E. W. Scripture en los Estados Unidos [36]. En los *Approaches to a Science of English Verse,* de Wilbur L. Schramm, se encontrará una breve exposición de algunos resultados fundamentales [37]. La métrica acústica ha determinado claramente los distintos elementos constitutivos del metro. Hoy, pues, no hay excusa para confundir el tono, la intensidad, el timbre y el tempo, ya que se puede demostrar que corresponden a los factores físicos, mensurables, de frecuencia, amplitud, forma y duración de las ondas sonoras emitidas por el hablante. Podemos fotografiar o representar tan claramente los resultados que arrojen los instrumentos físicos, que nos es dado estudiar todos y cada uno de los más mínimos detalles de lo que realmente ocurre en cualquier recitación. El oscilógrafo se encargará de mostrarnos con qué intensidad, a qué tempo y con qué cambios de tono recitó un determinado lector tal o cual verso. Así, el primer verso de *El Paraíso perdido* presentará una figura semejante a las violentas oscilaciones de un sismógrafo durante un terremoto [38]. Esto constituye, indudablemente, un éxito; y muchos que tienen inclinaciones científicas (entre los cuales se cuentan, por supuesto, no pocos norteamericanos) infieren que no podemos ir más allá de estos resultados. Sin embargo, la métrica de laboratorio ignora, claro está, el significado, y tiene que ignorarlo: con lo que se llega a la conclusión de que no existe nada que pueda llamarse sílaba, puesto que hay un *continuum* de voz; que no hay nada que pueda llamarse palabra, ya que sus límites no pueden aparecer en el oscilógrafo; y hasta que no existe la melodía en sentido estricto, toda vez que el tono, que lo dan solamente las vocales y unas cuantas consonantes, está interrumpido constantemente por ruidos. La métrica acústica enseña también que en rigor no hay isocronismo, ya que la duración propiamente dicha de los compases varía considerablemente. No existen "largas y breves", fijas, por lo menos en inglés, ya que una sílaba "breve" puede ser físicamente más larga que una "larga"; y ni siquiera existen distinciones objetivas de acento intensivo, ya que una sílaba "acentuada" puede pronunciarse en rigor con menos intensidad que otra no acentuada.

Pero, aunque cabe reconocer la utilidad de estos resultados, los fundamentos mismos de esta "ciencia" son susceptibles de graves objeciones, que reducen en gran manera su valor para los estudiosos de la literatura. El supuesto todo de que los resultados que arroja el oscilógrafo atañen directamente al estudio de la métrica es equivocado. El tempo del lenguaje del verso es tempo de expectación [39]. Transcurrido cierto tiempo, esperamos una señal rítmica, pero no es forzoso que esta periodicidad sea exacta ni que la señal sea realmente fuerte en tanto tengamos la sensación de que lo es. La métrica musical está indudablemente en lo cierto al afirmar que todas estas distinciones de tempo y acento, como asimismo de tono, sólo son rela-

tivas y subjetivas. Pero la métrica musical y la acústica comparten
un común defecto o, mejor dicho, una común limitación: atienden
exclusivamente al sonido, a una o muchas interpretaciones de recitadores. Los resultados de la métrica acústica y de la métrica musical
sólo son, pues, concluyentes para tal o cual recitación, e ignoran el
hecho de que un recitador puede recitar acertadamente o no, de que
puede agregar elementos o desfigurar o aun desatender el modelo por
completo.

Verso como el de Keats

Silent upon a peak in Darien

puede leerse imponiendo el esquema métrico: "Silént upón a péak
in Dárién"; o como si fuera prosa: "Sílent upón a peak in Dárien";
o de diversas maneras, conjugando la escala métrica y el ritmo de la
prosa. Al oir "silént", toda persona de habla inglesa percibirá la violencia que se hace a la pronunciación "natural"; al oir "sílent",
notará el arrastre, el encabalgamiento desde el verso anterior. La solución intermedia de un "acento fluctuante" puede situarse en cualquier punto comprendido entre los puntos extremos; pero, en todos
los casos, sea cual fuere la manera de leer, la interpretación específica de un recitador será ajena al análisis de la situación prosódica,
que consiste precisamente en la tensión, en el "contrapunto" entre
el esquema métrico y el ritmo de la prosa.

La estructura del verso es inaccesible e incomprensible para los
métodos meramente acústicos o musicales. Y es que, sencillamente,
el sentido del verso no puede ignorarse en una teoría de la métrica.
Uno de los mejores teóricos de la métrica musical, George R. Stewart,
afirma, por ejemplo, que "el verso puede existir independientemente
del sentido", que "como el metro es en esencia independiente del
sentido, es lícito que tratemos de reproducir la estructura métrica de
cualquier verso, aparte por completo de su significado" [40]. Verrier y
Saran han formulado el dogma según el cual hay que adoptar el
punto de vista de un extranjero que oye el verso sin entender lo que
dice [41], pero esta concepción, que en la práctica es completamente
insostenible, y Stewart acaba por abandonarla [42], ha de tener consecuencias funestas para todo estudio literario de la métrica. Si nos

desentendemos del sentido, abandonamos el concepto de palabra y de frase, renunciando así a la posibilidad de analizar las diferencias entre el verso de diferentes autores. El verso inglés está determinado en su mayor parte por el contrapunto entre el fraseado impuesto, el impulso rítmico y el ritmo del habla real condicionado por las divisiones de frases; pero la división en frases sólo puede determinarse entendiendo el sentido del verso.

Por todo ello, los formalistas rusos [43] han tratado de asentar la métrica sobre una base totalmente distinta. El término "pie" les parece deficiente, ya que hay muchos versos sin "pies". El isocronismo, aunque subjetivamente sea aplicable a muchos versos, también está limitado a tipos particulares, y además no es accesible a la investigación objetiva. Todas estas teorías —dicen— definen mal la unidad fundamental del ritmo poético. Si consideramos que el verso no es otra cosa que segmentos agrupados en torno a una sílaba acentuada (o sílaba larga, en los sistemas cuantitativos), no podremos negar que las mismas agrupaciones, y aun el mismo orden de agrupaciones, pueden encontrarse en tipos de expresiones idiomáticas que no cabe calificar de poesía. La unidad fundamental del ritmo no es, pues, el pie, sino todo el verso, conclusión que se sigue de la teoría general de la *Gestalt* que los rusos abrazan. Los pies carecen de existencia independiente; sólo existen en relación con todo el verso. Cada acento tiene sus peculiaridades propias con arreglo a su posición en el verso, es decir, según caiga en el pie primero, en el segundo, en el tercero, etcétera. La unidad organizadora del verso varía en las distintas lenguas y en los distintos sistemas métricos. Puede ser la "melodía", es decir la secuencia de tonos, que en cierto verso libre acaso sea la única característica que lo distingue de la prosa [44]. Si no sabemos por el contexto, o por la disposición tipográfica que sirve de indicación, que una página de verso libre es verso, podríamos leerlo como si fuera prosa y no distinguirlo en realidad de la prosa; sin embargo, puede leerse como verso, y como tal se leerá de distinta manera, esto es, con entonación diferente. Los rusos muestran con gran detalle que esta entonación es siempre bimembre o dipódica; y si la suprimimos, el verso deja de ser verso, convirtiéndose simplemente en prosa rítmica.

En el estudio del verso métrico corriente, los rusos aplican métodos estadísticos a la relación entre el esquema y el ritmo oral. Se entiende el verso como una compleja estructura de contrapunto entre el metro superpuesto y el ritmo corriente del habla, porque, según dicen con frase notable, el verso es la "violencia organizada" que se hace al lenguaje cotidiano. Distingue entre "impulso rítmico" y esquema. Éste es estático, gráfico. El "impulso rítmico" es dinámico, progresivo. Prevemos las señales rítmicas que han de sucederse. No sólo organizamos el tempo, sino también todos los demás elementos de la obra de arte. Así entendido, el impulso rítmico influye en la elección de palabras, en la estructura sintáctica y, por tanto, en el sentido general del verso.

El método estadístico utilizado es muy sencillo. En todo poema o parte de poema que ha de analizarse se cuenta el porcentaje de casos en que cada sílaba lleva acento. Si en un pentámetro fuera el verso absolutamente regular, las estadísticas presentarían un porcentaje de cero para la primera sílaba, de 100 por 100 para la segunda, de cero para la tercera, de 100 por 100 para la cuarta, etc. Esto podría representarse gráficamente trazando una línea para el número de sílabas y otra, opuesta verticalmente a ella, para el porcentaje. Verso de tal regularidad es, desde luego, poco frecuente por la sencilla razón de que es de una monotonía extrema. La mayoría de los versos acusan un contrapunto entre el esquema y su observancia real (verbigracia: en el verso suelto, el número de casos de acentos en la primera sílaba puede ser bastante elevado, fenómeno conocido que se denomina "pie trocaico", acento fluctuante o "sustitución"). En un diagrama, la curva puede aparecer considerablemente aplanada; pero si es pentámetro y entendido como tal, la curva conservará cierta tendencia general a puntos de culminación en las sílabas 2, 4, 6 y 8. Por supuesto, este método estadístico no constituye un fin en sí mismo, pero presenta la ventaja de tener en cuenta todo el poema, revelando así tendencias que acaso no se acusen claramente en pocos versos, y también la de mostrar de un solo golpe de vista las diferencias entre escuelas poéticas y autores. En ruso, el método tiene singular eficacia, por tener cada palabra únicamente un solo acento (los acentos subsidiarios no son acentos, sino cuestión de respiración), al paso que en inglés las buenas estadísticas resultarían bastante complejas, habida cuenta del acento secundario y de las muchas palabras enclíticas y proclíticas que tiene.

Los metristas rusos recalcan mucho el hecho de que distintas escuelas y distintos autores observen los esquemas ideales de un modo distinto, de que cada escuela, o a veces cada autor, tenga su norma métrica propia, y que es injusto y falso juzgar escuelas y autores a la luz de un solo principio. La historia de la versificación se presenta a modo de conflicto constante entre normas diferentes, y es muy probable que de un extremo se pase a otro. Los rusos ponen también de manifiesto fecundamente las enormes diferencias que existen entre los sistemas lingüísticos de versificación. La clasificación usual de sistemas métricos en silábicos, tónicos y cuantitativos no sólo es insuficiente, sino incluso equívoca. Por ejemplo, en el verso épico servocroata y finés intervienen los tres principios —silabismo, cantidad y acento—. La investigación moderna ha demostrado que la prosodia latina, que se suponía puramente cuantitativa, se modificaba considerablemente en la práctica al atender al acento y a los límites de las palabras[45].

Las lenguas varían con arreglo al elemento que constituye la base de su ritmo. El inglés está determinado evidentemente por el acento de intensidad, mientras la cantidad queda subordinada al acento prosódico, y la extensión de las palabras desempeña también una importante función rítmica; la diferencia rítmica entre un verso hecho de monosílabos y otro hecho por completo de polisílabos es notable. En checo, la extensión de la palabra es la base del ritmo, que siempre va acompañado por acento obligado, mientras que la cantidad aparece simplemente como un factor de variación facultativa. En chino, el tono es la base principal del ritmo, al paso que en griego clásico la cantidad era el principio organizador, con el tono y la extensión de las palabras como elementos de variación potestativos.

En la historia de una lengua determinada, aunque los sistemas de versificación puedan haber sido sustituidos por otros, no debemos hablar de "progreso" ni condenar los sistemas anteriores como si no fueran otra cosa que torpe coplería de ciego, simples aproximaciones a los sistemas establecidos posteriormente. En ruso, una larga época estuvo dominada por el silabismo; en checo, por la prosodia cuantitativa. Se podría provocar una revolución en el estudio de la historia de la versificación inglesa, desde Chaucer hasta Surrey, si se advirtiera que poetas como Lydgate, Hawes y Skelton no escribieron verso imperfecto, sino que siguieron convenciones propias [46]. Hasta sería posible intentar una defensa razonada del tan ridiculizado intento de introducir en inglés el metro cuantitativo por figuras tan eminentes como Sidney, Spenser y Gabriel Harvey. Su frustrado movimiento tuvo al menos importancia histórica para romper la rigidez silábica de la versificación inglesa muy anterior.

También es posible intentar una historia comparada de la métrica. El famoso lingüista francés Antoine Meillet, en su obra *Les origines indoeuropéennes des mètres grecs*, comparó antiguos metros griegos y védicos a fin de reconstruir el sistema métrico indoeuropeo [47]; y Roman Jakobson ha demostrado que el verso épico yugoslavo está muy cerca de esta pauta clásica que combina un verso silábico con una cláusula cuantitativa de singular rigidez [48]. Es posible también distinguir y exponer la historia de diferentes tipos de verso popular. El verso recitativo épico y el "melódico" de que se sirve la lírica deben distinguirse tajantemente. En toda lengua, el verso épico parece ser mucho más conservador, mientras el verso cantado, que es el más íntimamente relacionado con las características fonéticas de una lengua, está mucho más sujeto a las diversidades nacionales. Incluso para el verso moderno importa tener presente las distinciones entre verso oratorio, coloquial y "melódico", distinciones ignoradas por la mayor parte de los metristas ingleses, que, bajo la influencia de la teoría musical, se preocupan del verso cantado [49].

En un valioso estudio del verso lírico ruso del siglo XIX [50], Boris Eichenbaum ha intentado analizar el papel de la entonación en el verso "melódico", "cantable", y pone de manifiesto notablemente cómo la lírica romántica rusa ha explotado las medidas tripódicas, esquemas de entonación como frases exclamativas e interrogativas, y estructuras sintácticas como el paralelismo; pero, a nuestro juicio, no ha probado su tesis central del poder determinante de la entonación en el verso "cantable" [51].

Podemos dudar de no pocas características de las teorías rusas, pero no cabe negar que han abierto un camino para salir del callejón sin salida del laboratorio, por una parte, y del puro subjetivismo de la métrica musical, por otra. Todavía quedan muchas cuestiones oscuras y discutibles, pero hoy la métrica ha reanudado el indispensable contacto con la lingüística y con la semántica literaria. En la actualidad advertimos que el sonido y el metro han de ser estudiados como elementos de la totalidad de una obra de arte y no aislados del sentido.

CAPÍTULO XIV

ESTILO Y ESTILÍSTICA

El lenguaje es, dicho al pie de la letra, el material del artista literario; se podría afirmar que toda obra literaria es simplemente una selección hecha en una lengua dada, al igual que se ha definido una escultura diciendo que es un bloque de mármol del cual se han arrancado algunos trozos.

En su librito sobre la poesía y la lengua inglesa, F. W. Bateson mantiene el punto de vista de que la literatura es parte de la historia general de la lengua y que depende de ella por completo. "Mi tesis es que la impronta de una época en un poema no debe atribuirse al poeta, sino al idioma. La verdadera historia de la poesía es, a mi juicio, la historia de los cambios operados en la clase de lengua en que se han escrito sucesivos poemas, y sólo estos cambios idiomáticos son los que se deben a la presión de las tendencias sociales e intelectuales" [1]. Bateson defiende bien esta íntima dependencia de la historia de la poesía con respecto a la historia de la lengua. Sin duda, la evolución de la poesía inglesa corre paralelamente al menos con la suelta exuberancia del habla isabelina, la sofrenada claridad del siglo XVIII y la vaga prolijidad del inglés de la era victoriana. Las teorías lingüísticas desempeñan un importante papel en la historia de la poesía (verbigracia: el racionalismo de Hobbes, con su exigencia de denotación, claridad y precisión científica, ha ejercido en la poesía inglesa una influencia profunda, aunque a veces indirecta).

Cabe afirmar, con Karl Vossler, que, "con el análisis del ambiente lingüístico, la historia literaria de determinadas épocas ganaría por lo menos tanto como con los acostumbrados análisis de las corrientes políticas, sociales y religiosas o del suelo y del clima" [2]. Sobre todo en épocas y países en que varias convenciones idiomáticas luchan por la supremacía, los usos, actitudes y credos de un poeta pueden importar no sólo para el desenvolvimiento del sistema lingüístico, sino también para comprender su arte. En Italia difícilmente pueden desentenderse del "problema de la lengua" los historiadores de la literatura; Vossler aprovechó constantemente sus estudios literarios en su obra *Frankreichs Kultur im Spiegel seiner Sprachentwicklung*, y en Rusia Viktor Vinográdov ha analizado detenidamente el empleo que Puschkin hace de los distintos elementos de la lengua rusa corriente: el eslavo eclesiástico, el habla popular, los galicismos y los germanismos [3].

Sin embargo, la tesis de Bateson está seguramente desorbitada, y es imposible admitir el punto de vista según el cual la poesía refleja pasivamente los cambios lingüísticos. No debe olvidarse nunca que la relación entre lengua y literatura es dialéctica: la literatura ha influido hondamente en el desenvolvimiento del idioma. Ni el francés ni el inglés modernos serían lo que son sin su literatura neoclásica, del mismo modo que el alemán moderno no sería lo que es si no hubiera experimentado la influencia que sobre él ejercieron Lutero, Goethe y los románticos.

Tampoco se puede afirmar que la literatura se mantenga libre de las influencias intelectuales o sociales directas. La poesía del siglo XVIII era límpida y clara —dice Bateson— porque el idioma se había hecho límpido y claro; de modo que los poetas, fueran o no racionalistas, tenían que servirse del instrumento ya hecho. Sin embargo, Blake y Christopher Smart demuestran que hombres penetrados de una concepción irracional o antirracional del mundo pueden transformar la dicción poética o volver a una fase más antigua de ella.

En rigor, el simple hecho de que sea posible escribir no sólo una historia de las ideas, sino también de los géneros, de las formas métricas y de los temas que se dan en literaturas de distintas lenguas demuestra que la literatura no depende por completo de la lengua. Evidentemente, hay que establecer también una distinción entre la poesía, por una parte, y la novela y el teatro, por otra. Bateson se refiere sobre todo a la poesía; y es difícil negar que, cuando su trabazón es densa y compacta, la poesía guarda íntima relación con el sonido y el sentido de un idioma.

Las razones son más o menos evidentes. El metro organiza el carácter fonético del lenguaje; regulariza el ritmo de la prosa acercándolo al isocronismo y simplificando así la relación entre las longitudes silábicas; hace más lento el tempo prolongando las vocales a fin de poner de relieve sus armónicos o matiz tonal (timbre); simplifica y regula la entonación, la melodía del habla [4]. La influencia del metro es, pues, actualizar, dar realidad a las palabras: señalarlas y llamar la atención sobre su sonido. En la buena poesía, las relaciones entre las palabras están subrayadas muy vigorosamente.

El significado de la poesía es contextual: una palabra no sólo conlleva su significado léxico, sino que arrastra además como un aura de sinónimos y homónimos. Las palabras no sólo tienen un significado, sino que evocan voces afines en sonido, sentido o derivación, y hasta vocablos que se contraponen o se excluyen.

El estudio del idioma cobra así importancia extraordinaria para el estudio de la poesía. Pero por estudio del idioma entendemos, por supuesto, tareas por lo común desatendidas o desdeñadas por el lingüista profesional. La morfología histórica o la fonología histórica suelen preocupar escasamente a la mayoría de los estudiosos de literatura. De no ser para las raras cuestiones de pronunciación necesarias en historia del metro y de la rima, el moderno estudioso de la literatura no necesita mucho de la morfología o fonología históricas ni aun de la fonética experimental. Pero sí tendrá necesidad de una rama especial de la lingüística: sobre todo, de la lexicología, el estudio del significado de las palabras y de sus transformaciones. Si quiere llegar a una comprensión cabal y propia del sentido de muchas viejas voces, el estudioso de la poesía inglesa antigua difícilmente podrá prescindir del *Oxford English Dictionary*. Hasta la etimología le servirá si quiere entender el léxico latinizado de Milton o el vocabulario sumamente germanizado de Hopkins.

La importancia de los estudios lingüísticos no se circunscribe, por supuesto, a la comprensión de palabras o frases. La literatura está relacionada con todos los aspectos del lenguaje. Una obra de arte es, primero que nada, un sistema de sonidos, y por lo mismo una selección hecha en el sistema fonético de una lengua dada. Nuestro estudio sobre la eufonía, él ritmo y el metro ha puesto de manifiesto la importancia de las consideraciones lingüísticas para muchos de estos problemas. La fonología resulta indispensable para la métrica comparada y para analizar convenientemente las estructuras fonéticas. Para fines literarios es evidente que el estrato fonético de una lengua no puede aislarse de su significado. Y, por otra parte, la estructura significativa es en sí misma dócil al análisis lingüístico. Cabe escribir la gramática de una obra de arte literaria o de cualquier conjunto de obras empezando por la fonología y la morfología, siguiendo con el léxico (barbarismos, provincialismos, arcaísmos, neologismos) y elevándonos a la sintaxis (v. gr., hipérbaton, antítesis y paralelismos).

Son dos los puntos de vista desde los cuales es posible proceder al estudio de la lengua literaria. Cabe utilizar la obra literaria únicamente como documento de la historia lingüística. Por ejemplo, las obras *Owl and the Nightingale* y *Sir Gawain and the Green Knight* pueden servir de ilustración de las características de ciertos dialectos del inglés medio; en escritores como Skelton, Nashe y Ben Jonson se contiene abundante material para la historia de la lengua inglesa; una reciente obra del sueco A. H. King se sirve del *Poetaster* de este último para hacer un detenido análisis de los dialectos sociales y de clase de la época; Franz ha hecho una *Shakespearegrammatik* muy concienzuda y a Lazare Sainéan se deben dos volúmenes sobre la lengua de Rabelais [5]. Sin embargo, en estos estudios, las obras literarias se emplean a modo de fuentes y documentos para otros fines, que son los de la ciencia del lenguaje. Pero los estudios lingüísticos sólo son literarios cuando sirven al estudio de la literatura, cuando se proponen investigar los efectos estéticos de la lengua, en suma, cuando pasan a ser estilística (al menos en un sentido de este término) [6].

Por supuesto, la estilística no se puede cultivar provechosamente sin una sólida base de lingüística general, ya que una de sus preocupaciones centrales es precisamente el contraste entre el sistema de la lengua de una obra de arte literaria y el uso general de la época. Sin saber lo que es el habla corriente, e incluso el lenguaje no literario, y cuáles son las diferentes lenguas sociales de una época, la estilística difícilmente puede pasar de simple impresionismo. El supuesto de que (sobre todo para épocas pasadas) conocemos la distinción entre lengua corriente y desviación artística carece, desgraciadamente, de todo fundamento. Hay que dedicar un estudio mucho más detenido a la lengua de épocas remotas, en sus diversas estratificaciones, para tener una base apropiada con que juzgar el estilo de un autor o de un movimiento literario.

En la práctica, lo que hacemos no es otra cosa que aplicar instintivamente las normas que deducimos del uso actual de la lengua; pero estas normas pueden inducir a error en gran parte. Al leer no poca poesía antigua, es menester obturar nuestra moderna conciencia lingüística. Hemos de olvidarnos del sentido moderno hasta en versos como aquellos de Tennyson que dicen:

> And this is well
> To have a dame indoors, who trims us up
> And keeps us tight [7] *

Pero si admitimos la necesidad de reconstrucción histórica en tales casos evidentes, ¿cabe postular su posibilidad en todos los casos? ¿Podremos aprender alguna vez anglosajón o inglés medio —para no hablar de griego antiguo— lo bastante bien para olvidarnos de nuestro propio idioma? Y, en el supuesto de que pudiéramos, ¿seríamos forzosamente mejores críticos al constituirnos en contemporáneos lingüísticos del autor? ¿No cabría defender la conservación de la asociación moderna en versos como los de Marvell:

> My vegetable love would grow
> Vaster than empires and more slow? [8] **

no cabría defenderla, decimos, como un enriquecimiento de sus sentidos? Louis Teeter comenta al respecto: "La grotesca idea de una erótica coliflor sobreviviendo a las pirámides y haciéndoles sombra parece resultado de estudiada artificiosidad. Sin embargo, podemos

---

* [El sentido en Tennyson es: "Y es bueno tener en casa una dueña que nos arregle y cuide de nuestro aseo"; modernamente, sin embargo, puede entenderse: "...y nos tenga alumbrados", es decir, borrachos.]

** [En inglés moderno esto podría entenderse así: "Mi amor de verdura crecería más y más lento que los imperios".]

tener la seguridad de que Marvell mismo no pensaba en este determinado efecto. En el siglo XVII, vegetable significaba vegetativo, y probablemente el poeta empleaba la palabra en el sentido de principio vital. Difícilmente podía pensar en la hortelana connotación que hoy tiene" [9]. Cabe preguntar con Teeter si conviene librarse de la connotación moderna y si es posible, al menos en casos extremos. De nuevo volvemos a la cuestión del "reconstruccionismo" histórico, de su posibilidad y conveniencia.

Se han hecho ensayos, como el de Charles Bally [10], de hacer de la estilística una simple subdivisión de la lingüística; pero la estilística, sea o no ciencia independiente, tiene sus problemas propios muy definidos. Algunos de éstos pertenecerían a todo o casi todo el lenguaje humano. Entendida en este amplio sentido, la estilística investiga todos los recursos que tratan de lograr algún fin expresivo específico, por lo que el campo que abarca es mucho mayor que el de la literatura o incluso que el de la retórica. Bajo el epígrafe de estilística pueden clasificarse todos los artificios enderezados a conseguir fuerza y claridad de expresión: las metáforas, que calan todas las lenguas, incluso las de tipo más primitivo; todas las figuras retóricas; las construcciones sintácticas. Casi todas las expresiones idiomáticas pueden estudiarse desde el punto de vista de su valor expresivo. Parece imposible ignorar este problema, como hace muy a sabiendas la escuela lingüística behaviorista norteamericana.

La estilística tradicional suele contestar estas cuestiones de un modo casual y arbitrario. Las figuras se dividen en intensificativas y minorativas. Las figuras intensificativas, como la repetición, la acumulación, la hipérbole y la gradación, se han asociado con el estilo "sublime" expuesto con algún detalle en el famoso *Peri hypsous* atribuido a Longinus. En relación con Homero y luego con Shakespeare, Milton y Dante, del "estilo elevado" trataron Matthew Arnold y Saintsbury, que cofundieron problemas psicológicos con problemas de valoración literaria [11].

Parece imposible, sin embargo, probar que determinadas figuras y artificios han de tener siempre determinados efectos o "valores expresivos". En la Biblia y en las crónicas, las construcciones de frases coordinadas ("y... y... y...") surten un efecto de despaciosidad narrativa; pero en un poema romántico, una serie de estas conjunciones pueden constituir peldaños de una escala ascendente de interrogantes de anhelosa agitación. Una hipérbole puede ser trágica o patética, pero también puede ser cómica y grotesca. Además, ciertas figuras o ciertas características sintácticas se repiten tanto y en tantos contextos diferentes, que no pueden tener sentido expresivo específico. En el espacio de pocas páginas, Cicerón se sirve varias veces de lítotes y pretericiones; en los *Ramblers* de Johnson se cuentan centenares de antítesis. Ambas costumbres indican juego de palabras, desatención al significado [12].

Pero, aunque hay que abandonar la concepción atomística de una relación entre una determinada figura y un determinado "valor expresivo", no es imposible establecer una relación específica entre rasgos y efectos estilísticos. Un modo de lograrlo es mostrar que ciertas figuras se repiten una y otra vez, combinadas con otras figuras que se repiten en pasajes de cierto tono expresivo: sublime, cómico, grácil o ingenuo. Se puede decir, como dice William K. Wimsatt, que la simple reiteración de un artificio no priva a éste de sentido. "Las estructuras de frase se repiten, como las declinaciones y las conjugaciones; pero no por ello dejan de ser formas expresivas" [13]. No es forzoso contentarse, a la manera de la antigüedad clásica, con clasificar los estilos en elevado y bajo, asiático y ático, etc.; se pueden elaborar complejos esquemas como los propuestos por Wilhelm Schneider en *Ausdruckswerte der deutschen Sprache* (1931). Según las relaciones entre las palabras y el objeto, los estilos pueden dividirse en conceptual y sensorial, conciso y prolijo, o sustancial e hiperbólico, preciso y vago, tranquilo y agitado, bajo y elevado, sencillo y exornado; según las relaciones entre las palabras, en tenso y flojo, plástico y musical, suave y áspero, desvaído y vistoso; de acuerdo con las relaciones de las palabras con el sistema lingüístico total, en hablado y escrito, estereotipado y personal; y según la relación de las palabras con el autor, en objetivo y subjetivo [14]. Estas clasificaciones pueden aplicarse prácticamente a todas las expresiones lingüísticas; pero es evidente que la mayoría de los ejemplos están sacados de obras literarias y enderezados a un análisis del estilo literario. Así entendida, la estilística parece haber encontrado el justo medio entre el clásico estudio desarticulado de las figuras basado en las clasificaciones de la retórica y la especulación más grandiosa, pero menos concreta, sobre estilos de época (el Gótico, el Barroco, etc.).

Por desdicha, gran parte de esta labor se ha inspirado en fines estrictamente preceptivos —que convierten la estilística en recomendación de un cierto estilo "medio" de exposición, con sus ideales de precisión y claridad, o sea en una disciplina pedagógica— o en la exaltación nacionalista de una determinada lengua. Los alemanes en particular son culpables de antojadizas generalizaciones sobre las diferencias entre las principales lenguas europeas. Hasta filólogos eminentes como Wechsler, Vossler y Deutschbein [15] se entregan a conjeturas que, en realidad, no son verificables, precipitándose a extraer conclusiones sobre la psicología nacional. Esto no es negar la existencia de un problema: el punto de vista behaviorista según el cual todas las lenguas son iguales resulta manifiestamente absurdo si comparamos una lengua sin literatura desarrollada con una de las grandes lenguas europeas. Éstas difieren ampliamente en estructuras sintácticas, en idiotismos y en otras convenciones, como cualquier traductor sabe. Para ciertos fines, el inglés, el francés o el alemán parecen menos aptos que uno de los otros dos; pero las diferencias se deben, indudablemente, a influencias sociales, históricas y literarias que, aunque susceptibles de descripción, todavía no han sido descritas en medida que permita reducirlas a psicologías nacionales fundamentales. Parece que la estilística "comparada" es ciencia de un futuro remoto.

La utilización puramente literaria y estética de la estilística la limita al estudio de una obra de arte o de un grupo de obras que han de describirse con relación a su función y sentido estéticos. Sólo cuando este interés estético sea central constituirá la estilística una parte de la ciencia de la literatura; y constituirá una parte importante, porque sólo los métodos estilísticos pueden definir las características específicas de una obra literaria. Hay dos posibles métodos de acometer este análisis estilístico: el primero es proceder a un análisis sistemático del sistema lingüístico de una obra literaria e interpretar sus características en función del fin estético de la obra, de su "sentido total"; entonces el estilo aparece como el sistema lingüístico individual de una obra o conjunto de obras. Un segundo procedimiento, no contradictorio, es estudiar la suma de los rasgos individuales por los que este sistema difiere de sistemas comparables: en este caso, el método es de contraste: observamos las desviaciones y distorsiones con respecto al uso normal y tratamos de sorprender su finalidad estética. En el habla comunicativa corriente no se presta atención al sonido de las palabras ni al orden de éstas (que, al menos en inglés, suele pasar normalmente de actor a acción) ni a la estructura de la frase (que suele ser enumerativa, coordinada). Un primer paso en el análisis estilístico será observar desviaciones como repeticiones de sonidos, inversión del orden de las palabras, construcción de complicadas jerarquías de cláusulas, todo lo cual ha de servir a cierta función estética como, por ejemplo, energía o diafanidad, o sus contrarios, es decir, la supresión de distinciones, estéticamente justificada, u oscuridad.

En algunas obras o autores, esta tarea será relativamente fácil. Los esquemas sonoros y los símiles sacados de los bestiarios del *Euphues* de John Lily son inconfundibles [16]. Spenser, que según Johnson, "no escribió en ningún idioma", emplea un conjunto fácilmente analizable de arcaísmos, neologismos y provincialismos [17]. Milton no sólo emplea un léxico latinizado en que las palabras inglesas tienen el sentido de su arquetipo, sino que también tiene sus estructuras de frase características. El estilo de Gerard Manley Hopkins se caracteriza por sus voces sajonas y dialectales, su estudiada evitación de vocablos de raíz latina, inspirada por la teoría y respaldada por un movimiento de germanizadores del idioma, y sus peculiares formaciones de palabras y compuestos [18]. No es difícil analizar el estilo de autores tan marcadamente "amanerados" como Carlyle, Meredith, Pater o Henry James, o incluso de autores que, si bien de escasa importancia artística, cultivaron sus peculiaridades.

Sin embargo, en otros muchos casos será bastante más difícil aislar y definir las características estilísticas de un autor. Hace falta un oído delicado y una observación sutil para discernir un rasgo que se repite, sobre todo en escritores que, como muchos dramáticos isabelinos o ensayistas del siglo XVIII, emplean un estilo uniforme. No se puede por menos de sentirse escéptico ante afirmaciones como la de James M. Robertson de que ciertas palabras o "giros" son exclusivos de hombres como Peele, Greene, Marlowe y Kyd [19]. En muchas de estas investigaciones, el análisis estilístico se combina sin discriminación con el estudio de nexos de fondo, de fuentes y de otros extremos como alusiones reiteradas. Cuando así ocurre, la estilística sólo sirve de instrumento para una finalidad distinta: la identificación de un autor, la verificación de la autenticidad, faena de detective que es, a lo sumo, preparatoria de los estudios literarios.

Plantea difíciles problemas de índole práctica la existencia de estilos predominantes, la facultad de un autor de estimular la imitación y la moda. Antaño, la idea del género ejercía vigoroso influjo sobre la tradición estilística. En Chaucer, por ejemplo, se da una amplia diferencia de estilos entre las distintas narraciones de los *Cuentos de Cantorbery* y, más generalmente, entre sus obras de diferentes épocas y tipos literarios. En el siglo XVIII, una oda pindárica, una sátira, una balada tenían su vocabulario y estilo obligados. El "estilo poético" se limitaba a géneros determinados, al paso que en los géneros inferiores se permitía y hasta se prescribía un vocabulario sencillo. Hasta Wordsworth, pese a su condena del estilo poético, escribía de un modo muy distinto según compusiera una oda, un poema topográfico reflexivo como *Tintern Abbey*, un soneto miltoniano o una "balada lírica". Si nos desentendemos de tales distinciones, caracterizaremos fútilmente el estilo de un autor que haya cultivado muchos géneros o que haya pasado por una larga evolución personal. En el caso de Goethe, lo más acertado, probablemente, es hablar de sus "estilos", puesto que no cabe conciliar las enormes diferencias que existen entre el primerizo estilo de *Sturm und Drang*, el del período clásico, y la manera tardía, pomposa y enredada de *Las afinidades electivas*.

Este método de análisis estilístico —de concentración en las peculiaridades de estilo, en rasgos que lo distinguen de los sistemas lingüísticos circundantes— presenta peligros manifiestos. Somos dados a acumular observaciones aisladas, muestras de los rasgos marcados, y a olvidar que una obra de arte constituye un todo. Estamos expuestos a insistir excesivamente en la "originalidad", en la individualidad, en lo meramente idiosincrásico. Es, pues, preferible el intento de describir completa y sistemáticamente un estilo con arreglo a principios lingüísticos. En Rusia, Viktor Vinógradov ha escrito estudios magistrales sobre la lengua de Puschkin y de Tolstoy. En Polonia y en Checoslovaquia, la estilística sistemática ha atraído a muchos estudiosos competentes; y en España, Dámaso Alonso ha sido el inicia-

dor del análisis sistemático de la poesía de Góngora, y Amado Alonso
ha analizado con gran sensibilidad el estilo poético de Pablo Neruda [20]. El peligro del método es el ideal de una perfección "científica". El analista puede olvidar que el efecto y la energía artísticos
no se identifican con la mera frecuencia de un artificio. Así, los testimonios estadísticos despistan a Josephine Miles, haciéndole recalcar el
elemento prerrafaelista en el estilo de Hopkins [21].

El análisis estilístico parece rendir provecho máximo para los estudios literarios cuando puede establecer algún principio unificador, alguna finalidad estética general que penetre toda una obra. Si tomamos,
por ejemplo, un poeta descriptivo del siglo XVIII como James Thomson, debiéramos poder mostrar cómo encajan entre sí sus rasgos estilísticos. El verso libre miltoniano entraña ciertas limitaciones y exigencias en la selección de vocabulario. El léxico requiere perífrasis,
y la perífrasis implica tensión entre la palabra y la cosa: el objeto
no se nombra, pero sus cualidades se enumeran. El recalcar las cualidades y la enumeración de éstas implica descripción; y el tipo particular de descripción de la naturaleza que se cultivaba en el siglo XVIII
implica una filosofía específica: el argumento de las causas finales.
En su libro sobre Pope y en sus ensayos sobre la dicción poética del
siglo XVIII, Geoffrey Tillotson ha acumulado muchas y agudas observaciones de esta clase (v. gr.: sobre la peculiar ideología de la elocución poética, su "nomenclatura físico-teológica", como él la llama),
pero no las ha integrado en un análisis total del estilo [22]. Tal procedimiento, que pasa de consideraciones métricas a problemas de contenido y aun de filosofía, no debe entenderse equivocadamente como si
significara un proceso que atribuye prioridad, lógica o cronológica,
a cualquiera de estos elementos. Idealmente, debiéramos poder partir
de cualquier punto dado y llegar a los mismos resultados.

Este tipo de demostración muestra cómo el análisis estilístico puede conducir fácilmente a problemas de contenido. De un modo intuitivo y asistemático, hace tiempo que los críticos han analizado estilos
como expresivos de determinadas actitudes filosóficas. En su *Goethe*,
Gundolf hizo un sensitivo análisis de la lengua de los primeros poemas de Goethe, poniendo de manifiesto cómo el dinámico estilo del
poeta refleja su inclinación hacia una concepción dinámica de la
naturaleza [23]. Hermann Nohl ha tratado de demostrar que los rasgos

estilísticos pueden asociarse con los tres tipos de filosofía ideados por Dilthey [24].

Los filólogos alemanes han desarrollado también un acercamiento metodológico más sistemático denominado _Motif und Wort_, basado en el supuesto de un paralelismo entre los rasgos lingüísticos y los elementos del contenido. Leo Spitzer lo aplicó pronto investigando la reiteración de motivos como la sangre y las heridas en los escritos de Henri Barbusse, y Josef Körner ha hecho un estudio completo de los motivos de los escritos de Arthur Schnitzler [25]. Posteriormente, Spitzer ha tratado de establecer la relación entre rasgos estilísticos reiterados y la filosofía del autor (v. gr.: relaciona el estilo reiterativo de Péguy con su bergsonismo y el estilo de Jules Romains con su unanimismo). El análisis de los mitos verbales de Christian Morgenstern (autor de versos disparatados vagamente comparables a los de Lewis Carroll) muestra que debió de leer la nominalista _Kritik der Sprache_ de Mauthner, sacando la conclusión de que sobre un mundo de impenetrable oscuridad el lenguaje no hace más que tender más velos todavía [26].

Algunos de los trabajos de Leo Spitzer van muy lejos en el intento de deducir de los rasgos estilísticos de un autor sus características psicológicas. Proust se presta a tal procedimiento; en Charles Louis Philippe se da la construcción reiterada "_à cause de_", que se interpreta como una "_pseudo-objektive Motivierung_", implicando creencia en el fatalismo; en Rabelais, Spitzer analiza formaciones de palabras que, empleando una raíz conocida, como Sorbonne, la combinan con docenas de sufijos fantásticos para crear multitud de apodos repulsivos (v. gr.: Sorbonnagre, Sorbonne + onagre, asno), a fin de poner de manifiesto que en Rabelais hay una tensión entre lo real y lo irreal, entre la comedia y el horror, entre la utopía y el naturalismo [27]. La hipótesis fundamental, según la formula Spitzer, es que a una "excitación mental que aparte del _habitus_ normal de nuestra vida mental ha de corresponder la correlativa desviación lingüística con respecto al uso normal" [28].

Pero este principio parece discutible. En gran parte de su obra posterior, por ejemplo, en su brillante estudio _Klassische Dämpfung in Racine_, Spitzer se ha limitado al análisis de los rasgos estilísticos [29]. En realidad, por ingeniosas que sean algunas de sus sugestiones, la estilística psicológica presenta el flanco a dos objeciones. Muchas relaciones que pretende establecer no se basan en conclusiones extraídas del material lingüístico, sino que más bien parten de un análisis psicológico e ideológico y buscan confirmación en el idioma. A esto no se podrían poner reparos si en la práctica la misma confirmación idiomática no resultara más de una vez forzada o se basara en testimonios muy endebles. Las obras de esta clase dan a menudo por supuesto que el verdadero arte o el arte grande ha de basarse en la vivencia, en la *Erlebnis*, término que invoca una versión ligeramente modificada de la falacia biográfica. Además, el supuesto de una relación forzosa entre ciertos artificios estilísticos y ciertos estados de ánimo resulta falaz. Por ejemplo, en el estudio del Barroco, la mayoría de los estudiosos alemanes suponen una correspondencia inevitable entre el estilo denso, oscuro, retorcido y un alma turbulenta, dividida y torturada [30]. Pero es indudable que un estilo oscuro y retorcido pueden cultivarlo los artesanos y técnicos. Toda la relación entre la psique y la palabra es más imprecisa y más oblicua de lo que generalmente se supone.

Por ello, la *Stilforschung* alemana ha de tratarse con no poca cautela. A veces parece tan sólo una psicología genética larvada, y sin duda sus supuestos son muy distintos de aquellos en que se basa la estética de Croce, que suele considerarse como su modelo. En el sistema de Croce, que es completamente monista, no se puede establecer distinción alguna entre estado de ánimo y expresión lingüística. Croce niega en todo momento la validez de todas las categorías estilísticas y retóricas, de la distinción entre estilo y forma, entre forma y fondo, y, en última instancia, entre palabra y alma, entre expresión e intuición. En Croce, esta serie de identificación conduce a una parálisis teórica: una intuición, inicialmente auténtica, de las implicaciones del proceso poético se lleva tan lejos, que resulta imposible toda distinción. Ahora parece claro que proceso creador y obra creada, forma y fondo, expresión y estilo, han de mantenerse separados, provisionalmente y en precario suspenso, hasta la unificación final: sólo así es posible todo el proceso de traducción, de reducción a términos racionales que constituye la crítica.

Si podemos describir el estilo de una obra o de un autor, no cabe duda de que también podemos describir el estilo de un grupo de obras o de un género: la novela de terror, el teatro isabelino, la poesía metafísica; de que también podemos analizar tipos estilísticos, por ejemplo, el estilo barroco de la prosa del siglo XVII [31]. Se puede generalizar aún más y describir el estilo de una época o de un movimiento. En la práctica, esto resulta extraordinariamente difícil de lograr con exactitud empírica. En libros como *Le style poétique et la révolution romantique* de E. Barat, y *Die Sprache des deutschen Impressionismus* de Luise Thon, se estudian muchos artificios estilísticos o rasgos sintácticos y léxicos en toda una escuela o movimiento [32], y se ha llevado a cabo una gran labor para describir el estilo de la vieja poesía germánica [33]. Pero estos son estilos comunales casi todos, de naturaleza bastante uniforme, que casi pueden tratarse como las obras de un solo autor. La descripción estilística de épocas enteras y movimientos literarios enteros, como el clasicismo y el romanticismo, tropieza con dificultades casi insuperables, ya que hemos de hallar el denominador común de los más diversos escritores, a veces de escritores de muchos países.

Como la historia del arte ha establecido una serie de estilos que goza de amplia aceptación (v. gr.: el clásico, el gótico, el del Renacimiento y el del Barroco), resulta tentador tratar de transponer estos términos a la literatura; pero al proceder así volvemos a la cuestión de la relación entre las artes y la literatura, del paralelismo de las artes y de la sucesión de las grandes épocas de nuestra civilización.

CAPÍTULO XV

IMAGEN, METÁFORA, SÍMBOLO, MITO

Cuando de clasificar poemas por su contenido o tema pasamos a preguntarnos qué clase de expresión es la poesía, y cuando en vez de parafrasearlo, identificamos el "sentido" de un poema con todo su complejo de estructuras, entonces, como estructura poética central, nos encontramos con la secuencia constituida por los cuatro términos que aparecen en el título del presente capítulo. Uno de nuestros contemporáneos ha dicho que los principios organizadores capitales de la poesía son el metro y la metáfora; además, "el metro y la metáfora van juntos, se pertenecen, y nuestra definición de poesía habrá de ser lo suficientemente general para abarcarlos a los dos y explicar su convivencia" [1]. La teoría poética general implícita en el párrafo citado fue brillantemente expuesta por Coleridge en su *Biographia literaria*.

¿Designan estos cuatro términos una sola cosa? Semánticamente, los cuatro términos se superponen; es manifiesto que apuntan a la misma zona de interés. Quizá quepa decir que nuestra secuencia —imagen, metáfora, símbolo y mito— representa la convergencia de dos rectas, ambas importantes para la teoría de la poesía. Una es particularidad sensorial, o el "continuum" sensorial y estético que vincula la poesía con la música y con la pintura y la separa de la filosofía y de la ciencia; la otra es la referente a las figuras o tropos, al lenguaje indirecto, "oblicuo", que se expresa en metonimias y metáforas, comparando parcialmente mundos, precisando sus temas mediante traducciones a otros lenguajes [2]. Las dos son notas características, *differentiae* de la literatura por contraposición al lenguaje científico. En vez de tender a un sistema de abstracciones expresadas consecuentemente mediante un sistema de monosignos, la poesía organiza una estructura de palabras única, no susceptible de repetición, cada una objeto a la par que signo y utilizada de un modo que ningún sistema externo al poema puede predecir [3].

Las dificultades semánticas de nuestro tema son trabajosas y no parece haber más remedio que una constante, vigilante atención a cómo se usa de los términos en sus contextos, sobre todo a sus contraposiciones extremas.

La imagen es tema que entra tanto en la psicología como en los estudios literarios. En psicología, la palabra "imagen" significa reproducción mental, recuerdo de una vivencia pasada, sensorial o perceptiva, pero no forzosamente visual. Las investigaciones precursoras de Francis Galton en 1880 perseguían la finalidad de averiguar hasta qué punto pueden los hombres reproducir visualmente el pasado, y con ellas comprobó que éstos difieren mucho en su capacidad de visualización. Pero las imágenes no son solamente visuales. Las clasificaciones establecidas por los psicólogos y estéticos son numerosas. No sólo hay imágenes referentes al gusto y al olfato, sino también imágenes de calor y de presión ("cinestésicas", "hápticas", "endopáticas"). Se ha hecho la importante distinción entre imágenes estáticas e imágenes cinéticas (o "dinámicas"). La utilización de imágenes cromáticas puede ser o no ser tradicional o privadamente simbólica. La imagen sinestésica (sea resultado de la anormal constitución psicológica del poeta o de convención literaria) lleva a cabo una transposición de un sentido a otro (v. gr.: del sonido al color). Por último, existe la distinción, provechosa para el lector de poesía, entre imágenes "ligadas" e imágenes "libres": las primeras, imágenes auditivas y musculares, provocadas forzosamente aun cuando el lector lea para sí, y que son aproximadamente iguales en todos los lectores *ad hoc;* las segundas, imágenes visuales y demás, muy distintas de una persona a otra o de un tipo a otro [4].

Las conclusiones generales de Ivor Richards, tal como se formulan en sus *Principles* de 1924, todavía resultan certeras cuando dice que "siempre se ha concedido excesiva importancia a las cualidades sensoriales de las imágenes. Lo que presta eficacia a una imagen no es tanto su condición de vívida como su carácter de acaecimiento mental relacionado peculiarmente con la sensación". Su eficacia se debe a que son "vestigio", "reliquia" y "representación" de la sensación [5].

De las imágenes como representantes residuales de las sensaciones pasamos a la segunda línea que atraviesa todo el campo de nuestro estudio: la de la analogía y el símil. Ni siquiera las imágenes visuales hay que buscarlas exclusivamente en la poesía descriptiva; y entre los que han intentado escribir poesía "imaginista" o "física" son pocos los que han conseguido circunscribirse a una representación del mundo exterior; en realidad, rara vez han querido hacer tal cosa. Ezra Pound, teorizador de varios movimientos poéticos, definía la imagen no como representación pictórica, sino como "lo que presenta un complejo intelectual y emocional en un instante de tiempo", como una "unificación de ideas dispares". El credo imaginista afirmaba: "Creemos que la poesía debe traducir exactamente particularidades y no perderse en vagas generalidades, por muy sonoras que sean". En su elogio de Dante y sus ataques a Milton, Eliot parece atenerse más dogmáticamente al hincapié en la *Bildlichkeit*. La imaginación de Dante —dice— "es imaginación visual". Dante es un alegorista, y "para un poeta capaz, alegoría significa 'imágenes visuales diáfanas' ". En cambio, la imaginación de Milton es, por desdicha, "imaginación auditiva". Las imágenes visuales contenidas en *L'Allegro* y en *Il Penseroso* son "todas generales... Lo que Milton ve no es un determinado labriego, una determinada vaquera, un determinado pastor...; el efecto sensorial de estos versos se ejerce totalmente sobre el oído y va unido al concepto de labriego, de vaquera y de pastor" [6].

En todas estas afirmaciones, el acento se pone más en la *particularidad* y en la fusión de mundos (analogía, v. gr., alegoría, "unificación de ideas dispares") que en lo sensorial. La imagen visual es una sensación, o percepción, pero también "representa", remite a algo invisible, a algo "interior". Puede ser presentación y representación al propio tiempo ("the black bat night has flown"...: "voló la noche negra de murciélagos". "Yonder all before us lie Deserts of vast eternity": "ante nosotros se extienden desiertos de vasta eternidad"). La imagen puede darse como "descripción" o bien (cual ocurre en nuestros ejemplos) como metáfora. Pero ¿pueden ser tam-

bién simbólicas, vistas con "los ojos del alma", las imágenes que
no se brindan como metáforas? ¿No es selectiva toda percepción? [7].
Así, Middleton Murry, que entiende el "símil" y la "metáfora"
como asociados a la "clasificación formal" de la retórica, aconseja
utilizar la voz "imagen" como término que comprenda a ambos,
pero advierte que debemos "rechazar resueltamente de nuestro pensamiento la idea de que la imagen sea exclusiva o aun predominantemente visual". La imagen "puede ser visual, puede ser auditiva",
o bien "puede ser totalmente psicológica" [8]. En escritores tan distintos
como Shakespeare, Emily Brontë y Edgar Poe, podemos ver que el
ambiente (un sistema de "propiedades") es a menudo una metáfora
o un símbolo: el mar embravecido, la tormenta, la marisma selvá-
tica, el castillo en ruinas junto al lago friolento y sombrío.
   Como la "imagen", el "símbolo" ha dado nombre a un movimiento literario específico [9]. Al igual que la "imagen", sigue presen-
tándose en contextos muy distintos y empleándose para fines muy
diferentes. Aparece como término en lógica, en matemáticas, en semántica y semiótica y en epistemología; tiene también una larga historia en el mundo de la teología ("símbolo" es sinónimo de credo),
de la liturgia, de las bellas artes y de la poesía. El elemento común
a todas estas acepciones corrientes del término es probablemente el
de algo que representa a algo distinto. Pero el verbo griego, que significa juntar, comparar, insinúa que originalmente estaba presente la
idea de analogía entre signo y significado, que todavía sobrevive en
alguna de las modernas acepciones del término. Los "símbolos" alge-
braicos y lógicos son signos convencionales, establecidos de común
acuerdo, pero los símbolos religiosos se basan en alguna relación in-
trínseca, metonímica o metafórica, entre el "signo" y la cosa "signifi-
cada": la Cruz, el Cordero, el Buen Pastor. En teoría literaria parece
conveniente que la palabra se emplee en este sentido: en el de objeto
que refiere, que remite a otro objeto, pero que también reclama atención por derecho propio, en calidad de presentación [10].
   Hay una clase de pensamiento que habla de "mero simbolismo",
bien reduciendo la religión y la poesía a imágenes sensoriales dispuestas ritualmente, bien vaciando los "signos" o las "imágenes" de
las realidades trascendentales, morales o filosóficas que representan
y que están más allá de ellos. Otra forma de pensamiento entiende

el simbolismo como algo calculado y deliberado, como una voluntaria, una deliberada traslación mental de conceptos a términos ilustrativos, pedagógicos, sensoriales. Pero —dice Coleridge— mientras la alegoría es simplemente "una traducción de nociones abstractas a un lenguaje pictórico, que en sí mismo no es más que una abstracción de objetos de los sentidos...", el símbolo "se caracteriza por una transparencia de lo especial [la especie] en lo individual, o de lo general [el género] en lo especial...; sobre todo por la transparencia de lo eterno a través de lo temporal y en lo temporal" [11].

¿Hay algún aspecto importante en que el "símbolo" difiera de la "imagen" y de la "metáfora"? Creemos que, primariamente, en la reiteración y persistencia del símbolo. A una "imagen" puede recurrirse una vez como metáfora, pero si se repite persistentemente, como presentación a la vez que como representación, se convierte en símbolo e incluso puede convertirse en parte de un sistema simbólico (o mítico). De las primeras composiciones líricas de Blake, las *Songs of Innocence* y las *Songs of Experience,* dice J. H. Wicksteed: "*De simbolismo verdadero* tienen relativamente poco, pero en ellas se hace uso constante y copioso de la *metáfora simbólica*". Yeats compuso un ensayo sobre los símbolos dominantes ("Ruling Symbols") en la poesía de Shelley, en que dice: "Aparte de incontables imágenes que no tienen el carácter definido [¿la fijeza?] de los símbolos, encuéntranse en su poesía muchas imágenes que sin duda son símbolos y que a medida que pasaban los años, fue empleando con propósito simbólico cada vez más deliberado" (imágenes como cavernas y torres) [12].

Lo que acontece con frecuencia impresionante es que aquello que en la obra primeriza de un escritor es "propiedad", en su obra posterior se convierte en "símbolo". Así, Henry James visualiza meticulosamente personas y lugares en sus primeras novelas, en tanto que en sus obras posteriores todas las imágenes se han vuelto metafóricas o simbólicas.

Siempre que se habla del simbolismo poético suele establecerse la distinción entre el "simbolismo privado" de los poetas modernos y el simbolismo de poetas del pasado, comprensible para amplios círculos del público lector. La frase constituía primero, al menos, una acusación; pero nuestro sentir y actitud ante el simbolismo poético

siguen siendo sumamente ambivalentes. No resulta fácil decir cuál
es la alternativa de lo "privado": si es lo "convencional" o lo "tradicional", chocamos con nuestro deseo de que la poesía sea nueva y
sorprendente. El "simbolismo privado" implica un sistema, y un estudioso atento puede interpretar un "simbolismo privado" a la manera
que un criptógrafo puede descifrar un mensaje escrito en clave. Muchos sistemas privados (v. gr.: los de Blake y Yeats) se superponen en
gran parte con tradiciones simbólicas, aunque no sean las de aceptación más general o corriente [13].

Cuando vamos más allá del "simbolismo privado" y del "simbolismo tradicional" encontramos en el polo opuesto una especie de
simbolismo público "natural" que presenta sus dificultades. Algunos
de los mejores poemas de Frost contienen símbolos naturales, cuya
referencia se nos hace difícil penetrar; por ejemplo, los titulados *The
Road Not Taken, Walls, The Mountain*. En el encabezado *Stopping
by Woods*, el verso *miles to go before I sleep* ("leguas que andar
antes de dormir"), lo suponemos verdad a la letra referido al viajero; pero en el lenguaje del simbolismo natural, "dormir" es "morir"; y si aparejamos por contraste

> *woods are lovely, dark, and deep*

("los bosques son hermosos, oscuros y profundos", adjetivos panegíricos los tres), con el refreno moral y social de

> *promises to keep*

("promesas que cumplir"), no se puede rechazar por completo la
equiparación pasajera, en que no se insiste, entre la contemplación
estética y alguna manera de dejar de existir como persona responsable.
Probablemente nadie que lea poesía con asiduidad se extraviará en la
obra de Frost; pero debido, en parte, a su simbolismo natural, Frost
ha conquistado muchos lectores, algunos de los cuales, una vez aprehendida la posibilidad de los símbolos, suelen abandonarse demasiado
tanto a los símbolos naturales como a sus compañeros, atribuyendo
a los plurisignos de Frost una fijeza y rigidez que son extrañas a la
naturaleza de la expresión poética, sobre todo de la contemporánea [14].

El cuarto de nuestros términos es el "mito", que en la *Poética* de Aristóteles aparece en la acepción de trama, estructura narrativa, "fábula". Su antónimo y contrapunto es *logos*. El "mito" es narración, cuento, en oposición a discurso dialéctico, exposición; es también lo irracional o intuitivo, a diferencia de lo sistemáticamente filosófico: es la tragedia de Esquilo frente a la dialéctica de Sócrates [15].

La palabra "mito", término dilecto de la crítica moderna, señala y acota una importante zona de significado, compartida por la religión, el folklore, la antropología, la sociología, el psicoanálisis y las bellas artes. En algunas de sus habituales contraposiciones es lo opuesto a "historia" o a "ciencia" o a "filosofía" o a "alegoría" o a "verdad" [16].

En los siglos XVII y XVIII, época de la Ilustración, el término tenía por lo común sentido peyorativo: mito era ficción, científica o históricamente falsa. Pero ya en la *Scienza Nuova* de Vico el sentido ha ido cambiando hasta adquirir el que a partir de los románticos alemanes, de Coleridge, Emerson y Nietzsche ha pasado a ser gradualmente el predominante: al concepto del mito, al igual que de la poesía, como una especie de verdad o de equivalente de verdad, no como rival, sino como complemento de la verdad histórica o científica [17].

Históricamente, el mito sigue al ritual y es correlativo de éste; es "la parte oral del ritual; el argumento que el ritual representa". El ritual es ejecutado en nombre de la sociedad por su representación sacerdotal, con el fin de prevenir o propiciar algo; es un "agendum" necesario de modo reiterado, duradero, como las cosechas o la fertilidad humana, como la iniciación de los jóvenes en la cultura de su sociedad y el adecuado viático para el futuro de los muertos; pero, en sentido más amplio, mito viene a significar toda historia anónima en que se refieren orígenes y destinos: la explicación que una sociedad brinda a sus jóvenes de por qué el mundo existe y de por qué obramos como obramos, sus imágenes pedagógicas de la naturaleza y del destino del hombre [18].

Para la teoría literaria, los motivos importantes son, probablemente, la imagen o la pintura, lo social, lo sobrenatural (o no naturalista o irracional), la narración o cuento, lo arquetípico o universal, la representación simbólica como acaecimiento en el tiempo de nuestros ideales atemporales, lo programático o escatológico, lo místico. En el pensamiento contemporáneo, la apelación al mito puede centrarse en cualquiera de estos motivos, con bifurcaciones hacia otros. Así, Georges Sorel habla de la "Huelga General" de los trabajadores de todo el mundo llamándola "mito", con lo que quiere decir que, aunque este ideal nunca se convertirá en hecho histórico, es imperativo presentarlo como acontecimiento histórico futuro para dar un motivo y dinamizar a los obreros; mito es programa. Así también, Niebuhr habla de la escatología cristiana como de un mito: la Segunda Venida y el Juicio Final representan como historia futura lo que son valoraciones morales y espirituales actuales, permanentes [19]. Si lo mítico tiene por contrario la ciencia o la filosofía, opone lo concreto intuitivo representable a lo abstracto racional. Generalmente, en esto, que constituye la objeción fundamental para los teorizadores y apologistas de la literatura, el mito es también social, anónimo, comunal. En tiempos modernos acaso sea posible identificar a los creadores de un mito —o a algunos de ellos—, pero el mito puede seguir teniendo calidad de tal si su paternidad ha caído en el olvido o no se conoce con carácter general, o, en todo caso, si no importa para su vigencia..., si ha sido aceptado por la comunidad, si ha recibido el "consenso de los fieles".

No es fácil delimitar el término: en la actualidad apunta a una "zona de significado". Oímos hablar de pintores y de poetas en busca de una mitología; oímos hablar del "mito" del progreso o de la democracia; oímos hablar de "El retorno del mito en la literatura universal". Sin embargo, oímos decir también que no se puede crear un mito u optar por creer en uno o hacer que nazca uno por dictado de la voluntad: el libro ha sucedido al mito y la ciudad cosmopolita a la sociedad homogénea del Estado-ciudad [20].

¿Le falta al hombre moderno un mito, o una mitología, un sistema de mitos interconexos? Tal es el parecer de Nietzsche: que Sócrates y los sofistas, los "intelectuales", destruyeron la vida de la "cultura" griega. Análogamente podría afirmarse que la Ilustración destruyó —o empezó a destruir— la "mitología" cristiana. Pero otros escritores entienden que el hombre moderno tiene mitos superficiales, inadecuados o acaso hasta "falsos", como el mito del "progreso" o de la "igualdad" o de la educación universal o del bienestar higiénico y a la moda a que la propaganda invita. El denominador común de estas dos concepciones parece ser el juicio (probablemente acertado) de que cuando viejas formas de vida largo tiempo experimentadas, congruentes consigo mismas (rituales con sus mitos) quedan desarticuladas por el "modernismo", la mayoría de los hombres (o todos) sufren un empobrecimiento: como los hombres no pueden vivir solamente de abstracciones, han de llenar su vacío con mitos rudimentarios, improvisados, fragmentarios (imagen de lo que pudieran o debieran ser). Hablar de la necesidad de mito, en el caso del escritor de fantasía, es señal de la necesidad que siente de comunión con su sociedad, de condición reconocida de artista que desempeña una función dentro de la sociedad. Los simbolistas franceses vivían en aislamiento que ellos mismos reconocían; eran especialistas herméticos que creían que el poeta ha de optar entre la prostitución mercantil de su arte y la pureza y frialdad estéticas. Pero Yeats, pese a toda su veneración por Mallarmé, sentía la necesidad de unión con Irlanda; y así fundió la mitología céltica tradicional con su propia versión mitificante de la Irlanda moderna, en que los clásicos angloirlandeses (Swift, Berkeley y Burke) están interpretados con tanta libertad como lo están los héroes norteamericanos por la fantasía de Vachel Lindsay [21].

Para muchos escritores, el mito es el denominador común de la poesía y la religión. Existe una concepción moderna (representada por Matthew Arnold y por Ivor Richards en su primera época), según la cual la poesía irá ocupando cada vez más el lugar de la religión sobrenatural, en que los intelectuales modernos ya no pueden creer. Pero probablemente se puede defender de un modo más convincente la concepción de que la poesía no puede sustituir mucho tiempo a la religión, ya que difícilmente puede sobrevivirle. De las dos, la religión es el misterio mayor; la poesía, el menor. El mito religioso es la sanción de alto bordo de la metáfora poética. Así, Philip Wheelwright, protestando de que los positivistas "rechacen como ficciones la verdad religiosa y la verdad poética", afirma que "la perspectiva que se impone es... mítico-religiosa". Un exponente inglés pasado de esta concepción es John Dennis; uno relativamente reciente es Arthur Machen [22].

Es lícito acusar a los estudios literarios de antaño de haber tratado toda nuestra secuencia (imagen, metáfora, símbolo, mito) de un modo externo y superficial. Entendidos por lo común como elementos decorativos, como ornamentos retóricos, se estudiaban, por tanto, como partes separables de las obras en que aparecen. Nuestra concepción, en cambio, ve medularmente presentes en la metáfora y en el mito el sentido y función de la literatura. Existen actividades como el pensar metafórico y mítico, el pensar mediante metáforas, el pensar en narración o visión poética. Todos estos términos llaman nuestra atención a los aspectos de una obra literaria que unen y vinculan exactamente los antiguos componentes de "forma" y "materia". Estos términos miran en ambas direcciones, es decir, señalan la tensión de la poesía hacia la "imagen" y el "mundo", por una parte, y hacia la religión o la *Weltanschauung*, por otra. Cuando pasamos revista a los métodos modernos de estudiarlos, advertimos esa tensión. Así como los métodos antiguos los consideraban artificios estéticos (aunque entendiéndolos como simplemente decorativos), el peligro opuesto acaso sea hoy el de un excesivo hincapié en la *Weltanschauung*. Era bastante natural que el retórico escocés, escribiendo a finales de la época neoclásica, entendiera los símiles y las metáforas como deliberados, voluntarios, elegidos; en cambio, los analistas de hoy, que llegan después de Freud, tienen predisposición a considerar todas las imágenes como reveladoras de lo inconsciente. Se impone un exquisito equilibrio para evitar la preocupación retórica, por una parte, y la biografía psicológica, así como la "caza del mensaje", por otra.

En los pasados veinticinco años de estudios literarios se ha trabajado sobre la teoría y sobre la práctica; es decir, hemos intentado establecer tipologías de las figuras, o, más concretamente, de las imágenes poéticas, y también hemos dedicado monografías y ensayos a las imágenes de poetas u obras particulares (con Shakespeare como tema predilecto). Cultivada con particular ardor la "crítica práctica", empezamos a disponer de excelentes y agudos trabajos de teoría y metodología en que se examinan minuciosamente los supuestos a veces harto fáciles de los especialistas.

Han sido muchos los intentos de reducir a dos o tres categorías todas las figuras minuciosamente subdivididas —unas 250 en los catálogos más ambiciosos—. "Esquemas" y "tropos" es una de éstas: una clasificación en "figuras de sonido" y "figuras de sentido". En otro ensayo se han separado las figuras de "dicción" o "figuras verbales" de las "figuras de pensamiento". Sin embargo, ambas distinciones tienen el defecto de sugerir una estructura externa, o la más exterior, que carece de función expresiva. Así, con arreglo a cualquier sistema tradicional, la rima y la aliteración son "esquemas" fonéticos, ornamentación acústica; sin embargo, como sabemos, tanto la rima inicial como la rima final pueden servir de vínculo significativo, de cópula semántica. El siglo XIX consideraba el retruécano como "juego de palabras", "forma ínfima de ingenio"; el siglo XVIII lo había clasificado ya, con Addison, como una de las especies de "falso ingenio". Pero los poetas del Barroco y los poetas modernos lo utilizan seriamente como duplicación de ideas, como "homófono" u "homónimo", como "ambigüedad" intencionada [23].

Prescindiendo de los esquemas, cabe dividir los tropos poéticos del modo más relevante en figuras de contigüidad y figuras de semejanza.

Las figuras de contigüidad tradicionales son la metonimia y la sinécdoque. Las relaciones que expresan son analizables lógica o cuantitativamente: la causa por el efecto o al contrario; el continente por el contenido; la parte por el todo. En la sinécdoque se dice que las relaciones entre la figura y la cosa designada son internas; en ella se nos da una muestra de algo, una parte que se quiere que represente el todo, una especie que representa a un género, la materia denotando la forma y la utilidad a que se aplica.

En el pasaje de Shirley, típico en literatura inglesa para ilustrar el uso tradicional de la metonimia, algunos trebejos tradicionales —herramientas o utensilios— representan las clases sociales:

> *Sceptre and crown must tumble down*
> *And in the dust be equal made*
> *With the poor crooked scythe and spade* *

Más notable es el "adjetivo traslaticio" metonímico, rasgo estilístico cultivado por Virgilio, Spencer, Milton, Gray, poetas de gusto clásico: *Sansfoy's dead dowry* [la muerta dote de Sansfoy] traslada el epíteto del poseedor a la cosa poseída. En los *drowsy tinklings* [soñoliento tintineo] de Gray y en las *merry bells* [alegres campanas] de Milton, los epítetos se refieren a los que portan y repican las cam-

---

* Cetro y corona hay que abatirlos, y ya en el polvo hacerlos iguales a pala y hoz.

panas, respectivamente. Cuando la _gray-fly_ [el avispón] de Milton va
"haciendo sonar su trompa sofocante" _(winding her sultry horn),_ el
epíteto evoca la calurosa tarde de verano unida por asociación al zumbido del moscardón. En todos estos casos, si se separan del contexto,
parece posible una clase distinta de interpretación, una 'interpretación
animista. La distinción estribará en si se trata de lógica asociativa
o de personalización insistente.

La poesía sacra católica o protestante parece, a primera vista, que
ha de ser metafórica, sin remedio, y así lo es predominantemente.
Pero Isaac Watts, el autor de himnos neoclásicos, logra un efecto
impresionante, conmovedor y majestuoso, a base de metonimias:

> _When I survey the wondrous cross_
> _On which the Prince of Glory died,_
> _My richest gain I count but loss_
> _And pour contempt on all my pride._

> _See, from his head, his hands, his side_
> _Sorrow and love flow mingled down;_
> _Did e'er such love and sorrow meet_
> _Or thorns compose so rich a crown?_*

El lector formado en el estilo de otra época puede que oyera este
himno sin advertir que _sorrow_ (tristeza, pena) y _love_ (amor) se equiparan a _water_ (agua) y _blood_ (sangre). Él murió por amor: su amor
es la causa; la sangre, el efecto. En Francis Quarles, poeta inglés
del siglo XVII, _pour contempt_ (verter desprecio) sugeriría una metáfora susceptible de visualización; pero entonces la figura proseguiría,
quizá apagando el fuego del orgullo con un jarro de desprecio; pero
pour (verter) es aquí un intensivo semántico: desprecio mi orgullo
enérgicamente, superlativamente.

Después de todo, esto son usos angostamente restringidos de la
palabra. No hace mucho se han propuesto algunas concepciones más

---

* Cuando veo la cruz prodigiosa en que el Rey de la Gloria halló la
muerte, por pérdidas tengo mis más pingües ganancias, y vierto desprecio
sobre todo mi orgullo. Ved cómo mezclados manan amor y tristeza de su
faz, manos y costado lacerados. ¿Se dieron nunca juntos tal amor y tal
tristeza? ¿Formaron jamás las espinas tan espléndida corona?

audaces de la metonimia como forma literaria, incluso la idea de que la metonimia y la metáfora pueden ser las estructuras que caracterizan dos tipos poéticos: la poesía de asociación por contigüidad, de movimiento dentro de un solo mundo de expresión, y la poesía de asociación por comparación, que funde una pluralidad de mundos, y mezcla, en la notable frase de Bühler, un *"coktail* de esferas" [24].

En un brillante estudio crítico sobre Whitman, D. S. Mirsky dice: "Las distintas imágenes de la 'Song of the Broad-Axe' son imágenes metonímicas ilimitadas, muestras, ejemplos de los elementos que comprenden constructividad democrática" [25]. El método poético usual de Whitman se podría calificar de despliegue analítico, de desenvolvimiento pormenorizado de ciertas grandes categorías paralelas. En sus cantos paralelísticos, como la "Song of Myself", está dominado por el deseo de presentar detalles, individuos y partes como partes de un todo. Pese a todo su amor a las listas, no es realmente pluralista ni personalista, sino monista panteísta; y el efecto global de sus catálogos no es complejidad, sino simplicidad. Primero despliega sus categorías para luego ilustrarlas copiosamente.

La metáfora, que ha atraído la atención de los teóricos de la poesía y de los retóricos desde Aristóteles, que era ambas cosas, también ha sido estudiada muy ampliamente en años recientes por los teóricos del lenguaje. Richards ha protestado enérgicamente contra el hecho de que se entienda la metáfora como desviación del uso idiomático normal, y no como su recurso característico e indispensable. La "pata" de la silla, el "pie" de la montaña y el "cuello" de la botella son formas que aplican, por analogía, partes del cuerpo humano a partes de objetos inanimados. Sin embargo, estas acepciones por extensión han sido asimiladas por el lenguaje, y, por lo común, ya no se sienten como metáforas, ni siquiera por los dotados de sensibilidad literaria y lingüística; son metáforas "deslustradas", "desgastadas" o "muertas" [26].

Hemos de distinguir entre la metáfora como "principio omnipresente del lenguaje" (Richards) y la metáfora específicamente poética. George Campbell adjudica la primera al "gramático" y la segunda al "retórico". El gramático juzga las palabras por la etimología; el retórico, por el hecho de si surten "el efecto de metáfora sobre el que escucha". Wundt rechaza el término "metáfora" para "transposiciones" lingüísticas como la "pata" de la mesa y el "pie". de la montaña, haciendo criterio del verdadero metaforismo la intención deliberada, voluntaria de crear efecto emotivo, por parte de quien lo usa. H. Konrad contrapone la metáfora "lingüística" a la metáfora "estética", señalando que la primera (v. gr., la "pata" de la mesa) subraya el rasgo predominante del objeto, mientras que la segunda va orientada a dar una nueva impresión del objeto, a "bañarlo en una nueva atmósfera" [27].

De los casos difíciles de clasificar, el más importante es, probablemente, el de las metáforas comunes a una escuela o generación literaria. Constituirían ejemplos de éstas las de los poetas que escribieron en inglés antiguo: *bone-house* (casa de huesos), *swan-road* (vía de cisnes), *word-hoard* (tesoro de vocablos) y otros compuestos muy usados por tales poetas; las "metáforas fijas" de Homero, como "la aurora de rosados dedos" (utilizada veintisiete veces en el primer libro de la *Ilíada);* los "dientes de perlas", los "labios de rubí", las "gargantas de alabastro" y la "cabellera de doradas hebras" de la época isabelina inglesa; o las "acuosas llanuras", los "ríos argénteos" o los "esmaltados prados" de la literatura neoclásica inglesa [28]. Para los lectores modernos, algunas de estas metáforas (sobre todo las del anglosajón) son audaces y "poéticas", mientras que la mayoría de las demás son deslustradas y trasnochadas. Es indudable que la ignorancia puede atribuir originalidad ilegítima a los primeros exponentes de una convención poco corriente. De hecho, las metáforas etimológicas de un idioma, de las que "no se dan cuenta" aquellos de los que es lengua materna, las toman constantemente por aciertos poéticos individuales los extranjeros dotados de sensibilidad analítica [29]. Hay que conocer íntimamente el idioma y las convenciones literarias para poder percibir y calibrar la intención metafórica de un determinado poeta. En la poesía inglesa antigua, los términos *bone-house* y *word-hoard,* son, indudablemente, de la misma especie que las "alígeras palabras" de Homero. Son parte de la formación artística del poeta y causan placer a los que las oyen por su tradicionalismo, por su pertenencia al lenguaje profesional y ritual de la poesía. Ni se advierte ni se pierde totalmente lo que tienen de metafórico: como gran parte del simbolismo eclesiástico, cabe decir que son rituales [30].

La mentalidad genética de nuestra época ha dedicado, naturalmente, gran atención a los orígenes de la metáfora, tanto como principio lingüístico como en su calidad de modo literario de visión y actuación. "La ontogenia repite la filogenia"; y, a la inversa, creemos que podemos reconstruir la historia de la cultura prehistórica mediante la observación analítica de las sociedades primitivas y de los niños. Según Heinz Werner, la metáfora sólo se vuelve activa entre los pueblos primitivos que tienen tabúes, objetos cuyo "verdadero" nombre no se puede pronunciar [31]. Pensamos inmediatamente en el fecundo talento judío para metaforizar al Yaweh inefable como Roca, Sol, León, etc., y, a renglón seguido, en los eufemismos de nuestra sociedad. Pero es evidente que la forzosidad medrosa no es la única madre de la invención. También metaforizamos lo que amamos, aquello en que queremos detenernos morosamente y contemplar, ver desde todas las perspectivas y en todos sus aspectos, espejado, reflejado a una luz especial por toda clase de cosas análogas.

Si de la consideración de la metáfora lingüística y ritual pasamos a la teología de la metáfora poética, hemos de invocar algo mucho más amplio: la función toda de la literatura de invención. Los cuatro elementos fundamentales de toda nuestra concepción de la metáfora parecen ser el de analogía, el de la doble visión, el de la imagen sensorial reveladora de lo imperceptible, y el de la proyección animista. Estos cuatro elementos nunca se dan juntos en igual medida: las actitudes varían de una nación a otra, y de una época estética a otra. Según un teórico, la metáfora grecorromana se limita casi totalmente a la analogía (un paralelismo cuasi legítimo), mientras que *das Bild* (la imagen símbolo) es figura netamente teutónica [32]. Sin embargo, en tal contraposición de culturas casi no se tiene en cuenta la poesía italiana y la francesa, sobre todo desde Baudelaire y Rimbaud a Valéry. Se podría defender más plausiblemente la contraposición entre épocas y entre concepciones del mundo predominantes.

El estilo de cada época tiene sus figuras características, expresivas de su *Weltanschauung;* en el caso de figuras fundamentales como la metáfora, cada época tiene su clase característica de método metafórico. La poesía neoclásica, por ejemplo, se caracteriza por el símil, la perífrasis, el epíteto ornamental, el epigrama y la antítesis. Las posibles posiciones intelectuales se reducen a dos o tres, no a plura-

lidades. A menudo, la posición tercera es intermedia y mediadora
entre otras extremas que se consideran heréticas.

Some foreign writers, some our own despise,
The ancients only, or the moderns, prize *.

En la época barroca, las figuras características son la paradoja,
el oximorón y la catacresis. Son figuras cristianas, místicas, pluralis-
tas. La verdad es compleja. Hay muchos modos de conocer, cada uno
con su propia legitimidad. Ciertas clases de verdad han de enun-
ciarse por negación o por distorsión deliberada. De Dios se puede
hablar antropomórficamente, pues hizo al hombre a su imagen y
semejanza; pero Él es también el Otro trascendental. De aquí que,
en la religión barroca, la verdad de Dios pueda expresarse mediante
imágenes analógicas (el Cordero, el Esposo); puede también expresarse mediante parejas de contrarios, como en la frase de Vaughan:
"Deep but dazzling darkness" ("oscuridad profunda, pero deslumbra-
dora"). El espíritu neoclásico, en cambio, gusta de distinciones claras y
de progresiones racionales, de movimientos metonímicos del género a
la especie o de lo particular a la especie. Pero el espíritu barroco invoca
un universo a la vez de muchos mundos y de mundos interconexos
todos de maneras que no es posible predecir.

Desde el punto de vista de la teoría poética neoclásica, las figuras
barrocas características son, por supuesto, de mal gusto, son "falso
ingenio", es decir, distorsiones deliberadas de lo natural y racional,
o bien acrobacia insincera, al paso que históricamente son expresiones
retórico-poéticas de una epistemología pluralista y de una ontología
sobrenaturalista.

La "catacresis" brinda un ejemplo interesante. En 1599, John
Hoskyns la traduce por "abuso", deplorando que "se haya puesto
ahora de moda". La considera frase forzada, "más retorcida que una
metáfora", y cita la expresión "una voz hermosa a sus oídos" de la
Arcadia de Sidney, como ejemplo de término visual malamente aplicado al oído. Pope (*Art of Sinking*, 1728) cita como catacrésicas las

---

* Menosprecian algunos a los autores extranjeros, otros, a los nuestros; encomian tan sólo a los antiguos, o alaban tan sólo a los modernos (Pope).

frases "segar una barba" y "afeitar la hierba". George Campbell (*Philosophy of Rhetoric*, 1776) califica de catacrésicos los términos "bella voz" y "melodious to the eye" ("melodioso a la vista"), aunque admite que "dulce, que originalmente es cosa del paladar, puede aplicarse ahora a una fragancia, a una melodía, a una perspectiva". En la creencia de que la metáfora propiamente dicha utiliza los "objetos de sensación" para designar los "objetos de pura intelección", ¿Campbell deplora que se establezca una analogía entre unos objetos de los sentidos y otros objetos de los sentidos. En cambio, un retórico católico contemporáneo (de gusto barroco romántico) define la catacresis como metáfora sacada de la semejanza entre dos objetos materiales, invita a estudiar los méritos del tropo y lo ilustra con figuras de Victor Hugo como "*les perles de la rosée*" e "*il neige des feuilles*" [33].

Otra clase de metáfora aceptable para la sensibilidad barroca, pero insípida para la neoclásica, traslada lo grande a lo humilde, por lo que podría calificarse de metáfora diminutiva. Las "esferas" que del modo más característico mezcla la poesía barroca con el mundo natural y el mundo humano de invención y artificio. Pero el neoclasicismo, sabiendo que el Arte es imitación de la Naturaleza, considera morboso y perverso asimilar la Naturaleza al Arte. Por ejemplo, en 1767, Thomas Gibbons previene contra los tropos remilgados y "fantásticos", citando como ejemplos "las siguientes descripciones de diversas partes de la Creación: el repujado de las montañas, el esmaltado de los mares, el calado del océano y el recamado de las rocas" [34].

Por supuesto, en el verso neoclásico quedan algunas metáforas de naturaleza > arte, pero ello es a condición de que la metáfora aparezca como epíteto ocioso. Brindan ejemplos las *Pastorals* y la *Forest* de Pope: "Fresh rising blushes *paint* the *watery* glass" (nuevos rubores que *pintan* el *acuoso* espejo); "there blushing Flora *paints* th'*enamelled* ground" (la ruborosa Flora *pinta* la *esmaltada* tierra). Pero el verso era generalmente claro, y Dryden, escribiendo en 1681, no se avergonzaba de confesar que de niño pensaba como un niño: "Recuerdo cuando... consideraba al inimitable Spenser un poeta mediocre en comparación con Du Bartas y quedaba extasiado al leer estos versos:

> *Now when the winter's keen breath began*
> *To chrystallize the Baltic ocean,*

> *To glaze the lakes, to bridle up the Floods,*
> *And periwig with snow the baldpate wood"* 35 *

El joven Milton, otro lector de Du Bartas, termina su *Nativity Ode* con frase afectada del mismo estilo. Eliot sigue la tradición en los célebres versos con que se abre *Prufrock:*

> *When the evening is spread out against the sky*
> *Like a patient etherized upon a table...* **

Los motivos en que se basa la práctica barroca no son tan fácilmente reducibles a uno como la protesta clásica, a menos que apelemos sencillamente a su más amplia inclusividad, a su predilección por la riqueza más que por la pureza, por la polifonía sobre la monofonía. Motivos más específicos son la apetencia de lo que sorprende y choca; el encarnacionismo cristiano; la inclinación didáctica a hacer familiar lo remoto mediante analogías sencillas.

Hasta ahora hemos venido estudiando la naturaleza de las figuras retóricas, con particular referencia a la metonimia y a la metáfora, y hemos insinuado el posible carácter de estilo de época de estas figuras. Pasemos ahora a estudios de las imágenes metafóricas que son crítico-literarios más que histórico-literarios.

Merecen comentario especial dos estudios generales de las imágenes metafóricas, uno norteamericano y el otro alemán.

En 1924, Henry Wells publicó un estudio sobre la imagen poética (*Poetic Imagery*), en que trata de construir una tipología, a base de tipos tomados principalmente de la literatura isabelina inglesa. Rica en intuiciones y en sugestivas generalizaciones, la obra es menos afortunada en la construcción sistemática. Wells considera acronístico su esquema, aplicable a todas las épocas, no sólo a la isabelina; y en su obra se cree descriptivo, no valorativo. Pretende que la base de sus investigaciones la constituye la disposición de grupos de figuras "según van apareciendo en escala ascendente desde las ínfimas o más estricta-

---

* Entonces, cuando el afilado aliento del invierno empezaba a hacer cristales las aguas del Báltico, a esmerilar los lagos, a poner bridas a las inundaciones y nívea peluca en los calvos bosques.
** Cuando la tarde queda tendida en el firmamento como un enfermo anestesiado sobre la mesa de operaciones...

mente literales, a las más imaginativas, o impresionistas"; pero afirma
que la escala del "carácter y grado de la actividad imaginativa" no
guarda relación directa con la valoración de las figuras. Sus siete
tipos de imagen, dispuestos por el orden en que los presenta, son:
la decorativa, la sumida o rebajada, la violenta (o ampulosa), la radical, la intensiva, la expansiva y la exuberante. Cabe ordenarlas provechosamente de otra manera con arreglo a las indicaciones históricas
y valorativas que el propio Wells brinda.

Estéticamente, las formas más rudimentarias son la imagen violenta y la decorativa, o la "metáfora de las masas", y la metáfora de
artificio. La imagen decorativa, abundante en la *Arcadia* de Sidney,
se considera "típicamente isabelina". La violenta, que ilustra con páginas de Kyd y de otros primeros isabelinos, es propia de una época
en formación; pero como la mayoría de los hombres raya a un nivel
infraliterario, pertenece en formas infraliterarias a "cualquier época";
en el aspecto sociológico, la "ampulosa" constituye "un ejemplar de
metáfora grande y socialmente importante". El juicio valorativo sobre
ambos tipos es que son "deficientes en el necesario elemento *subjetivo*" y que con harta frecuencia vinculan una imagen física a otra
(como en la catacresis), en vez de relacionar "el mundo exterior de
la naturaleza con el mundo interior del hombre". A su vez, tanto en
las metáforas decorativas como en las violentas, los términos de la
relación quedan desarticulados, fijos, extraños uno a otro. Sin embargo, en las formas más elevadas de metáfora, Wells cree que cada
término obra sobre el otro, lo altera, de modo que en virtud de la
relación entre ambos, se crea un tercer término, una nueva aprehensión.

Posteriormente, a medida que ascendemos en la escala, aparecen
la imagen exuberante y la intensiva; la primera, versión más sutil
de la violenta; la segunda, de la decorativa. Hemos dejado atrás
formas evidentes de expresión, sea de energías, sea de ingenio. En la
imagen exuberante nos hemos remontado, históricamente, a Marlowe,
el primero de los grandes isabelinos, y a Burns y Smart, los prerro-
mánticos; esta imagen, dice Wells, "predomina especialmente en no
pocas composiciones poéticas antiguas". Tal imagen yuxtapone "dos
términos amplios y valiosos en el plano imaginativo", pone en contacto
cara con cara dos superficies amplias y lisas. Dicho de otra manera:

esta categoría comprende comparaciones poco precisas, relaciones basadas en simples categorías valorativas. Burns escribe:

> *My love is like a red, red rose...*
> ....
> *My love is like a melody*
> *That's sweetly played in tune* *.

El punto de contacto entre una mujer hermosa, una rosa roja
fresca y una melodía bien interpretada es su belleza y deseabilidad;
todas son, en su género, las mejores. No son rosadas mejillas lo que
hace a una mujer semejante a una rosa, ni su dulce voz lo que la
hace semejante a una melodía (analogías que provocarían imágenes
decorativas); su semejanza con una rosa no está en el color, ni en
la textura ni en la estructura, sino en el valor [36].

La imagen intensiva de Wells es una imagen netamente visuali-
zable, de la clase o especie que se asocia con los manuscritos ilumi-
nados o los *pageants* de la Edad Media. En poesía es la imagen de
Dante y, especialmente en la poesía inglesa, la de Spenser. La imagen no es solamente clara, sino —lo que acaso se siga después—
diminutiva, diagramática: es el infierno de Dante, no el de Milton.
"A tales metáforas nos referimos más que a las demás con el término
de emblema o símbolo". Las figuras de *pageant de Lycidas* —Camus
con su vellosa capa y bonete de enea y San Pedro con su mitra y
su dos llaves— son también imágenes intensivas. Son imágenes "gremiales": la "pastoral" y la "elegía" tenían en época de Milton un
acervo estereotipado de motivos e imágenes. Puede haber imágenes
estereotipadas así como "dicción poética" estereotipada. Su carácter
tradicional e institucional y su íntima relación con las artes figurativas
y las ceremonias simbólicas hacen que Wells, pensando en historia de
la cultura, asigne la imagen intensiva a la religión conservadora, a
lo medieval, lo sacerdotal, lo católico.

Las tres categorías más elevadas son la sumida o atenuada, la radical y la expansiva (tomada, al parecer, en orden ascendente). Bre-
vemente, la imagen sumida o rebajada es la imagen de la poesía clá-

---

* Mi amor es como una rosa roja, roja... Mi amor es como una melodía dulcemente interpretada.

sica; la radical, la imagen de los metafísicos, sobre todo de Donne; y la expansiva, en particular, la de Shakespeare, como también la de Bacon, de Browne y de Burke. El denominador común de las tres, sus cotas de la misma altura, son su carácter específicamente literario (su índole refractaria, su resistencia a la visualización pictórica), su interioridad (pensamiento metafórico), la interpenetración de los términos (su maridaje fecundo, procreador).

La imagen sumida o atenuada, que no debe confundirse con lo deslustrado o trillado, se queda "por debajo de la plena visibilidad", sugiere lo sensorial concreto, sin proyectarlo ni aclararlo netamente. Su falta de hipertonos la hace apta para las composiciones contemplativas: su exponente isabelino es Samuel Daniel, que, en versos admirados por Wordsworth y por Thoreau, escribió:

> *unless above himself he can*
> *Erect himself, how poor a thing is man!* *.

Pero Shakespeare es maestro en esta clase de imagen. En *El Rey Lear*, dice Edgardo:

> *Men must endure*
> *Their going hence, even as their coming hither;*
> *Ripeness is all* **.

"Ripeness", la sazón, es una imagen sumida, inspirada, probablemente, por huertos y campos. Se insinúa una analogía entre lo inevitable de los ciclos naturales de la vegetación y los ciclos vitales de los humanos. Una generación neoclásica hubiera podido calificar de "mixtas" algunas de las imágenes sumidas de Shakespeare:

> *O how can summer's honey breath hold out*
> *Against the wreckful siege of battering days* ***.

---

* A menos que sepa elevarse sobre sí mismo, ¡qué pobre cosa es el hombre!

** Fuerza es sufrir el marcharse
como fuerza es sufrir el venir;
la sazón lo es todo.

*** ¿Cómo podrá el melifluo aliento del estío resistir el demoledor asedio de los destructores días?

Esta frase exigiría un complejo desarrollo analítico, pues monta figura sobre figura: "los días" es metonímico del Tiempo, de la Vejez, que luego se vuelve metáfora como sitiadores de una ciudad que tratan de tomar con arietes demoledores. ¿Qué es lo que trata de "resistir" estos embates? Es la juventud, metaforizada en verano o, más exactamente, en la dulce fragancia del estío: la fragancia de las flores estivales es a la tierra como el dulce aliento es al cuerpo humano, parte o complemento del todo. El que intente fundir pulcramente en una sola imagen el demoledor asedio y el melifluo aliento, se atascará. El movimiento figurativo es raudo y, por tanto, elíptico [37].

La imagen radical —llamada así acaso porque sus términos sólo se encuentran en su raíz, en un fondo lógico invisible, como la causa final, más que en planos evidentes yuxtapuestos— es la imagen cuyo término menor parece "poco poético", bien por excesivamente humilde y utilitario, bien por demasiado técnico, científico, docto. Es decir, la imagen radical toma como vehículo metafórico algo que no contiene asociaciones emotivas evidentes, que pertenece al discurso prosaico, abstracto o práctico. Así, Donne, en su poesía religiosa, se sirve de muchas figuras de "*géomètre enflammé*". A su vez, en el "First Anniversary", hace uso de una imagen seudomédica, que parece mal orientada precisamente en la dirección equivocada (es decir, peyorativa):

> But as some serpents' poison hurteth not
> Except it be from the live serpent shot,
> So doth her virtue need her here, to fit
> That unto us; she working more than it *.

Ésta es probablemente la clase característica de imagen radical: el ejemplo más evidente y menos desacertado sería la figura de compás de Donne en *Valediction Forbidding Mourning*. Pero, como sutilmente observa Wells, las imágenes radicales pueden proceder de formas de imagen sugestiva a lo romántico como montañas, ríos y mares, siempre que se adopta una "manera analítica" [38].

---

* Pero así como la ponzoña de algunas serpientes no hace daño si no la inyecta la serpiente viva, así su virtud [de la muchacha que ha muerto] requiere que ella esté aquí para hacer que su virtud nos mueva, pues ella con su presencia es más eficaz que su virtud.

Cabe señalar, por último, la imagen expansiva, nombre que la vincula, por contraposición, a la intensiva. Si la intensiva es la figura medieval y eclesiástica, la expansiva es la del pensamiento profético y progresivo, de la "pasión fuerte y meditación original", que culmina en las amplias metáforas filosóficas y religiosas representadas en la obra de Burke, de Bacon, de Browne y, sobre todo, de Shakespeare. Por definición, la imagen expansiva es aquella que abre una amplia perspectiva a la imaginación y en que cada término modifica fuertemente al otro; la "interacción" e "interpenetración" que, según la teoría poética moderna, son formas centrales del hecho poético, donde más abundantemente se dan es en la metáfora expansiva. Tomemos ejemplo de *Romeo y Julieta:*

> Yet, wert thou as far
> As that vast shore washt with the farthest sea,
> I should adventure for such merchandise *.

y de *Macbeth:*

> Light thickens, and the crow
> Makes wing to the rooky wood:
> Good things of day begin to droop and drowse **.

En estos últimos versos, Shakespeare nos da un "metafórico escenario del crimen", el cual se vuelve metáfora expansiva que equipara la noche al mal demoníaco, la luz a la bondad, pero no de esta manera evidente y alegórica, sino con sugestiva particularidad y sensorial carácter concreto: la luz "se espesa"; las cosas "decaen y se adormecen". Lo poéticamente vago y lo poéticamente concreto se encuentran

---

*   Pero aunque te encontrases tan lejana
como esa inmensa orilla acariciada
por el mar más remoto, a aventurarme
fuera por ganar semejante mercancía.
(*Trad. J. Méndez Herrera*)

**   La luz se espesa;
el cuervo tiende ya sus alas
hacia la selva llena de cornejas;
a decaer y adormecerse empiezan
las cosas buenas que en el día existen.
(*Trad. J. Méndez Herrera*)

en los versos "a decaer y adormecerse empiezan las cosas buenas que en el día existen". El sujeto y el predicado reobran hacia atrás y hacia adelante uno sobre otro, mientras aguardamos: partiendo del verbo, nos preguntamos qué clases de cosas —aves, animales, personas, flores— languidecen o se adormecen; luego, reparando en la abstracta nominación del sujeto, nos preguntamos si los verbos son metáfora de "cesar en la vigilia", de "retroceder medrosamente ante el poder del mal"[39].

Ya retóricos como Quintiliano conceden gran importancia a la distinción entre la metáfora que anima lo inanimado y la que hace inanimado a lo animado; pero la presentan como distinción que se establece entre artificios retóricos. En Pongs, nuestro segundo tipólogo, se convierte en grandioso contraste entre actitudes polares, extremas: la de la fantasía mítica, que proyecta la personalidad en el mundo exterior de las cosas, que anima y anima la naturaleza, y el tipo contrario de imaginación, que se inyecta en lo ajeno, que se des-animiza o se des-subjetiviza a sí misma. Todas las posibilidades de expresión figurada se agotan en estos dos polos, el subjetivo y el objetivo[40].

La primera forma fue calificada por Ruskin de "falacia patética"; si la entendemos aplicada hacia arriba, a Dios, lo mismo que hacia abajo, al árbol y a la piedra, podemos denominarla imaginación antropomórfica[41]. Un estudioso del simbolismo místico hace notar que hay tres tipos generales de unión terrena aptos para la expresión simbólica de la más excelsa experiencia mística: 1) unión entre objetos inanimados (mezclas físicas y combinaciones químicas: el alma en el fuego de Dios como chispa, leña, cera, hierro; Dios como Agua para la tierra del alma, o como el mar en que se vierte el río del alma); 2) uniones representadas, imaginadas con arreglo a las maneras en que el cuerpo se asimila los elementos esenciales para su vida: "en la Sagrada Escritura, Dios está representado por esas determinadas cosas de las que no podemos privarnos completamente: la luz y el aire, que entran por todos los entresijos, y el agua, que en una forma u otra recibimos todos los días"[42]; así, para los místicos de todo el mundo, Dios es el alimento y la bebida del alma, su Pan, Carne, Agua, Leche, Vino; 3) relaciones humanas: la del hijo con el padre, la de la esposa con el esposo.

Los dos primeros tipos los asignaría Pongs al segundo tipo sumo o de intuición metafórica, la de la *Einfühlung* o endopatía, dividida a su vez en lo "místico" y lo "mágico". La metáfora mística la hemos ilustrado a base de los místicos más que de los poetas. Los elementos inorgánicos se tratan simbólicamente, no como simples conceptos o analogías conceptuales, sino como representaciones que también son presentaciones.

La metáfora mágica se interpreta a la manera del historiador del arte Worringer, o sea como "abstracción" del mundo natural. Worringer estudió el arte egipcio, bizantino y persa, artes que "reducen la naturaleza orgánica, incluso el hombre, a formas geométricas lineales, y a menudo abandonan por completo el mundo orgánico por un mundo de puras líneas, formas o colores". "El ornamento se desprende entonces... como algo que no sigue la corriente de la vida, sino que la ve pasar rígidamente... La intención ya no es aparentar, sino evocar." "El ornamento... es algo arrebatado al Tiempo; es extensión pura, posada y estable" [43].

Los antropólogos encuentran animismo y magia en las culturas primitivas. El primero trata de conseguir, propiciar, persuadir a los espíritus personalizados; unirse con ellos: los muertos, los dioses. La magia, que es presciencia, estudia las leyes del poder que las cosas ejercen: palabras sagradas, amuletos, varitas de virtudes, imágenes, reliquias. Hay magia blanca: la de los cabalistas cristianos, como Cornelio Agripa y Paracelso; y hay magia negra, la de los malvados; pero a ambas les es fundamental la fe en el poder de las cosas. La magia toca las artes mediante la forja de imágenes. La tradición occidental asocia al pintor y al escultor con la destreza del artífice, con Hefestos y Dédalo, con Pigmalión, que puede infundir vida a la estatua. En la estética folklórica, el forjador de imágenes es el hechicero o el mago, mientras el poeta es el inspirado, el poseso, el fecundamente demente [44]. Sin embargo, el poeta primitivo puede componer encantamientos y hechizos, y el poeta moderno puede adoptar, como Yeats, el uso mágico de las imágenes, de imágenes literales, como medio para el uso de imágenes mágico-simbólicas en su poesía [45]. El misticismo sigue el rumbo contrario: la imagen es símbolo efectuado por un estado espiritual; es imagen expresiva, no imagen causativa, y no es necesaria para el estado espiritual, que puede expresarse con otros símbolos [46].

La metáfora mística y la mágica son ambas desanimizantes: van contra la proyección en el mundo no humano que el hombre hace de sí mismo; evocan "lo otro": el mundo impersonal de las cosas, el arte monumental, la ley física. El "Tiger" de Blake es una metáfora mística; Dios, o un aspecto de Dios, es un Tigre (menos que el hombre, más que el hombre); el Tigre a su vez (y a través del Tigre su Creador) se interpreta expresado en metal forjado a elevada temperatura. El Tigre no es un animal del mundo natural del parque zoológico, no es un tigre que Blake hubiera podido ver en la Torre de Londres, sino una criatura quimérica, símbolo tanto como cosa. La metáfora mágica carece de esta transparencia. Es la máscara de la Medusa que convierte en piedra a los vivientes. Pongs cita a Stefan George como representante de esta actitud mágica, de este deseo de petrificar lo viviente: "No es el impulso natural de la psique humana a proyectarse lo que mueve la espiritualización configuradora de George, sino, en su origen, una poderosa destrucción de la vida biológica, un voluntario "extrañamiento" ("enajenación") como base para la forja del mundo interior, mágico" [47].

En la poesía inglesa, Emily Dickinson y Yeats tratan de diversas maneras de captar esta metáfora desanimizante, antimística. Emily Dickinson, cuando quiere expresar el sentido de la muerte, así como la experiencia de la resurrección, gusta de invocar la experiencia de ir muriendo, quedándose yerto, petrificándose. "No era la muerte",

> Era cual si después de cepillar mi vida
> la hubiesen colocado sobre un marco
> y no pudiera respirar sin llave.
>
> Cuánto mis pobres pies han vacilado
> sólo podrá decirlo la soldada boca.
> ¡Inténtalo! ¿No puedes tú
> romper ese remache horrible?
> ¡Prueba! ¿No puedes
> esa brida de acero hacer saltar? *.

---

*   *As if my life were shaven*
And fitted to a frame,
And could not breathe without a key...

Yeats alcanza su culminación suprema de poesía como magia en "Byzantium" (1930). En la composición "Sailing to Byzantium", escrita en 1927, ya ha formulado la oposición entre el mundo de la vida biológica: "Los jóvenes en brazos uno de otro, los mares repletos de caballas", y el mundo del arte bizantino, en que todo es fijo, rígido, innatural, el mundo del "mosaico dorado" y del "esmaltado en oro". Biológicamente, el hombre es un "animal moribundo"; su esperanza de supervivencia la tiene en ser "recogido en el artificio de la eternidad", en no volver a tomar "forma corporal de cualquier cosa natural", sino en ser obra de arte, ave dorada en dorada rama. "Byzantium", desde cierto punto de vista exposición condensada del "sistema" de Yeats, poema doctrinal, es, desde otro, específicamente literario, una estructura de imágenes no naturales que se corresponden íntimamente, formando el conjunto algo así como un ritual o liturgia prescritos [49].

Las categorías de Pongs, que hemos expuesto con alguna libertad, tienen la particular característica de relacionar el estilo poético con la concepción del mundo [50]. Aunque se considera que el estilo de cada época tiene sus propias versiones diferenciadas de dichas categorías, éstas son, en esencia, modos atemporales, alternos, de entender la vida y de reobrar ante ella. Sin embargo, las tres categorías quedan fuera del marco general de lo que se suele calificar de pensamiento moderno, es decir, racionalismo, naturalismo, positivismo, ciencia. Tal clasificación de metáforas sugiere, pues, que la poesía sigue fiel a los modos precientíficos de pensamiento. El poeta conserva la visión animista del niño y del hombre primitivo, arquetipo del niño [51].

En años recientes se han publicado numerosos estudios sobre poetas determinados (o aun sobre poemas u obras dramáticas determinadas) en función de sus imágenes simbólicas. En esta "crítica práctica", los supuestos del crítico revisten importancia. ¿Qué es lo que busca? ¿Analiza al poeta o analiza el poema?

Hemos de distinguir entre el estudio de las esferas de las que se toman las imágenes (que, como dice MacNeice, "pertenece más pro-

---

How many times these low feet staggered,
Only the soldered mouth can tell;
Try! can you stir the awful rivet?
Try! can you lift the hasps of steel? [48]

piamente aún al estudio del tema o fondo")[52] y el estudio de "los modos en que puede usarse de las imágenes", el carácter de la relación entre "tema" y el "vehículo" (la metáfora). La mayoría de las monografías dedicadas a estudiar las imágenes de un poeta (verbigracia: *Donne's Imagery*, de Rugoff) pertenecen a la clase primera. Deslindan y calibran los intereses de un poeta reuniendo sus metáforas y distribuyéndolas según se refieran a la naturaleza, el arte, la industria, las ciencias físicas, las humanidades, la ciudad y el campo; pero también cabe clasificar los temas u objetos que empujan al poeta a la metáfora (verbigracia: las mujeres, la religión, la muerte, los aviones). Sin embargo, más importante que la clasificación es el descubrimiento de equivalentes, de correlativos psíquicos de alto bordo. Es lícito suponer que el hecho de que dos esferas se catalicen una a otra reiteradamente demuestra su interpretación real en la psique creadora del poeta: así, en los "Songs and Sonnets" de Donne, sus poesías de amor profano, la glosa metafórica se toma constantemente del mundo católico del amor sacro: aplica al amor sexual los conceptos católicos de éxtasis, santificación, martirio, reliquia, mientras en algunos de sus sonetos sacros (*Holy Sonnets*) se dirige a Dios con figuras de violento erotismo:

> *Yet dearly I love you, and would be loved fain*
> *But am betrothed unto your enemy,*
> *Divorce me, untie, or break that knot again,*
> *Take me to you, imprison me, for I*
> *Except you enthrall me, never shall be free,*
> *Nor ever chaste, except you ravish me* *.

El intercambio entre las esferas de lo sexual y de lo religioso reconoce que el sexo es una religión y que la religión es amor.

Hay un tipo de estudio que recalca la autoexpresión, la revelación de la psique del poeta a través de sus imágenes. Da por sentado que las imágenes del poeta son como las imágenes de un sueño, es decir, que no están fiscalizadas ni por la discreción ni por el pudor; cabe

---

* Pero te amo apasionadamente, y quisiera bien ser amado, mas estoy prometido a tu enemigo. Repúdiame, desata o vuelve a romper este nudo; tómame contigo, aprisióname, pues que jamás seré libre si no me esclavizas, ni seré casto si no me fuerzas.

esperar que como no son abierta confesión, sino que se brindan a título de ilustración, delaten los verdaderos centros de interés del poeta. Pero es lícito poner en duda que un poeta haya llegado alguna vez a despreocuparse tanto de sus imágenes [53].

Otro supuesto, erróneo con toda seguridad, es el de que el poeta ha de haber percibido literalmente todo aquello que sea capaz de imaginar (basándose en lo cual Gladys Wade, en su estudio sobre Traherne, reconstruye los años de la juventud de éste) [54]. Según el Doctor Johnson, una admiradora de los poemas de Thomson creía saber los gustos del poeta deduciéndolos de sus obras.

Decía que por las obras del poeta podía deducir tres aspectos de su carácter: que era gran amador, gran nadador y riguroso abstinente; pero Savage [íntimo del poeta] dice que [el poeta] no conoce otro amor que el del sexo; que seguramente no se ha metido en su vida en agua fría, y que se permite todos los lujos que se le ponen al alcance de la mano.

El concepto que de las características personales y costumbres del poeta tenía su admiradora era risiblemente inexacto. Tampoco nos es lícito afirmar que la falta de imágenes metafóricas equivalga a falta de interés. En la vida de Donne escrita por Walton no se encuentra una sola imagen de pesca entre sus once figuras; la poesía del compositor del siglo XIV Machaut no contiene tropo alguno tomado de la música [55]. El supuesto de que las imágenes del poeta las aporta medularmente su inconsciente y que, por tanto, el poeta habla en ellas como hombre y no como artista, parece susceptible de referirse a su vez a supuestos fluctuantes, no muy consecuentes, sobre cómo reconocer la "sinceridad". Por una parte, se supone vulgarmente que las imágenes notables han de ser inventadas y que, por tanto, son insinceras: una persona verdaderamente conmovida hablaría en lenguaje sencillo desprovisto de figuras o empleando figuras triviales y deslustradas. Pero hay una idea antagónica según la cual la figura trillada que suscita una reacción estereotipada es señal de insinceridad, de que el poeta acepta una tosca aproximación al propio sentimiento renunciando a expresarlo escrupulosamente. En esto se confunde al hombre en general con el hombre de letras, al hombre que habla con el hombre que escribe, o más bien al hombre que habla con el poema. Son perfectamente compatibles la sinceridad personal corriente y las imágenes trilladas. Y en cuanto a la "sinceridad" de un poema, el término resulta desprovisto casi por completo de sentido. ¿Expresión sincera de qué? ¿Del supuesto estado emocional de que nació? ¿O de la disposición de ánimo en que el poema fue escrito? ¿O expresión sincera del poema, es decir, de la construcción idiomática que va formándose en el espíritu del autor a medida que escribe? Seguramente tendrá que ser esto último: el poema es expresión sincera del poema.

Las imágenes de un poeta son reveladoras de su yo. Ahora bien, ¿cómo se define este _yo?_ Mario Praz y Lillian Hornstein han hecho divertidas consideraciones a expensas del estudio de Caroline Spurgeon sobre Shakespeare, el inglés universal del siglo xx. Se puede admitir que el gran poeta compartía nuestra "común condición humana" [56]. No hace falta clave imaginista para saberlo. Si el valor del estudio de las imágenes estriba en desvelar algo recóndito, probablemente nos permitirá descifrar algunos testimonios personales, descubrir el secreto del corazón de Shakespeare.

En vez de sorprender en las imágenes de Shakespeare la universal humanidad de éste, acaso encontremos una especie de jeroglífica noticia sobre su salud psíquica según era cuando estaba componiendo una determinada obra dramática. Así, Caroline Spurgeon dice de _Troilo_ y de _Hamlet:_ "Si no lo supiéramos por otras razones, podríamos tener la certeza, basándonos en la semejanza y continuidad del simbolismo de las dos obras, de que fueron escritas casi juntas y en época en que el autor sufría de desilusión, repulsión y turbación ante la naturaleza como no las percibimos en ninguna otra con igual intensidad". En esto, Caroline Spurgeon da por sentado no que puede localizarse la causa específica de la desilusión de Shakespeare, sino que _Hamlet_ expresa desilusión y que esta desilusión ha de ser la del propio Shakespeare [57]; Shakespeare no hubiera podido escribir drama tan grande si no hubiera sido sincero, es decir, si no se hubiera inspirado en su propio estado de ánimo. Tal doctrina va en contra del modo de entender a Shakespeare a que instan Edgar E. Stoll y otros, en el cual se recalca su arte, su pericia de dramaturgo, su hábil aportación de obras dramáticas nuevas y mejores dentro de la pauta general de anteriores aciertos (verbigracia: _Hamlet_ como seguidor de

Una tragedia española; El cuento de invierno y *La tempestad* como equivalentes de Beaumont y Fletcher creados por un teatro rival).

Sin embargo, no todos los estudios de la imagen poética tratan de coger desprevenido al poeta o de trazar su biografía íntima. Acaso se centren más bien en un importante elemento del significado total de una obra, lo que Eliot llama "la estructura que subyace al plano de la trama y del personaje" [58]. En su ensayo *Leading Motives in the Imagery of Shakespeare's Tragedies*, escrito en 1930, la misma Caroline Spurgeon atiende primordialmente a definir la imagen o conglomerado de imágenes que, dominando una determinada obra, dan la tónica. Muestras de su análisis son el descubrimiento en *Hamlet* de imágenes de enfermedades (verbigracia: úlcera, cáncer), de alimentos y del aparato digestivo en *Troilo;* de "animales en lucha que se exterminan unos a otros...", en *Otelo*. Caroline Spurgeon intenta hacer ver cómo esta infraestructura de una obra dramática afecta a su sentido total, haciendo notar acerca de *Hamlet* que el motivo de la enfermedad insinúa que el Príncipe no es culpable, que toda Dinamarca está enferma. Lo positivo de su trabajo estriba en esta búsqueda de formas del sentido literario más sutiles que la generalización ideológica y la abierta estructura argumental.

Estudios sobre la imagen más ambiciosos, los de Wilson Knight, parten inicialmente de las brillantes páginas de Middleton Murry sobre las imágenes de Shakespeare (*The Problem of Style*, 1922). La obra anterior de Knight (verbigracia: *Myth and Miracle*, de 1929 y *The Wheel of Fire*, de 1930) se ocupa exclusivamente de Shakespeare; pero en volúmenes posteriores aplica también el método a otros poetas (por ejemplo, a Milton, Pope, Byron, Wordsworth) [59]. Los primeros trabajos, que son palmariamente los mejores, se atienen a estudios de obras dramáticas determinadas, cada una de ellas en función de sus imágenes simbólicas, concediendo particular atención a oposiciones imaginistas como "tempestades" y "música", pero también observando con sensibilidad diferenciaciones estilísticas entre obra y obra, como asimismo dentro de una obra. En los libros posteriores son palpables las extremosidades del "entusiasta". La exégesis que Knight hace del *Essay on Criticism* y del *Essay on Man* de Pope desatiende desenfadadamente la cuestión de lo que las "ideas" contenidas en dichos poemas pudieran significar históricamente para Pope y sus contemporáneos. Deficiente en perspectiva histórica, Knight adolece también del afán de "filosofar". La "filosofía" que saca de Shakespeare y de otros no es original ni clara ni compleja; se reduce a la conciliación de Eros y el Ágape, del orden con la energía, y así sucesivamente con otras parejas de contrarios. Como todos los poetas "verdaderos" pregonan esencialmente el mismo "mensaje", el lector, tras descifrar cada uno de ellos, se queda con sensación de futilidad. La poesía es "revelación", pero ¿qué es lo que revela?

De tanta sensibilidad como la obra de Knight, pero mucho más ponderada es la de Wolfgang Clemen, cuyo libro *Shakespeares Bilder* [60] cumple la promesa del subtítulo de estudiar la evolución y función de las imágenes. Procediendo a una confrontación con las imágenes de la lírica, e incluso de la épica, Clemen insiste en la naturaleza dramática del teatro de Shakespeare: en su obra madura no es Shakespeare "el hombre", sino Troilo el que metafóricamente está obsesionado por la idea de lo corruptible de lo creado, por asociación con comida rancia. En una obra, "cada imagen la utiliza una persona determinada". Clemen tiene verdadero acierto para plantear las cuestiones metodológicas justas. Al analizar *Tito Andrónico*, por ejemplo, se pregunta: "¿Cuáles son los momentos de la obra en que Shakespeare se sirve de imágenes? ¿Existe relación entre la utilización de imágenes y el momento? ¿Qué función tienen las imágenes?", cuestiones para las que sólo tiene respuesta negativa en el caso de *Tito*. En este drama, las imágenes se presentan a golpes y son decorativas, pero a base de esto cabe seguir la evolución de Shakespeare en la utilización de la metáfora como *"stimmungsmässige Untermalung des Geschehens"* y como una *"ganz usprüngliche Form der Wahrnehmung"*, es decir, hasta el pensamiento metafórico. Clemen formula admirables observaciones sobre la *"abstrakte Metaphorik"* de la época intermedia de Shakespeare (con su *"unbildliche Bildlichkeit"*, correlativa de los tipos de imagen sumida, radical y expansiva de Wells); pero, escribiendo una monografía sobre un determinado poeta, sólo introduce su tipo cuando, en la "evolución" de Shakespeare, se presenta, y, aunque su monografía estudia una evolución y los "períodos" de la obra de Shakespeare, Clemen no olvida que estudia los "períodos" de la poesía, no los de la vida del autor, hipotética en gran parte.

Al igual que el metro, las imágenes son estructura integrante de un poema. Expresadas en función de nuestro esquema, forman parte del estrato sintáctico o estilístico. No deben estudiarse, en último término, aisladas de los demás estratos, sino como elemento de la totalidad, de la integridad de la obra literaria.

Capítulo XVI

NATURALEZA Y FORMAS DE LA FICCIÓN NARRATIVA

La teoría y la crítica literarias que se ocupan de la novela son mucho más inferiores en cantidad y en calidad que la teoría y la crítica de la poesía. La causa a que esto suele atribuirse es la antigüedad de la poesía y el carácter relativamente reciente de la novela. Pero esta explicación no satisface. La novela como forma de arte es —empleando el término alemán— una forma de *Dichtung*, y en rigor es, en sus altos exponentes, el descendiente moderno de la épica, que es, con el drama, una de las dos grandes formas. Creemos que las razones deben buscarse más bien en la opinión no poco difundida que asocia la novela con el entretenimiento, el esparcimiento y la evasión más que con el arte serio, y que por tanto confunde las grandes novelas con las fabricadas con la mira puesta angostamente en el mercado. El persistente concepto vulgar norteamericano, difundido por pedagogos, de que la lectura de obras no imaginativas es instructiva y meritoria, y la de novela, perjudicial, no carecía de base implícita en la actitud hacia la novela adoptada por críticos de la talla de Lowell y de Arnold.

Existe, sin embargo, el peligro opuesto, esto es, el de tomar en serio la novela, pero de un modo equivocado, o sea como documento o historial, o como confesión, como historia verídica, como historia de una vida y de su época..., cosa que a veces pretende ser para sus fines de ilusión. La literatura ha de ser siempre interesante; ha de tener siempre una estructura y un propósito estético, una cohesión y efecto totales. Por supuesto, ha de guardar relación identificable con la vida, pero se trata de relaciones muy diversas: cabe exaltar la vida, caricaturizarla, colmarla de antítesis; en todo caso, es una selección de la vida, selección que persigue determinados fines específicos. Hemos de tener un conocimiento que sea independiente de la literatura para saber cuál es la relación de una determinada obra con "la vida".

Aristóteles mantenía que la poesía (es decir, la épica y el drama) está más próxima a la filosofía que a la historia, y su afirmación parece tener carácter sugestivo permanente. Hay la verdad de hecho, la verdad en el dato específico de tiempo y de lugar, o sea la verdad histórica en sentido estricto; y hay la verdad filosófica, la verdad conceptual, general, propositiva. Desde el punto de vista de la "historia", así definida, y de la filosofía, la literatura de fantasía es "ficción", mentira. La palabra "ficción" todavía conserva esta vieja acusación platónica contra la literatura, a lo que Philip Sidney y Samuel Johnson replican que la literatura nunca ha pretendido ser real en tal sentido [1]; y, conservando aún este vestigio residual del viejo cargo de engaño, todavía es capaz de irritar al novelista serio, que sabe bien que la ficción es menos extraña y más típica que la verdad misma.

Wilson Follett hace la admirable observación acerca de la narración de Mrs. Veal y Mrs. Bargrave de Defoe de que "todo es verdad en la narración, excepto el conjunto, y nótese lo difícil que hace Defoe poner en cuarentena incluso ese conjunto. La historia la refiere una tercera mujer del mismo sello exactamente que las otras dos, amiga de toda la vida de Mrs. Bargrave..." [2].

Marianne Moore dice que la poesía presenta "jardines imaginarios que contienen sapos reales " ("for inspection, imaginary gardens with real toads in them").

La realidad de una obra de ficción —es decir, su ilusión de realidad, su efecto sobre el lector a modo de interpretación convincente de la vida— no es forzosa ni primariamente una realidad de circunstancia o de detalle o de rutina corriente. Medidos por todos estos raseros, escritores como Howells o Gottfried Keller harían sonrojarse a los autores de *Edipo Rey*, de *Hamlet* y de *Moby Dick*. La verosimilitud en el detalle es un medio de crear la ilusión de realidad, pero del que a menudo se hace uso, como en *Los viajes de Gulliver*, a modo de señuelo para seducir al lector haciéndole pasar por una situación improbable o increíble, que es "fiel a la realidad" en un sentido más profundo que en el circunstancial.

El realismo y el naturalismo, en el drama o en la novela, son movimientos literarios o filosófico-literarios, convenciones, estilos, como el romanticismo o el superrealismo. La distinción no ha de establecerse entre realidad e ilusión, sino entre concepciones distintas de la realidad, entre distintos modos de crear la ilusión [3].

¿Cuál es, pues, la relación de la ficción narrativa con la vida? La respuesta clásica o neoclásica sería que presenta lo típico, lo universal: el avaro típico (de Molière y de Balzac), las hijas infieles típicas (en *El Rey Lear* y en *Papá Goriot*). Pero ¿no son propios de la sociología tales conceptos de clase? Se podría también responder que el arte ennoblece o eleva o idealiza la vida, y naturalmente existe tal forma de arte, pero es un estilo, no la esencia misma del arte, aunque es indudable que todo arte, al crear distancia estética y asumir forma y articulación, hace agradable contemplar lo que sería doloroso experimentar o incluso, en la vida real, presenciar. Acaso pudiera decirse que la obra de ficción brinda un "historial", esto es, una ilustración o ejemplificación de algún esquema o síndrome general. Hay ejemplos —en cuentos como *Paul's Case* o *The Sculptor's Funeral*, de Willa Cather— que se acercan a esta fórmula. Pero el novelista no presenta tanto un caso —es decir, un personaje o acaecimiento— como un mundo. Todos los grandes novelistas tienen su mundo..., que es reconocible por coincidir en parte con el mundo empírico, pero del cual se distingue por su inteligibilidad conclusa en sí y coherente. A veces es un mundo que puede encontrarse en algún lugar del globo, como los condados y las villas episcopales de Trollop, como el Wessex de Hardy; pero otras —como en Edgar Poe— no: los horrendos castillos de Poe no están ni en Alemania ni en Virginia, sino en el alma. El mundo de Dickens puede identificarse con Londres; el de Kafka, con la Praga antigua; pero ambos mundos están tan "proyectados", son tan creativos y están tan creados y, por tanto, se reconocen ya tanto en el mundo empírico como personajes de Dickens y situaciones de Kafka, que toda identificación resulta bastante fuera de propósito.

Desmond McCarthy dice que Meredith, Conrad, Henry James y Hardy "han hecho todos grandes pompas de jabón iridiscentes, en que los seres humanos que describen, aunque tienen, por supuesto, semejanza sensible con las personas de carne y hueso, sólo en ese mundo cobran plena realidad". Imagínese, dice McCarthy, "un personaje trasladado de un mundo imaginario a otro. Si Pecksniff fuera trasplantado a *The Golden Bowl,* se extinguiría... En un novelista, la falta artística imperdonable es no saber mantener un tono consecuente" [4].

Este mundo o *Kosmos* de un novelista —esta pauta o estructura u organismo, que comprende argumento, personajes, ambiente, concepción del mundo, "tono"— es lo que hemos de penetrar cuando tratamos de comparar una novela con la vida, o de juzgarla desde el punto de vista ético o social. La fidelidad a la vida o "realidad" no debe juzgarse por la exactitud efectiva de tal o cual detalle, como tampoco debe formularse un juicio moral —cual lo formulan censores bostonianos— basándose en que en una novela aparezcan determinados términos sexuales o blasfemos. Lo acertado en el aspecto crítico es referirse a todo el mundo de ficción comparándolo con nuestro mundo como nosotros lo experimentamos e imaginamos, por lo común menos integrado que el del novelista. Nos contentamos con llamar grande a un novelista cuando su mundo, aunque no esté estructurado y articulado como el nuestro, comprende todos los elementos que consideramos indispensables para una perspectiva universal o, si es de perspectiva limitada, elige lo profundo y cardinal, y cuando la escala o jerarquía de los elementos nos parece tal, que puede ser tomada en consideración por un hombre maduro.

Al utilizar el término "mundo", utilizamos un término espacial. Pero el término "ficción narrativa" o, mejor, cuento *(story)* llama nuestra atención al tiempo y a una secuencia en el tiempo. El término *story* se deriva en efecto de *history:* las *Chronicles of Barsetshire.* La literatura hay que clasificarla generalmente como un arte temporal (a diferencia de la pintura y la escultura, que son artes espaciales); pero la poesía moderna (poesía no narrativa) se esfuerza decididamente por evadirse de su destino, por convertirse en un estado contemplativo, en pauta o estructura "autorreflexiva"; y, como Joseph Frank ha puesto certeramente de manifiesto, la moderna novela de arte *(Ulysses, Nightwood, Mrs. Dalloway)* ha tratado de organizarse poéticamente, es decir, de un modo "autorreflexivo" [5]. Todo ello llama nuestra atención sobre un importante fenómeno cultural; es decir, sobre el hecho de que la narración antigua (épica o novela) ocurría en el tiempo; el lapso de tiempo tradicional de la épica era un año. En muchas grandes novelas, los hombres nacen, crecen y mueren; los personajes se desenvuelven, cambian y hasta se puede ver cambiar a toda una sociedad (*La dinastía de los Forsyte, La guerra y la paz*) o asistir al desenvolvimiento cíclico y a la decadencia de una familia (*Los Buddenbrooks*). Tradicionalmente, la novela ha de tomar en serio la dimensión de tiempo.

En la novela picaresca, la secuencia cronológica lo es todo: ocurrió esto y luego lo otro y lo de más allá. Las aventuras, cada una un episodio que pudiera constituir una narración aparte, están unidas por la figura del protagonista. Una novela más filosófica agrega a la cronología la estructura de la causalidad. La novela presenta a un personaje que degenera o se perfecciona a consecuencia de causas que obran constantemente en un determinado espacio de tiempo. O en una trama de densa trabazón, algo ha ocurrido en el tiempo: la situación final es muy distinta de la del principio.

Para referir una historia hay que preocuparse de lo que en ella sucede, no del desenlace solamente. Hay o había una clase de lectores que tienen que adelantarse a ver "cómo termina", "en qué acaba" una novela; pero todo aquel que sólo lea el "capítulo final" de una novela del siglo XIX será incapaz de sentir interés por la narración, que es proceso, si bien proceso hacia un final. Hay, sin duda, filósofos y moralistas que, como Emerson, no pueden tomar en serio la novela, sobre todo, a nuestro parecer, porque la acción —o la acción externa o la acción en el tiempo— les parece irreal. No pueden ver la historia como real: la historia no es más que un despliegue en el tiempo de más de lo mismo; y la novela es historia ficticia.

Se impone hacer ahora alguna observación acerca del término "narrativa", que, aplicado a la ficción, expresa contraposición con la ficción escenificada, esto es, teatro. Un cuento o fábula puede ser representado por actores o puede ser referido por un solo narrador, que puede ser el narrador de composiciones épicas o cualquiera de sus sucesores. El poeta épico habla en primera persona y, como Milton, puede convertir esta primera persona en una primera persona lírica o del autor. El novelista del siglo XIX, aunque no escribiera en primera persona, hacía uso del privilegio propio de la épica del comentario y la generalización, lo que pudiéramos llamar la primera persona "ensayista" (a diferencia de lírica). Pero la estructura principal de la narración es su inclusividad: entrevera escenas en el diálogo (que podrían representarse en el teatro) con noticia sucinta de lo que va ocurriendo[6].

En la literatura inglesa hay dos principales formas de ficción narrativa, que se han llamado *"romance"* y *"novel"*. En 1785, Clara Reeve las distinguía del siguiente modo: "La novela es una pintura de la vida y de las costumbres reales y de la época en que se escribe. El *"romance"* describe en estilo alto y elevado lo que nunca ha ocurrido ni es probable que ocurra"[7]. La novela es realista; el *"romance"* es poético o épico: hoy habríamos de llamarlo "mítico". Anne Radcliffe, Walter Scott y Nathaniel Hawthorne son escritores de *"romance"*. Fanny Burney, Jane Austen, Anthony Trollope y George Gissing son novelistas. Los dos tipos, que son extremos, acusan el doble origen de la narración en prosa: la novela procede genealógicamente de formas narrativas no ficticias, como la epístola, el diario, las memorias o biografías, la crónica o historia; se desarrolla, por así decir, partiendo de documentos; en el aspecto estilístico, subraya el detalle representativo, la "mimesis" en sentido estricto. En cambio, la otra forma, el *"romance"*, continuador de la épica y del romance medieval, acaso desatienda la verosimilitud del detalle (por ejemplo, la reproducción de una manera de hablar individualizada en el diálogo), para dirigirse a una realidad superior, a una psicología más profunda. "Cuando un escritor llama a su obra *romance*", dice Hawthorne, "huelga observar que pretende una cierta libertad, tanto en la forma como en el fondo..." Si tal *"romance"* se sitúa en época pasada, no es con el fin de retratar con minuciosa exactitud dicha época, sino de crear —dicho con palabras de Hawthorne en otro lugar— "una especie de recinto poético, en que no se insiste en el dato real"[8].

En la crítica analítica de la novela se han solido distinguir tres elementos constitutivos: asunto, caracterización y marco; este último, tan fácilmente simbólico, se convierte en algunas teorías modernas en "ambiente" o "tono". Ocioso es decir que cada uno de estos elementos es determinante de los demás. Como Henry James pregunta en su ensayo *The Art of Fiction*, podemos decir: "¿Qué es el personaje más que la determinación del episodio? ¿Qué es el episodio sino la ilustración del personaje?".

La estructura narrativa de la obra dramática, del cuento o de la novela se ha llamado tradicionalmente "asunto" o argumento; y probablemente hay que conservar el término, pero en tal caso debe tomarse en sentido suficientemente amplio para referirlo tanto a Chéjov, a Flaubert y a Henry James como a Hardy, a Wilkie Collins y a Edgar Poe: no debe circunscribirse al significado de trama densa, compacta, como el *Caleb Williams* de Godwin [9]. Hablaremos más bien de tipos de asuntos, de asuntos más libres y de asuntos más intrincados, de asuntos "románticos" y de asuntos "realistas". En época de transición literaria, un novelista puede sentirse obligado a crear dos clases de asunto, uno de ellos hijo de una moda que va cayendo en desuso. Las novelas que Hawthorne da a la estampa después de *La letra escarlata* presentan, torpemente, un anticuado argumento de misterio, mientras que su verdadero argumento es una variedad más suelta, más "realista". En sus novelas de última época, Dickens dedica no poco ingenio a sus asuntos de misterio, que pueden coincidir o no con el verdadero centro de interés de la novela. La tercera y última parte de *Huck Finn*, evidentemente inferior a las demás, parece dictada por un equivocado sentido de responsabilidad de crear algún "argumento". Sin embargo, el verdadero asunto ya se ha desenvuelto con toda fortuna; es un argumento mítico: el encuentro en una armadía, aguas abajo de un gran río, de cuatro hombres que, por diversas razones, huyen de la sociedad convencional. Uno de los argumentos más antiguos y universales es, en efecto, el del Viaje, por tierra o por mar: *Huck Finn, Moby Dick, Pilgrim's Progress, Don Quijote, Papeles póstumos del Club Pickwick, The Grapes of Wrath*. Es costumbre decir que todos los argumentos implican conflicto (del hombre con la Naturaleza, del hombre con otros hombres, del hombre consigo mismo); pero, en tal caso, como a la palabra "argumento", hay que dar al término gran amplitud, porque un conflicto es siempre "dramático", sugiere cierta lucha de fuerzas aproximadamente iguales, acción y reacción. No obstante, hay argumentos a los que parece más racional atribuir un solo sentido, como en los argumentos de persecución o acoso; así, en *Caleb Williams,* en *La letra escarlata,* en *Crimen y castigo,* en *El Proceso* de Kafka.

El argumento (o estructura narrativa) consta, a su vez, de estructuras narrativas menores (episodios, incidentes). Las estructuras literarias mayores y más inclusivas (la tragedia, la épica, la novela) se han desarrollado históricamente partiendo de formas anteriores más rudimentarias, como el chiste, el dicho, la anécdota, la epístola; y el asunto de una obra dramática o de una novela es una estructura de estructuras. Los formalistas rusos y los analistas de la forma alemanes, como Dibelius, bautizan con el término de "motivo" (fr. *motif,* al. *Motiv*) los elementos fundamentales del argumento. El "motivo", así utilizado por los historiadores de la literatura, está tomado de los folkloristas fineses, que han analizado en sus diversas partes los cuentos de hadas y los cuentos populares [10]. Ejemplos evidentes de literatura escrita son identidades equivocadas, erróneas (*La comedia de los errores);* el matrimonio entre la juventud y la vejez (*January and May);* la ingratitud filial para con el padre (*El Rey Lear, Papá Goriot);* un hijo en busca del padre (*Ulysses* y la *Odisea*) [11].

Lo que en inglés se llama la "composición" de la novela es para alemanes y rusos su "motivación". El término bien pudiera adoptarse en inglés por ser valioso precisamente por su doble referencia a la composición estructural y narrativa y a la estructura interna de la teoría psicológica, social o filosófica de por qué los hombres se comportan como se comportan, o sea, en último término, una teoría de la causalidad. Walter Scott afirma en sus primeros tiempos de escritor que "la diferencia más acusada entre una narración real y otra ficticia es que la primera es oscura con referencia a las causas remotas de los acontecimientos que refiere..., mientras que en el segundo caso es parte de la obligación del autor de... dar razón de todo" [12].

La composición o motivación (en su sentido más amplio) suele comprender el método narrativo: "escala", "ritmo", artificios, la armonización de las escenas o del drama con el cuadro o la narración directa y de ambos con el resumen o síntesis narrativa.

Motivos y artificios tienen su carácter de época. La novela de terror tiene el suyo propio; la novela realista, otro. Dibelius se refiere repetidamente al "realismo" de Dickens calificándolo de realismo de los _Märchen_, y no de la novela naturalista, por cuanto los artificios se aprovechan para llevar a motivos melodramáticos chapados a la antigua: el hombre al que se suponía muerto que vuelve a la vida, o el niño cuyos verdaderos padres se descubren al fin, o el misterioso bienhechor que resulta ser un presidiario [13].

En una obra de arte literaria, la "motivación" ha de acrecentar la "ilusión de realidad", esto es, su función estética. La motivación "realista" es un artificio artístico. En arte, parecer es aún más importante que ser.

Los formalistas rusos distinguen entre la "fábula" —la secuencia temporal-causal que, refiérase como se refiera, es el "cuento" o el tema del cuento— y el "sujet", que cabría traducir por "estructura narrativa". La "fábula" es la suma de todos los motivos, mientras el "sujet" es la presentación artísticamente dispuesta de los motivos (a menudo completamente distintos). Ejemplos evidentes implican desplazamiento temporal: comienzo _in medias res_, como la _Odisea_ y _Barnaby Rudge;_ traslaciones hacia atrás y hacia adelante, como en el _Absalom, Absalom_ de Faulkner. El "sujet" de la obra de Faulkner _As I Lay Dying_ exige que la historia la refieran uno tras otro los miembros de una familia al llevar el cadáver de la madre a un cementerio lejano. El "sujet" es argumento en cuanto se le interpone el "punto de vista", el "foco o centro de la narración". La "fábula" es, por así decir, una abstracción de la "materia prima" de la ficción (la experiencia, lecturas, etc., del autor); el "sujet" es una abstracción de la "fábula"; o, mejor, un enfocamiento más nítido de la visión narrativa [14].

El tiempo de la fábula es el período total que comprende una determinada historia; pero el tiempo de la "narración" corresponde al "sujet": es tiempo de lectura, o "tiempo experimentado", que, por supuesto, está fiscalizado por el novelista, que despacha años enteros con unas frases, pero dedica dos largos capítulos a un baile o una velada [15].

La forma más sencilla de caracterización es la nominación misma del personaje. Toda "apelación" es una especie de vitalización, animización, individualización. El nombre alegórico o cuasi-alegórico aparece en la comedia del siglo XVIII: tales el Allworthy (Honorable) y Thwackum (Porra) de Fielding, Mrs. Malaprop ("Doña Despropósito"), Sir Benjamín Backbite (Don Benjamín Malalengua), con sus resonancias de Jonson, Bunyan, Spenser y *Everyman*. Pero la práctica más sutil es una especie de modulación onomatopéyica a la que son adeptos novelistas tan distintos como Dickens y Henry James, Balzac y Gógoll: Rosa Dartle ("dart", dardo; "starte", sobresaltar), Mr. y Miss Murdstone ("murder", asesinato + "stone" [corazón de] piedra). El Ahab y el Ishmael de Melville demuestran lo que puede conseguirse con la alusión literaria —en este caso, bíblica— como forma de economía de caracterización [16].

Las formas de caracterización son muchas. Novelistas más antiguos, como Walter Scott, presentan a cada uno de sus personajes principales con un párrafo en que describe detenidamente su traza física y otro en qué se analiza su índole moral y psicológica. Pero esta forma de caracterización en bloque puede reducirse a una etiqueta de presentación, la que, a su vez, puede convertirse en artificio de remedo o pantomima..., algún amaneramiento, gesto o latiguillo determinado que, como en Dickens, se reitera siempre que el personaje aparece, sirviendo de acompañamiento emblemático. Mrs. Gummidge se presenta "siempre pensando en el viejo"; Uriah Heep cultiva un término favorito: *umble* (pronunciación vulgar de *humble*, humilde) y un ademán ritual. Hawthorne a veces describe un personaje mediante un emblema literal: la flor roja de Zenobia; la brillante dentadura postiza de Westervelt. El James de *The Golden Bowl* hace que un personaje vea a otro en términos simbólicos.

Hay caracterizaciones estáticas, y dinámicas o evolutivas. Estas últimas parecen prestarse especialmente para la novela larga, como *La guerra y la paz*, ya que evidentemente se prestan menos para el teatro, con su limitación de tiempo para la narración. El drama (v. gr., Ibsen) puede ir revelando cómo ha llegado un personaje a ser el que es; la novela puede hacer ver el cambio mientras se está produciendo. La caracterización "plana" (que por lo común se confunde con la "estática") presenta un solo rasgo, visto como el rasgo dominante o socialmente más manifiesto, y puede ser caricatura o idealización abstractiva. El teatro clásico (por ejemplo, en Racine) la aplica a los protagonistas. La caracterización plástica, "en relieve", como la caracterización "dinámica", requiere espacio y énfasis; es evidentemente utilizable para aquellos personajes que constituyen el foco o centro del punto de vista o del interés, por lo cual se combina ordinariamente con la descripción "plana" de las figuras de segundo término, del "coro" [17].

Existe, sin duda, una especie de relación entre la caracterización (método literario) y la caracterología (teoría del carácter, de tipos de personalidad). Hay tipologías de caracteres, parte tradición literaria, parte antropología popular, que los novelistas emplean. En la novela inglesa y norteamericana del siglo XIX se encuentran tipos morenos, hombres y mujeres (Heathcliffe, Mr. Rochester, Becky Sharp, Maggie Tulliver, Zenobia, Miriam, Ligeia) y tipos rubios (ejemplos de mujeres: Amelia Sedley, Lucy Dean, Hilda, Priscilla y Phoebe [Hawthorne], Lady Rowena [Poe]). La rubia es el tipo de mujer que crea el ambiente de hogar, poco excitante, pero constante y dulce. La morena —apasionada, violenta, misteriosa, seductora y poco de fiar— reúne las características de lo oriental, lo judío, lo español y lo italiano desde el punto de vista de lo "anglosajón" [18].

En la novela, como en el teatro, hay una especie de compañía dramática de repertorio fijo: el protagonista, la heroína, el malo, los "actores de carácter" (o personajes cómicos). Hay los menores de edad y las ingenuas y las personas maduras (el padre y la madre, la tía solterona, la dueña o el ama). El arte dramático de la tradición latina (Plauto y Terencio, la *commedia dell'arte*, Jonson, Molière) hace uso de una tipología muy marcada y tradicional, de la que son ejemplos el *miles gloriosus*, el padre tacaño, el criado marrullero. Pero un gran novelista como Dickens adopta y adapta en gran parte los tipos del teatro y de la novela del siglo XVIII, y sólo crea dos tipos: el desamparado, viejo y joven, y el soñador (v. gr., Tom Pinch de *Martin Chuzzlewit*) [19].

Sea cual fuere la base social o antropológica de los personajes-tipos literarios, como la heroína rubia y la heroína morena, las estructuras afectivas pueden deducirse de las novelas sin ayuda documental, y tienen, por lo común, ascendientes histórico-literarios, como la *femme fatale* y el progatonista sombrío y demoníaco estudiado por Mario Praz en *La carne, la morte e il diavolo nella letteratura romantica* [20].

La atención al ambiente —el elemento descriptivo a diferencia de narrativo—, parece a primera vista el dato que distingue la novela del teatro; sin embargo, una reflexión más detenida nos haría considerarlo más bien cosa de época. La atención minuciosa al ambiente, en el drama o en la novela, es romántica o realista (es decir, siglo xix) más que universal. En el teatro, el marco escénico puede trazarse verbalmente (como en las obras dramáticas de Shakespeare) o puede indicarse mediante acotaciones escénicas destinadas a decoradores y carpinteros. Algunas de las "escenas" de Shakespeare no se pueden situar, localizar en absoluto [21]. Pero también dentro de la novela, la descripción del ambiente es variable en sumo grado. Así, por ejemplo, Jane Austen, como Fielding y Smollet, rara vez describe interiores o exteriores; y las novelas de la primera época de James, escritas bajo la influencia de Balzac, detallan tanto las casas como los paisajes, mientras las novelas posteriores sustituyen el aspecto de las escenas por una versión simbólica de la *sensación* global que despiertan.

La descripción romántica trata de crear y mantener un estado de ánimo: la trama y la creación de personajes han de estar dominadas por el tono, por el efecto, de lo que son exponentes Anne Radcliffe y Edgar Poe. La descripción naturalista es una documentación aparente que se brinda en aras de la ilusión (Defoe, Swift, Zola).

El marco escénico es medio ambiente, y los ambientes, especialmente los interiores de las casas, pueden considerarse como expresiones metonímicas o metafóricas del personaje. La casa en que vive un hombre es una extensión de su personalidad. Descríbase la casa y se habrá descrito al hombre. Así, la detenida descripción que Balzac hace de la casa del avaro Grandet o de la Pensión Vauquer ni está fuera de lugar ni sobra [22] en cuanto que son casas que expresan a sus dueños; afectan, a modo de atmósfera, a aquellas otras personas que han de vivir en ellas. El horror del pequeño burgués a la Pensión constituye la provocación inmediata de la reacción de Rastignac, y en otro sentido la de Vautrin, mientras da la medida de la degradación de Goriot y presenta un continuo contraste con las grandezas que se describen como contrapartida.

El marco escénico puede ser expresión de una voluntad humana. Si es un marco natural puede ser proyección de la voluntad. Dice el autoanalista Amiel que "un paisaje es un estado de ánimo". Entre el hombre y la naturaleza hay correlaciones evidentes, sentidas con intensidad máxima (pero no exclusivamente) por los románticos. Un

protagonista violento se lanza en medio de la tormenta; un temperamento risueño gusta de la caricia del sol.

A su vez, el marco escénico puede ser el determinante global, el
medio ambiente entendido como causación física o social, algo sobre
lo cual tiene el individuo poco poder individual. Este marco escénico
puede ser el Egdon Heath de Hardy o la Zenith de Lewis. La gran
urbe (París, Londres, Nueva York) es el más real de los personajes
de más de una novela moderna.

Una historia puede referirse mediante cartas o diarios; o puede
desenvolverse a base de anécdotas. En cuanto que, a modo de armazón, encierra otros cuentos, es, históricamente, un puente entre la
anécdota y la novela. En el *Decamerón*, las historias están agrupadas
por temas; en los *Cuentos de Cantorbery*, tal agrupación de temas
(v. gr., el matrimonio) se completa brillantemente con la idea del autor
de crear personajes que pasan de cuento en cuento y se presentan
una serie de figuras entre las que se producen tensiones psicológicas y
sociales. El cuento de cuentos también tiene su versión romántica,
por ejemplo, en las *Narraciones de un viajero*, de Irving, y en las
Leyendas de los hermanos Serapion, de Hoffmann. La novela de
terror *Melmoth the Wanderer* es un conjunto extraño, pero innegablemente eficaz, de cuentos distintos unidos muy flojamente, salvo
por su común tono de horror.

Otro expediente actualmente desusado es el cuento inserto en una
novela (v. gr., el "Man on the Hill's Tale", en *Tom Jones;* las "Con-
fesiones de un alma bella", en *Wilhelm Meister)*, lo que puede considerarse, en un plano, como intento de aumentar las proporciones de
una obra; en otro, como afán de variedad. Las dos finalidades parecen alcanzarlas mejor las novelas victorianas que tienen dos o tres secuencias argumentales en movimiento alternado (en su escena gira-
toria) y al fin hacen ver cómo se engranan; fusión de tramas que ya
practicaban los isabelinos, a veces con resultados brillantes. Manejada
con arte, una trama corre paralelamente a la otra (como en *El Rey
Lear*) o sirve de contrapartida cómica o de parodia, con lo cual hace
resaltar aquélla.

La narración en primera persona (la *Ich-Erzählung)* es un método
que hay que sopesar cuidadosamente con otros. Por supuesto, el narrador de tal narración no debe ser confundido con el autor. El pro-

pósito y efecto de la narración en primera persona varían. A veces, el efecto es que el narrador resulta menos acusado y "real" que los demás personajes (*David Copperfield*). En cambio, Moll Flanders y Huck Finn son personajes centrales de sus propias historias. En *The House of Usher*, la narración que Poe hace en primera persona permite al lector identificarse con el amigo neutral de Usher y huir con él cuando se produce el catastrófico desenlace; pero el personaje central neurótico o psicopático refiere su propia historia en "Ligeia", en "Berenice" y en "The Tell-Tale Heart": el narrador, con quien no podemos identificarnos, está haciendo una confesión, definiéndose a sí mismo por lo que dice y por cómo lo dice.

Reviste también interés cómo está justificada la narración. Algunas narraciones se introducen con gran aparato y detalle (*El castillo de Otranto, Los fantasmas del castillo, La letra escarlata*): a la historia propiamente dicha se la separa a varios grados de distancia del autor o del lector, presentándola como referida a A por B o como manuscrito confiado a A por B, que acaso haya puesto por escrito la tragedia de la vida de C. Las narraciones en primera persona de Poe son a veces, ostensiblemente, monólogos dramáticos ("Amontillado"); otras son confesión escrita de un alma atormentada que se desahoga abiertamente ("The Tell-Tale Heart"). A menudo, la intención no resulta clara: en el caso de "Ligeia", ¿hemos de pensar que el narrador habla consigo mismo, que se repite su propia historia para refrescar su sensación de horror?

El problema fundamental del método narrativo atañe a la relación entre el autor y su obra. En una obra de teatro, el autor está ausente; ha desaparecido detrás de la obra. Pero el poeta épico refiere una historia a modo de narrador profesional, poniendo en el poema sus propios comentarios y dando en su propio estilo la narración propiamente dicha (a diferencia de diálogo).

Análogamente, el novelista puede referir una historia sin pretender haber presenciado los hechos que refiere o haber participado en ellos. Puede escribir en tercera persona, al modo del "autor omnisciente", y tal es, sin duda, la forma de narración tradicional y "natural", en la cual el autor está presente, situado al flanco de su obra, como el conferenciante cuya disertación acompaña a las diapositivas o a la película documental.

Hay dos maneras de apartarse de esa forma mixta de narración épica: una, que cabe llamar la romántico-irónica, engrandece con toda intención el papel del narrador, se deleita en destruir toda posible ilusión de que aquello es "vida" y no "arte", y subraya, recalca el carácter escrito y literario de la obra. El fundador de esta corriente es Sterne, sobre todo en *Tristram Shandy,* al que siguen Jean Paul Richter y Tieck en Alemania y Veltman y Gógoll en Rusia. *Tristram Shandy* podría calificarse de novela sobre la novelística, al igual que *Les Faux Monnayeurs* de Gide y su derivada, *Contrapunto.* La manera tan censurada en que Thackeray lleva su *Feria de vanidades* (su constante advertencia de que los personajes son marionetas que él ha fabricado) es, sin duda, una especie de esta ironía literaria: la literatura recordándose a sí misma que no es más que literatura.

La corriente opuesta es el método "objetivo" o "dramático", propugnado e ilustrado por Otto Ludwig en Alemania, Flaubert y Maupassant en Francia y Henry James en Inglaterra[23]. Los defensores de este método, lo mismo críticos que artistas, han tratado de presentarlo como el único método artístico (dogma que no es fuerza aceptar); ha sido admirablemente expuesto en la obra de Percy Lubbock titulada *Craft of Fiction,* poética de la novela basada en la práctica y en la teoría de Henry James.

De los dos, el término "objetivo" es el más acertado, ya que el de "dramático" podría significar "diálogo" o bien "acción, comportamiento" (en contraposición al mundo interior del pensamiento y el sentimiento); pero es del todo manifiesto que fue el drama, el teatro, el que instigó estos movimientos. Otto Ludwig formuló sus teorías a base sobre todo de Dickens, cuyos artificios de pantomima y creación de personajes mediante frases estereotipadas estaban tomados de la vieja comedia y el melodrama del siglo XVIII. En vez de narrar, el impulso de Dickens es siempre el de *presentar,* en diálogo y en pantomima; en vez de decirnos algo *acerca* de algo, nos lo *muestra.* Las formas posteriores de novela aprenden de otras formas teatrales más sutiles, como hizo James con el teatro de Ibsen[24].

El método objetivo no debe considerarse circunscrito al diálogo y a un procedimiento descriptivo (*The Awkward Age,* de James; *Los forajidos,* de Hemingway). Tal limitación lo pondría en rivalidad directa y desigual con el teatro. Sus triunfos los ha logrado en la presentación de esa vida psíquica que el teatro sólo puede tratar torpemente. Sus notas esenciales son la deliberada ausencia del "novelista omnisciente" y, en su lugar, la presencia de un "punto de vista" fiscalizado. James y Lubbock entienden la novela como obra que nos da alternativamente "descripción" y "drama", por lo cual entienden la conciencia que tiene el personaje de lo que va acaeciendo (tanto dentro como fuera de él), a diferencia de "escena", que, al menos en parte, es diálogo y representa con algún detalle un episodio o encuentro importante [25]. La "descripción" es tan "objetiva" como el "drama"; sólo que hace objetiva una subjetividad determinada, la de uno de los personajes (Madame Bovary o Strether), mientras que el "drama" es interpretación objetiva de diálogo y comportamiento. Esta teoría admite un desplazamiento del "punto de vista" (v. gr., del Príncipe a la Princesa en la segunda parte de *The Golden Bowl*), con tal que sea sistemático. También permite que dentro de la novela el autor se sirva de un personaje no desemejante del autor, que, o refiere la narración a unos amigos (como Marlow en *Youth*, de Conrad), o representa la conciencia a través de la cual se ve todo (como Strether en *The Ambassadors*): lo que importa es la objetividad consecuente de la novela. Si el autor ha de estar presente no siendo "en disolución", ha de ser reduciéndose a sí mismo o a aquel que lo representa a las mismas dimensiones y condición de los demás personajes [26].

Parte integrante del método objetivo es la presentación en el tiempo, el que el lector viva todo el proceso con los personajes. Hasta cierto punto, la "descripción" y el "drama" han de completarse siempre con el "resumen" (el "cinco días transcurren entre los actos primero y segundo" del teatro), pero ha de ser mínimo. La novela victoriana solía terminar con un capítulo en que se resumía el curso seguido posteriormente por los principales personajes, su casamiento y muerte; James Howells y sus contemporáneos ponen fin a esta costumbre, que consideraban un desatino artístico. Según la teoría objetivista, el autor no ha de anticipar nunca los hechos; ha de ir desplegando su pergamino, no dejándonos ver más que una línea cada vez. Ramón Fernández establece una distinción entre el *récit*, la narración de lo que ya ha ocurrido y se está refiriendo según las leyes de la exposición y la descripción, y el *roman* o novela, que representa acaecimientos que tienen lugar en el tiempo con arreglo al orden de un proceso natural [27].

Un artificio técnico característico de la novela objetiva es lo que los alemanes llaman *erlebte Rede* y los franceses *style indirect libre* (Thibaudet) y *monologue intérieur* (Dujardin); siendo el correspondiente inglés, libre, impreciso y amplio, el término *stream of consciousness*, que remonta a William James [28]. Dujardin define el "monólogo interior" como un artificio para "introducir directamente al lector en la vida interior del personaje, sin intervención alguna por parte del autor por vía de explicación o comentario..." y como "expresión de los pensamientos más íntimos, los que están más cerca de lo inconsciente...". En *The Ambassadors* —dice Lubbock— James no "refiere la historia del alma de Strether; hace que la propia alma la refiera, o sea que la dramatiza" [29]. La historia de estos artificios y de sus exponentes en todas las literaturas modernas no ha hecho más que empezar a estudiarse: el soliloquio shakespeariano es un antecedente; otro es Sterne, sirviéndose del pensamiento de Locke sobre la libre asociación de las ideas; otro precedente es el "análisis interno", es decir, el resumen que hace el autor del movimiento de pensamiento y sentimiento de un personaje [30].

Estas observaciones sobre nuestro tercer estrato, el del "mundo" de la ficción (asunto, personajes, marco) se han ilustrado principalmente a base de la novela; pero deben entenderse como aplicables también al drama, considerado como obra literaria. El estrato cuarto y último, el de las "cualidades metafísicas", lo hemos considerado como íntimamente relacionado con el "mundo", como equivalente a la "actitud ante la vida" o *tono* implícito en el mundo; pero de estas cualidades nos ocuparemos más detenidamente en nuestro estudio sobre la valoración.

CAPÍTULO XVII

GÉNEROS LITERARIOS

¿Es la literatura un conjunto de distintos poemas, obras dramáticas y novelas que comparten un nombre común? Así se ha afirmado, con respuesta nominalista, en nuestra época, sobre todo por Croce[1]. Pero la respuesta de Croce, aunque comprensible como reacción contra extremosidades de autoritarismo clásico, no se ha acreditado por hacer justicia a los hechos de la vida y la historia literarias.

El género literario no es un simple nombre, ya que la convención estética de que una obra participa da forma a su carácter. Los géneros literarios "pueden considerarse como imperativos institucionales que se imponen al escritor y, a su vez, son impuestos por éste"[2]. Milton, tan libertario en política y en religión, era tradicionalista en poesía, obseso —como admirablemente dice W. P. Ker— por "la idea abstracta de la épica". Milton sabía "cuáles son las leyes de un verdadero poema épico, de una obra dramática, de un poema lírico"[3]; pero también sabía ajustar, distender, modificar las formas clásicas; sabía cristianizar y miltonizar la *Eneida*, así como en *Samson* supo referir su historia personal a través de una leyenda popular hebrea tratada a modo de tragedia griega.

El género literario es una "institución", como lo es la Iglesia, la Universidad o el Estado. Existe no como existe un animal, o incluso como un edificio o una capilla, una biblioteca o un Capitolio, sino como existe una institución. Cabe trabajar, expresarse a través de instituciones existentes, crear otras nuevas o seguir adelante en la medida de lo posible sin compartir políticas o rituales; cabe también adherirse a instituciones para luego reformarlas [4].

La teoría de los géneros literarios es un principio de orden: no clasifica la literatura y la historia literaria por el tiempo o el lugar (época o lengua nacional), sino por tipos de organización o estructura específicamente literarias [5]. Todo estudio crítico y valorativo —a distinción de histórico—. implica de algún modo la referencia a tales estructuras. Por ejemplo, el juicio sobre un determinado poema obliga a apelar a la propia experiencia y concepción total, descriptiva y normativa, de la poesía, aunque, por supuesto, la propia concepción de la poesía, a su vez, va modificándose siempre con la experiencia y el enjuiciamiento de nuevos poemas.

¿Va implícito en una teoría de los géneros literarios el supuesto de que toda obra pertenece a un género? Esta cuestión no se plantea en ninguno de los estudios que conocemos. Si tuviéramos que contestarla por analogía con el mundo natural, tendríamos que responder, sin duda, en sentido afirmativo: hasta la ballena y el murciélago pueden clasificarse; y admitimos la existencia de seres que constituyen una transición de un reino natural a otro. Se podría ensayar toda una serie de nuevas formulaciones que hicieran resaltar nuestra cuestión con mayor nitidez. ¿Guarda toda obra relaciones literarias suficientemente directas con otras obras, de modo que facilite su estudio el estudio de las demás obras? A su vez, ¿hasta qué punto va implícita la "intención" en la idea de género? ¿Intención por parte de un precursor o intención por parte de otros? [6].

¿Quedan fijos los géneros? Es de suponer que no. Cuando aparecen nuevas obras, nuestras categorías se desplazan; analícese como prueba de lo dicho el efecto que *Tristram Shandy* o el *Ulysses* ejercieron sobre la teoría de la novela. Cuando Milton escribió *El Paraíso perdido,* lo consideró parejo a la *Ilíada* y a la *Eneida;* sin duda distinguiríamos netamente entre épica oral y épica literaria, adscribamos o no la *Ilíada* a la primera forma. Probablemente Milton no hubiera admitido nunca que la *Faerie Queene* es una composición épica, aunque escrita en tiempos en que la épica y la narrativa aún no se habían separado y en que se consideraba predominante el carácter alegórico de la épica; sin embargo, Spenser creía, sin duda, componer un poema del género de los de Homero.

En rigor, hay una clase característica de labor crítica que parece consistir en el descubrimiento y difusión de una nueva agrupación, de una nueva estructura de género: así, Empson pone como ejemplos de pastoral a *Como gustéis, The Beggar's Opera* y *Alicia en el país de las maravillas. Los hermanos Karamásov* quedan clasificados entre otras novelas de crimen y misterio.

Los textos clásicos de teoría de los géneros son Aristóteles y Horacio. A partir de ellos, consideramos la tragedia y la épica los géneros característicos (y los dos géneros mayores). Pero al menos a Aristóteles no se le ocultan tampoco otras distinciones y de carácter más fundamental, cuales son las que existen entre el drama, la épica y la lírica. En su mayor parte, la teoría literaria moderna se inclina a borrar la distinción entre prosa y poesía, y por tanto a dividir la literatura imaginativa (*Dichtung*) en ficción (novela, cuento, épica), drama (sea en prosa, sea en verso) y poesía (centrada en lo que corresponde a la antigua "poesía lírica").

Viëtor indica muy justamente que el término "género" no debiera utilizarse para estas tres categorías más o menos definitivas y a la vez para formas históricas como la tragedia y la comedia[7]; y estamos de acuerdo en que debe aplicarse a estas últimas, esto es, a formas históricas. No es fácil forjar un término para las primeras, que en la práctica quizá no se necesite[8]. Ya en Platón y en Aristóteles se distinguen los tres géneros mayores con arreglo al "modo de imitación" (o "representación"): la poesía lírica es la *persona* del propio poeta; en la poesía épica (o en la novela), el poeta habla en parte en primera persona, como narrador, y en parte hace hablar a sus personajes en estilo directo (narrativa mixta); en el drama, el poeta desaparece detrás de sus personajes[9].

Se han hecho ensayos de poner de manifiesto la naturaleza fundamental de estos tres géneros distribuyendo entre ellos las dimensiones del tiempo e incluso la morfología lingüística. En su carta a Davenant, Hobbes intentó algo parecido cuando habiendo dividido el mundo en corte, ciudad y campo, estableció tres clases fundamentales correlativas de poesía: la heroica (épica y tragedia), la escomática (sátira y comedia) y la pastoral[10]. E. S. Dallas, crítico inglés de talento que conocía el pensamiento crítico de los Schlegel como el de Coleridge[11], encuentra tres clases fundamentales de poesía: "drama, cuento y canción", que luego desarrolla en una serie de esquemas de carácter más alemán que inglés. Establece las siguientes equivalencias: dramática = segunda persona del presente; épica = tercera persona del pasado; y lírica = primera persona del singular del futuro. En cambio, John Erskine, que en 1912 publicó una interpretación de los géneros literarios fundamentales de "temperamento" poético, considera que la lírica expresa el tiempo presente; pero, adoptando el punto de vista de que la tragedia muestra el día del juicio del pasado del hombre —su carácter acumulado en su destino— y la épica el destino de una nación o raza, llega a lo que, si no se hace otra cosa que plasmarlo en catálogo, parece una forzada identificación del drama con el pretérito y de la épica con el futuro [12].

En espíritu y en método, la interpretación ético-psicológica de Erskine está muy lejos del intento de los formalistas rusos como Roman Jakobson, que tratan de poner de manifiesto la correspondencia entre la estructura gramatical fija de la lengua y los géneros literarios. La lírica —declara Jakobson— es la primera persona del singular del presente, en tanto que la épica es la tercera persona del pretérito (el "yo" del narrador épico se ve realmente desde el flanco como tercera persona: *"dieses objektivierte Ich"* [13]).

Estos estudios de los géneros fundamentales, que de un lado los vinculan a la morfología lingüística y del otro a la actitud última del poeta ante el mundo, no prometen resultados objetivos, a pesar de su "sugestivo" carácter. Cabe realmente poner en duda que estos tres géneros tengan semejante carácter fundamental, incluso a modo de partes componentes que puedan combinarse de diversas maneras.

Constituye, sin duda, una dificultad el hecho de que en nuestra época el drama se asiente sobre una base distinta de la base de la épica ("ficción", novela) y de la lírica. Para Aristóteles y los griegos, la épica era objeto de representación pública, o al menos oral: Homero era poesía recitada por rapsodas como Ion. La poesía elegíaca y yámbica tenía acompañamiento de flauta; la poesía mélica, de lira. En nuestros días, lo más corriente es que los poemas y novelas los lea cada cual para sí y sólo con la vista [14]. Pero el drama sigue siendo, como entre los griegos, un arte mixto, que sin duda es primordialmente literario, pero que implica también "espectáculo", que hace uso de la habilidad de los actores y del director de escena y de la pericia del figurinista y del electricista [15].

Ahora bien: si se elude esta dificultad reduciendo los tres géneros a su común carácter literario, ¿cómo habrá de establecerse la distinción entre obra dramática y cuento? En el cuento norteamericano reciente (v. gr., *Los forajidos*, de Hemingway) se aspira a la objetividad de la obra dramática, al puro diálogo. Pero la novela tradicional, al igual que la épica, mezcla el diálogo, o presentación directa, con la narración; en rigor, Escalígero y otros constructores de escalas genéricas consideraban la épica como el más elevado de los géneros, en parte por comprender a todos los demás. Si la épica y la novela son formas compuestas, entonces en los géneros fundamentales hemos de desglosar sus partes componentes, clasificándolas en algo así como "narración directa" y "narración mediante diálogo" (drama no representado); y, en tal caso, nuestros tres géneros fundamentales pasan a ser narración, diálogo y canción. Así reducidos, purificados, fijados, ¿son más fundamentales estos tres géneros literarios que, pongamos por caso, la trilogía "descripción, exposición, narración"? [16].

Pasemos de estos "géneros fundamentales" —poesía, ficción y teatro— a los que podrían considerarse sus subdivisiones: el crítico del siglo XVIII Thomas Hankins estudia el teatro inglés refiriéndose a "sus varias especies, es decir, misterio, alegoría, moral, tragedia y comedia". En el siglo XVIII, las obras de imaginación en prosa eran de dos especies: novela y "*romance*". Creemos que estas "subdivisiones" de grupos del segundo orden son lo que generalmente entenderíamos por "géneros".

Los siglos XVII y XVIII son siglos que toman en serio los géneros; sus críticos son hombres para los cuales los géneros existen, son reales [17]. Que los géneros son distintos —y también que deben mantenerse tales— es artículo general de fe neoclásica; pero si acudimos a la crítica neoclásica para definir el género o establecer un método con que distinguir un género de otro, encontramos falta de consecuencia o incluso menguada conciencia de la necesidad de fundamento racional. El canon de Boileau, por ejemplo, comprende la pastoral, la elegía, la oda, el epigrama, la sátira, la tragedia, la comedia y la épica; sin embargo, Boileau deja sin definir la base de esta tipología (acaso porque entienda la tipología misma como dada históricamente, no como construcción racionalista). ¿Se diferencian los géneros establecidos por Boileau por su tema, su estructura, su forma de versificación, su extensión, su tono emocional, su *Weltanschauung* o por su público? No cabe contestar a esta pregunta. Pero sí es lícito decir que, para muchos neoclásicos, la noción toda de los géneros resulta tan evidente, que no plantea problema general en absoluto. Hugo Blair (*Rhetoric and Belles Lettres*, 1783) dedica una serie de capítulos a los géneros principales, pero no hace estudio introductorio alguno de los géneros ni de los principios de clasificación literaria. Los géneros que elige tampoco tienen cohesión metodológica o de otra naturaleza. La mayoría de ellos se remontan a los griegos, pero no todos. Blair estudia detenidamente la "poesía descriptiva", en que —dice— "pueden desplegarse los más elevados empeños del genio", frase con que no quiere decir, sin embargo, "una particular especie o forma de composición", ni siquiera, palmariamente, en el sentido en que cabe hablar de una especie de "poema didáctico": *De Rerum Natura* o *The Essay on Man*. De la "Poesía descriptiva" pasa Blair a "La poesía de los hebreos", que entiende que "muestra el mal gusto de una época y país remotos", que es exponente de poesía oriental —aunque Blair no afirma esto en parte alguna ni lo advierte del todo—, de poesía completamente distinta de la tradición greco-romano-francesa predominante. Después procede a estudiar lo que, dentro de la más completa ortodoxia, llama "las dos clases más altas de composición poética: la épica y la dramática". En cuanto a esta última, pudiera haber sido más preciso llamándola "la tragedia".

La teoría neoclásica no explica ni expone ni defiende la doctrina de los géneros ni el fundamento de su diferenciación. Hasta cierto punto, se ocupa de temas tales como la pureza de género, la jerarquía, la duración, la adición de nuevos géneros.

Como históricamente el neoclasicismo fue una mezcla de autoritarismo y de racionalismo, obró de fuerza conservadora dispuesta a atenerse en todo lo posible a los géneros de origen clásico, sobre todo los poéticos, y a adaptarlos. Pero Boileau admite el soneto y el madrigal; y Johnson elogia a Denham por haber inventado en *Cooper's Hill* "un nuevo esquema poético", una "especie de composición que puede llamarse poesía local"; y a las *Seasons*, de Thomson, las califica de "poema... de una nueva especie", y de "original" al "modo de pensar y de expresar [en dicho poema] sus pensamientos".

La pureza de género, doctrina históricamente invocada por los adeptos de la tragedia clásica francesa, por contraposición a la tragedia isabelina, que tolera escenas cómicas (los sepultureros de *Hamlet*, el portero borracho de *Macbeth*), es horaciana cuando es dogmática y aristotélica cuando es apelación a la experiencia y al hedonismo culto. La tragedia —dice Aristóteles— "debe producir, no cualquier placer casual, sino el que le es propio..." [18].

La jerarquía de los géneros responde, en parte, a un cálculo hedonístico: en sus formulaciones clásicas, la gradación del deleite no es, sin embargo, cuantitativa en el sentido de mera intensidad o de número de lectores o de espectadores que de él participan. Diríamos que es una mezcla de lo social, lo moral, lo estético, lo hedonístico y lo tradicional. No se desatienden las proporciones de la obra literaria: los géneros más pequeños, como el soneto o aun la oda, no pueden —parece axiomático— alinearse con la épica y la tragedia. Los poemas "menores" de Milton corresponden a los géneros menores (v. gr.: el soneto, la *canzone*, la pantomima); sus poemas "mayores" son una tragedia "regular" y dos poemas épicos. Si aplicáramos la prueba cuantitativa a los dos litigantes mayores, vencería la épica. Sin embargo, al llegar a este punto, Aristóteles titubeó, y, tras examinar los criterios contrapuestos, concedió la primacía a la tragedia, en tanto que los críticos renacentistas, más consecuentemente, dieron la preferencia a la épica. Aunque luego se producen no pocas fluctuaciones entre las pretensiones de los dos géneros, los críticos neoclásicos, como Hobbes o Dryden o Blair, se contentan en su mayoría con concederles posesión conjunta de la primacía.

Pasemos ahora a otro tipo de agrupaciones, aquellas en que la forma de la estrofa y el metro constituyen los determinantes. ¿Cómo habremos de clasificar el soneto, el rondó, la balada? ¿Son géneros, o son cosa distinta, o son menos que géneros? La mayoría de los escritores franceses y alemanes recientes se inclinan a calificarlos de "formas fijas" y, como clase, a diferenciarlos de los géneros. Sin embargo, Viëtor hace una excepción, al menos en cuanto al soneto se refiere; nosotros nos inclinaríamos a una inclusión más amplia. Pero aquí pasamos de la terminología a los criterios definidores: ¿existe el género "verso octosílabo" o "verso dipódico"? Nos inclinamos a decir que sí y a pensar que, por contraposición a la norma inglesa del pentámetro yámbico, es probable que el poema dieciochesco en octosílabos o el poema de principios del siglo xx en dipódicos constituya una clase particular de poema en tono o en *ethos* [19]; que no tratamos simplemente de una clasificación con arreglo a metros, sino de algo más amplio, de algo que tiene forma "interna" tanto como forma "externa".

Creemos que el género debe entenderse como agrupación de obras literarias basada teóricamente tanto en la forma exterior (metro o estructura específicos) como en la interior (actitud, tono, propósito; dicho más toscamente: tema y público). La base ostensible puede ser una u otra (v. gr.: "pastoral" y "sátira" para la forma interior; verso dipódico y oda pindárica para la exterior); pero el problema crítico será entonces encontrar la *otra* dimensión para completar el diagrama.

A veces se produce un instructivo desplazamiento: tanto en la poesía inglesa como en los arquetipos griegos y romanos, la "elegía" arranca con el dístico elegíaco; no obstante, los antiguos poetas elegíacos no se limitaban a lamentarse por los muertos, como tampoco se limitaban a ello Hammond y Shenstone, los predecesores de Gray. Pero la *Elegy* de este último, escrita en cuartetas heroicas, no en dísticos, destruye eficazmente toda pervivencia de la elegía en inglés como tierno poema personal escrito en dísticos.

Sería lícita la inclinación a desentenderse de la historia de los géneros después del siglo xviii, aduciendo como razón el hecho de que las exigencias formales y las pautas estructurales reiterativas se han extinguido en su mayor parte. Esta vacilación se repite en los estudios franceses y alemanes sobre el género, acompañada por la idea de que el siglo comprendido entre 1840 y 1940 constituye probablemente un período literario anómalo y que en el futuro volveremos sin duda a una literatura más atenida a los géneros.

Sin embargo, parece preferible decir que el concepto de género cambia en el siglo xix y no —menos todavía la práctica de componer en un determinado género— que desaparece. Al aumentar enormemente el público lector en el siglo xix, nacen más géneros, y con la mayor rapidez de difusión debida a la baratura de la imprenta, son más efímeros o pasan por transiciones más rápidas. En el siglo xix y en el nuestro, el término "género" presenta la misma dificultad que el de "período": tenemos conciencia de los rápidos cambios que se producen en la moda literaria: una nueva generación literaria cada diez años, más que cada cincuenta: en la poesía norteamericana, la época del verso libre, la época de Eliot, la de Auden. Vistas a mayor distancia, puede considerarse que todas estas notas específicas tienen un rumbo y carácter comunes (así como hoy consideramos románticos ingleses a Byron, Wordsworth y Shelley)[20].

¿Cuáles son los exponentes decimonónicos de género literario? Van Tieghem y otros señalan constantemente la novela histórica[21]. ¿Qué decir de la "novela política"? (tema de una monografía de M. E. Speare). Y si existe una novela política, ¿no existe también el género novela eclesiástica, que comprende *Robert Elsemere* y *The Altar Steps* de Compton Mackenzie, así como *Barchester Towers* y *Salem Chapel*? No. En éstas, la novela "política" y la novela "eclesiástica", parece que hemos pasado a una agrupación basada exclusivamente en el tema, a una clasificación puramente sociológica, y claro es que por ese camino podemos seguir indefinidamente: novela del movimiento de Oxford, semblanza de maestros en la novela del siglo XIX, marinos en la novela del siglo XIX y asimismo novelas del mar. ¿En qué se diferencia entonces la "novela histórica"? Se diferencia no sólo en que su asunto es menos restringido, es decir, nada menos que el pasado todo, sino principalmente en sus vínculos con el movimiento romántico y con el nacionalismo, en el nuevo sentimiento y la nueva actitud hacia el pasado que implica. Ejemplo más elocuente aún es la novela de terror, que empieza en el siglo XVIII con *El Castillo de Otranto* y llega hasta los tiempos actuales. Constituye un género según todos los criterios que cabe invocar para un género de narración en prosa: presenta no solamente un asunto o temática limitada y continua, sino también un repertorio de artificios (descriptivo-accesorios y narrativos, verbigracia: castillos en ruinas, horrores católico-romanos, retratos misteriosos, pasadizos secretos en los que se penetra por paredes giratorias; raptos, encarcelamientos, persecuciones a través de selvas solitarias); hay, además, un *Kunstwollen*, una voluntad artística, un empeño estético, un propósito de provocar en el lector una clase especial de horror y de emoción placenteros ("piedad y terror" acaso murmurara algún cultivador de este género) [22].

En general, nuestra concepción del género debe inclinarse del lado formalista, es decir, inclinarse a reducir a género los octosílabos hudibrásticos (o sea heroico-burlescos) o el soneto más que la novela política o la novela sobre el obrero industrial: pensamos en géneros "literarios", no en clasificaciones temáticas que también sería posible establecer para obras no imaginativas. La *Poética* de Aristóteles, que *grosso modo* señala como géneros poéticos fundamentales la épica, la tragedia y la lírica ("mélica"), atiende a diferenciar los medios de expresión y la adecuación de cada una al propósito estético del género: el drama está en verso yámbico por ser el más próximo a la conversación, en tanto que la épica exige el hexámetro dactílico, que no recuerda para nada el diálogo. "Si se compusiera un poema narrativo en cualquier otro metro o en varios, parecería impropio, pues el verso heroico es el más majestuoso y grave y, por tanto, el que más fácilmente admite palabras extrañas y metáforas y ornamentos de todas clases..." [23]. El plano de la "forma" que está inmediatamente por encima del "metro" y de la "estrofa" sería la "estructura" (verbigracia: una clase especial de organización del asunto): esto es lo que se encuentra, al menos hasta cierto punto, en la épica y tragedia tradicionales, es decir, imitativas de la griega (comienzo *in medias res*, la "peripecia" de la tragedia, las unidades). Sin embargo, no todos los "artificios clásicos" resultan estructurales. La descripción del combate y el descenso a las regiones infernales parece que pertenecen al asunto o tema. En la literatura posterior al siglo XVIII, este plano no es tan fácil de determinar, excepto en el drama "bien hecho" o en la novela policíaca (el misterio del asesinato) en que el argumento constituye tal estructura. Pero incluso en la tradición chejoviana del cuento existe una organización, una estructura, sólo que de clase distinta de la del cuento de Edgar Poe o de O. Henry (podemos llamarla una organización menos trabada, si se quiere) [24].

Todo el que se interese por la teoría de los géneros debe cuidar de no confundir las diferencias distintivas de la teoría "clásica" y las de la teoría moderna. La teoría clásica es normativa y preceptiva, aunque sus "reglas" no son el bobo autoritarismo que aún se les atribuye a menudo. La teoría clásica no sólo cree que un género difiere de otro, tanto por naturaleza como en jerarquía, sino también que hay que mantenerlos separados, que no se deben mezclar. Tal es la famosa doctrina de la "pureza del género", del *"genre tranché"* [25]. Aunque nunca se desenvolvió con consecuencia rigurosa, implicaba un verdadero principio estético (no simplemente un conjunto de distinciones de casta): la apelación a una rígida unidad de tono, a una pureza y "sencillez" estilizadas, a la concentración en una sola emoción (terror o hilaridad) así como en un solo asunto o tema. Contenía también la apelación a la especialización y al pluralismo: cada clase de arte tiene sus posibilidades propias y entraña un placer propio. ¿Por qué ha de tratar la poesía de ser "pintoresca" o "musical", o la música de referir un cuento o describir una escena? Aplicando en tal sentido el principio de la "pureza estética", llegamos a la conclusión de que una sinfonía es más "pura" que una ópera o que un oratorio (que es tanto coral como orquestal), pero que un cuarteto de cuerda es más puro todavía, ya que sólo hace uso de uno de los coros orquestales, dejando a un lado los instrumentos de viento, el metal y los instrumentos de percusión.

La teoría clásica también tenía su diferenciación social de los géneros. La épica y la tragedia tratan de asuntos de reyes y nobles; la comedia, de los de la clase media (la ciudad, la burguesía); la sátira y la farsa, los de la gente común. Y esa tajante distinción en las *dramatis personae* propias de cada género tiene sus concomitantes en la doctrina del "decorum" ("mores" de clase) y en la clasificación, en la separación de estilos y dicciones en elevados, medios y bajos [26]. La teoría clásica tenía también su jerarquía de géneros, en que no sólo importaban como elementos el rango de los personajes y el estilo, sino también la duración, la extensión y la seriedad de tono.

Es probable que el que modernamente simpatice con la "genología" (como Van Tieghem llama a nuestro estudio) [27] quiera defender la doctrina neoclásica y realmente crea que se podría defender mucho mejor (sobre la base de la teoría estética) de lo que en rigor la defendieron sus teóricos. Esta tesis la hemos expuesto en parte al exponer el principio de la pureza estética. Pero no debemos reducir la "genología" a una sola tradición o doctrina. El "clasicismo" no toleraba otros sistemas, géneros, formas estéticos, y, en rigor, no tenía conciencia de ellos. En vez de reconocer la catedral gótica como "forma", una forma más compleja que el templo griego, no encontraba en ella más que cosa amorfa, carácter informe. Así con los géneros. Toda "cultura" tiene sus géneros: la china, la árabe, la irlandesa; asimismo hay "géneros" primitivos orales. La literatura medieval abundaba en géneros [28]. No hay por qué defender el carácter "definitivo" de los géneros grecorromanos, ni tampoco, en su forma grecorromana, la doctrina de la pureza de los géneros, que remite a una sola clase de criterio estético.

La moderna teoría de los géneros es manifiestamente descriptiva. No limita el número de los posibles géneros ni dicta reglas a los autores. Supone que los géneros tradicionales pueden "mezclarse" y producir un nuevo género (como, por ejemplo, la tragicomedia). Ve que los géneros pueden construirse sobre la base de la inclusividad, de la complejidad o "riqueza" lo mismo que sobre la de "pureza" (género por acumulación lo mismo que por reducción). En vez de recalcar la distinción entre género y género, le interesa —después del hincapié romántico en la unicidad de cada "genio original" y de cada obra de arte— hallar el común denominador de los géneros, los artificios y propósitos literarios que comparten.

El placer que se encuentra en una obra literaria está compuesto por dos sensaciones: la de novedad y la de reconocer algo. En música, la forma de sonata y la fuga son ejemplos evidentes de estructuras que hay que reconocer; en la novela de misterio hay el gradual estrecharse de la trama, la convergencia gradual (como en *Edipo*) de las pruebas. La pauta totalmente familiar y reiterativa es aburrida; la forma enteramente nueva sería ininteligible; es, en rigor, inconcebible. El género representa, por así decir, una suma de artificios estéticos a disposición del escritor y ya inteligibles para el lector. El buen escritor se acomoda en parte al género, y en parte lo distiende. En general, los grandes autores —Shakespeare, Racine, Molière, Jonson, Dickens y Dostoyevskii— rara vez son inventores de géneros, entrando por los cauces trazados por otros hombres.

Uno de los valores evidentes del estudio de los géneros es precisamente el hecho de que llame la atención sobre el desenvolvimiento interno de la literatura, lo que Henry Wells llama "genética literaria" (en *New Poets from Old,* 1940). Sean cuales fueren las relaciones de la literatura con otras esferas de valor, las obras sufren la influencia de otras obras; las obras imitan, parodian, transforman otras obras, y no sólo en el caso de las que las siguen en estricta sucesión cronológica. Para definir los géneros modernos, lo mejor que probablemente cabe hacer es partir de una determinada obra o autor que haya ejercido influencia profunda y buscar sus reverberaciones: la repercusión literaria de Eliot y Auden, de Proust y Kafka.

Hemos de suscitar ahora algunos puntos importantes para la teoría de géneros, aunque sólo podemos brindar interrogantes y tanteos. Una de las cuestiones atañe a la relación entre los géneros primitivos (los de la literatura popular u oral) y los de una literatura desarrollada. Schklovsky, uno de los formalistas rusos, afirma que las nuevas formas de arte son "simplemente la canonización de géneros inferiores (infraliterarios)". Las novelas de Dostoyevskii constituyen una serie de novelas de crímenes, de *romans à sensation* ennoblecidas; "las composiciones líricas de Puschkin proceden de versos de álbum; las de Blok, de cantos de gitanos; las de Mayakovsky, de poesía de revistas satíricas" [29]. Berthold Brecht en alemán y Auden en inglés son exponentes del intento deliberado de transformar así la poesía popular en literatura seria, a lo que cabría llamar el punto de vista según el cual la literatura necesita renovarse constantemente mediante la "rebarbarización" [30]. Una concepción análoga, la de André Jolles, mantiene que las formas literarias complejas son desarrollo de unidades más simples. Jolles afirma que los géneros primitivos o elementales, combinando los cuales se puede llegar a todos los demás, son: *Legende, Sage, Mythe, Rätsel, Spruch, Kasus, Memorabile, Märchen, Witz* [31]. La historia de la novela aparece como exponente de tal desarrollo: su madurez en *Pamela, Tom Jones* y *Tristram Shandy* se ha nutrido de formas simples, "*einfache Formen*", como la carta, el diario, el libro de viajes (o de "viajes imaginarios"), la memoria, el "carácter" del siglo XVII, el ensayo, así como la comedia, la épica y el romance.

Otra cuestión atañe a la continuidad de los géneros. Se conviene en general en que Brunetière hizo un flaco servicio a la "genología", la ciencia de los géneros, con su teoría cuasi-biológica de la "evolución", sentando conclusiones tales como la de que, en la historia literaria francesa, la oratoria de púlpito del siglo XVII se convierte (después de un hiato) en la poesía lírica ochocentista [32]. Esta pretendida continuidad, como el parentesco que Van Tieghem encuentra entre la épica homérica y las novelas de Waverley, el romance cortesano en verso y la moderna novela psicológica, nexos entre obras separadas en el espacio y en el tiempo, parece basada en analogías en las tendencias de autores y público, en "*quelques tendances primordiales*". Pero Van Tieghem interrumpe esta clase de analogías para hacer observar que estos vínculos no representan "*les genres littéraires —proprement dits—*" [33]. Sin duda tendríamos que encontrar alguna continuidad formal estricta para poder afirmar la sucesión y unidad de los géneros. ¿Es la tragedia un género? Reconocemos períodos y formas nacionales de tragedia: tragedia griega, isabelina, clásica francesa, alemana del siglo XIX. ¿Constituyen éstas otros tantos géneros separados o constituyen especies de un solo género? La respuesta a esta cuestión parece depender, al menos en parte, de la continuidad formal desde la antigüedad clásica y, en parte también, de la intención. Cuando llegamos al siglo XIX, la cuestión aumenta en dificultad: ¿qué decir de *El huerto de los cerezos* y *La Gaviota*, de Chéjov; de *Fantasmas*, *Rosmersholm* y *El maestro de obras*, de Ibsen? ¿Son tragedias? El vehículo literario ha cambiado de verso a prosa y ha cambiado también el concepto de "héroe trágico".

Estos problemas nos llevan a la cuestión relativa a la naturaleza de una historia de los géneros. Se ha dicho, por una parte, que escribir una historia crítica es imposible (ya que tomar por norma la tragedia shakespeareana es hacer injusticia a la griega y la francesa), y, por otra, que una historia sin filosofía de la historia es simple crónica [34]. Las dos afirmaciones tienen fuerza. La respuesta parece ser que la historia de la tragedia isabelina se puede escribir en función de su evolución hacia Shakespeare y de su decadencia respecto de éste, pero que todo lo que se parezca a una historia de la tragedia tendrá que ejercitar un método doble, es decir, definir la "tragedia" en función del denominador común y determinar a modo de crónica los vínculos entre una escuela trágica de un período y un país y su sucesora, pero superponiendo en este *continuum* un sentido de las secuencias críticas (verbigracia: la tragedia francesa de Jodelle a Racine y de Racine a Voltaire).

Es evidente que el tema del género plantea cuestiones centrales de historia y crítica literaria y de su recíproca relación. Pone en un contexto específicamente literario las cuestiones filosóficas referentes a la relación entre la clase y los individuos que la componen, la unidad y la pluralidad, la naturaleza de los universales.

Capítulo XVIII

VALORACIÓN

Conviene hacer una advertencia previa sobre el sentido que aquí se da a las palabras "valoración literaria". Cuando se dice que a lo largo de la historia la humanidad ha "valorado" la literatura, oral y escrita, se quiere decir que se ha interesado por la literatura, que la ha apreciado y le ha atribuido valor positivo. Pero el sentido del término cambia al decir que críticos y filósofos han valorado la literatura u obras literarias específicas, porque, en efecto, al formular tal valoración pueden llevar a un veredicto negativo. De la experiencia del interés pasamos al acto de juicio. Calibramos el rango o jerarquía de un objeto o de un interés por referencia a una norma, por aplicación de criterios, por comparación con otros objetos e intereses. Si no fuera extraño al uso, podríamos hablar en el primer caso de valoración y en el segundo de "evaluación" *.

Si intentamos describir con algún detalle el interés de la humanidad por la literatura, tropezaremos con dificultades de definición. La literatura, en sentido moderno, sólo va destacándose muy gradualmente del conglomerado cultural de canción, danza y ritual religioso en que parece originarse. Y si hemos de describir la afición de la humanidad a la literatura, habremos de analizar el hecho de esta afición en sus partes componentes. ¿Por qué, en rigor, se ha atribuido valor a la literatura? ¿Qué clases de valor o de valores o de interés

---

* No ha sido posible reproducir en español el juego entre "value" y "evaluate" del original inglés, lo cual ha obligado a modificar el párrafo.

se han encontrado en ella? Muchísimas, habremos de contestar. La sumaria fórmula horaciana *dulce et utile* podría traducirse por "esparcimiento" y "edificación", o por "juego" y "trabajo", o por "valor final" y "valor instrumental", o por "arte" y "propaganda", o sea, arte como fin en sí mismo y arte como ritual comunal y vínculo cultural.

Si ahora inquirimos por algo normativo —¿cómo debiera valorarse, en ambos sentidos del término, la literatura?—, se impondrá responder con algunas definiciones. Hay que valorar, apreciar la literatura por ser lo que es; hay que valorarla, evaluarla en función de su valor literario y según el grado de éste[1]. La naturaleza, la función y la valoración de la literatura han de darse forzosamente en íntima correlación. La utilización de una cosa —su utilización habitual o más acertada o propia— ha de ser la utilización a que su naturaleza (o estructura) la destina. Su naturaleza es en potencia lo que su función es en acto. Es lo que puede hacer; puede y debe hacer lo que es. Hemos de apreciar las cosas por lo que son y por aquello para lo que pueden servir, y valorarlas por comparación con otras cosas de naturaleza y función análogas.

Debemos valorar la literatura en función de su naturaleza propia. Ahora bien, ¿cuál es su naturaleza propia? ¿Qué es la literatura *como tal?* ¿Qué es la literatura "pura"? La formulación de las cuestiones implica algún proceso analítico o de reducción; responder así es llegar a concepciones de "poesía pura" —imaginismo o ecolalia—. Pero si por este camino tratamos de ahondar en el concepto de pureza, tendremos que romper la amalgama de imágenes visuales y eufonía descomponiéndola en pintura y música, y la poesía se esfuma.

Tal concepción de la pureza se basa en el análisis de los elementos. Es mejor que partamos de la organización y la función. Lo que determina que una obra de arte sea o no sea literatura no son los elementos de que consta, sino cómo se componen éstos y con qué función[2]. En su celo reformador, ciertos defensores pretéritos de la "literatura pura" calificaban de "herejía didáctica" la mera presencia de ideas éticas o sociales en una novela o en un poema. Pero la literatura no queda profanada por la presencia de ideas usadas literariamente, empleadas como parte integrante de la obra literaria —como materiales—, al igual que los personajes y los ambientes. La "pureza"

de la literatura, según la definición moderna, estriba en carecer de
designio práctico (propaganda, incitación a la acción directa) y de
finalidad científica (aportación de datos, hechos, "incremento del saber"). Con esto no queremos decir que la novela o el poema carezcan
de "elementos", de elementos independientes, autónomos, que pueden
tomarse práctica o científicamente cuando se separan del contexto.
Tampoco queremos decir que una novela o poema "puros" no puedan
interpretarse "impuramente" en conjunto. De todas las cosas se puede
usar mal o impropiamente, es decir, haciéndolas desempeñar funciones que no atañen de un modo cardinal a su naturaleza:

> As some to church repair
> Not for the doctrine but the music there *.

En su tiempo, "La Capa" y *Almas muertas* de Gógoll se interpretaron
mal, incluso por críticos inteligentes. Sin embargo, la idea de que
fueran propaganda, yerro explicable si se toman aisladamente algunos
de los pasajes y elementos que contienen, a duras penas puede con-
ciliarse con la complejidad de su organización literaria, de sus complicados artificios de ironía, parodia, juegos de palabras, comicidad y
remedos.

Al definir así la función de la literatura, ¿hemos resuelto algo?
En cierto sentido se podría decir que toda la cuestión que en estética se debate está entre la tesis que afirma la existencia de una
"experiencia estética" separada, irreductible (reino autónomo de arte)
y la que hace de las artes instrumentos de la ciencia y de la sociedad,
que niega un *tertium quid* como el "valor estético", intermedio entre
el "conocimiento" y la "acción", entre ciencia y filosofía, por una
parte, y ética y política, por otra [3]. No es forzoso, por supuesto,
negar que las obras de arte tengan valor porque se niegue un "valor
estético" último, irreductible: cabe sencillamente "reducir", frag-
mentar, distribuir los valores de la obra de arte, o del arte, entre
los que se tienen por sistemas "reales", fundamentales de valor. Como
hacen algunos filósofos, cabe considerar las artes como formas primitivas e inferiores de conocimiento, o, como suelen algunos reforma-

---

* Como algunos acuden a la iglesia no por la doctrina que en ella
se explica, sino por la música que allí se oye.

dores, calibrarlas en función de su supuesta eficacia para provocar la acción. Acaso se encuentre el valor de las artes (sobre todo de la literatura) precisamente en su inclusividad, en su inclusividad de la que es ajena toda especialización. Para escritores y críticos, ésta es pretensión más grandiosa que la de pericia en la construcción o interpretación de obras de arte literarias. Confiere al ingenio literario una "autoridad" profética final, la posesión de una "verdad" distintiva más amplia y profunda que las verdades de la ciencia y la filosofía. Pero, por su misma ambición, estas grandes pertensiones son difíciles de defender, salvo en esa clase de juego en que cada esfera de valor —sea religión, filosofía, economía o arte— pretende, en su forma ideal propia, encerrar todo lo que hay de mejor o de real en las demás [4]. Admitir que la condición de la literatura es semejante a la de las bellas artes les parece timidez y traición a algunos de sus defensores. La literatura ha pretendido ser una forma superior de conocimiento y también de acción ética y social. Retirar estas pretensiones, ¿no es renunciar tanto a un empeño como una condición? ¿Y no ha de pretender cada esfera (como toda nación en expansión y todo individuo ambicioso dotado de confianza en sí mismo), no ha de pretender más de lo que espera que le concedan sus vecinos y rivales?

Hay, pues, apologistas literarios que niegan que la literatura pueda tratarse propiamente en estética como una de las "bellas artes". Otros niegan conceptos como "valor estético" y "experiencia estética" en cuanto afirman o implican una categoría única. ¿Existe una esfera autónoma claramente delimitada de "experiencia estética" o de objetos y cualidades estéticos, capaces, por su naturaleza, de provocar tal experiencia?

La mayoría de los filósofos posteriores a Kant y la mayor parte de los que se preocupan en serio de las artes convienen en que las bellas artes, incluso la literatura, tienen carácter y valor únicos. Theodore Greene, por ejemplo, dice que no se puede "*reducir* la cualidad artística a otras cualidades más primitivas", agregando: "El carácter único de la cualidad artística de una obra sólo se puede intuir inmediatamente, y aunque se puede mostrar e indicar, no se puede definir ni siquiera describir" [5].

Hay amplia conformidad entre los filósofos sobre la singularidad de la experiencia estética. En su *Crítica del juicio* recalca Kant la "finalidad sin fin" (el propósito no enderezado a la acción) del arte, la superioridad estética de la belleza "pura" sobre la belleza "adherente" o aplicada, el carácter desinteresado del que experimenta la vivencia (el cual no ha de querer poseer, consumir, o bien volver sensación o volición lo que va destinado a la percepción). Los teóricos contemporáneos convienen en que la experiencia estética es una percepción de calidad intrínsecamente placentera e interesante, que brinda un valor final y una muestra y pregusto de otros valores finales. Está relacionada con el sentimiento (placer-dolor, fórmula hedonística) y con los sentidos; pero objetiviza y articula el sentimiento; éste encuentra en la obra de arte un "correlato objetivo" y está distanciado de la sensación y la volición por el andamiaje de ficción de su objeto. El objeto estético es el que me interesa por sus cualidades propias, que no trato de reformar o de convertir en parte de mí mismo, de apropiármelo o consumirlo. La experiencia estética es una forma de contemplación, una amorosa atención a cualidades y estructuras cualitativas. Uno de sus enemigos es la práctica; el otro enemigo principal es el hábito, que opera por cauces ya trazados por ésta.

La obra literaria es un objeto estético, capaz de provocar experiencia estética. ¿Podemos valorar una obra literaria atendiendo únicamente a criterios estéticos o, como propone T. S. Eliot, habremos de juzgar por criterios estéticos la calidad literaria de la literatura y su grandeza por criterios extraestéticos? [6]. El primer juicio de Eliot hay que dicotomizarlo. Una determinada construcción verbal la clasificamos como literatura (es decir, cuento, poema, obra dramática) y luego nos preguntamos si es o no es "buena literatura", es decir, si tiene rango bastante para merecer la atención del estéticamente experto. La cuestión de la "grandeza" nos hace recalcar en pautas y normas. Los críticos modernos que se limitan a la crítica estética suelen llamarse "formalistas", término que ellos mismos, a veces, se aplican, y con que, a veces, los bautizan (peyorativamente) otros. Igual ambigüedad al menos reviste la palabra "forma". El sentido que aquí vamos a darle es el de estructura estética de una obra de arte, lo que la hace literatura [7]. En vez de cortar en dos la pareja "forma-fondo", hemos de pensar en la materia y luego en la "forma", es decir, en lo que estéticamente organiza la materia. En una obra de arte lograda, los materiales quedan asimilados por completo a la forma: lo que era "mundo" se ha convertido en "lenguaje" [8]. Los "materiales" de una obra de arte literaria son, en un plano, palabras; en otro, experiencia del comportamiento humano; en otro, ideas y actitudes humanas. Todos, incluso el lenguaje, están fuera de la obra de arte, existen en otros modos; pero en un poema o novela logrados entran en relaciones polifónicas, empujados a ellas por la dinámica del propósito estético.

¿Es posible valorar cabalmente la literatura con arreglo a criterios puramente formalistas? Esbozaremos una respuesta.

El criterio primario para el formalismo ruso también se da en otros cuadrantes de la valoración estética: es la novedad, la sorpresa. La frase estereotipada o cliché no se oye como percepción inmediata: no se atiende a las palabras como palabras, ni se advierte con precisión cuál es la cosa designada. Nuestra reacción ante el lenguaje trillado, estereotipado, es "estereotipada", bien un obrar siguiendo cauces trillados, bien aburrimiento. Sólo "nos damos cuenta" de las palabras y de lo que simbolizan cuando se unen de un modo nuevo y sorprendente. Es menester "deformar" el lenguaje, es decir, estilizarlo, bien en el sentido de lo arcaico, de lo lejano o remoto, bien en el sentido de la "barbarización", para que los lectores atiendan a él. Así, Viktor Schklovski dice que la poesía es lo que da novedad, lo que presta extrañeza. Pero este criterio de novedad ha estado muy extendido, por lo menos a partir del movimiento romántico, del "Renacimiento del Asmbro", como lo llamó Watts-Dunton, del maravillarse.

Wordsworth y Coleridge se esforzaron de maneras distintas, pero correlativas, en crear esa aura de extrañeza a que nos hemos referido: uno trató de insuflar extrañeza en lo familiar y acostumbrado; el otro, de hacer familiar lo maravilloso. Los "movimientos" poéticos recientes han perseguido el mismo designio: suprimir toda reacción automática, provocar una renovación del lenguaje (una "Revolución de la Palabra") y despertar una conciencia más viva. El movimiento romántico exaltó al niño por la lozanía y espontaneidad de su percepción. Matisse se esforzó en aprender a pintar como un niño de cinco años. Pater afirmaba que la disciplina estética prohibe

lo habitual por equivaler a falta de percepción. La novedad es el
criterio, pero —recuérdese— novedad en aras de la percepción desinteresada de la cualidad [9].

¿Adónde puede llevarnos este criterio? Tal como lo aplican los
rusos, es manifiestamente relativista. No existe norma estética —dice
Mukarovsky—, porque la esencia de la norma estética es ser quebran-
tada [10]. No hay estilo poético que sea extraño siempre. Por eso —afirma—, una obra puede perder su función estética y quizá, más adelante, recobrarla..., una vez lo harto familiar vuelve a resultar insó-
lito. En el caso de algunos poemas, todos sabemos lo que significa
"desgastarse" temporalmente. En ocasiones, volvemos a ellos una y
otra vez; otras parece que los hemos agotado por completo. Así,
a medida que la historia literaria avanza, unos poetas vuelven a resultar extraños mientras otros siguen siendo "familiares" [11].

Sin embargo, al hablar de la vuelta personal a una obra parece
que ya hemos pasado a usar de otro criterio. Cuando una y otra
vez releemos una obra diciendo que "cada vez vemos en ella cosas
nuevas", lo que por lo común se quiere decir no es más cosas de la
misma especie, sino nuevos planos significativos, nuevas estructuras de
asociación: encontramos que el poema tiene una organización múltiple. La obra literaria que, como la de Homero o Shakespeare, sigue
admirándose, ha de poseer —conclusión a que llegamos con George
Boas— "plurivalencia": su valor estético ha de ser tan pletórico y
amplio, que entre sus estructuras comprenda una o más que satisfaga
altamente a cada una de las épocas siguientes [12]. Pero, incluso en
época de su autor, tal obra ha de considerarse tan rica, que quien
puede advertir todos sus estratos y sistemas es una comunidad más
que un solo individuo. En un drama de Shakespeare, "para los espectadores más sencillos hay la trama; para los más reflexivos, el
carácter y las luchas entre los caracteres; para los más literarios, las
palabras y la expresión; para los dotados de mayor sensibilidad musical, el ritmo; y para los espectadores de mayor penetración y de
sensibilidad más exquisita, un sentido, una significación que va reve-
lándose gradualmente" [13]. Nuestro criterio es la inclusividad: "integración imaginativa" y "cuantía (y diversidad) de material integrado" [14]. Cuanto más trabada y compacta sea la organización del poema,
tanto más elevado será su valor, según el criterio formalista, que de

hecho se limita a menudo en la práctica a obras de estructura tan compleja, que exigen y recompensan la exégesis. Estas complejidades pueden radicar en uno o más planos: en Hopkins son, primariamente, de dicción, sintácticas, prosódicas; pero asimismo (o en cambio), puede haber complejidades en el plano de las imágenes o de la temática o del tono o del asunto: las obras de valor más elevado son también complejas en esas estructuras superiores.

Por diversidad de materiales cabe querer decir sobre todo ideas, caracteres, tipos de experiencia social y psicológica. Viene aquí al caso el célebre ejemplo de Eliot en "The Metaphysical Poets". Para hacer ver que el espíritu del poeta está "fundiendo constantemente experiencias dispares", Eliot imagina un conjunto compuesto por las experiencias del poeta enamorándose, leyendo a Spinoza, oyendo el tableteo de una máquina de escribir, y percibiendo el vaho que despide un plato que se está cocinando. El Dr. Johnson calificó esta misma fusión de *discordia concors*, y pensando en los fracasos del método más que en los éxitos, dice que "las ideas más heterogéneas se juntan a la fuerza". George Williamson, que posteriormente estudia a los "metafísicos", se atiene casi por completo a los éxitos. Nuestro principio a este respecto sería que, con tal que se produzca una verdadera "fusión", el valor del poema aumenta en proporción directa con la diversidad de sus materiales.

En *Three Lectures on Aesthetic*, Bosanquet distingue entre "belleza fácil" y "belleza difícil", con su carácter "complicado", su "tensión" y "amplitud". Podríamos expresar la distinción diciendo que es como la que existe entre una belleza sacada de materiales maleables (eufonía, placenteras imágenes visuales, el "tema poético") y la belleza arrancada de materiales que, como materiales, son recalcitrantes: lo doloroso, lo feo, lo didáctico, lo práctico. Esta distinción la vislumbró el siglo XVIII en su contraste entre lo "bello" y lo "sublime" ("belleza difícil"). Lo "sublime" y lo "característico" estetizan lo que parece "antiestético". La tragedia invade lo doloroso y le da forma expresiva; la comedia, análogamente, domina lo feo. Las bellezas más fáciles son inmediatamente agradables en sus "materiales" y en sus "formas" plásticas; la belleza difícil lo es de forma expresiva.

Diríase que belleza "difícil" y "grandeza" artística han de equipararse, reducirse a una ecuación, pero no arte "perfecto" y arte "grande". El factor proporciones o extensión es importante, no, claro está, por sí mismo, sino por hacer posible un aumento de la complicación, de la tensión y amplitud de la obra. Un género es "mayor" o una obra es "mayor" por las dimensiones. Aunque no podemos tratar este factor de un modo tan simple como los teóricos neoclásicos, tampoco podemos desatenderlo: lo único que nos es dado es exigir economía, que el poema largo "rinda" hoy más que antes por el espacio que ocupa.

Para algunos estéticos, "grandeza" implica referencia a criterios extraestéticos [15]. L. A. Reid, por ejemplo, aboga por la tesis de que "la grandeza procede del *contenido* del arte, y de que, dicho *grosso modo,* el arte es 'grande' en cuanto es expresivo de los 'grandes' valores de la vida"; T. M. Greene propone la "verdad" y la "grandeza" como normas artísticas extraestéticas, pero necesarias. En la práctica, sin embargo, Greene y, sobre todo, Reid apenas van más allá de los criterios de belleza difícil establecidos por Bosanquet. Por ejemplo, "las grandes obras de los grandes poetas —Sófocles, Dante, Milton, Shakespeare—, son la incorporación organizada de una gran variedad de experiencias humanas". Las "notas" o criterios de la grandeza en cualquier esfera teórica o práctica parecen tener en común "una aprehensión de lo complejo, con un sentido de la proporción y la propiedad"; pero estos caracteres comunes de grandeza, cuando aparecen en una obra de arte, han de darse en una situación "de valor incorporado", como "un valor realizado que se ha de saborear y gozar". Reid no plantea la cuestión de si el poema grande es obra de un poeta que sea un gran hombre (o espíritu o personalidad) o de si es grande como poema, sino que trata de conciliar las respuestas implícitas. Aunque el poema grande le parece grande por su amplitud y discernimiento, estos criterios sólo los aplica al poema en cuanto formado poéticamente, no a una hipotética *Erlebnis* [16].

La *Divina Comedia* y *El Paraíso perdido* son buenas piedras de toque del tratamiento formalista. Negándose a considerar la *Divina Comedia* un poema, Croce la reduce a una serie de fragmentos líricos interrumpidos por trozos de seudociencia. "Poema largo" y "poema filosófico" le parecen términos contradictorios en sí. El esteticismo de hace una generación, tal como se manifiesta en un escritor como Logan Pearsall Smith, considera *El Paraíso perdido* como un compuesto de teología trasnochada y de deleite auditivo, las famosas "armonías de órgano", que son todo lo que se concede a Milton [17]. El "fondo" hay que desatenderlo; la forma es susceptible de separación.

Creemos que no deben aceptarse tales juicios como versiones satisfactorias del "formalismo". Adoptan una visión atomística de la obra de arte, estimando la poeticidad relativa de sus materiales y no la poeticidad de la obra total, que puede magnetizar para sus fines mucho que, fuera del contexto, sería discurso abstracto. Tanto Dante como Milton escribieron tratados como escribieron poemas, pero sin confundir unos con otros. Milton, independiente en teología, escribió una disertación titulada *De Doctrina Christiana* por la época en que componía *El Paraíso perdido*. Defínase como se quiera la naturaleza de su poema (poema épico, épico-cristiano, o filosófico y épico), y pese a su propósito expreso de "justificar los caminos de Dios", tenía una finalidad distinta de la del tratado: su naturaleza la fijan las tradiciones literarias que invoca y la relación que guarda con la anterior poesía de Milton.

La teología de Milton en *El Paraíso perdido* es la del protestantismo ortodoxo, o es susceptible de tal interpretación. Pero el hecho de que el lector no comparta dicha teología no deja desnudo al poema. Ya Blake sugirió que, según la "intención" inconsciente de Milton, el protagonista del poema es Satanás: y Byron y Shelley crearon un *Paraíso perdido* romántico que apareaba Satanás a Prometeo y que se detenía compasivamente, como ya había empezado a hacer Collins, en el "primitivismo" del Edén de Milton [18]. Hay también, sin duda, una interpretación "humanista", de la que es exponente Saurat. El alcance, las perspectivas del poema, su escenario —sombrío o vagamente grandioso— no quedan anulados por la discrepancia frente a su teología o su verdad histórica.

Que el estilo de *El Paraíso perdido* haría de él un gran poema, aun cuando se prescindiera de su doctrina, es cosa sumamente dudosa. Semejante punto de vista reduce al absurdo la división de una obra de arte en "forma" y "sentido": aquí "forma" se convierte en "estilo", y "sentido" pasa a ser "ideología". La separación, en efecto, no tiene en cuenta la obra total: olvida todas las estructuras que

rayan "por encima" de la métrica y la dicción; y el "sentido", según
tal separación, es lo que L. A. Reid llama "tema secundario" (que
queda fuera de la obra de arte). Ignora el asunto o narración, los personajes (o más propiamente, la "caracterización") y el "mundo", el
entramado de asunto, ambiente y personajes, de la "cualidad metafísica" (entendida como concepción del mundo que emerge de la obra,
no la concepción formulada didácticamente por el autor dentro o
fuera de ésta).

Particularmente discutible es la idea de que las "armonías de órgano" puedan separarse del poema. En sentido restringido pueden
considerarse poseedoras de "belleza formal"..., resonancia fonética;
pero en literatura, poesía, inclusive, la belleza formal casi siempre está
al servicio de la expresión: hemos de preguntarnos por la adecuación
de las "armonías de órgano" al asunto, al carácter, al tema. Aplicado
por poetas menores a composiciones sobre temas triviales, el estilo
de Milton resulta involuntariamente ridículo.

La crítica formalista ha de suponer que no es forzoso que haya
conformidad entre nuestro credo y el de un autor o poema; que, en
rigor, es extremo que no hace al caso, pues de lo contrario sólo
admiraríamos obras literarias cuya concepción del mundo aceptásemos.
¿Importa la *Weltanschauung* para el juicio estético? Eliot dice que
la concepción del mundo que presenta un poema ha de ser tal, que
el crítico pueda "aceptarla como coherente, madura y basada en los
hechos de experiencia" [19]. En su formulación, la sentencia de Eliot
sobre cohesión, madurez y fidelidad a la experiencia va más allá de
todo formalismo: la cohesión es, sin duda, criterio estético lo mismo
que lógico; pero la "madurez" es criterio psicológico, y la "fidelidad
a la experiencia" implica referencia a mundos externos a la obra de
arte, constituye una invitación a comparar el arte con la realidad.
Repliquemos a Eliot que la madurez de una obra de arte la constituye
su inclusividad, su conciencia de complejidad, sus ironías y tensiones;
y la correspondencia entre una novela y la experiencia nunca puede
medirse por un simple apareamiento de datos; lo que legítimamente
podemos comparar es el mundo todo de Dickens, de Kafka, de Balzac o de Tolstoy con nuestra experiencia total, es decir, nuestro
"mundo" pensado y sentido. Y nuestro enjuiciamiento de esta correspondencia se traduce en referencia estética a la viveza, la intensidad,

la estructuración de contrastes, la amplitud u hondura, la estática o la cinética. El término análogo a la vida casi podría parafrasearse con el análogo al arte, ya que cuando más tangibles resultan las analogías entre la vida y la literatura es cuando el arte está sumamente estilizado: escritores como Dickens, Kafka y Proust son los que superponen su mundo sobre parcelas o territorios de nuestra experiencia [20].

Antes del siglo XIX, los estudios sobre valoración se centraban en el rango y jerarquía de los autores —los clásicos, que "siempre han sido y serán admirados"—. Los ejemplos principales eran, por supuesto, los clásicos griegos y latinos, cuya apoteosis se produjo con el Renacimiento. En el siglo XIX, el conocimiento más amplio de secuencias literarias como la medieval, la céltica, la nórdica, la indostánica y la china hicieron que tal "clasicismo" quedara anticuado. Sabemos de obras que se pierden de vista y luego resurgen, y de obras que pierden por algún tiempo su eficacia estética para luego recobrarla, por ejemplo, las de Donne, Langland, Pope, Maurice Scève y Gryphius. Por reacción contra el autoritarismo y su catálogo canónico, la actitud moderna se inclina a un relativismo excesivo, ocioso; se inclina a hablar del "whirligig of taste", de la mudanza constante de los gustos en rotación continua, o sea, como decían los escépticos antiguos, *de gustibus non est disputandum.*

El caso es más complejo de lo que creen los humanistas o los escépticos.

El deseo de afirmar de algún modo la objetividad de los valores literarios no obliga a vincularlos a un canon estático al que no se impongan nuevos nombres y dentro del cual no puedan operarse cambios jerárquicos. Allen Tate tilda justificadamente de "ilusorio" el supuesto de que "la fama de un escritor sea fija jamás", junto con la correlativa "curiosa creencia" de que "la función principal de la crítica sea la *jerarquización* de los autores más que *su utilización*" [21]. Al igual que Eliot, cuya sentenciosa frase acerca de la modificación del pasado por obra del presente recuerda, Tate es creador que no puede por menos de creer en el presente y en el futuro de la poesía inglesa, lo mismo que en su pasado. La jerarquía de clase es siempre, por así decir, competidora y relativa. Mientras el conjunto considerado vaya enriqueciéndose con nuevas obras, siempre existirá la posibilidad de que una de éstas sea mejor; pero toda obra nueva modificará el rango de las demás, por poco que sea. Walter y Denham ganaron y a la vez perdieron categoría cuando Pope conquistó su puesto en la poesía; quedaron convertidos en esa cosa ambivalente que son los precursores: se anticipan a Pope, pero luego quedan rezagados respecto de él.

Por parte de los antiacadémicos de dentro y fuera de las Universidades hay el deseo opuesto de afirmar la tiranía del cambio constante[22]. Se dan casos —como el de Cowley— de gustos generacionales que no han sido ratificados nunca por una generación posterior. Sin embargo, no parecen ser muchos. Skelton parece constituir un caso paralelo hace treinta años, pero no ahora; lo encontramos brillante, "sincero", moderno. Mientras tanto, las famas más grandes sobreviven a los gustos generacionales: Chaucer, Spenser, Shakespeare, Milton —e incluso Dryden y Pope, y Wordsworth y Tennyson— ocupan un puesto permanente, pero no "fijo".

La estructura estética de tales poetas resulta tan compleja y rica, que es capaz de satisfacer la sensibilidad de épocas sucesivas: existe el Milton neoclásico admirado por Addison en sus ensayos del *Spectator* y por Pope, y el Milton o los Milton románticos de Byron, Wordsworth, Keats, Shelley. Hubo el Shakespeare de Coleridge, y ahora tenemos el Shakespeare de Wilson Knight. Cada generación deja de asimilar elementos de la obra de arte grande, encuentra en ella planos o estratos faltos de "belleza" o incluso resueltamente feos (como los neoclasicistas encontraban los retruécanos de Shakespeare), y, no obstante, encuentra estéticamente satisfactorio el conjunto.

Con esto parece que hemos llegado a una especie de generacionismo que niega la relatividad del gusto considerado individualmente, pero que en la historia literaria encuentra alternaciones de conjuntos de criterios estéticos más o menos opuestos (como en la contraposición entre Renacimiento y Barroco establecida por Wölfflin), y que no sugiere la posibilidad de rebasar estas alternaciones para llegar a principios comunes. Parece también que hemos llegado a la "polivalencia"[23], la tesis de que las obras de arte duraderas atraen a distintas generaciones por distintas razones o, para fundir las dos conclusiones, que las obras de más alto bordo, las "clásicas", conservan su puesto, pero lo conservan por una serie de mudables atractivos o "causas", mientras que algunas obras originales de carácter sumamente especial (por ejemplo, las de Donne), y las obras menores (buenas en el estilo de la época, v. gr., las de Prior o Churchill) ganan fama cuando la literatura del día guarda relación favorable con la de su época, perdiéndola cuando tal relación es adversa [24].

Acaso nos cueste trabajo superar esta posición, pero no es imposible. Por una parte, no hay por qué limitar la apreciación en que épocas pasadas tuvieron a sus clásicos (Homero, Virgilio, Milton, etc.), a los argumentos que sus críticos acopiaron sobre ellos. Cabe negar que la crítica de tiempos pasados fuera capaz de hacer justicia a la obra creadora de su propia época o incluso a su propia experiencia estética [25]. Cabe también afirmar que una teoría literaria realmente adecuada puede evitar el dilema del generacionismo: así, George Williamson [26] cree que los mejores poemas metafísicos no son ni más ni menos que buena poesía; no hay por qué admirar o condenar todos los poemas metafísicos, ni los mejores poemas de la escuela son "los más metafísicos". Así, Pope ha sido elogiado en nuestra época como poeta "metafísico" —al menos en parte—, es decir, como poeta bueno y verdadero, no simplemente como "el poeta de una época de prosa" [27]. Y es manifiesto que teóricos tan distintos como el Richards de *Practical Criticism* y Brooks y Warren (*Understanding Poetry*) piensan en un solo modelo de poesía, recalcando que no hay que tratar de "situar" el poema con respecto a autor, época o escuela antes de juzgarlo. Sin duda, cabe decir que estos antólogos-críticos recurren a un modelo (*grosso modo*, el de Eliot) del que no pocos lectores discreparían. Pero sus modelos les permiten justificar un amplio territorio poético: haciendo justicia mínima a los románticos, salvan por lo menos a Blake y a Keats.

Creemos que ningún crítico literario puede realmente limitarse al generacionismo (que niega la existencia de una norma estética) o atenerse a absolutismo tan estéril y pedagógico como el de la "jerarquía fija". Quizá, a veces, parezca un generacionista simplemente por protesta o por el deseo de penetrar y comprender al autor pasado acudiendo al recurso, del todo oportuno, de su analogía con algún autor actual. Sin embargo, lo que quiere es afirmar que el valor así descubierto está presente en realidad o en potencia en el objeto de arte, no adscrito a la obra de arte arbitrariamente ni atribuido a ella por asociación, sino, con la ventaja de un especial incentivo para la intuición, visto en ella.

El crítico debe preguntarse dónde residen los valores estéticos. ¿Están en el poema, o en el lector del poema, o en la relación entre uno y otro? La segunda solución es subjetivista: acertadamente afirma que alguien ha de valorar lo valorado, pero no pone en correlación la naturaleza de la reacción con la naturaleza del objeto. Es psicologista en cuanto desvía la atención de lo contemplado o gozado para fijarla en las reacciones, en las vibraciones emocionales del yo, incluso del yo privado, generalizado. El que se dé la primera o la tercera respuesta parece cuestión de interpretación. Al filósofo profesional, la primera solución le hace pensar inevitablemente en el platonismo o en cualquier otro sistema de normas absolutas que se consideran existentes sin referencia a la necesidad o conocimiento humano. Incluso si se quiere afirmar, como a ello tienden algunos teóricos de la literatura, el carácter objetivo de la estructura literaria, de los artificios al "significado", la primera respuesta o solución presenta, además, la dificultad de insinuar que los valores literarios están *ahí al alcance de cualquiera*, tan presente como el color rojo o el frío. Sin embargo, ningún crítico ha reclamado realmente esa clase de objetividad ilimitada para un poema: Longinus y otros "clasicistas", que apelan al sufragio de todos los hombres de todos los tiempos y países, restringen tácitamente el adjetivo "todos" de modo que viene a significar "todos los entendidos".

Lo que el formalista afirma es que el poema no es sólo causa o causa potencial de la "experiencia poética" del lector, sino un control específico, sumamente organizado, de la experiencia del lector, de manera que el modo más adecuado de calificar la experiencia es calificarla de experiencia del poema. La valoración del poema es la experiencia, la toma de conciencia de cualidades y relaciones estéticamente valiosas que están estructuralmente presentes en el poema al alcance de todo lector entendido. La belleza —dice Eliseo Vivas, exponiendo lo que llama "relativismo objetivo" o "realismo perspectivo"— es "un carácter de algunas cosas y en ellas *presente*, pero sólo presente para los dotados de la capacidad y formación mediante las cuales puede percibirse" [28]. Los valores están en potencia en las estructuras literarias: sólo se realizan y en rigor se valoran cuando los contemplan lectores que reúnen las condiciones indispensables. Existe, sin duda, una tendencia a rechazar (en nombre de la democracia o de la ciencia) toda pretensión de objetividad o de "valor" que no sea generalmente verificable en el sentido más amplio. Pero es difícil pensar en "valores" que se entreguen de un modo tan incondicional.

Los manuales de antaño contraponen a veces la crítica "de enjuiciamiento" con la "impresionista". Esta distinción fue bautizada con un nombre que induce a error. El primer tipo apelaba a reglas o principios tenidos por objetivos; el segundo alardeaba, a veces, de su falta de referencia general. Pero, en la práctica, éste era una forma inconfesada de juicio formulado por un perito en la materia, cuyo gusto había de constituir una norma para sensibilidades menos sutiles. Tampoco puede haber habido muchos críticos de la segunda especie que no intentaran lo que Remy de Gourmont califica de gran esfuerzo de todo hombre sincero: "erigir en ley sus impresiones personales" [29]. Hoy en día, muchos ensayos que se llaman "crítica" resultan ser exégesis de poemas o autores determinados y no establecen un balance final. Hay a veces quien se opone a conceder a tales exégesis el nombre de "crítica" (que en sus orígenes griegos significaba "juicio"), y otras se establece la distinción entre la crítica "explicativa" y la crítica "de enjuiciamiento" como tipos de crítica alternos [30]; pero, aunque, sin duda, puede establecerse una separación entre la exégesis del sentido (*Deutung*) y el juicio de valor (*Wertung*), rara vez se practica o es factible en "crítica literaria". Lo que crudamente se pide o se ofrece en concepto de "crítica de enjuiciamiento" es una tosca clasificación de poemas y autores acompañada por citas de autoridades o por la invocación de unos cuantos dogmas de teoría literaria. Ir más allá implica forzosamente análisis y comparaciones analíticas. En cambio, un ensayo que resulta ser pura exégesis ha de ofrecer, por su misma existencia, un mínimo juicio de valor; y, si es exégesis de un poema, un juicio de valor estético, no histórico, ni biográfico ni filosófico. Consagrar tiempo y estudio a un poeta o poema es ya un juicio de valor; pero pocos ensayos exegéticos formulan un juicio por el simple hecho de esco-

ger un tema. "La comprensión de la poesía" * se convierte fácilmente en "el enjuiciamiento de la obra poética", sólo que enjuiciamiento en detalle y mientras se analiza, en vez de hacer del enjuiciamiento la frase con que se cierra el párrafo final. Lo que constituía una novedad en los ensayos de Eliot era precisamente el no
entregarse a un juicio final o sumario o único, sino el ir enjuiciando
a todo lo largo del ensayo mediante comparaciones, yuxtaposiciones
específicas de dos poetas con respecto a alguna cualidad, así como
mediante algún intento ocasional de generalización.

La distinción que es menester establecer es, a nuestro parecer,
la que debe establecerse entre el juicio abierto, declarado, y el implícito, que no es igual a la distinción entre juicios conscientes y juicios
inconscientes. Hay un juicio de sensibilidad y hay un juicio racio-
cinado que no están forzosamente en contradicción: una sensibilidad
difícilmente puede conseguir mucha fuerza crítica si es incapaz de
formulación teórica generalizada; y en materia de literatura no se
puede formular un juicio razonado si no es a base de una sensibilidad, inmediata o derivada.

---

* *Understanding Poetry*, título de la obra de Brooks y Warren.

Capítulo XIX

HISTORIA LITERARIA

¿Es *posible* escribir historia literaria, es decir, una cosa que sea al propio tiempo literaria e historia? Es fuerza admitir que la mayoría de las historias de la literatura son historias sociales o historias del pensamiento tal como lo ilustra la literatura, o bien son un conjunto de impresiones y juicios sobre obras determinadas, en orden más o menos cronológico. Una ojeada a la historia de la literatura inglesa así lo confirma. Thomas Warton, el primer historiador de la poesía inglesa propiamente dicho, adujo como razón para estudiar la literatura antigua la de que "registra fielmente las características de las épocas y conserva la representación más pintoresca y expresiva de las costumbres" y que "transmite a la posteridad un retrato fiel de la vida" [1]. Henry Morley entendía la literatura como la "biografía nacional" o "la historia del espíritu inglés" [2]. Leslie Stephen consideraba la literatura como "una particular función de todo el organismo social", como "una especie de subproducto" del cambio social [3]. W. J. Courthope, autor de la única historia de la poesía inglesa que se basa en un concepto uniforme de su desenvolvimiento, definía el "estudio de la poesía inglesa como el estudio del crecimiento constante de nuestras instituciones nacionales, tal como se refleja en la literatura", y buscaba la unidad del tema "precisamente donde la busca el historiador político, o sea en la vida de una nación en conjunto" [4].

Mientras éstos y otros muchos historiadores tratan la literatura como simple documento para ilustrar la historia nacional o social, otros que constituyen un grupo distinto reconocen que la literatura es, ante todo y sobre todo, un arte, pero parecen incapaces de escribir historia. Nos obsequian con una serie discontinua de ensayos sobre diferentes autores, en que se trata de vincularlos por "influencias", pero que están faltos por completo de toda concepción de la evolución histórica real. En la introducción a su *Short History of Modern English Literature* (1897), Edmund Gosse pretendía sin duda poner de manifiesto "el movimiento de la literatura inglesa", dar una "sensación de la evolución de la literatura inglesa"[5], pero no hacía otra cosa que rendir tributo insincero a un ideal que entonces iba extendiéndose desde Francia. En la práctica, sus libros constituyen una serie de observaciones críticas sobre autores y sobre algunas de sus obras dispuestos cronológicamente. Posteriormente, con toda razón, Gosse negó todo interés por Taine y recalcó su deuda para con Sainte-Beuve, el maestro de la semblanza biográfica[6]. Lo mismo cabe decir, *mutatis mutandis*, de George Saintsbury, cuyo concepto de la crítica estaba muy próximo a la teoría y práctica de la "apreciación" de Pater[7], y de Oliver Elton, cuyo *Survey of English Literature*, en seis volúmenes —la obra más notable de historia literaria reciente en Inglaterra— pretende con toda franqueza ser "realmente una revisión, una crítica directa", y no una historia[8]. Esta lista podría ampliarse casi indefinidamente. Por lo demás, el estudio de las historias de la literatura francesas y alemanas llevaría, con algunas excepciones, a conclusiones casi idénticas. Así, por ejemplo, es evidente que a Taine le interesaban principalmente sus teorías sobre el carácter nacional y su filosofía del "medio" y de la raza; Jusserand estudió la historia de las costumbres tal como las ilustra la literatura inglesa y Cazamian inventó toda una teoría sobre "la oscilación del ritmo moral del alma nacional inglesa"[9]. La mayoría de las historias de la literatura son historias de la civilización o son colecciones de ensayos críticos. Unas no son historia de *arte;* otras no son *historia* de arte.

¿Por qué no se ha hecho en gran escala el intento de delinear la evolución de la literatura como arte? Uno de los inconvenientes con que se ha tropezado es el hecho de que el análisis preparatorio de las obras de arte no se haya realizado de un modo consecuente y sistemático. O nos contentamos con los criterios de la vieja retórica, que no satisfacen en su preocupación por artificios manifiestamente superficiales, o recurrimos a un lenguaje emotivo en que los efectos de una obra de arte sobre el lector se describen de un modo que no es susceptible de correlación real con la obra misma.

Otra dificultad la constituye el prejuicio de que no es posible la historia de la literatura si no es referida a la explicación causal por otra actividad humana. Otra más estriba en todo el concepto de la evolución del arte de la literatura. Pocos pondrían en duda la posibilidad de una historia interna de la pintura o de la música. Basta con pasearse por las salas de un museo dispuestas por orden cronológico o con arreglo a "escuelas" para advertir que existe una historia del arte de la pintura que es completamente distinta de la historia de los pintores o de la apreciación o enjuiciamiento de cuadros determinados. Basta también con oir un concierto cuyas obras se hayan dispuesto asimismo por orden cronológico para advertir que hay una historia de la música que no tiene casi nada que ver con la biografía de los compositores, con las condiciones sociales en que las obras se crearon o con la apreciación de composiciones determinadas. En pintura y en escultura se ha hecho el intento de escribir estas historias desde que Winckelmann dio a la estampa su *Geschichte der Kunst im Altertum* (1764), y a partir de Burney la mayor parte de las historias de la música han atendido a la historia de las formas musicales.

La historia de la literatura se enfrenta con el problema análogo de trazar la historia de la literatura como arte, en relativo aislamiento de su historia social, de la biografía de los autores o de la apreciación de obras determinadas. Huelga decir que la tarea de la historia literaria (en este sentido limitado) presenta obstáculos especiales. Contrariamente a un cuadro, que puede abarcarse de una sola ojeada, una obra de arte literaria sólo es accesible a través de una secuencia de tiempo y, por tanto, es más difícil de aprehender como un todo coherente. Pero la analogía con la forma musical hace ver que es posible una pauta, una estructura, un esquema, aun cuando sólo se pueda captar en una secuencia temporal. Plantéanse, además, problemas especiales. En literatura se da una transición gradual que va de las simples manifestaciones a las obras de arte de organización compleja, toda vez que el vehículo de la literatura, el lenguaje, también es el medio de comunicación cotidiana, y especialmente de las ciencias. Es, pues, más difícil aislar la estructura estética de una obra literaria. Ahora bien: la lámina ilustrativa de un texto de medicina y una marcha militar son dos ejemplos que demuestran que las demás artes también tienen sus casos fronterizos y que las dificultades de distinguir entre arte y no arte en la expresión lingüística sólo son mayores cuantitativamente.

Hay, sin embargo, teóricos que lisa y llanamente niegan que la literatura tenga historia. W. P. Ker, por ejemplo, afirmaba que no necesitamos de la historia de la literatura, ya que sus objetos están siempre presentes, son "eternos" y, por tanto, carecen en absoluto de historia propiamente dicha [10]. T. S. Eliot niega asimismo la condición de "pasado" a la obra de arte. "Toda la literatura de Europa, a partir de Homero —dice—, tiene existencia simultánea y forma un orden simultáneo" [11]. El arte —se podría. decir con Schopenhauer— siempre ha alcanzado su meta. Nunca mejora y no se puede superar ni repetir. En arte no necesitamos descubrir "cómo ocurrió en realidad" —"_wie es eigentlich gewesen_", como Ranke definió la finalidad de la historiografía—, porque podemos experimentar directamente cómo es. Así, la historia de la literatura no es historia propiamente dicha, por ser conocimiento de lo presente, de lo omnipresente, de lo eternamente presente. No se puede negar, desde luego, que existe alguna diferencia real entre la historia política y la historia del arte. Hay diferencia entre lo que es histórico y pasado, y lo que es histórico y de algún modo sigue siendo presente.

Como anteriormente hemos puesto de manifiesto, una obra de arte no permanece invariable en el curso de la historia. Hay, sin duda, una sustantiva identidad estructural que siempre ha sido la misma a través de los tiempos. Pero esa estructura es dinámica; cambia en todo el curso de la historia al pasar por la mente de lectores, críticos y artistas. El proceso de interpretación, crítica y apreciación no se ha interrumpido nunca por completo, y es probable que perdure indefinidamente, o al menos prosiga mientras no se produzca una interrupción completa de la tradición cultural. Una de las tareas del historiador de la literatura es la descripción de tal proceso. Otra es delinear el desenvolvimiento de obras de arte dispuestas en grupos menores y mayores según los autores, los géneros o los tipos estilísticos o la tradición lingüística de que forman parte, y, por último, dentro del esquema de la literatura universal.

Pero el concepto de desenvolvimiento de una serie de obras de arte parece dificilísimo. En cierto sentido, toda obra de arte es, a primera vista, una estructura discontinua con las obras de arte vecinas. Cabe mantener que no hay evolución de una obra de arte a otra. Se ha hecho incluso la objeción de que no hay historia de la literatura, sino sólo de los hombres que escriben [12]. Sin embargo, con arreglo al mismo argumento, tendríamos que renunciar a escribir una historia del lenguaje, porque sólo hay hombres que profieren palabras, o una historia de la filosofía, porque no hay más que hombres que piensan. El extremo "personalismo" de esta clase ha de llevar al punto de vista de que toda obra individual de arte está completamente aislada, lo que en la práctica significaría que es tanto incomunicable como incomprensible. Más bien hemos de entender la literatura como todo un sistema de obras que, con la acumulación de otras obras nuevas, va cambiando constantemente sus relaciones, creciendo como un todo cambiante.

Pero el simple hecho de que la situación literaria de una época haya cambiado si se compara con la de un decenio o de un siglo antes no basta todavía para establecer un proceso de verdadera evolución histórica, ya que el concepto de cambio se aplica a cualquier serie de fenómenos naturales. Puede significar simplemente reordenaciones, nuevas cada vez, pero faltas de sentido e incomprensibles. Así, el estudio del cambio que recomienda F. J. Teggart en su *Theory of History* [13] conduciría simplemente a la abolición de todas las diferencias entre procesos históricos y naturales, condenando al historiador a vivir de prestado de las ciencias naturales. Si estos cambios se repitieran con regularidad absoluta, llegaríamos al concepto de ley, tal como el físico la entiende. No obstante, pese a las brillantes especulaciones de Spengler y de Toynbee, en ningún proceso histórico se han descubierto jamás estos cambios susceptibles de predicción.

Evolución significa algo distinto y algo más que cambio o incluso que cambio regular y susceptible de predicción. Parece evidente que debe utilizarse en el sentido desarrollado por la biología. Si se examina la cuestión más detenidamente, se verá que en biología hay dos diferentes conceptos de evolución: primero, el proceso ilustrado por el desenvolvimiento de un huevo hasta convertirse en ave, y segundo, la evolución que ejemplifica el cambio de cerebro de pez a cerebro de hombre. En ésta no hay, en rigor, una serie de cerebros que evolucionen, sino únicamente una abstracción conceptual, "el cerebro", definible por referencia a su función. Las diferentes fases evolutivas se entienden como otras tantas aproximaciones a un ideal tomado del "cerebro humano".

¿Cabe hablar de evolución literaria en uno u otro de estos dos sentidos? Ferdinand Brunetière y John Addington Symonds admitían que se puede hablar de evolución literaria en ambos sentidos, suponiendo qué los géneros literarios se pueden considerar por analogía con las especies naturales [14]. Brunetière enseñaba que una vez que alcanzan un cierto grado de perfección, los géneros literarios han de mustiarse, languidecer y, por último, desaparecer. Además, los géneros se transforman en géneros superiores y más diferenciados, al igual que las especies en la concepción darwiniana de la evolución. El uso del vocablo "evolución" en el primer sentido del término es, evidentemente, poco más que una metáfora caprichosa. Según Brunetière, la tragedia francesa, por ejemplo, nació, creció, decayó y murió. Pero el *tertium comparationis* del origen de la tragedia es simplemente el hecho de que antes de Jodelle no hubiera tragedias escritas en francés. La tragedia sólo murió en el sentido de que después de Voltaire no se han escrito tragedias importantes que se acomoden al ideal de Brunetière. Sin embargo, siempre existe la posibilidad de que en el futuro se escriba en francés una tragedia grande. Según Brunetière, la *Fedra* de Racine está al comienzo de la decadencia de la tragedia, en un momento próximo a su decrepitud. Sin embargo, a nosotros nos parece joven y lozana comparada con las eruditas tragedias del Renacimiento, que, según esta teoría, representan la "juventud" de la tragedia francesa. Menos defendible todavía es la idea de que unos géneros se transformen en otros, como, según Brunetière, la oratoria de púlpito francesa de los siglos clásicos se transforma en lírica romántica. Sin embargo, no se había operado "transmutación" real alguna. Lo más que se podría decir es que primero en la oratoria y luego en la poesía lírica se expresaron las mismas o análogas emociones o que posiblemente ambas sirvieron a los mismos o análogos fines sociales.

Así, pues, aunque hemos de rechazar la analogía biológica entre
la evolución de la literatura y el proceso evolutivo cerrado desde el
nacimiento hasta la muerte —idea no extinguida en modo alguno y
recientemente remozada por Spengler y Toynbee—, la "evolución" en
este segundo sentido parece mucho más cercana al concepto real de
evolución *histórica*. Reconoce que no hay que postular una simple
serie de cambios, sino una finalidad de esta serie. Las diversas partes
de la serie han de ser condición necesaria para la consecución del fin.
El concepto de evolución hacia una determinada meta (v. gr., el cerebro humano) convierte una serie de cambios en una concatenación
real, con un principio y un fin. Con todo, existe una diferencia importante entre este segundo sentido de la evolución biológica y la "evolución histórica" en sentido propio. Para captar la esencia de la evolución histórica, a distinción de biológica, hemos de lograr de alguna
manera conservar la individualidad del acaecimiento histórico, sin reducir el proceso histórico a un conjunto de acaecimientos secuentes,
pero inconexos.

La solución está en relacionar el proceso histórico con un valor
o norma. Sólo entonces puede dividirse en sus elementos esenciales
y no esenciales la serie de acaecimientos falta aparentemente de sentido. Sólo entonces se puede hablar de una evolución histórica que,
sin embargo, deje intacta la individualidad del acaecimiento singular.
Al referir una realidad individual a un valor general, no degradamos
lo individual a mero ejemplar de un concepto general; antes al contrario, damos sentido a lo individual. La historia no individualiza simplemente valores generales (ni tampoco es —huelga decirla— una
fluencia discontinua falta de sentido); el proceso histórico produce
formas de valor siempre nuevas, hasta ahora desconocidas e impre-
visibles. La relatividad de la obra individual de arte con respecto a
una escala de valores no es, pues, más que el correlato necesario de
su individualidad. La serie de evoluciones se construirá con referencia a un esquema de valores o normas, pero los valores mismos sólo
emanan de la contemplación de este proceso. Fuerza es admitir que
hay en esto un círculo lógico: el proceso histórico hay que juzgarlo
por referencia a valores, mientras que la escala de valores misma se
deriva de la historia [15]. Pero ello resulta inevitable, pues en caso contrario habremos de resignarnos a la idea de un cambio constante ca-

rente de sentido o hacer aplicación de alguna norma extraliteraria..., un Absoluto extraño al proceso de la literatura. Este análisis del problema de la evolución literaria ha sido forzosamente abstracto. En él se ha tratado de demostrar que la evolución de la literatura es distinta de la biológica y que no tiene nada en común con la idea de un progreso uniforme hacia un *solo* modelo eterno. La historia sólo puede escribirse con referencia a esquemas variables de valores, y estos esquemas han de ser extraídos de la historia misma. Esta idea puede ilustrarse aludiendo a algunos de los problemas con que la historia literaria se enfrenta.

Las relaciones más evidentes entre las obras de arte —fuentes e influencias— son las que más frecuentemente se han estudiado, constituyendo un filón de erudición tradicional. Aunque no es historia literaria en sentido estricto, la verificación de relaciones literarias entre los autores es evidentemente una preparación importantísima para escribir historia literaria. Por ejemplo, si quisiéramos escribir la historia de la poesía inglesa en el siglo XVIII, sería menester conocer las relaciones exactas entre los poetas de dicho siglo y Spenser, Milton y Dryden. Una obra como *Milton Influence on English Poetry*, de Raymond Havens [16], estudio cardinalmente literario, acumula impresionantes pruebas de la influencia ejercida por Milton no sólo recogiendo las opiniones de Milton sustentadas por poetas del siglo, sino también estudiando los textos y analizando semejanzas y paralelos. La busca y captura de paralelismos han quedado muy desacreditadas recientemente. Sobre todo cuando las intenta un estudioso inexperto, corren peligros evidentes. Antes que nada, los paralelos han de ser paralelos verdaderos, no vagas semejanzas que se supone que, por simple multiplicación, se convierten en pruebas. La acumulación de cincuenta ceros sigue siendo igual a cero. Pero, además, los paralelos han de ser paralelos exclusivos, es decir, debe haber certidumbre aceptable de que no pueden explicarse por una fuente común, certeza sólo asequible si el investigador tiene un amplio conocimiento de la literatura o si el paralelo constituye una estructura sumamente intrincada más que un *motif* o palabra aislados. Las obras que incumplen estos requisitos elementales no sólo alcanzan un número escandalosamente grande, sino que a veces proceden de sabios eminentes que debieran ser capaces de reconocer los tópicos de una época: clichés, metáforas estereotipadas, semejanzas debidas a un tema común [17]. Sin embargo, sean cuales fueren los abusos de que el método haya sido objeto, es un método lícito y no puede rechazarse *in toto*. Mediante un juicioso estudio de las fuentes es posible establecer relaciones literarias. Entre éstas, las citas, los plagios, los simples ecos son las de menos interés: a lo sumo verifican el simple hecho de la relación, aunque hay autores como Sterne y Burton que saben servirse de citas para sus fines artísticos propios. Pero es evidente que la mayoría de las relaciones literarias son mucho más complejas, y que para ser resueltas exigen análisis críticos para los cuales la reunión de paralelos sólo constituye un instrumento secundario. Los defectos de muchos estudios de esta clase estriban precisamente en desatender esta verdad: en su empeño por aislar un solo rasgo, rompen la obra de arte en piececillas de mosaico. Las relaciones entre dos o más obras de arte literarias sólo pueden estudiarse provechosamente cuando las vemos en el lugar que les corresponde en el esquema de la evolución literaria. Las relaciones entre obras de arte plantean un problema crítico de comparación de dos todos, de dos configuraciones que no deben descomponerse en partes aisladas, si no es para su estudio previo.

Cuando la comparación se centra realmente en dos totalidades, podremos llegar a conclusiones sobre un problema fundamental de historia literaria: el de la originalidad. Por lo común, la originalidad se malentiende en nuestra época como simple infracción de lo tradicional o se busca donde no es, es decir, en el simple material de la obra de arte o en su mero andamiaje: el asunto tradicional, la armazón convencional. En épocas anteriores se comprendía más certeramente la naturaleza de la creación literaria, se reconocía que el valor artístico de un asunto o tema meramente original es escaso. Acertadamente, el Renacimiento y el Neoclasicismo dan gran importancia a la traducción, sobre todo a la de poesía, y a la "imitación" en el sentido en que Pope imitó las sátiras de Horacio y el Dr. Johnson las de Juvenal [18]. En su obra *Europäische Literatur und lateinisches Mittelalter* (1948), Ernst Robert Curtius ha demostrado convincentemente el enorme papel que en la historia literaria han desempeñado lo que llama los tópicos (*topoi*), temas e imágenes reiterados que, legados por la antigüedad, pasan por la Edad Media y penetran en

todas las literaturas modernas. Ningún autor se sentía inferior o falto
de originalidad por emplear, adaptar y modificar temas e imágenes
conservados por la tradición y sancionados por la antigüedad. Muchos
estudios de esta clase se basan en un falso concepto del proceso artístico, v. gr., los muchos estudios de Sir Sidney Lee sobre los sonetos
isabelinos, que prueban el profundo convencionalismo de la forma,
pero que no por ello prueban; como Sir Sidney suponía, la insinceridad y mala calidad de los sonetos [19]. Trabajar dentro de una tradición dada y adoptar sus artificios es perfectamente compatible con la
capacidad emocional y el valor artístico. Los verdaderos problemas
críticos de esta clase de estudios se plantean cuando llegamos a la fase
de sopesar y comparar, de hacer ver cómo un artista utiliza las conquistas de otro; cuando observamos la capacidad de transformación.
La fijación del puesto exacto de cada obra en una tradición es la
primera tarea de la historia literaria.

El estudio de las relaciones entre dos o más obras de arte conduce,
pues, a nuevos problemas de la evolución de la historia literaria. La
serie primera y más evidente de obras de arte es la de las obras escritas por un autor. En ésta es menos difícil de establecer un esquema de
valores, un fin: podemos considerar una obra o grupo de obras la
más madura de tal autor, y analizar todas las demás desde el punto
de vista de su aproximación a este tipo. Este estudio se ha intentado
en muchas monografías, aunque rara vez con clara conciencia de los
problemas que implica y a menudo en confusión inextricable con
problemas de la vida privada del autor.

Otro tipo de serie evolutiva cabe construirlo aislando en las obras
de arte un cierto rasgo y siguiendo la pista de su marcha hacia algún
tipo ideal (aun cuando lo sea pasajeramente). Esto puede hacerse en
los escritos de un solo autor si, por ejemplo, estudiamos, como hizo
Clemen [20], la evolución de las imágenes de Shakespeare, o con una
época o con toda la literatura de una nación. Obras como la de George
Saintsbury sobre la historia de la prosodia y del ritmo de la prosa inglesa [21] aíslan tal elemento y delinean su historia, aunque los ambiciosos libros de Saintsbury están viciados por las confusas y anti-
cuadas concepciones del metro y del ritmo en que se basan, demos-
trando así que no se puede escribir una historia propiamente dicha
sin un adecuado esquema de referencia. El mismo tipo de problemas

se planteará en una historia de la dicción poética inglesa, de la que sólo tenemos los estudios estadísticos de Josephine Miles, o en una historia de las imágenes poéticas inglesas, que ni siquiera se ha intentado.

En esta clase de estudios tal vez pudiera considerarse obligado clasificar los muchos estudios históricos sobre temas y motivos como Hamlet o Don Juan o el Judío Errante; pero, en rigor, se trata de problemas distintos. Las distintas versiones de un tema no tienen conexión o continuidad tan forzosa como el metro y la dicción. Seguir la pista de todas las distintas versiones, por ejemplo, de la tragedia de María Estuardo a lo largo de la literatura podría ser muy bien problema de interés para la historia del sentimiento político, y sin duda ilustraría incidentalmente cambios operados en la historia del gusto, e incluso cambios en el concepto de la tragedia. Pero en sí carece de verdadera cohesión o dialéctica. No presenta un problema singular y, desde luego, no plantea problema crítico alguno[22]. La *Stoffgeschichte* es la menos literaria de las historias.

La historia de los géneros y tipos literarios plantea otra serie de problemas. Pero los problemas no son insolubles, y, pese a los esfuerzos de Croce por desacreditar la concepción toda, cabe citar muchos estudios que son preparatorios de tal teoría y que por sí mismos sugieren la intuición teórica necesaria para una exposición histórica clara. El dilema de la historia de los géneros es el dilema de toda historia: esto es, con objeto de describir el esquema de referencia (en este caso el género) hemos de estudiar la historia; pero no podemos estudiar la historia sin tener *in mente* algún esquema de selección. Sin embargo, nuestro círculo lógico no es insuperable en la práctica. Hay casos, como el del soneto, en que un evidente esquema externo de clasificación (poema de catorce versos rimado conforme a una pauta determinada) da el punto de partida necesario; en otros, como la elegía o la oda, es lícito dudar de que lo que da cohesión a la historia del género sea algo más que una etiqueta lingüística común. Parece haber poca superposición entre la "Ode to Himself" de Ben Jonson, la "Ode to Evening" de Collins y las "Intimations of Immortality" de Wordsworth; pero una pupila más penetrante descubrirá la común ascendencia de la oda horaciana y de la oda pindárica, y podrá establecer el eslabón de unión, la continuidad entre tradiciones y épocas aparentemente dispares. La historia de los géneros constituye indudablemente uno de los territorios que más prometen para el estudio de la historia literaria.

Este método "morfológico" puede y debe aplicarse en gran escala al folklore, en que con frecuencia los géneros están más claramente pronunciados y netamente definidos que en la literatura artística posterior, y en el que este método parece al menos tan significativo como el estudio —que por lo común goza de preferencia— de la mera migración de "motivos" y asuntos. Ya se ha empezado a trabajar con fruto, sobre todo en Rusia[23]. La literatura moderna, por lo menos hasta la rebelión romántica, resulta incomprensible si no se comprenden tanto los géneros clásicos como los nuevos géneros que surgen en la Edad Media; su mezcolanza y contaminación, su pugna, llena una gran parte de la historia literaria de 1500 a 1800. En rigor, sea lo que fuere lo que la época romántica haya hecho para borrar distinciones e introducir formas mixtas, sería un error menospreciar el poder del concepto de género, incluso en la literatura contemporánea. Las primeras historias de los géneros escritas por Brunetière y Symonds están viciadas por recurrir excesivamente al paralelo biológico. Pero en decenios recientes han salido a la luz estudios en que se opera con más cautela. Tales estudios corren el peligro de quedar reducidos a descripciones de tipos o una serie inconexa de distintos trabajos, suerte que ha cabido a muchos libros que se llaman historias del teatro o de la novela. Pero hay obras en que se advierte claramente el problema de la evolución de un tipo. Éste difícilmente puede desatenderse al escribir la historia del teatro inglés hasta Shakespeare, dentro de la cual la sucesión de tipos como Misterios y Moralidades y la aparición del teatro moderno pueden exponerse en notables formas mixtas como el _King John_ de Bale. Aunque dividida en sus fines, la obra de Greg titulada _Pastoral Poetry and Pastoral Drama_ constituye un temprano exponente de buena historia de los géneros[24]; y posteriormente, la _Allegory of Love_ de C. S. Lewis[25] ha dado ejemplo de esquema evolutivo claramente concebido. En Alemania hay al menos dos obras excelentes, la _Geschichte der deutschen Ode_ de Karl Viëtor, y la _Geschichte des deutschen Liedes_ de Günther Müller[26]. Estos dos autores han reflexionado profundamente sobre los problemas que se les plantean[27]. Viëtor advierte claramente el círculo lógico, pero no se deja intimidar por él: ve que el historiador ha de aprehender de un modo intuitivo, aunque provisional, lo que sea esencial en el género de que se ocupe, y luego remontarse a los orígenes del género para verificar o corregir su hipótesis. Aunque el género aparecerá en la historia ejemplificado en las distintas obras, no quedará definido por todos los rasgos de estas distintas obras: hemos de entender el género como concepto "regulativo", como estructura subyacente, como convención que es real, es decir, efectiva, porque en rigor moldea la composición de obras concretas. La historia nunca necesita alcanzar un fin específico en el sentido de que no pueda haber una ulterior continuación o diferenciación de un género, sino que, con objeto de escribir una historia como es debido, habremos de tener presente algún fin o tipo temporal.

La historia de un período o de un movimiento plantea problemas exactamente análogos. Las consideraciones hechas sobre la evolución habrán puesto de manifiesto que no podemos estar de acuerdo con dos tesis extremas: la tesis metafísica de que el período es un ente cuya naturaleza ha de intuirse, o la tesis nominalista extrema de que el período es una simple etiqueta lingüística para cualquier espacio de tiempo en estudio para fines descriptivos. El nominalismo extremo da por supuesto que el período es un arbitrario superestrato sobre un material que en realidad es un constante fluir sin rumbo alguno, dejándonos así con un caos de acaecimientos concretos, por una parte, y con etiquetas puramente subjetivas, por otra. Si mantenemos este punto de vista, entonces no importa evidentemente dónde hagamos una sección vertical en una realidad que es esencialmente uniforme en su múltiple variedad. No importa entonces cuál sea el esquema de períodos que adoptemos, por arbitrario y mecánico que sea. Podemos escribir historia literaria por siglos civiles, por decenios o por años, a modo de anales. Podemos admitir el criterio adoptado por Arthur Symons en su obra sobre el movimiento romántico en la poesía inglesa [28]. Sólo estudia a autores nacidos antes de 1800, y de éstos solamente a los muertos después de 1800. El período queda, pues, reducido a un término cómodo, a una necesidad en la subdivisión de una obra o en la elección de un tema. Este modo de ver, aunque a menudo indeliberado, es base de la práctica seguida en obras en que devotamente se respeta la divisoria de fechas entre los siglos o en que se imponen a un tema exactas delimitaciones de fecha (v. gr., 1700-1750), no justificadas por razón alguna, salvo la necesidad práctica de fijar algunos límites. Este respeto a las fechas del calendario es lícito, sin duda, en las recopilaciones puramente bibliográficas, en que da orientación análoga a la que da el sistema decimal de Dewey para la ordenación de una biblioteca; pero tales divisiones por períodos no tienen nada que ver con la historia literaria propiamente dicha.

Sin embargo, la mayoría de las historias literarias establecen la división en períodos con arreglo a los cambios políticos. La literatura se entiende, pues, determinada completamente por las revoluciones políticas o sociales de una nación, y el problema de determinar los períodos se deja a los historiadores políticos y sociales, cuyas divisiones y épocas suelen admitirse sin discusión. Si examinamos historias de la literatura inglesa antigua, veremos que están escritas con arreglo a divisiones numéricas o a un simple criterio político: los reinados de los soberanos ingleses. Ocioso es decir lo confuso que sería subdividir la historia posterior de la literatura inglesa con arreglo a la fecha de la muerte de los monarcas: nadie piensa en serio en distinguir en la literatura de principios del siglo xix entre el reinado de Jorge III, el de Jorge IV y el de Guillermo IV; sin embargo, la distinción, igualmente artificial, entre el reinado de Isabel, el de Jacobo I y el de Carlos I todavía sobrevive en cierta medida.

Si examinamos historias de la literatura inglesa más recientes, observaremos que las antiguas divisiones por siglos civiles o por reinados han desaparecido casi por completo y han sido sustituidas por una serie de períodos cuyo nombre al menos se deriva de las más diversas actividades del espíritu humano. Aunque todavía empleamos los términos "isabelino" y "victoriano" —resto de la antigua división por reinos—, han adquirido un nuevo sentido dentro de un esquema de historia intelectual. Los conservamos porque estimamos que las dos reinas parecen simbolizar el carácter de su respectiva época. No insistimos ya en un período rigurosamente cronológico, determinado en rigor por la subida al trono y la muerte del monarca. Empleamos el término "isabelino" para abarcar a escritores de antes de la clausura de los teatros, casi cuarenta años después de la muerte de la reina; en cambio, aunque su vida cae bien dentro de los límites cronológicos del reinado de Victoria, rara vez llamamos victoriano a un hombre como Oscar Wilde. De origen político en un principio, los términos han adquirido así un significado concreto en la historia intelectual e incluso en la historia literaria. No obstante, la abigarrada derivación de nuestras etiquetas corrientes es un tanto desconcertante. "Reforma" procede de la historia eclesiástica; "Humanismo", principalmente, de la historia de la erudición; "Renacimiento", de la historia del arte; "Commonwealth" y "Restauración", de acontecimientos políticos concretos. El término "siglo xviii" es viejo término numérico que ha asumido algunas de las funciones de los términos literarios como "clásico" y "neoclásico". "Prerromanticismo" y "romanticismo" son primariamente términos literarios, mientras que victoriano, eduardiano, etc., se derivan del reinado de determinados soberanos. Igual cuadro desconcertante ofrece casi cualquier literatura: por ejemplo, el "período colonial" de la literatura norteamericana es un término político, en tanto que "romanticismo" y "realismo" son términos literarios.

En defensa de esta mezcolanza de términos cabe decir, claro es, que la confusión aparente fue provocada por la historia misma. Como historiadores de la literatura, hemos de tener en cuenta antes que nada las ideas y concepciones, los programas y nombres de los escritores mismos y, por tanto, limitarnos a admitir sus divisiones. El valor de las pruebas que aportan los programas formulados a conciencia, las facciones y las autointerpretaciones en la historia de la literatura no ha de menospreciarse, sin duda; pero, seguramente, el término "movimiento" bien pudiera reservarse para esas actividades conscientes y autocríticas que han de describirse, como describiríamos cualquier otra secuencia histórica de acaecimientos y declaraciones. Pero tales programas sólo constituyen materiales para el estudio de un período, de la misma manera que toda la historia de la crítica ofrecerá un continuo comentario de cualquier historia de la literatura. Pueden brindarnos sugerencias e indicaciones, pero no deben prescribirnos los métodos y divisiones, y esto no porque nuestra manera de ver sea forzosamente más penetrante que la suya, sino porque gozamos de la ventaja de ver el pasado a la luz del presente.

Hay que decir, además, que estos términos de tan diverso origen no habían logrado carta de naturaleza en su época. En inglés, el término "humanismo" aparece por vez primera en 1832; "Renacimiento", en 1840; "isabelino", en 1817; "Augustan" (o sea clásico, es decir, de la época de la reina Ana en la literatura inglesa), en 1819, y "romanticismo", en 1844. Estas fechas, tomadas del Oxford grande, no son probablemente de toda confianza, ya que el término "Augustan" aparece ya en 1690, si bien esporádicamente; Carlyle emplea la voz "romanticismo" en 1831 [29]. Ahora bien: indican el intervalo que va de las etiquetas a los períodos que designan. Como es sabido, los romanticistas no se llamaban a sí mismos romanticistas, por lo menos en Inglaterra. Al parecer, hasta 1849 no se relacionó a Coleridge y Wordsworth con el movimiento romántico, agrupándolos con Shelley, Keats y Byron [30]. En su _Literary History of England between the End of the Eighteenth and the Beginning of the Nineteeth Century_ (1882), Margaret Oliphant no emplea nunca el término, ni entiende como movimiento a los poetas "laquistas", a la escuela "cockney" ni al "satánico" Byron. No hay, pues, justificación histórica alguna de los períodos de la literatura inglesa que actualmente suelen admitirse. No es posible hurtarse a la conclusión de que constituyen un revoltillo de etiquetas políticas, literarias y artísticas que es imposible defender.

Pero aun cuando tuviéramos una serie de períodos que subdividieran con nitidez la historia cultural del hombre —política, filosofía, las demás artes, etc.—, la historia literaria no debería contentarse con aceptar un esquema trazado a base de materiales diversos con fines diferentes _in mente_. La literatura no debe entenderse como simple reflejo pasivo o copia servil del desenvolvimiento político, social o aun intelectual de la humanidad. Por tanto, el período literario debe fijarse mediante criterios puramente literarios.

Si nuestros resultados coinciden con los resultados de los historiadores de la política, la sociedad, el arte y la cultura, nada hay que objetar. Pero nuestro punto de partida ha de ser el desenvolvimiento de la literatura como literatura. Entonces, el período no es más que una subsección de la evolución universal. Su historia sólo puede escribirse con referencia a un variable esquema de valores, y este esquema de valores ha de tomarse de la historia misma. Un período es así una sección de tiempo dominada por un sistema de normas, pautas y convenciones literarias cuya introducción, difusión, diversificación, integración y desaparición pueden perseguirse.

Ocioso es decir que esto no significa que hayamos de aceptar forzosamente tal sistema de normas. Hemos de extraerlo de la historia misma: hemos de descubrirlo en ella en realidad. El "romanticismo", por ejemplo, no es una cualidad unitaria que se propague como una infección o una plaga, ni tampoco es, por supuesto, una simple etiqueta verbal. Es una categoría histórica o, si se prefiere el término kantiano, una "idea reguladora" (o mejor, todo un sistema de ideas) con ayuda de la cual interpretamos el proceso histórico. Pero este esquema de ideas lo hemos encontrado en el proceso mismo. Tal concepto del término "período" difiere de otro de uso frecuente que lo amplía a un tipo psicológico separable de su contexto histórico. Sin que sea fuerza condenar el empleo de términos históricos establecidos como nombres de tales tipos psicológicos o artísticos, hemos de darnos cuenta de que tal tipología de la literatura es muy distinta del punto en estudio —que no pertenece a la historia literaria en sentido estricto—.

Así, pues, una época no es un tipo ni una clase, sino una sección de tiempo definida por un sistema de normas que está inserto en el proceso histórico y no puede desprenderse de él. Los muchos intentos fútiles de definir el "romanticismo" hacen ver que un período no es concepto semejante a la clase en lógica. Si lo fuera, todas las obras individuales podrían referirse a él. Pero esto es manifiestamente imposible. Una obra individual de arte no es un ejemplo de una clase, sino una parte que, junto con todas las demás obras, compone el concepto de período. Por tanto, ella misma modifica el concepto del conjunto. La discriminación entre diferentes "romanticismos" [31] o entre múltiples definiciones, por muy valiosas que sean como exponentes de la complejidad del esquema a que se refieren, parece en el plano teórico equivocada. Debe advertirse con toda claridad que una época no es un tipo ideal, ni un modelo abstracto, ni una serie de conceptos de clase, sino una sección de tiempo dominada por todo un sistema de normas que ninguna obra de arte llegará nunca a realizar en su integridad. La historia de un período consistirá en exponer los cambios de un sistema de normas a otro. Aunque un período es, pues, una sección de tiempo a la que se atribuye alguna clase de unidad, es evidente que esta unidad sólo puede ser relativa. Significa simplemente que durante dicho período se ha realizado del modo más pleno un determinado esquema de normas. Si la unidad de un período cualquiera fuera absoluta, los períodos estarían pegados unos a otros como bloques de piedra, sin continuidad evolutiva. De esta manera, la supervivencia de un anterior esquema de normas y las anticipaciones de un esquema siguiente son inevitables [32].

El problema de escribir la historia de un período será primero un problema de descripción: es menester discernir la decadencia de una convención y la aparición de otra. La razón de que este cambio de convención se haya producido en un determinado momento plantea un problema histórico insoluble en términos generales. Una de las soluciones propuestas supone que en la evolución literaria se llega a una fase de agotamiento que exige la aparición de un nuevo código. Los formalistas rusos califican este proceso de "automatización"; es decir, artificios del arte poético eficaces en su tiempo se vuelven tan corrientes y trillados, que muchos nuevos lectores se vuelven indiferentes a ellos y ansían, anhelan algo distinto, algo que se da por sentado que ha de ser antitético a lo que antes hubo. El esquema evolutivo es una alternación de vaivén, un movimiento pendular, una serie de rebeliones que una y otra vez conducen a nuevas "actualizaciones" de dicción, de temas y de todos los demás artificios. Pero esta teoría no explica por qué la evolución ha de orientarse en el determinado sentido o dirección que toma: es evidente que los simples esquemas de flujo y reflujo son insuficientes para describir toda la complejidad del proceso. Una explicación de estos cambios de dirección carga el acento en interferencias y presiones externas del medio social. Todo cambio de convención literaria estaría provocado por la aparición de una nueva clase o al menos de un nuevo grupo de personas que crean su propio arte: en Rusia, con las tajantes distinciones de clase que imperaban antes de 1917, puede establecerse a menudo una íntima correlación entre el cambio social y el cambio literario. La correlación es mucho menos clara en Occidente y falla en cuanto rebasamos las distinciones sociales y las catástrofes históricas más evidentes.

Otra explicación recurre a la aparición de una nueva generación. Esta teoría ha tenido muchos adeptos desde que Cournot publicó sus *Considérations sur la marche des idées* (1872) y ha sido desarrollada sobre todo en Alemania por Petersen y Wechssler [33]. Pero cabe objetar que, tomada como entidad biológica, la generación no brinda solución alguna. Si postulamos tres generaciones en un siglo, verbigracia, 1800-1833, 1834-1869, 1870-1900, tendremos que admitir que hay igualmente la serie 1801-1834, 1835-1870, 1871-1901, etc., etcétera. Consideradas biológicamente, estas series son completamente iguales; y el hecho de que un grupo de personas nacidas hacia 1800 haya influido en el cambio literario más profundamente que otro grupo nacido alrededor de 1815 ha de atribuirse a causas distintas de las puramente biológicas. Es, sin duda, cierto que, en algunos momentos de la historia literaria, el cambio lo provoca un grupo de jóvenes (*Jugendreihe*) de aproximadamente la misma edad: ejemplos evidentes son el *Sturm und Drang* y el romanticismo alemanes. Los hechos sociales e históricos que logran una cierta unidad "generacional" son tales, que sólo las personas de un cierto grupo de edad pueden haber vivido en edad impresionable un acontecimiento importante como la Revolución francesa o las dos guerras mundiales. Pero éste es simplemente el caso de una poderosa influencia social. En otros casos no cabe duda de que el cambio literario ha experimentado profundamente la influencia de la obra madura de hombres viejos. En conjunto, el simple cambio de generaciones o de clases sociales no basta para explicar el cambio literario. Es un complejo proceso que varía de una ocasión a otra; en parte es interno, producido por el agotamiento y el deseo de cambio, pero en parte también es externo, provocado por cambios sociales, intelectuales y todos los demás de orden cultural.

Los principales períodos de la historia literaria moderna han sido objeto de interminables polémicas. Los términos "Renacimiento", "Clasicismo", "Romanticismo", "Simbolismo" y recientemente "Barroco" han sido definidos, vueltos a definir, discutidos, controvertidos [34] Es improbable que se llegue a un acuerdo en tanto siga reinando confusión acerca de las cuestiones teóricas que hemos tratado de esclarecer; en tanto los empeñados en la discusión insistan en definiciones lógicas; en tanto confundan términos de "período" con términos de "tipo"; en tanto confundan la historia semántica de los términos con los cambios de estilo propiamente dichos. Se comprende muy bien que Arthur O. Lovejoy y otros hayan recomendado que se desechen términos como "Romanticismo". Pero el estudio de un período planteará toda clase de cuestiones de historia literaria: la historia del término y los programas críticos así como los cambios estilísticos propiamente dichos; las relaciones del período con todas las demás actividades del hombre; la relación con el mismo período en otros países. Como término, el romanticismo llega tardíamente a Inglaterra, pero hay en las teorías de Wordsworth y de Coleridge un nuevo programa que ha de estudiarse en relación con la práctica de Wordsworth y de Coleridge y con la de los demás poetas románticos. Hay un nuevo estilo cuyas anticipaciones pueden hacerse remontar a comienzos del siglo XVIII. Podemos comparar el romanticismo inglés con los diferentes romanticismos de Francia y Alemania, y estudiar los paralelos, o pretensos paralelos, con el movimiento romántico en las bellas artes. En cada época y en cada lugar los problemas serán distintos: parece imposible establecer reglas generales. La hipótesis de Cazamian de que la alternación de períodos ha ido acelerándose más y más, hasta que hoy la oscilación ha quedado estabilizada, es seguramente errónea, siéndolo también los intentos de afirmar dogmáticamente cuál de dos artes precede a otro o qué nación precede a otra en la creación de un nuevo estilo. Es evidente que no debemos poner demasiadas esperanzas en simples etiquetas de períodos: una palabra no puede entrañar una docena de connotaciones. Pero es igualmente equivocada la conclusión escéptica que movería a abandonar el problema, ya que el concepto de período es, sin duda, uno de los principales instrumentos de conocimiento histórico.

Mayor dificultad reviste abordar el problema más amplio de la historia de una literatura nacional en conjunto. Es difícil trazar la historia de una literatura nacional como arte cuando toda la armazón invita a referencias que son esencialmente aliterarias, a especulaciones sobre la ética nacional y las características nacionales que tienen poco que ver con el arte de la literatura. En el caso de la literatura norteamericana, en que no existe diferencia lingüística con respecto a otra literatura nacional, las dificultades se multiplican, toda vez que el desenvolvimiento del arte de la literatura en Norteamérica ha de ser forzosamente incompleto y en parte dependiente de una tradición más vieja y más fuerte. Es manifiesto que toda evolución nacional del arte de la literatura plantea un problema que el historiador no puede permitirse desatender, aunque casi nunca se haya estudiado de un modo sistemático. Ocioso es decir que la historia de un grupo de literaturas es un ideal más lejano todavía. Los ejemplos que pueden citarse, como la obra de Jan Máchal sobre las literaturas eslavas o el intento de escribir una historia de todas las literaturas románicas en la Edad Media hecho por Leonardo Olschki, no son excesivamente afortunados [35]. La mayoría de las historias de la literatura universal son intentos de exponer la tradición principal de las literaturas europeas unidas por su común descendencia de Grecia y Roma, pero ninguna ha ido más allá de las generalidades ideológicas o de las recopilaciones superficiales, salvo quizá los brillantes bosquejos de los hermanos Schlegel, que no sirven para las necesidades contemporáneas. Por último, una historia general del arte de la literatura es todavía un ideal remotísimo. Los ensayos hechos, como la *History of the Rise and Progress of Poetry,* de John Brown, obra que data de 1763, son demasiado especulativos y esquemáticos o bien, como los tres volúmenes de Chadwick sobre *The Growth of Literature,* están obsesos por cuestiones de tipos estáticos de literatura oral [36].

En fin de cuentas, no hacemos ahora más que empezar a aprender a analizar una obra de arte en su integridad; somos todavía muy torpes en nuestros métodos, y su base teórica sigue cambiando constantemente. Queda, pues, mucho camino por recorrer. Pero nada hay de lamentable en el hecho de que la historia literaria tenga un futuro a la par que un pasado, un futuro que ni puede ni debe consistir meramente en colmar lagunas en el esquema descubierto por métodos más antiguos. Hemos de tratar de elaborar un nuevo ideal de historia literaria y de desarrollar nuevos métodos que hagan posible su consecución. Si el ideal bosquejado parece excesivamente "purista" en su hincapié en la historia de la literatura como arte, también se ha de reconocer que ningún otro acercamiento ha sido considerado no válido y que la concentración parece necesario antídoto contra el movimiento expansionista por el que ha pasado la historia literaria en los últimos decenios. La conciencia clara de un esquema de relaciones entre métodos constituye en sí un remedio contra la confusión mental, aun cuando el individuo pueda optar por combinar métodos diversos.

NOTAS

CAPÍTULO I

LA LITERATURA Y LOS ESTUDIOS LITERARIOS

[1] Cosa que propugna STEPHEN POTTER en *The Muse in Chains*, Londres, 1937.

[2] Cf. bibliografía, capítulo XIX, sección IV.

[3] I. A. RICHARDS: *Principles of Literary Criticism*, Londres, 1924, páginas 120, 251.

[4] WILHELM DILTHEY: *Einleitung in die Geisteswissenschaften*, Berlín, 1883.

[5] WILHELM WINDELBAND: *Geschichte und Naturwissenschaft*, Estrasburgo, 1894. Reproducido en *Präludien*, cuarta ed., Tubinga, 1907, vol. II, págs. 136-60.

[6] HEINRICH RICKERT: *Die Grenzen der naturwissenschaftlichen Begriffsbildung*, Tubinga, 1913; véase también *Kulturwissenschaft und Naturwissenschaft*, Tubinga, 1921.

[7] A. D. XÉNOPOL: *Les Principes fondamentaux de l'histoire*, París, 1894; segunda ed. con el título de *La Théorie de l'histoire*, París, 1908; BENEDETTO CROCE: *History: Its Theory and Practice*, Nueva York, 1924, y *History as the Story of Liberty*, Nueva York, 1940 (nueva ed., 1955).

[8] Para un estudio más detenido de estos problemas, cf. MAURICE MANDELBAUM: *The Problem of Historical Knowledge*, Nueva York, 1938; RAYMOND ARON: *La Philosophie critique de l'histoire*, París, 1938.

[9] LOUIS CAZAMIAN: *L'Évolution psychologique de la littérature en Angleterre*, París, 1920, y la segunda mitad de la *Histoire de littérature anglaise*, de E. LEGOUIS y L. CAZAMIAN, París, 1924.

[10] Cf. W. K. WIMSATT, JR.: "The Structure of the 'Concrete Universal' in Literature", *PMLA*, LXII (1947), págs. 262-80 (reproducido en *The Verbal Icon*, Lexington (Ky.), 1954, págs. 69-83); SCOTT ·ELLEDGE: "The Background and Development in English Criticism of the Theories of Generality and Particularity", *ibid.*, págs. 147-82.

¹¹ R. G. COLLINGWOOD: "Are History and Science Different Kinds of Knowledge?", *Mind*, XXXI (1922), págs. 449-50, y PITIRIM SOROKIN: *Social and Cultural Dynamics*, Cincinnati, 1937, vol. I, págs. 168-74, etc.

CAPÍTULO II

NATURALEZA DE LA LITERATURA

¹ EDWIN GREENLAW: *The Province of Literary History*, Baltimore, 1931, pág. 174.

² MARK VAN DOREN: *Liberal Education*, Nueva York, 1943.

³ THOMAS C. POLLOCK: *The Nature of Literature*, Princeton, 1942.

⁴ Sobre esta cuestión es oportuno consultar la mayor parte de la obra de E. E. STOLL. Véase también L. L. SCHÜCKING: *Charakterprobleme bei Shakespeare*, Leipzig, 1919 (trad. inglesa, Londres, 1922), y L. C. KNIGHTS: *How Many Children Had Lady Macbeth?*, Cambridge, 1933 (reproducido en *Explorations*, Londres, 1946, págs. 15-54). Estudios recientes de convencionalismo frente a naturalismo en el teatro son el de S. L. BETHELL, *Shakespeare and the Popular Dramatic Tradition*, Durham, N. C., 1944, y el de ERIC BENTLEY, *The Playwright as Thinker*, Nueva York, 1946.

⁵ Para observaciones sobre el tiempo en la novela, cf. EDWIN MUIR: *The Structure of the Novel*, Londres, 1928. Para el estudio del tiempo en otros géneros, cf. T. ZIELINSKI: "Die Behandlung gleichzeitiger Vorgänge im antiken Epos", *Philologus, Supplementband*, VIII (1899-1901), páginas 405-499; LEO SPITZER: "Über zeitliche Perspektive in der neueren französischen Lyrik", *Die neueren Sprachen*, XXXI (1923), págs. 241-66 (reproducido en *Stilstudien*, II, Munich, 1928, págs. 50-83); OSKAR WALZEL: "Zeitform im lyrischen Gedicht", *Das Wortkunstwerk*, Leipzig, 1926, págs. 277-96. En años recientes, debido en parte a la influencia de la filosofía existencialista, se ha estudiado mucho el problema del tiempo en la literatura. Cf. JEAN POUILLON: *Temps et roman*, París, 1946; GEORGES POULET: *Études sur le temps humain*, París, 1952, y *La distance intérieure*, París, 1952; A. A. MENDILOW: *Time and the Novel*, Londres, 1952; HANS MEYERHOFF: *Time in Literature*, Berkeley (Calif.), 1955. Véase también EMIL STAIGER: *Die Zeit als Einbildungskraft des Dichters*, Zurich, 1939, segunda ed., 1953; GÜNTHER MÜLLER: *Die Bedeutung der Zeit in der Erzählkunst*, Bonn, 1946.

⁶ ADOLF VON HILDEBRAND: *Das Problem der Form in der bildenden Kunst*, tercera ed., Estrasburgo, 1901 (trad. inglesa, Nueva York, 1907). Cf. también, HERMANN KONNERTH: *Die Kunsttheorie Conrad Fiedlers*, Munich, 1909; ALOIS RIEHL: "Bemerkungen zu dem Problem der Form in der Dichtkunst", *Vierteljahrschrift für wissenschaftliche Philosophie*, XXI (1897), págs. 283-306, XXII (1898), 96-114 (aplicación del concepto de pura visibilidad a la literatura); véase BENEDETTO CROCE: "La Teoria dell'arte come pura visibilità", *Nuovi Saggi di Estetica*, Bari, 1920, páginas 239-54.

7 THEODOR A. MEYER: *Das Stilgesetz der Poesie*, Leipzig, 1901.

8 Cf. la bibliografía correspondiente a este capítulo para las obras en que se basa la exposición hecha en estas páginas.

CAPÍTULO III

FUNCIÓN DE LA LITERATURA

1 Horacio (*Ars Poetica*, versos 333-44) señala en realidad tres distintos fines a la poesía:

Aut prodesse volunt aut delectare poetae

....

Omne tulit punctum qui miscuit utile dulci,
Lectorem delectando pariterque monendo...

Las "herejías polares" —tomar uno u otro fin por sí mismo— se rebaten en la obra de R. G. COLLINGWOOD: *Principles of Art*, Oxford, 1938 (capítulos sobre "Arte como Magia" ["Art as Magic"] y "Arte como entretenimiento" ["Art as Amusement"]).

2 MORTIMER ADLER: *Art and Prudence*, Nueva York, 1937, pág. 35 y *passim*; K. BURKE: *Counterstatement*, Nueva York, 1931, pág. 151.

3 G. BOAS: *Primer for Critics*, Baltimore, 1937; T. S. ELIOT: *Use of Poetry*, Cambridge, Mass., 1933, págs. 113, 155.

4 W. T. STACE: *The Meaning of Beauty*, Londres, 1929, pág. 161.

5 "Plano" ("flat") y "en relieve" ("round") son términos tomados de FORSTER: *Aspects of the Novel*, Londres, 1927, págs. 103 ss.

6 KAREN HORNEY: *Self-Analysis*, Nueva York, 1942, págs. 38-9; FORSTER: *op. cit.*, pág. 74.

7 MAX EASTMAN: *The Literary Mind: Its Place in an Age of Science*, Nueva York, 1935, especialmente págs. 155 ss.

8 Cf. BERNARD C. HEYL: *New Bearings in Esthetics and Art Criticism*, New Haven, 1943, págs. 51-87.

9 Cf. DOROTHY WALSH: "The Cognitive Content of Art", *Philosophical Review*, LII (1943), págs. 433-51.

10 ELIOT: *Selected Essays*, Nueva York, 1932, págs. 115-7: "El poeta que 'piensa' —dice Eliot— es simplemente el poeta que sabe expresar el equivalente emocional del pensamiento. Toda poesía grande produce la impresión de constituir una concepción del mundo. Cuando ingresamos en el mundo de Homero, de Sófocles, de Virgilio, de Dante o de Shakespeare, nos inclinamos a creer que aprehendemos algo que puede expresarse intelectualmente, pues toda emoción precisa tiende a la formulación intelectual".

11 SUSANNE LANGER: *Philosophy in a New Key*, Cambridge, Mass., 1942, "Discursive Forms and Pressentational Forms", págs. 79 ss.

12 *Op. cit.*, pág. 288.

13 El hecho de que algunos bibliotecarios encierren bajo llave y algunos censores prohiban determinadas obras no prueba que tales obras sean pro-

paganda, ni siquiera en el sentido corriente de la palabra; prueba más bien que las obras prohibidas son propaganda en virtud de causas condenadas por la sociedad.

[14] ELIOT: "Poetry and Propaganda", en _Literary Opinion in America_ (ed. Zabel), Nueva York, 1937, págs. 25 ss.

[15] STAGE: _op. cit._, págs. 164 ss.

[16] GOETHE: _Dichtung und Wahrheit_, libro XIII. COLLINGWOOD (_op. cit._, págs. 121-4) distingue entre "expresar emoción" (arte) y "delatar emoción" (forma de no-arte).

[17] PLATÓN: _La República_, X, § 606 D.; SAN AGUSTÍN: _Confesiones_, I, pág. 21; A. WARREN: "Literature and Society", _Twentieth Century English_ (ed. W. S. Knickerbocker), Nueva York, 1946, págs. 304-14.

[18] SPINGARN: _History of Literary Criticism in the Renaissance_ (Nueva York, ed. rev., 1924), estudia nuestro tema bajo los epígrafes de "función" y "justificación" de la poesía.

[19] A. C. BRADLEY: "Poetry for Poetry's Sake", _Oxford Lectures on Poetry_, 1909, págs. 3-34.

CAPÍTULO IV

TEORÍA, CRÍTICA E HISTORIA LITERARIAS

[1] PHILIP AUGUST BOEKH: _Encyklopädie und Methodologie der philologischen Wissenschaften_, Leipzig, 1877 (segunda ed., 1886).

[2] F. W. BATESON: "Correspondence", _Scrutiny_, IV (1935), págs. 181-85.

[3] ERNST TROELTSCH: _Der Historismus und seine Probleme_, Tubinga, 1922; _Der Historismus und seine Überwindung_, Berlín, 1924.

[4] HARDIN CRAIG: _Literary Study and the Scholarly Profession_, Seattle, Wash., 1944, pág. 70. Cf. también: "La pasada generación ha decidido de un modo bastante inesperado descubrir el sentido y los valores de los antiguos autores mismos y ha puesto su fe en la idea, por ejemplo, de que el sentido que Shakespeare dio a sus obras es el más grande de los que pueden señalarse en la producción shakespeariana". Págs. 126-7.

[5] Verbigracia, en _Poets and Playwrights_, Minneapolis, 1930, pág. 217; y _From Shakespeare to Joyce_, Nueva York, 1944, pág. IX.

[6] Por ejemplo, en LILY CAMPBELL: _Shakespeare's Tragic Heroes: Slaves of Passion_, Cambridge, 1930; también OSCAR J. CAMPBELL: "What is the Matter with Hamlet?", _Yale Review_, XXXII (1942), págs. 309-22. STOLL se aferra a una variedad distinta de historicismo que se empeña en reconstruir las convenciones escénicas, pero que ataca la reconstrucción de las teorías psicológicas. Véase "Jacques and the Antiquaries", _From Shakespeare to Joyce_, págs. 138-45.

[7] "Imagery and Logic: Ramus and Metaphysical Poetics", _Journal of the History of Ideas_, III (1942), págs. 365-400.

[8] F. A. POTTLE: _The Idiom of Poetry_, Ithaca, N. Y., 1941 (segunda edición, 1946).

⁹ El ejemplo es de HAROLD CHERNISS: "The Biographical Fashion in Literary Criticism", *University of California Publications in Classical Philology*, XII (1943), págs. 279-93.

¹⁰ R. G. COLLINGWOOD: *Principles of Art*, Oxford, 1938, pág. 4. Como hace observar ALLEN TATE, "el filólogo que nos dice que entiende a Dryden, pero que nada saca en limpio de Hopkins o de Yeats, nos está diciendo que no entiende a Dryden", en "Miss Emily and the Bibliographer" *(Reason in Madness*, Nueva York, 1941, pág. 115).

¹¹ NORMAN FOERSTER: *The American Scholar*, Chapel Hill, 1929, página 36.

CAPÍTULO V

LITERATURA GENERAL, LITERATURA COMPARADA
Y LITERATURA NACIONAL

¹ Cf. FERNAND BALDENSPERGER: "Littérature comparée: Le mot et la chose", *Revue de littérature comparée*, I (1921), págs. 1-29.

² F. C. GREEN: *Minuet*, Londres, 1935.

³ HANS NAUMANN: *Primitive Gemeinschaftskultur*, Jena, 1921.

⁴ Son completamente irrelevantes para los estudios sobre Shakespeare todos los paralelos del tema de Hamlet recogidos por SCHIK en *Corpus Hamleticum*, 5 vols., Berlín, 1912-38.

⁵ Aplícase esto a la obra de Alexander Veselovski, que se remonta a los años del decenio 1870-1880; a las últimas obras de J. Polivka sobre las fábulas rusas, y a los escritos de Gerhard Gesemann sobre la épica yugoslava (verbigracia: *Studien zur südslavischen Volksepik*, Reichenberg, 1926). Véase la instructiva exposición que hace Margaret Schlauch en "Folklore in the Soviet Union", *Science and Society*, VIII (1944), págs. 205-22.

⁶ Cf. P. BOGATYREV y ROMAN JAKOBSON: "Die Folklore als eine besondere Form des Schaffens", *Donum Natalicium Schrijnen*, Nimega, Utrecht, 1929, págs. 900-13. Este ensayo parece exagerar la distinción entre literatura popular y alta literatura.

⁷ Cf. bibliografía.

⁸ BENEDETTO CROCE: "La letteratura comparata", en *Problemi di Estetica*, Bari, 1910, págs. 73-9, trabajo suscitado originalmente por el primer número del efímero *Journal of Comparative Literature*, de George Woodberry, Nueva York, 1903.

⁹ GOETHE: *Gespräche mit Eckermann*, 31 enero 1827; *Kunst und Altertum* (1827); *Werke*, Jubiläumsausgabe, vol. XXXVIII, pág. 97 (reseña de *Le Tasse* de Duval).

¹⁰ PAUL VAN TIEGHEM: "La synthèse en histoire littéraire: Littérature comparée et littérature générale", *Revue de synthèse historique*, XXXI (1921), págs. 1-27; ROBERT PETSCH: "Allgemeine Literaturwissenschaft", *Zeitschrift für Aesthetik*, XXVIII (1934), págs. 254-60.

¹¹ AUGUST WILHELM SCHLEGEL: *Über dramatische Kunst und Literatur*, 3 vols., Heidelberg, 1809-11; FRIEDRICH SCHLEGEL: *Geschichte der alten*

und neuen Literatur, Viena, 1815; FRIEDRICH BOUTERWEK: _Geschichte der Poesie und Beredsamkeit seit dem Ende des dreizehnten Jahrhunderts,_ 13 vols., Gotinga, 1801-19; SIMONDE DE SISMONDI: _De la Littérature du midi de l'Europe,_ 4 vols., París, 1813; HENRY HALLAM: _An Introduction to the Literature of the Fifteenth, Sixteenth and Seventeenth Centuries,_ 4 vols., Londres, 1836-9.

¹² En Alemania, H. Steinthal, fundador de la _Zeitschrift für Völkerpsychologie_ (desde 1860), es, al parecer, el que primero aplicó sistemáticamente principios evolucionistas a los estudios literarios. Alumno de éste es A. Veselovski, que en Rusia hizo un ensayo de "poética evolucionista" de enorme erudición. En Francia predominan los conceptos evolucionistas, verbigracia, en ÉDÉLESTAND DU MÉRIL, _Histoire de la Comédie,_ 2 vols., 1864. Brunetière los aplicó a las literaturas modernas, como los aplicó John Addington Symonds en Inglaterra (véase bibliografía, Capítulo XIX, Secc. IV).

¹³ _Europäische Literatur und lateinisches Mittelalter,_ Berna, 1948 (traducción ingl., Nueva York, 1953); _Mimesis. Dargestellte Wirklichkeit in der abendländischen Literatur,_ Berna, 1946 (tr. ingl., Princeton, 1953). Véase reseña por RENÉ WELLEK en _Kenyon Review,_ XVI (1954), págs. 279-307, y E. AUERBACH, "Epilegomena zu Mimesis", en _Romanische Forschungen,_ LXV (1953), págs. 1-18.

¹⁴ LEONARDO OLSCHKI: _Die romanischen Literaturen des Mittelalters,_ Wildpark-Potsdam, 1928 (volumen del _Handbuch der Literaturwissenschaft_ de O. Walzel).

¹⁵ La obra de ANDREAS HEUSLER, _Die altgermanische Dichtung,_ Wildpark-Potsdam, 1923 (también en el _Handbuch_ de Walzel) constituye un excelente bosquejo.

¹⁶ La _Slovanské literatury,_ 3 vols., Praga, 1922-29 (incompleta), de JAN MÁCHAL, es el ensayo más reciente de historia de todas las literaturas eslavas. En _Slavische Rundschau,_ vol. IV (1932), se trata de la posibilidad de una historia comparada de las literaturas eslavas. Roman Jakobson ha aportado pruebas convincentes del común patrimonio de éstas en "The Kernel of Comparative Slavic Literature", _Harvard Slavic Studies_ (ed. H. Lunt), volumen I. págs. 1-71, Cambridge (Mass.), 1953.

¹⁷ Por ejemplo, A. O. LOVEJOY: "On the Discrimination of Romanticisms", en _PMLA,_ XXXIX (1924), págs. 229-53. [Reproducido en _Essays in the History of Ideas,_ Baltimore, 1945, págs. 228-53.] HENRI PEYRE _(Le classicisme français,_ Nueva York, 1942) aboga vigorosamente por la distinción neta entre el clasicismo francés y los demás neoclasicismos. ERWIN PANOFSKY ("Renaissance and Renascences", _Kenyon Review,_ VI (1944), páginas 201-36) se declara por la tradicional manera de entender el Renacimiento.

¹⁸ JOSEF NADLER: _Literaturgeschichte der deutschen Stämme und Landschaften,_ Regensburgo, 3 vols., 1912-18 (segunda ed., 4 vols., 1923-28; hay una cuarta ed., nazi, publicada con el título de _Literaturgeschichte des deutschen Volkes,_ 4 vols., Berlín, 1938-40). Cf. _Berliner Romantik,_ Berlín, 1921, y el estudio teórico "Die Wissenschaftslehre der Literaturgeschichte", en

Euphorion, XXI (1914), págs. 1-63. Cf. también H. GUMBEL: "Dichtung und Volkstum", en *Philosophie der Literaturwissenschaft* (ed. E. Ermatinger), Berlín, 1930, págs. 43-9, interpretación nebulosa.

CAPÍTULO VI
ORDENACIÓN Y FIJACIÓN DEL MATERIAL

1 HENRY MEDWALL: *Fulgens and Lucrece* (ed. Seymour de Ricci), Nueva York, 1920 (ed. crítica por F. S. Boas y A. W. Reed, Oxford, 1926); *The Book of Margery Kempe*, 1436 (versión modernizada por W. Butler-Bowden, Londres, 1936. El texto original lo edita Sanford B. Meech. El volumen I lo publicó la "Early English Text Society", Londres, 1940); CHRISTOPHER SMART: *Rejoice in the Lamb* (ed. W. F. Stead), Londres, 1939.

2 LESLIE HOTSON: *The Death of Christopher Marlowe*, Londres, 1925; *Shakespeare versus Shallow*, Boston, 1931; *The Private Papers of James Boswell from Malahide Castle* (ed. Geoffrey Scott y F. A. Pottle), 18 vols., Oxford, 1928-34; *The Yale Edition of the Private Papers of James Boswell* (ed. F. A. Pottle *et al.*), Nueva York, 1950 sigs.

3 Cf. el sensato consejo de J. M. OSBORN: "The Search for English Literary Documents", *English Institute Annual, 1939*, Nueva York, 1940, págs. 31-55.

4 · Para los estudiosos del inglés son utilísimas las obras de J. W. SPARGO: *A Bibliographical Manual for Students*, Chicago, 1939 (segunda edición, 1941), y la de ARTHUR G. KENNEDY: *A Concise Bibliography for Students of English*, segunda ed., Stanford University Press, 1945.

5 Verbigracia: W. W. GREG: *A Bibliography of the English Printed Drama to the Restoration*, vol. I, Londres, 1939; F. R. JOHNSON: *A Critical Bibliography of the Works of Edmund Spenser Printed before 1770*, Baltimore, 1933; HUGH MACDONALD: *John Dryden: A Bibliography of Early Editions and Drydeniana*, Oxford, 1939; cf. JAMES M. OSBORN: "Macdonald's Bibliography of Dryden", *Modern Philology*, XXXIX (1942), páginas 312-19; R. H. GRIFFITH: *Alexander Pope: A Bibliography*, dos partes, Austin (Texas), 1922-27.

6 R. B. MCKERROW: *An Introduction to Bibliography for Literary Students*, Oxford, 1927.

7 Cf. bibliografía, sección I.

8 Sobre la paleografía de los documentos literarios ingleses, véase WOLFGANG KELLER: *Angelsächsische Paleographie*, 2 vols., Berlín, 1906 (*Palaestra*, 43, a y b). Sobre la escritura isabelina, véase MURIEL ST. CLARE BYRNE: "Elizabethan Handwriting for Beginners", *Review of English Studies*, I (1925), págs. 198-209; HILARY JENKINSON: "Elizabethan Handwritings", *Library*, serie 4.ª, III (1922), págs. 1-34; MCKERROW: *loc. citato* (apéndice sobre escritura isabelina); SAMUEL A. TANNENBAUM: *The Handwriting of the Renaissance*, Nueva York, 1930. De los artificios técnicos para estudiar manuscritos (microscopios, rayos ultravioletas, etc.), se

trata en R. B. HASELDEN: _Scientific Aids for the Study of Manuscripts_, Oxford, 1935.

⁹ Se hallarán genealogías magistralmente establecidas en obras como la de R. K. ROOT: _The Textual Tradition of Chaucer's Troilus_, Chaucer Society, Londres, 1916.

¹⁰ Cf. bibliografía, sección I.

¹¹ Cf. bibliografía, sección I.

¹² W. S. MACCORMICK y J. HASELTINE: _The MSS of the Canterbury Tales_, Oxford, 1933; J. M. MANLY: _The Text of the Canterbury Tales_, 8 vols., Chicago, 1940; R. W. CHAMBERS y J. H. GRATTAN: "The Text of _Piers Plowman:_ Critical Methods", _Modern Language Review_, XI (1916), págs. 257-75, y "The Text of _Piers Plowman_", _ibid._, XXVI (1926), páginas 1-51.

¹³ Para distinciones más afinadas, cf. KANTOROWICZ, citado en la bibliografía, sección I.

¹⁴ Cf. SCULLEY BRADLEY: "The Problem of a Variorum Edition of Whitman's _Leaves of Grass_", _English Institute Annual, 1941_, Nueva York, 1942, págs. 129-58; A. POPE: _The Dunciad_ (ed. James Sutherland), Londres, 1943.

¹⁵ SIGURD B. HUSTVEDT: _Ballad Books and Ballad Men_, Cambridge, Mass., 1930.

¹⁶ Cf. bibliografía, sección II.

¹⁷ _Shakespeare's Hand in the Play of Sir Thomas More_, Cambridge, 1923 (colaboraciones de A. W. Pollard, W. W. Greg, Sir E. M. Thompson, J. D. Wilson y R. W. Chambers); S. A. TANNENBAUM, _The Booke of Sir Thomas More_, Nueva York, 1927.

¹⁸ _The Tempest_ (ed. Sir A. Quiller-Couch y J. D. Wilson), Cambridge, 1921, pág. XXX.

¹⁹ E. K. CHAMBERS: "The Integrity of _The Tempest_", _Review of English Studies_, I (1925), págs. 129-50; S. A. TANNENBAUM: "How Not to Edit Shakespeare: A Review", _Philological Quarterly_, X (1931), páginas 97-137; H. T. PRICE: "Towards a Scientific Method of Textual Criticism in the Elizabethan Drama", _Journal of English and Germanic Philology_, XXXVI (1937), págs. 151-67 (que en rigor se ocupa de Dover Wilson, Robertson, etc.).

²⁰ La obra de MICHAEL BERNAYS: _Zur Kritik und Geschichte des Goetheschen Textes_, Munich, 1866, constituyó el comienzo de la "Goethephilologie". Cf. también R. W. CHAPMAN: "The Textual Criticism of English Classics", _The Portrait of a Scholar_, Oxford, 1922, págs. 65-79.

²¹ Cf. bibliografía, sección III.

²² MICHAEL BERNAYS: "Zur Lehre von den Zitaten und Noten", _Schriften zur Kritik und Literaturgeschichte_, Berlín, 1899, vol. IV, páginas 253-347; ARTHUR FRIEDMAN: "Principles of Historical Annotation in Critical Editions of Modern Texts", _English Institute Annual, 1941_, Nueva York, 1942, págs. 115-28.

23 EDMOND MALONE: "An Essay on the Chronological Order of Shakespeare's Plays". La edición de los *Plays* de Shakespeare hecha por George Steevens (segunda ed., 1788, vol. I, págs. 269-346) fue el primer intento afortunado. Tablas métricas basadas en la obra de Fleay, Furnivall y König se encontrarán en el libro de T. M. PARROTT: *Shakespeare: Twenty-three Plays and the Sonnets,* Nueva York, 1938, pág. 94.

24 JAMES HURDIS: *Cursory Remarks upon the Arrangement of the Plays of Shakespeare,* Londres, 1792.

25 WINCENTY LUTOSLAWSKI: *The Origin and Growth of Plato's Logic with an Account of Plato's Style and the Chronology of his Writings,* Londres, 1897; para comentarios, cf. JOHN BURNET: *Platonism,* Berkeley, 1928, págs. 9-12.

26 GILES DAWSON: "Authenticity and Attribution of Written Matter", *English Institute Annual, 1942,* Nueva York, 1943, págs. 77-100; G. E. BENTLEY: "Authenticity and Attribution of the Jacobean and Caroline Drama", *ibid.,* págs. 101-118; cf. E. H. C. OLIPHANT: "Problems of Authorship in Elizabethan Dramatic Literature", *Modern Philology,* VIII (1911), págs. 411-59.

27 AUGUST WILHELM SCHLEGEL: "Anhang über die angeblich Shakespeare'n unterschobenen Stücke", *Über dramatische Kunst und Literatur,* Heidelberg, 1811, Zweiter Teil, Zweite Abtheilung, págs. 229-42.

28 J. M. ROBERTSON: *The Shakespeare Canon,* cuatro partes, Londres, 1922-32; *An Introduction to the Study of the Shakespeare Canon,* Londres, 1924; E. K. CHAMBERS: "The Desintegration of Shakespeare", *Proceedings of the British Academy,* XI (1925), págs. 89-108 (reproducido en *Shakespearian Gleanings,* Oxford, 1944, págs. 1-21).

29 E. N. S. THOMPSON: "Elizabethan Dramatic Collaboration", *Englische Studien,* XL (1908), págs. 30-46; W. J. LAWRENCE: "Early Dramatic Collaboration", *Pre-Restoration Stage Studies,* Cambridge, Mass., 1927; E. H. C. OLIPHANT: "Collaboration in Elizabethan Drama: Mr. W. J. Lawrence's Theory", *Philological Quarterly,* VIII (1929), págs. 1-10. Para buenos exponentes de estudios sobre Diderot y Pascal, cf. ANDRÉ MORIZE: *Problems and Methods of Literary History,* Boston, 1922, págs. 157-93.

30 E. H. C. OLIPHANT: *The Plays of Beaumont and Fletcher: An Attempt to Determine Their Respective Shares and the Shares of Others,* New Haven, 1927; "The Authorship of *The Revenger's Tragedy*", *Studies in Philology,* XXIII (1926), págs. 157-68.

31 *New Essays by Oliver Goldsmith* (ed. R. S. Crane), Chicago, 1927.

32 G. UDNY YULE: *The Statistical Study of Literary Vocabulary,* Cambridge, 1944.

33 J. S. SMART: *James Macpherson,* Londres, 1905; G. M. FRASER: "The Truth about Macpherson's Ossian", *Quarterly Review,* CCXLV (1925), págs. 331-45; W. W. SKEAT (ed.): *The Poetical Works of Thomas Chatterton with an Essay on the Rowley Poems,* 2 vols., Londres, 1871; THOMAS TYRWHITT: Apéndice a *Poems supposed to have been written... by Thomas Rowley,* segunda ed., Londres, 1778; y *A Vindication of the Appendix to*

the Poems called Rowley's, Londres, 1782; EDMOND MALONE: _Cursory Observations on the Poems attributed to Thomas Rowley_, Londres, 1782; THOMAS WARTON: _An Enquiry into the Authenticity of the Poems attributed to Thomas Rowley_, Londres, 1782; J. MAIR: _The Fourth Forger_, Londres, 1938; GEORGE CHALMERS: _An Apology for the Believers in the Shakespeare Papers_, Londres, 1797.

³⁴ ZOLTÁN HARASZTI: "The Works of Hroswitha", _More Books_, XX (1945), págs. 87-119, 139-73; EDWIN H. ZEYDEL: "The Authenticity of Hroswitha's Works", _Modern Language Notes_, LXI (1946), págs. 50-55; ANDRÉ MAZON: _Le Slovo d'Igor_, París, 1940; HENRI GRÉGOIRE, ROMAN JAKOBSON y otros (ed.): _La Geste du Prince Igor_, Nueva York, 1948.

³⁵ La mejor exposición en inglés se contiene en la obra de PAUL SELVER titulada _Masaryk: A Biography_, Londres, 1940.

³⁶ JOHN CARTER y GRAHAM POLLARD: _An Enquiry into the Nature of Certain Nineteenth Century Pamphlets_, Londres, 1934; WILFRED PARTINGTON: _Forging Ahead: The True Story of... T. J. Wise_, Nueva York, 1939; _Letters of Thomas J. Wise to J. H. Wrenn_ (ed. Fannie E. Ratchford), Nueva York, 1944.

CAPÍTULO VII

LITERATURA Y BIOGRAFÍA

¹ S. T. COLERIDGE en carta a Thomas Poole, febrero de 1797, _Letters_, ed. E. H. Coleridge, Londres, 1895, vol. I, pág. 4.

² Cf. bibliografía, sección I.

³ GEORG BRANDES: _William Shakespeare_, 2 vols., Copenhague, 1896 (trad. inglesa, 2 vols., Londres, 1898); FRANK HARRIS: _The Man Shakespeare_, Nueva York, 1909.

⁴ C. J. SISSON: _The Mythical Sorrows of Shakespeare_, British Academy Lecture, 1934; E. E. STOLL: _"The Tempest", Shakespeare and other Masters_, Cambridge, Mass., 1940, págs. 281-316.

⁵ JOHN KEATS: Carta a Richard Woodhouse, 27 de octubre 1818, _Letters_ (ed. H. B. Forman), 4.ª ed., Oxford, 1952, págs. 226-7. Cf. W. J. BATE: _Negative Capability: The Intuitive Approach in Keats_, Cambridge, Mass., 1939; T. S. ELIOT: "Tradition and the Individual Talent", _The Sacred Wood_, Londres, 1920, págs. 42-53.

⁶ BRANDES: _op. cit._, pág. 425. H. KINGSMILL: _Matthew Arnold_, Londres, 1928, págs. 147-9.

⁷ RAMÓN FERNÁNDEZ: "L'Autobiographie et le Roman: l'Exemple de Stendhal", _Messages_, París, 1926, págs. 78-109; GEORGE W. MEYER: _Wordsworth's Formative Years_, Ann Arbor, Mich., 1943.

⁸ WILHELM DILTHEY: _Das Erlebnis und die Dichtung_, Leipzig, 1907; FRIEDRICH GUNDOLF: _Goethe_, Berlín, 1916 (donde distingue entre _Urerlebnis_ y _Bildungserlebnis_).

⁹ V. Moore: *The Life and Eager Death of Emily Brontë*, Londres, 1936; Edith E. Kinsley: *Pattern for Genius*, Nueva York, 1939 (biografía en que se ensamblan citas de las novelas de Brontë sustituyendo los nombres ficticios por los verdaderos); Romer Wilson: *The Life and Private History of Emily Jane Brontë*, Nueva York, 1928. (Trata *Cumbres Borrascosas* pura y simplemente como autobiografía.)

¹⁰ El ejemplo está tomado de C. B. Tinker: *The Good Estate of Poetry*, Boston, 1929, pág. 30.

Capítulo VIII

LITERATURA Y PSICOLOGÍA

¹ Cf. Alfred Adler: *Study of Organ Inferiority and Its Psychical Compensation*, 1907 (trad. inglesa, 1917); Wayland F. Vaughan: "The Psychology of Compensation", *Psych. Review*, XXXIII (1926), págs. 467-79; Edmund Wilson: *The Wound and the Bow*, Nueva York, 1941; también L. MacNeice: *Modern Poetry* (Londres, 1938), pág. 76; L. Trilling: "Art and Neurosis", *Partisan Review*, XII (1945), págs. 41-9 (reproducido en *The Liberal Imagination*, Nueva York, 1950, págs. 160-80).

² Cf. bibliografía.

³ W. H. Auden: *Letters from Iceland*, Londres, 1937, pág. 193; cf. L. MacNeice: *Modern Poetry*, Londres, 1938, págs. 25-6; Karen Horney: *The Neurotic Personality of our Time*, Nueva York, 1937; Erich Fromm: *Escape from Freedom*, Nueva York, 1941, y *Man for Himself*, Nueva York, 1947.

⁴ Cf. W. Silz: "Otto Ludwig and the Process of Poetic Creation", *PMLA*, LX (1945), págs. 860-78, que reproduce la mayoría de los temas de psicología del escritor estudiados en la investigación alemana reciente, y Erich Jaensch: *Eidetic Imagery and Typological Methods of Investigation*, Londres, 1930; también "Psychological and Psychophysical Investigations of Types...", en *Feelings and Emotions*, Worcester, Mass., 1928, págs. 355 ss.

⁵ Sobre la sinestesia, cf. Ottokar Fischer: "Über Verbindung von Farbe und Klang: Eine literar-psychologische Untersuchung", *Zeitschrift für Aesthetik*, II (1907), págs. 501-34; Albert Wellek: "Das Doppelempfinden in der Geistesgeschichte", *Zeitschrift für Aesthetik*, XXIII (1929), páginas 14-42; "Renaissance- und Barock-synästhesie", *Deutsche Vierteljahrschrift für Literaturwissenschaft*, IX (1931), páginas 534-84; E. v. Erhardt-Siebold: "Harmony of the Senses in English, German and French Romanticism", *PMLA*, XLVII (1932), págs. 577-92; W. Silz: "Heine's Synaesthesia", *PMLA*, LVII (1942), págs. 469-88; S. de Ullman: "Romanticism and Synaesthesia", *PMLA*, LX (1945), págs. 811-27; A. G. Engstrom: "In Defense of Synaesthesia in Literature", *Philological Quarterly*, XXV (1946), págs. 1-19.

⁶ Cf. Richard Chase: "The Sense of the Present", *Kenyon Review*, VII (1945), págs. 218 ss. Las citas de la obra de T. S. Eliot, *The Use of*

Poetry, figuran en las págs. 118-9, 155 y 148 y nota. El ensayo a que Eliot se refiere, "Le Symbolisme et l'âme primitive", se publicó en la *Revue de littérature comparée,* XII (1932), págs. 356-86. Cf. también ÉMILE CAILLIET: *Symbolisme et âmes primitives,* París, 1936, en cuyas páginas finales se refiere una conversación con Eliot.

⁷ CARL J. JÜNG: "On the Relation of Analytical Psychology to Poetic Art", *Contributions to Analytical Psychology,* Londres, 1928, y *Psychological Types,* Londres, 1926; y cf. JACOBI: *The Psychology of Jung,* New Haven, 1943. Entre los filósofos, psicólogos y estéticos británicos que han reco-' nocido abiertamente su deuda con Jung figuran JOHN M. THORBURN: *Art and the Unconscious,* 1925; MAUD BODKIN: *Archetypal Patterns ·in Poetry: Psychological Studies of Imagination,* 1934; HERBERT READ: "Myth, Dream, and Poem", *Collected Essays in Literary Criticism,* Londres, 1938, páginas 101-16; H. G. BAYNES: *Mythology of. the Soul,* Londres, 1940; M. ESTHER HARDING: *Women's Mysteries,* Londres, 1935.

⁸ Sobre tipologías del carácter, cf., para una exposición histórica, A. A. ROBACK: *The Psychology of Character with a Survey of Tempera-.ment,* Nueva York, 1928; EDUARD SPRANGER: *Types of Men: the Psychology... of Personality,* Halle, 1928; ERNST KRETSCHMER: *Physique and Character...,* Londres, 1925; *The Psychology of Men of Genius,* Londres, 1931. Sobre el "artífice" y el "poseso", cf. W. A. AUDEN: "Psychology and Art", *The Arts Today* (ed. G. Grigson), Londres, 1935, págs. 1-21.

⁹ F. W. NIETZSCHE: *Die Geburt der Tragödie,* 1871; TH. RIBOT: *Essai sur l'imagination créatrice,* París, 1900; LIVIU RUSU: *Essai sur la création artistique,* París, 1935. Lo "demoníaco" viene de Goethe (término que emplea por vez primera en *Urworte,* 1817), y constituye un concepto predominante en la teoría alemana moderna; cfr. M. SCHÜTZE: *Academic Illusions in the Field of Letters,* Chicago, 1933, págs. 91 ss.

¹⁰ C. S. LEWIS: *The Personal Heresy...,* Londres, 1939, págs. 22-3; W. DILTHEY: *Das Erlebnis und die Dichtung...,* Leipzig, 1906; cf. SCHÜTZE: *op. cit.,* págs. 96 ss.

¹¹ NORA CHADWICK: *Poetry and Prophecy,* Cambridge, 1942 (sobre el chamanismo); RIBOT: *Creative Imagination,* Londres, 1906, pág. 51.

¹² ELIZABETH SCHNEIDER: "The 'Dream' of Kubla Khan", *PMLA,* LX (1945), págs. 784-801, desarrollado en *Coleridge, Opinion and Kubla Khan,* Chicago, 1953. Cf. también JEANNETTE MARKS: *Genius and Disaster: Studies in Drugs and Genius,* Nueva York, 1925.

¹³ AELFRIDA TILLYARD: *Spiritual Exercises and their Results...,* Londres, 1927; R. VAN GELDER: *Writers and Writing,* Nueva York, 1946; SAMUEL JOHNSON: *Lives of the Poets,* "Milton".

¹⁴ Sobre Hemingway y la máquina de escribir: R. G. BERKELMAN: "How to Put Words on Paper", *Saturday Review of Literature,* 29 de diciembre de 1945. Sobre el dictado y el estilo: THEODORA BOSANQUET: *Henry James at Work* (Hogarth Essays), Londres, 1924.

¹⁵ Así, los estéticos alemanes citan principalmente a Goethe y a Otto Ludwig; los franceses, a Flaubert (el epistolario) y a Valéry; los críticos

norteamericanos, a Henry James (los prólogos a la edición de Nueva York) y a Eliot.

Muestra excelente del modo de ver francés es el trabajo de Valéry sobre Poe (P. VALÉRY: "Situation de Baudelaire", *Variété*, II [París, 1937], páginas 155-60).

¹⁶ Sobre signos y símbolos, cf. S. K. LANGER: *Philosophy in a New Key*, Cambridge, Mass., 1942, págs. 53-78, y HELMUT HATZFELD: "The Language of the Poet", *Studies in Philology*, XLIII (1946), págs. 93-120.

¹⁷ J. L. LOWES: *The Road to Xanadu: A Study in the Ways of the Imagination*, Boston, 1927.

¹⁸ W. DIBELIUS: *Charles Dickens*, Leipzig, 1926, págs. 347-73.

¹⁹ ALBERT R. CHANDLER: *Beauty and Human Nature: Elements of Psychological Aesthetics*, Nueva York, 1934, pág. 328; A. THIBAUDET: *Gustave Flaubert*, París, 1935, págs. 93-102; FREDERICK H. PRESCOTT: "The Formation of Imaginary Characters", *The Poetic Mind*, Nueva York, 1922, páginas 187 ss.; A. H. NETHERCOT: "Oscar Wilde on his Subdividing Himself", *PMLA*, LX (1945), págs. 616-7.

²⁰ *The Letters of John Keats* (ed. H. B. Forman), cuarta ed., Nueva York, 1935, pág. 227. La modificación del texto seguida se recomienda en nota de Forman.

²¹ A. FEUILLERAT: *Comment Proust a composé son roman*, New Haven, 1934; cf. también los ensayos de KARL SHAPIRO y RUDOLF ARNHEIM en *Poets at Work* (ed. C. D. Abbott), Nueva York, 1948.

²² Cf. JAMES H. SMITH: *The Reading of Poetry*, Boston, 1939 (el editor inventa variantes que sustituyen a las desechadas por los autores).

²³ LILY B. CAMPBELL: *Shakespeare's Tragic Heroes: Slaves of Passion*, Cambridge, 1930; OSCAR J. CAMPBELL: "What is the Matter with Hamlet?", *Yale Review*, XXXII (1942), págs. 309-22; HENRI DELACROIX: *La Psychologie de Stendhal*, París, 1918; F. J. HOFFMAN: *Freudianism and the Literary Mind*, Baton Rouge, 1945, págs. 256-88.

²⁴ Cf. L. C. T. FOREST: "A Caveat for Critics against Invoking Elizabethan Psychology", *PMLA*, LXI (1946), págs. 651-72.

²⁵ Cf. los escritos de E. E. STOLL, *passim*, esp. *From Shakespeare to Joyce*, Nueva York, 1944, págs. 70 ss.

CAPÍTULO IX

LITERATURA Y SOCIEDAD

¹ Cf. bibliografía, sección I.

² Cf. el excelente trabajo de MORRIS R. COHEN, "American Literary Criticism and Economic Forces", *Journal of the History of Ideas*, I (1940), págs. 369-74.

³ Sobre De Bonald, cf. HORATIO SMITH: "Relativism in Bonald's Literary Doctrine", *Modern Philology*, XXXII (1934), págs. 193-210; B. CRO-

CE: "La Letteratura come espressione della società", *Problemi di Estetica*, Bari, 1910, págs. 56-60.

4 Introducción a la *Histoire de la littérature anglaise* (1863): "Si elles fournissent des documents, c'est qu'elles sont des monuments", p. xlvii, volumen I de la 2.ª ed., París, 1866.

5 Cf., por ejemplo, HAVELOCK ELLIS: *A Study of British Genius*, Londres, 1904 (ed. revisada, Boston, 1926); EDWIN L. CLARKE: *American Men of Letters: Their Nature and Nurture*, Nueva York, 1916 ("Columbia Studies in History, Economics, and Public Law", vol. 72); A. ODIN: *Genèse des grands hommes*, 2 vols., París, 1895.

6 P. N. SAKULIN: *Die russische Literatur*, Wildpark-Potsdam, 1927 (en el *Handbuch der Literaturwissenschaft* de Oskar Walzel).

7 V. gr., D. BLAGOY: *Sotsiologiya tvorchestva Puschkina* ("Sociología de la obra de Puschkin"), Moscú, 1931.

8 HERBERT SCHOEFFLER: *Protestantismus und Literatur*, Leipzig, 1922. Es evidente que las cuestiones de procedencia social están íntimamente relacionadas con las cuestiones de primeras impresiones, del primer ambiente material y social de un escritor. Como Schoeffler ha señalado, los hijos de los clérigos rurales contribuyeron mucho a crear la literatura prerromántica británica y el gusto del siglo XVIII. Habiendo vivido en el campo, y casi literalmente en el patio de la iglesia, estaban fácilmente predispuestos a la poesía de paisajes y cementerios, a meditaciones sobre la muerte y la inmortalidad.

9 L. C. KNIGHTS: *Drama and Society in the Age of Jonson*, Londres, 1937.

10 LILY CAMPBELL: *Shakespeare's Histories: Mirrors of Elizabethan Policy*, San Marino, 1947; SIR CHARLES FIRTH: "The Political Significance of Swift's *Gulliver's Travels*", *Essays: Historical and Literary*, Oxford, 1938, págs. 210-241.

11 PROSPER DE BARANTE: *De la littérature française pendant le dix-huitième siècle*, París, tercera ed., 1822, pág. V. El prólogo no figura en la primera edición, de 1809. La teoría de Barante la desarrolla brillantemente HARRY LEVIN en "Literature as an Institution", *Accent*, VI (1946), páginas 159-68. Reproducido en *Criticism* (ed. Schorer, Miles, McKenzie), Nueva York, 1948, págs. 546-53.

12 ASHLEY H. THORNDIKE: *Literature in a Changing Age*, Nueva York, 1921, pág. 36.

13 Q. D. LEAVIS: *Fiction and the Reading Public*, Londres, 1932.

14 Algunas obras sobre estas cuestiones son: ALFRED A. HARBAGE: *Shakespeare's Audience*, Nueva York, 1941; R. J. ALLEN: *The Clubs of Augustan London*, Cambridge, Mass., 1933; CHAUNCEY B. TINKER: *The Salon and English Letters*, Nueva York, 1915; ALBERT PARRY: *Garrets and Pretenders: a History of Bohemianism in America*, Nueva York, 1933.

15 Cf. GRACE OVERMYER: *Government and the Arts*, Nueva York, 1939. Sobre Rusia, cf. los escritos de FREEMAN, MAX EASTMAN, W. FRANZ, etc.

16 GUEORGUII V. PLEJANOV: *Art and Society*, Nueva York, 1936, páginas 43, 63, etc. Estudios principalmente ideológicos son: A. CASSAGNE: *La Théorie de l'art pour l'art en France*, París, 1906; ROSE F. EGAN: *The Genesis of the Theory of Art for Art's Sake in Germany and England*, 2 partes, Northampton, 1921-4; LOUISE ROSENBLATT: *L'idée de l'art pour l'art dans la littérature anglaise*, París, 1931.

17 L. SCHÜCKING: *Die Soziologie der literarischen Geschmacksbildung*, Munich, 1923 (segunda ed., Leipzig, 1931; trad. inglesa, *The Sociology of Literary Taste*, Londres, 1941); cf. SCHÜCKING: *Die Familie in Puritanismus*, Leipzig, 1929.

18. Cf. T. A. JACKSON: *Charles Dickens, The Progress of a Radical*, Londres, 1937.

19 Cf. MRS. LEAVIS, citada en la nota 13; LINK, K. C., y HOPF, H.: *People and Books*, Nueva York, 1946; F. BALDENSPERGER: *La Littérature: création, succès, durée*, París, 1913; P. STAPFER: *Des Réputations littéraires*, París, 1893; GASTON RAGEOT: *Le Succès: Auteurs et public. Essai de critique sociologique*, París, 1906; ÉMILE HENNEQUIN: *La critique scientifique*, París, 1882. Los efectos sociales de otro arte, las películas cinematográficas, los estudia imparcialmente MORTIMER ADLER en *Art and Prudence*, Nueva York, 1937. En la obra de JAN MUKAROVSKY, *Estetická funkce, norma a hodnota jako sociálni fakt*, Praga, 1936, se encontrará un brillante esquema dialéctico de la "función, norma y valor estéticos como hechos sociales".

20 THOMAS WARTON: *History of English Poetry*, Londres, 1774, volumen I, pág. 1.

21 E. KOHN-BRAMSTEDT: *Aristocracy and the Middle Classes in Germany*, Londres, 1937, pág. 4.

22 Cf. ANDRÉ MONGLOND: *Le Héros préromantique, Le Préromantisme français*, vol. I, Grenoble, 1930; R. P. UTTER y G. B. NEEDHAM: *Pamela's Daughters*, Nueva York, 1937. Véanse también los escritos de E. E. STOLL, verbigracia: "Heroes and Villains: Shakespeare, Middleton, Byron, Dickens", en *From Shakespeare to Joyce*, Garden City, 1944, págs. 307-27.

23 CHARLES LAMB: "On the Artificial Comedy", *Essays of Elia*, 1821; T. B. MACAULAY: "The Dramatic Works of Wycherley, Congreve, Vanbrugh, and Farquhar", *Edinburgh Review*, LXII (1841); J. PALMER: *The Comedy of Manners*, Londres, 1913; K. M. LYNCH: *The Social Mode of Restoration Comedy*, Nueva York, 1926.

24 E. E. STOLL: "Literature and Life", *Shakespeare Studies*, Nueva York, 1927, y diversos trabajos en *From Shakespeare to Joyce*, Garden City, 1944.

25 JOHN MAYNARD KEYNES: *A Treatise on Money*, Nueva York, 1930, vol. II, pág. 154.

26 LUNACHARSKY, citado por L. C. KNIGHTS, *loc. cit.*, pág. 10, de *The Listener*, 27 de diciembre de 1934.

27 KARL MARX: *Critique of Political Economy*, Chicago, 1904, pág. 310. En este pasaje parece que se abandona por completo la posición marxista. Pueden señalarse también otras afirmaciones cautas, verbigracia: la carta

de Engels a Starkenburg, 25 de enero de 1894, en que dice: "El desenvolvimiento político, jurídico, filosófico, religioso, literario, artístico, etc., se basa en el desenvolvimiento económico. Pero todos ellos reobran, conjunta y separadamente, uno sobre otro, y sobre la base económica" (MARX-ENGELS: Selected Works, vol. I, pág. 391). En carta de 21 de septiembre de 1890 a Joseph Bloch, Engels reconoce que él y Marx han exagerado el factor económico y menospreciado el papel de la interacción recíproca; y en carta de 14 de julio de 1893 a Mehring, dice que han "desatendido" el aspecto formal, el modo en que las ideas se desenvuelven (cf. MARX-ENGELS: Selected Works, vol. I, págs. 383, 390).

²⁸ Die Deutsche Ideologie, en KARL MARX y F. ENGELS: Historisch-kritische Gesamtausgabe (ed. V. Adoratskij), Berlín, 1932, vol. V, páginas 21, 373.

²⁹ A. A. SMIRNÓV: Shakespeare: A Marxist Interpretation, Nueva York, 1936, pág. 93.

³⁰ MAX SCHELER: "Probleme einer Soziologie des Wissens", Versuch zu einer Soziologie des Wissens (ed. Max Scheler), Munich y Leipzig, 1924, vol. I, págs. 1-146, y "Probleme einer Soziologie des Wissens", Die Wissensformen und die Gesellschaft, Leipzig, 1926, págs. 1-226; KARL MANNHEIM: Ideology and Utopia, Londres, 1936. Algunos estudios sobre el tema son: H. OTTO DAHLKE: "The Sociology of Knowledge", en H. E. BARNES, HOWARD BECKER y F. B. BECKER: Contemporary Social Theory, Nueva York, 1940, págs. 64-99; ROBERT K. MERTON: "The Sociology of Knowledge", Twentieth Century Sociology (ed. Georges Gurvitch y Wilbert E. Moore), Nueva York, 1945, págs. 366-405; GERARD L. DE GRÉ: Society and Ideology: an Inquiry into the Sociology of Knowledge, Nueva York, 1943; ERNEST GRUENWALD: Das Problem der Soziologie des Wissens, Viena, 1934; THELMA Z. LAVINE: "Naturalism and the Sociological Analysis of Knowledge", Naturalism and the Human Spirit (ed. Yervant H. Krikorian), Nueva York, 1944, págs. 183-209; ALEXANDER KERN: "The Sociology of Knowledge in the Study of Literature", Sewanee Review, L (1942), páginas 505-14.

³¹ MAX WEBER: Gesammelte Aufsätze zur Religionssoziologie, 3 volúmenes, Tubinga, 1920-21; R. H. TAWNEY: Religion and the Rise of Capitalism, Londres, 1926 (nueva ed. con prólogo, 1937); JOACHIM WACH: The Sociology of Religion, Chicago, 1944.

³² Cf. la crítica de PITIRIM A. SOROKIN en Contemporary Sociological Theories, Nueva York, 1928, pág. 710.

³³ P. A. SOROKIN: Fluctuations of Forms of Art, Social and Cultural Dynamics, vol. I, Nueva York, 1937, sobre todo el capítulo I.

³⁴ EDWIN BERRY BURGUM: "Literary Form: Social Forces and Innovations", The Novel and the World's Dilemma, Nueva York, 1947, páginas 3-18.

³⁵ FRITZ BRÜGGEMANN: "Der Kampf um die bürgerliche Welt- und Lebensauffassung in der deutschen Literatur des 18. Jahrhunderts", Deut-

sche Vierteljahrschrift für Literaturwissenschaft und Geistesgeschichte, III, (1925), págs. 94-127.

[36] ERICH AUERBACH: *Mimesis: Dargestellte Wirklichkeit in der abendländischen Literatur,* Berna, 1946, *passim,* esp. págs. 76, 94, 494-5.

[37] KARL BÜCHER: *Arbeit und Rhythmus,* Leipzig, 1896; J. E. HARRISON: *Ancient Art and Ritual,* Nueva York, 1913; *Themis,* Cambridge, 1912; GEORGE THOMSON: *Aeschylus and Athens, A Study in the Social Origins of the Drama,* Londres, 1941, y *Marxism and Poetry,* Londres, 1945 (folleto de gran interés. con aplicación a materiales irlandeses); CHRISTOPHER CAUDWELL: *Illusion and Reality,* Londres, 1937; KENNETH BURKE: *Attitudes toward History,* Nueva York, 1937; MARETT, ROBERT R. (ed.): *Anthropology and the Classics,* Oxford, 1908.

CAPÍTULO X

LITERATURA E IDEAS

[1] HERMANN ULRICI: *Über Shakespeares dramatische Kunst,* 1839.

[2] GEORGE BOAS: *Philosophy and Poetry,* Wheaton College, Mass., 1932, página 9.

[3] T. S. ELIOT: *Selected Essays,* Nueva York, 1932, págs. 115-6.

[4] Verbigracia: "God's in his Heaven; all's right with the world" (Dios está en los cielos; todo está bien en el mundo), es afirmación de que Dios ha creado necesariamente el mejor de todos los mundos posibles. "On the earth the broken arch; in heaven, a perfect round" (En la tierra, el arco roto; en el cielo, un círculo perfecto), es el argumento que procede de lo limitado a lo infinito, de la conciencia de lo imperfecto a la posibilidad de perfección, etc.

[5] Cf. bibliografía.

[6] Cf. bibliografía.

[7] LEO SPITZER: *"Milieu and Ambiance: An Essay in Historical Semantics", Philosophy and Phenomenological Research,* III (1942), págs. 1-42, 169-218. Reproducido en *Essays in Historical Semantics,* Nueva York, 1948, págs. 179-316; "Classical and Christian Ideas of World Harmony: Prolegomena to an Interpretation of the Word 'Stimmung'", *Traditio: Studies in Ancient and Medieval History, Thought and Religion,* II (1944), páginas 409-464, y III (1945), págs. 307-364.

[8] ÉTIENNE HENRI GILSON: *Les Idées et les Lettres,* París, 1932.

[9] PAUL HAZARD: *La Crise de la conscience européenne,* 3 vols., París, 1934; *La Pensée européenne au XVIIIᵉ siècle de Montesquieu à Lessing,* 3 vols., París, 1946.

[10] M. O. GERSCHENZON: *Mudrost Puschkina* ("La sabiduría de Pusch-kin"), Moscú, 1919.

[11] Para estudios "metafísicos" sobre Dostoyevskii, cf. NIKOLAI BIERDIÁYEV: *Mirosozertsanie Dostoevskogo* ("La concepción del mundo en Dostoyevskii") (trad. inglesa del francés, Nueva York, 1934), Praga, 1923;

VYACHESLÁV IVÁNOV: _Freedom and the Tragic Life: A Study in Dostoevsky,_ Nueva York, 1952; D. MIERESCHKOVSKII: _Tolstoi i Dostoevsky,_ 2 volúmenes, San Petersburgo, 1912 (traducción inglesa parcial con el título de _Tolstoi as Man and Artist, with an Essay on Dostoevski,_ Nueva York, 1902); V. ROSZÁNOV: _Legenda o Velikom inkvizitore,_ Berlín, 1924; LEO SCHÉSTOV: _Dostojewski und Nietzsche, Philosophie der Tragödie_ (trad. alemana, Berlín, 1931), y _On Job's Balances,_ Londres, 1932.

[12] HERMANN GLOCKNER: "Philosophie und Dichtung: Typen ihrer Wechselwirkung von den Griechen bis auf Hegel", _Zeitschrift für Aesthetik,_ XV (1920-21), págs. 187-294.

[13] Cf. RENÉ WELLEK: "Literary Criticism and Philosophy: A Note on _Revaluation_", _Scrutiny,_ V (1937), págs. 375-383, y F. R. LEAVIS: "Literary Criticism and Philosophy: A Reply", _ibid.,_ VI (1937), págs. 59-70 (reproducido en _The Importance of Scrutiny,_ Nueva York, 1948, págs. 23-40).

[14] RUDOLF UNGER: _Philosophische Probleme in der neueren Literaturwissenschaft,_ Munich, 1908; _Weltanschauung und Dichtung,_ Zurich, 1917; _Literaturgeschichte als Problemgeschichte,_ Berlín, 1924; "Literaturgeschichte und Geistesgeschichte", _Deutsche Vierteljahrschrift für Literaturwissenschaft und Geistesgeschichte,_ IV (1925), págs. 177-92. Todos los trabajos anteriores se recogen en _Aufsätze zur Prinzipienlehre der Literaturgeschichte,_ 2 volúmenes, Berlín, 1929.

[15] RUDOLF UNGER: _Herder, Novalis, Kleist: Studien über die Entwicklung des Todesproblems,_ Francfort, 1922; WALTHER REHM: _Der Todesgedanke in der deutschen Dichtung,_ Halle, 1928; PAUL KLUCKHOHN: _Die Auffassung der Liebe in der Literatur des achtzehnten Jahrhunderts und in der Romantik,_ Halle, 1922.

[16] MARIO PRAZ: _La carne, la morte e il diavolo nella letteratura romantica,_ Milán, 1930.

[17] C. S. LEWIS: _The Allegory of Love,_ Oxford, 1936; THEODORE SPENCER: _Death and Elizabethan Tragedy,_ Cambridge, Mass., 1936.

[18] HOXIE NEALE FAIRCHILD: _Religious Trends in English Poetry,_ 3 volúmenes, Nueva York, 1939-42.

[19] ANDRÉ MONGLOND: _Le Préromantisme français,_ 2 vols., Grenoble, 1930; PIERRE TRAHARD: _Les Maîtres de la sensibilité française au XVIIIe siècle,_ 4 vols., París, 1931-3.

[20] Cf. una excelente sinopsis de estudios sobre _The Use of Color in Literature,_ por SIGMUND SKARD, en _Proceedings of the American Philosophical Society,_ XC (núm. 3, julio de 1946), págs. 163-249. La bibliografía, compuesta de 1.183 títulos, comprende también el enorme cúmulo de publicaciones sobre el sentimiento del paisaje.

[21] BALZAC: _Cousine Bette,_ cap. IX.

[22] GELLERT: Carta al conde Hans Moritz von Brühl, 3 de abril de 1755 (Yale University Library).

[23] Dr. JOHNSON: _Prayers and Meditations, Letters to Miss Boothby,_ etc.

[24] Cf. la primera versión de la teoría de los tipos de Dilthey en "Die drei Grundformen der Systeme in der ersten Hälfte des 19. Jahrhunderts",

Archiv für Geschichte der Philosophie, XI (1898), págs. 557-86 (reproducido en *Gesammelte Schriften,* Leipzig, 1925, vol. IV, págs. 528-54). Se encuentran versiones posteriores en "Das Wesen der Philosophie" de la obra de Paul Hinneberg *Die Kultur der Gegenwart* (Teil I, Abteilung VI, 'Systematische Philosophie', Berlín, 1907, págs. 1-72) (reproducido en *Gesammelte Schriften,* loc. cit., vol. V, parte 1, págs. 339-416), y en "Die Typen der Weltanschauung und ihre Ausbildung in den philosophischen Systemen", *Weltanschauung, Philosophie, Religion* (ed. Max Frischeisen-Köhler, Berlín, 1911), págs. 3-54 (reproducido, *loc. cit.,* vol. VIII, páginas 75-120).

25 HERMANN NOHL: *Die Weltanschauungen der Malerei,* Jena, 1908; *Typische Kunststile in Dichtung und Musik,* Jena, 1915.

26 UNGER en "Weltanschauung und Dichtung", *Aufsätze...,* op. cit., páginas 77 y sigs.

27 O. WALZEL: *Gehalt und Gestalt im dichterischen Kunstwerk* (Berlín-Babelsberg, 1923), págs. 77 ss.

28 H. W. EPPELSHEIMER: "Das Renaissanceproblem", *Deutsche Vierteljahrschrift für Literaturwissenschaft und Geistesgeschichte,* II (1933), página 497.

29 H. A. KORFF: *Geist der Goethezeit: Versuch einer ideellen Entwicklung der klassisch-romantischen Literaturgeschichte,* 4 vols., Leipzig, 1952-53; HERBERT CYSARZ: *Erfahrung und Idee,* Viena, 1921; *Deutsche Barockdichtung,* Leipzig, 1924; *Literaturgeschichte als Geisteswissenschaft,* Halle, 1926; *Von Schiller bis Nietzsche,* Halle, 1928; *Schiller,* Halle, 1934; MAX DEUTSCHBEIN: *Das Wesen des Romantischen,* Gothen, 1921; GEORG STEFANSKY: *Das Wesen der deutschen Romantik,* Stuttgart, 1923; PAUL MEISSNER: *Die geisteswissenschaftlichen Grundlagen des englischen Literaturbarocks,* Berlín, 1934.

30 ERNST CASSIRER: *Freiheit und Form,* Berlín, 1922; *Idee und Gestalt,* Berlín, 1921. Cf. CYSARZ: *op. cit.*

31 B. CROCE: *La poesia di Dante,* Bari, 1920.

32 B. CROCE: *Goethe,* Bari, 1919.

CAPÍTULO XI
LA LITERATURA Y LAS DEMÁS ARTES

1 ÉMILE LEGOUIS: *Edmund Spenser,* París, 1923; ELIZABETH W. MANWARING: *Italian Landscape in Eighteenth Century England,* Nueva York, 1925; SIR SIDNEY COLVIN: *John Keats,* Londres, 1917.

2 STEPHEN A. LARRABEE: *English Bards and Grecian Marbles: The Relationship between Sculpture and Poetry especially in the Romantic Period,* Nueva York, 1943.

3 ALBERT THIBAUDET: *La Poésie de Stéphane Mallarmé,* París, 1926.

4 Cf. bibliografía, sección I.

⁵ Cf. Bruce Pattison: *Music and Poetry of the English Renaissance*, Londres, 1948; Germaine Bontoux: *La Chanson en Angleterre au temps d'Elizabeth*, París, 1938; Miles M. Kastendieck: *England's Musical Poet: Thomas Campion*, Nueva York, 1938.

⁶ Erwin Panofsky: *Studies in Iconology*, Nueva York, 1939. Cf. también la publicación del Warburg Institute, los trabajos de Fritz Saxl, Edgar Wind y otros. Hay también numerosos trabajos sobre la representación pictórica (en vasos) de Homero y de las tragedias griegas, v. gr., la obra de Carl Robert: *Bild und Lied*, Berlín, 1881; y la de Louis Séchan: *Études sur la tragédie grecque dans ses rapports avec·la céramique*, París, 1926.

⁷ Larrabee: *loc. cit.*, pág. 87. Para un estudio más detenido, cf. la reseña de R. Wellek en *Philological Quarterly*, XXIII (1944), págs. 382-3.

⁸ W. G. Howard: "Ut Pictura Poesis", *Publications of the Modern Language Association*, XXIV (1909), págs. 40-123; Cicely Davies: "Ut Pictura Poesis", *Modern Language Review*, XXX (1935), págs. 159-69; Rensselaer W. Lee: "Ut Pictura Poesis: The Humanistic Theory of Painting", *Art Bulletin*, XXII (1940), págs. 197-269.

⁹ Mrs. Una Ellis-Fermor somete a un "análisis musical" de esta clase la *Volpone* de Jonson en su obra *Jacobean Drama*, Londres, 1936; y George R. Kernodle trata de encontrar "la forma sinfónica de *El Rey Lear*" ("The Symphonic Form of *King Lear*") en *Elizabethan Studies and Other Essays in Honor of George G. Reynolds*, Boulder, Colorado, 1945, páginas 185-91.

¹⁰ Véase Erwin Panofsky: "The Neoplatonic Movement and Michelangelo", *Studies in Iconology*, Nueva York, 1939, págs. 171 y ss.

¹¹ Károly Tolnai: *Pierre Bruegel l'Ancien*, 2 volúmenes, Bruselas, 1935; cf. también *Die Zeichnungen Peter Breugels*, Munich, 1925; y la crítica de Carl Neumann en *Deutsche Vierteljahrschrift*, IV (1926), páginas 308 ss.

¹² Cf. el capítulo anterior, "Literatura e ideas".

¹³ Benedetto Croce: *Estetica*, Bari, 1950, págs. 14, 76, 126 y *passim*.

¹⁴ John Dewey: *Art as Experience*, Nueva York, 1934, pág. 212.

¹⁵ T. M. Greene: *The Arts and the Art of Criticism*, Princeton, 1940, págs. 213 ss., especialmente págs. 221-26; John Dewey: *op. cit.*, páginas 175 ss., 218 ss. Se hallarán argumentos contra la utilización del ritmo en las artes plásticas en Ernst Neumann: *Untersuchungen zur Psychologie und Aesthetik des Rhythmus*, Leipzig, 1894; y en Fritz Medicus: "Das Problem einer vergleichenden Geschichte der Künste", en *Philosophie der Literaturwissenschaft* (ed. E. Ermatinger), Berlín, 1930, págs. 195 ss.

¹⁶ George David Birkhoff: *Aesthetic Measure*, Cambridge, Mas., 1933.

¹⁷ Por ejemplo, en el prólogo de John Hughes a su edición de la *Faerie Queene* (1715) y en las *Letters on Chivalry and Romance* de Richard Hurd (1762).

¹⁸ Oswald Spengler: *Der Untergang des Abendlandes*, Munich, 1923, vol. I, págs. 151, 297, 299, 322, 339.

[19] Cf. el artículo de Wellek citado en la bibliografía, sección I, y su trabajo "The Concept of Baroque in Literary Scholarship", *Journal of Aesthetics and Art Criticism*, V (1946), págs. 77-108. Contiene muchos ejemplos concretos y más referencias.

[20] H. WÖLFFLIN: *Kunstgeschichtliche Grundbegriffe*, Munich, 1915 (trad. ingl., Nueva York, 1932).

[21] Cf. HANNA LÉVY: *Henri Wölfflin. Sa théorie. Ses prédécesseurs*, Rottweil, 1936 (tesis de la Universidad de París).

[22] H. WÖLFFLIN: "Kunstgeschichtliche Grundbegriffe: Eine Revision", *Logos*, XXII (1933), págs. 310-24 (reproducido en *Gedanken zur Kunstgeschichte*, Basilea, 1941), págs. 18-24.

[23] O. WALZEL: "Shakespeares dramatische Baukunst", *Jahrbuch der Shakespearegesellschaft*, LII (1916), págs. 3-35 (reproducido en *Das Wortkunstwerk, Mittel seiner Erforschung*, Leipzig, 1926, págs. 302-25).

[24] *Ibid.* (Berlín, 1917), especialmente *Gehalt und Gestalt im Kunstwerk des Dichters*, Wildpark-Potsdam, 1923, págs. 265 ss. y 282 ss.

[25] FRITZ STRICH: *Deutsche Klassik und Romantik, oder Vollendung und Unendlichkeit*, Munich, 1922. Cf. también la crítica de Martin Schütze en *Academic Illusions*, Chicago, 1933, págs. 13, 16.

[26] Cf. CHRISTOPHER HUSSEY: *The Picturesque: Studies in a Point of View*, Londres, 1927, pág. 5.

[27] JAKOB BURCKHARDT: *Die Kultur der Renaissance in Italien* (ed. W. Kaegi), Berna, 1943, pág. 370.

[28] Un buen estudio de estas teorías lo contiene la obra de PITIRIM SOROKIN: *Social and Cultural Dynamics*, vol. I, Cincinnati, 1937. Cf. también W. PASSARGE: *Die Philosophie der Kunstgeschichte in der Gegenwart*, Berlín, 1930.

[29] E. LEGOUIS y L. CAZAMIAN: *Histoire de la littérature anglaise*, París, 1924, pág. 279.

INTRODUCCIÓN A LA PARTE IV

[1] SIR SIDNEY LEE: *The Place of English Literature in the Modern University*, Londres, 1913 (reproducido en *Elizabethan and Other Essays*, Londres, 1929, pág. 7).

[2] Cf. bibliografía, sección III.

[3] V. gr., OSKAR WALZEL: *Wechselseitige Erhellung der Künste*, Berlín, 1917; *Gehalt und Gestalt im Kunstwerk des Dichters*, Potsdam, 1923; *Das Wortkunstwerk*, Leipzig, 1926.

[4] Para estudios sobre el movimiento formalista ruso, cf. VICTOR EHRLICH: *Russian Formalism*, La Haya, 1955.

[5] Cf., especialmente, WILLIAM EMPSON: *Seven Types of Ambiguity*, Londres, 1930; F. R. LEAVIS: *New Bearings in English Poetry*, Londres, 1932; GEOFFREY TILLOTSON: *On the Poetry of Pope*, 1938.

⁶ Cf. bibliografía, sección IV.

⁷ L. C. KNIGHTS: How many Children had Lady Macbeth?, Londres, 1933, págs. 15-54 (reproducido en Explorations, Londres, 1946, págs. 15-54), desarrolla acertadamente la tesis adversa a la confusión entre la vida y el teatro. En los escritos de E. E. STOLL, L. L. SCHÜCKING y otros se subraya especialmente el papel de la convención y del distanciamiento de la vida en el teatro.

⁸ Sobresalen los escritos de JOSEPH WARREN BEACH y The Craft of Fiction, de PERCY LUBBOCK, Londres, 1921. En Rusia, en la obra de VÍCTOR SCHKLOVSKY, O Teoriyi prozy (Teoría de la prosa), 1925, y en muchos escritos de V. V. VINÓGRADOV y B. EICHENBAUM se aplica a la novela el método formalista.

⁹ JAN MUKAROVSKY: Introducción a Máchův Máj, Praga, 1928, páginas IV-VI.

¹⁰ Cf. "El verdadero argumento de una novela se hurta al epítome en la misma medida que el personaje... Sólo como precipitados de la memoria son tangibles la trama o el personaje; sin embargo, sólo en solución tienen una u otro valencia emotiva." (C. H. RICKWORD: "A Note on Fiction"; Toward Standards of Criticism [ed. F. R. Leavis], Londres, 1935, pág. 33.)

CAPÍTULO XII

EL MODO DE SER DE LA OBRA LITERARIA

¹ Cf. bibliografía, sección I.

² ERNEST FENOLLOSA: The Chinese Written Character as a Medium for Poetry, Nueva York, 1936; MARGARET CHURCH: "The First English Pattern Poems", PMLA, LXI (1946), págs. 636-50. A. L. KORN: "Puttenham and the Oriental Pattern Poem", Comparative Literature, VI (1954), páginas 289-303.

³ Cf. ALFRED EINSTEIN: "Augenmusik im Madrigal", Zeitschrift der internationalen Musikgesellschaft, XIV (1912), págs. 8-21.

⁴ I. A. RICHARDS: Principles of Literary Criticism, Londres, 1924, páginas 125, 248. Cf. Practical Criticism, Londres, 1929, pág. 349.

⁵ RICHARDS: Principles, págs. 225-27.

⁶ Cf. bibliografía, sección V.

⁷ Ejemplos tomados del artículo de WALZEL, que se cita en la Bibliografía, sección V.

⁸ Como dice SPINGARN, "el propósito del poeta ha de juzgarse en el momento del arte creador, es decir, por el arte del poema mismo" ("The New Criticism", Criticism and America, Nueva York, 1924, págs. 24-5).

⁹ E. M. TILLYARD y C. S. LEWIS: The Personal Heresy: A Controversy, Londres, 1934; y el Milton, de TILLYARD, Londres, 1930, pág. 237.

¹⁰ En su Biographie de l'oeuvre littéraire, París, 1925, PIERRE AUDIAT afirma que la obra de arte "representa un período en la vida del escritor"

y que, en consecuencia, queda envuelta en esos mismos dilemas, imposibles y totalmente ociosos.

[11] JAN MUKAROVSKY: "L'art comme fait sémiologique" .(trabajo leído en el Congreso Internacional de Filosofía, Praga, septiembre de 1934)..

[12] ROMAN INGARDEN: *Das literarische Kunstwerk*, Halle, 1931.

[13] Especialmente en el *Cours de Linguistique Générale*, de SAUSSURE, París, 1916.

[14] Cf. E. HUSSERL: *Méditations Cartésiennes*, París, 1931, págs. 38-9.

[15] Cf. nota 7 en la Introducción a la Parte IV.

[16] Cf. bibliografía, sección II.

[17] Cf. LOUIS TEETER: "Scholarship and the Art of Criticism", *ELH*, V (1938), págs. 173-93.

[18] Cf. ERNST TROELTSCH: "Historiography", en la *Encyclopaedia of Religion and Ethics*, de HASTINGS, Edimburgo, 1913, vol. VI, pág. 722.

[19] El término lo emplea ORTEGA Y GASSET, aunque en sentido distinto.

CAPÍTULO XIII

EUFONÍA, RITMO Y METRO

[1] Cambridge, Mass., 1933.

[2] Cf. la obra experimental de CARL STUMPF: *Die Sprachlaute*, Berlín, 1926, especialmente págs. 38 y ss.

[3] W. J. BATE: *The Stylistic Development of John Keats*, Nueva York, 1945.

[4] OSIP BRIK: "Zvukovie potvory" ("Las figuras sonoras"), en *Poetika*, San Petersburgo, 1919.

[5] Para un estudio más detenido, cf. el. capítulo "La literatura y las demás artes".

[6] HENRY LANZ: *The Physical Basis of Rime*, Palo Alto, 1931.

[7] W. K. WIMSATT: "One Relation of Rhyme to Reason", *Modern Language Quarterly*, V (1944), págs. 323-38 (reproducido en *The Verbal Icon*, Lexington, Ky., 1954, págs. 153-66).

[8] H. C. WYLD: *Studies in English Rhymes from Surrey to Pope*, Londres, 1923. Cf. también FREDERICK NESS: *The Use of Rhyme in Shakespeare's Plays*, New Haven, 1941.

[9] V. ZHIRMUNSKI: *Rifma, ee istoria i teoriya* ("La rima. Su historia y teoría"), Petrogrado, 1923; VALERY BRYUSOV, en "O rifme" ("Sobre la rima"), *Pechat i revolutsiya 1924* (I, págs. 114-23), reseña el libro de Zhirmunski y señala otros muchos problemas de los estudios sobre la rima. El trabajo de CHARLES F. RICHARDSON: *A Study of English Rhyme*, Hanover, N. H., 1909, constituye un modesto comienzo en la dirección acertada.

[10] WOLFGANG KAYSER: *Die Klangmalerei bei Harsdörffer*, Leipzig, 1932 (Palaestra, vol. 179); I. A. RICHARDS: *Practical Criticism*, Londres, 1929, págs. 232-3.

[11] J. C. RANSOM: *The World's Body*, Nueva York, 1938, págs. 95-7. Cabe decir, sin embargo, que el cambio introducido por Ransom sólo es leve *en apariencia*. En rigor, el sustituir *m* por *d* en "murmuring" destruye la estructura fonética "m-m", con lo que se desaloja de tal estructura la palabra "innumerable" antes inserta en ella. Huelga decir que, por sí sola, la palabra "innumerable" es del todo ineficaz onomatopéyicamente.

[12] M. GRAMMONT: *Le Vers français, ses moyens d'expression, son harmonie*, París, 1913.

[13] RENÉ ETIEMBLE, en "Le Sonnet des Voyelles", *Revue de littérature comparée*, XIX (1939), págs. 235-61, estudia las muchas anticipaciones en A. W. Schlegel y otros.

[14] ALBERT WELLEK: "Der Sprachgeist als Doppelempfinder", *Zeitschrift für Aesthetik*, XXV (1931), págs. 226-62.

[15] Cf. STUMPF, citado en la nota 2, y WOLFGANG KOEHLER: "Akustische Untersuchungen", *Zeitschrift für Psychologie*, LIV (1910), págs. 241-89; LVIII (1911), págs. 59-140; LXIV (1913), págs. 92-105; LXXII (1915), págs. 1-192. ROMAN JAKOBSON, en *Kindersprache, Aphasie und allgemeine Lautgesetze*, Upsala, 1941, apoya estos resultados con testimonios tomados del lenguaje de los niños y de la afasia.

[16] Cf., verbigracia, E. M. HORNBOSTEL: "Laut und Sinn", en *Festschrift Meinhof*, Hamburgo, 1927, págs. 329-48; HEINZ WERNER: *Grundfragen der Sprachphysiognomik*, Leipzig, 1932. El libro de KATHERINE M. WILSON, *Sound and Meaning in English Poetry*, Londres, 1930, es más bien una obra de carácter general sobre métrica y estructura fonéticas. ROMAN JAKOBSON tiene en preparación una obra sobre "Sonido y Sentido".

[17] Buenos estudios de conjunto recientes son los de A. W. DE GROOT: "Der Rhythmus", en *Neophilologus*, XVII (1932), págs. 81-100, 177-97, 241-65; y de DIETRICH SEKEL: *Hölderlins Sprachrhythmus*, Leipzig, 1937 (Palaestra, 207), obra que contiene un estudio general del ritmo y bibliografía completa.

[18] Verbigracia, en la obra de W. K. WIMSATT, *The Prose Style of Samuel Johnson*, New Haven, 1941, págs. 5-8.

[19] JOSHUA STEELE: *Prosodia Rationalis, or an Essay towards Establishing the Melody and Measure of Speech*, Londres, 1775.

[20] EDUARD SIEVERS: *Rhythmisch-melodische Studien*, Heidelberg, 1912; OTTMAR RUTZ: *Musik, Wort und Körper als Gemütsausdruck*, Leipzig, 1911; *Sprache, Gesang und Körperhaltung*, Munich, 1911; *Menschheitstypen und Kunst*, Jena, 1921; en la obra de GÜNTHER IPSEN y FRITZ KARG *Schallanalytische Versuche*, Heidelberg, 1938, se encontrará la bibliografía sobre esta cuestión.

[21] OSKAR WALZEL: *Gehalt und Gestalt im dichterischen Kunstwerk*, Potsdam, 1923, págs. 96-105, 391-94. El libro *Der musikalische Rhythmus als Erkenntnisquelle*, Augsburgo, 1923, de GUSTAV BECKING, constituye un intento admirado, pero fantástico, de utilizar las teorías de Sievers.

[22] W. M. PATTERSON: *The Rhythm of Prose*, Nueva York, 1916.

[23] G. SAINTSBURY: *A History of English Prose Rhythm*, Londres, 1913.

24 OLIVER ELTON: "English Prose Numbers", *A Sheaf of Papers*, Londres, 1922; MORRIS W. CROLL: "The Cadence of English Oratorical Prose", *Studies in Philology*, XVI (1919), págs. 1-55.

25 B. TOMASCHEVSKII: "Ritm prozy (po Pikovey Dame)" ("El ritmo de la prosa según *El Caballo de Espadas*"), *O Stijé. Statyi* ("Ensayos sobre el verso"), Leningrado, 1929.

26 La obra *Die antike Kunstprosa*, de EDUARD NORDEN, Leipzig, 1898, 2 vols., es clásica. Cf. también ALBERT DE GROOT: *A Handbook of Antique Prose Rhythm*, Groninga, 1919.

27 Cf. WILLIAM K. WIMSATT: *The Prose Style of Samuel Johnson*, New Haven, 1941.

28 G. SAINTSBURY: *History of English Prosody*, 3 vols., Londres, 1906-10.

29 BLISS PERRY: *A Study of Poetry*, Londres, 1920, pág. 145.

30 T. S. OMOND: *English Metrists*, Oxford, 1921; PALLISTER BARKAS: *A Critique of Modern English Prosody*, Halle, 1934 (*Studien zur englischen Philologie*, ed. Morsbach y Hecht, LXXXII).

31 Cf., especialmente, M. W. CROLL: "Music and Metrics", *Studies in Philology*, XX (1923), págs. 388-94; G. R. STEWART, JR.: *The Technique of English Verse*, Nueva York, 1930.

32 Esta notación procede de MORRIS W. CROLL: *The Rhythm of English Verse* (folleto a ciclostilo, Princeton, 1929), pág. 8. Sustituir un acento principal por una cesura da lugar a una recitación sumamente artificiosa.

33 La obra teórica más trabajada, con centenares de ejemplos, es la de WILLIAM THOMSON, *The Rhythm of Speech*, Glasgow, 1923. Agudo expositor reciente es JOHN C. POPE: *The Rhythm of Beowulf*, New Haven, 1942.

34 Verbigracia, DONALD STAUFFER: *The Nature of Poetry*, Nueva York, 1946, págs. 203-4.

35 GEORGE R. STEWART, JR.: *Modern Metrical Technique as Illustrated by Ballad Meter (1700-1920)*, Nueva York, 1922.

36 Cf. bibliografía, sección III, 2.

37 W. L. SCHRAMM: University of Iowa Studies, Series on Aims and Progress of Research, n.º 46, Iowa City, Ia., 1935.

38 Cf. la portada de la obra de HENRY LANZ *The Physical Basis of Rime*, Stanford Press, 1931.

39 VITTORIO BENUSSI: *Psychologie der Zeitauffassung*, Heidelberg, 1913, págs. 215 y ss.

40 G. R. STEWART: *The Technique of English Verse*, Nueva York, 1930, pág. 3.

41 SARAN: *Deutsche Verslehre*, *loc. cit.*, pág. 1; VERRIER: *Essai...*, vol. I, pág. IX.

42 STEWART se ve obligado a introducir el término "frase", que implica comprensión del sentido.

43 Véase la bibliografía y VICTOR EHRLICH: *Russian Formalism*, La Haya, 1955.

[44] JAN MUKAROVSKY: "Intonation comme facteur de rhythme poétique", _Archives néerlandaises de phonétique expérimentale,_ VIII-IX (1933), páginas 153-65.

[45] EDUARD FRAENKEL: _Iktus und Akzent im lateinischen Sprechvers,_ Berlín, 1928.

[46] Se encontrarán algunos intentos en este sentido en ALBERT H. LICKLI-DER: _Chapters on the Metric of the Chaucerian Tradition,_ Baltimore, 1910.

[47] A. MEILLET: _Les Origines indoeuropéennes des mètres grecs,_ París, 1923.

[48] ROMAN JAKOBSON: "Über den Versbau der serbokroatischen Volksepen", _Archives néerlandaises de phonétique expérimentale,_ VIII-IX (1933), págs. 135-53.

[49] THOMAS MACDONAGH (_Thomas Campion and the Art of English Poetry,_ Dublín, 1913) distingue entre verso melódico, verso oratorio y verso cantado.

[50] BORIS EICHENBAUM: _Melódika lyrichéskogo stija_ ("La melodía del verso lírico"), San Petersburgo, 1922.

[51] Véase la crítica a Eichenbaum en la obra de VIKTOR ZHIRMUNSKI _Voprosy teorii literatury_ ("Cuestiones de teoría literaria"), Leningrado, 1928.

CAPÍTULO XIV

ESTILO Y ESTILÍSTICA

[1] F. W. BATESON: _English Poetry and the English Language,_ Oxford, 1934, pág. VI.

[2] K. VOSSLER: _Gesammelte Aufsätze zur Sprachphilosophie,_ Munich, 1923, pág. 37.

[3] VOSSLER: _Frankreichs Kultur im Spiegel seiner Sprachentwicklung,_ Heidelberg, 1913 (nueva ed., 1929, con el título de _Frankreichs Kultur und Sprache); VIKTOR VINÓGRADOV: _Yazyk Puschkina_ ("La lengua de Puschkin"), Moscú, 1935.

[4] Tales son los resultados de los minuciosos experimentos de P. VERRIER, según se exponen en _Essai sur les principes de la métrique anglaise,_ París, 1909-10, vol. I, pág. 113.

[5] A. H. KING: _The Language of Satirized Characters in Poetaster: A Socio-Stylistic Analysis, 1597-1602, Lund Studies in English,_ vol. X, Lund, 1941; WILHELM FRANZ, _Shakespearegrammatik,_ Halle, 1898-1900 (nueva ed., Heidelberg, 1924); LAZARE SAINÉAN: _La Langue de Rabelais,_ 2 vols., París, 1922-23. Para una bibliografía completa, cf. GUERLIN DE GUER: "La Langue des écrivains", _Qu'en sont les études de Français?_ (ed. A. Dauzat), París, 1935, págs. 227-337.

[6] Véase bibliografía, sección I.

[7] Del "Edwin Morris" de Tennyson, tomado de la obra de H. C. WYLD _Some Aspects of the Diction of English Poetry,_ Oxford, 1933. Se encontrará un estudio sumamente histórico del problema en el prólogo a los

Essays in Criticism and Research de GEOFFREY TILLOTSON, Cambridge, 1942.

[8] *To His Coy Mistress,* de MARVELL.

[9] LOUIS TEETER: "Scholarship and the Art of Criticism", *ELH,* V (1938), pág. 183.

[10] CHARLES BALLY: *Traité de stylistique française,* Heidelberg, 1909. LEO SPITZER también identificó la estilística con la sintaxis, al menos en sus primeros estudios: cf. "Über syntaktische Methoden auf romanischem Gebiet", *Die neueren Sprachen,* XXV (1919), pág. 338.

[11] Sobre el "estilo elevado", cf. *On Translating Homer,* de MATTHEW ARNOLD, y G. SAINTSBURY, "Shakespeare and the Grand Style", "Milton and the Grand Style" y "Dante and the Grand Style", *Collected Essays and Papers,* Londres, 1923, vol. III.

[12] FRIEDRICH KAINZ: "Höhere Wirkungsgestalten des sprachlichen Ausdrucks im Deutschen", *Zeitschrift für Aesthetik,* XXVIII (1934), páginas 305-57.

[13] WIMSATT, *op. cit.,* pág. 12.

[14] WILHELM SCHNEIDER: *Ausdruckswerte der deutschen Sprache: Eine Stilkunde,* Leipzig, 1931, pág. 21.

[15] Véase bibliografía, sección V.

[16] Cf. la introducción de MORRIS W. CROLL a la edición de *Euphues,* de LILY, hecha por Harry Clemons, Londres, 1916.

[17] Cf. HENRY C. WYLD: *Spenser's Diction and Style,* Londres, 1930; B. R. McELDERRY, Jr.: "Archaism and Innovation in Spenser's Poetic Diction", *PMLA,* XLVII (1932), págs. 144-70; HERBERT W. SUGDEN: *The Grammar of Spenser's Fairie Queene,* Filadelfia, 1936.

[18] Cf. AUSTIN WARREN: "Instress of Inscape", *Gerard Manley Hopkins, By the Kenyon Critics,* Norfolk, Conn., 1945, págs. 72-88, y en *Rage for Order,* Chicago, 1948, págs. 52-65.

[19] J. M. ROBERTSON: *The Shakespeare Canon,* 4 vols., Londres, 1922-32.

[20] Cf. bibliografía, sección II.

[21] JOSEPHINE MILES: "The Sweet and Lovely Language", *Gerard Manley Hopkins, By the Kenyon Critics,* Norfolk, Conn., 1945, págs. 55-71.

[22] GEOFFREY TILLOTSON: *Essays in Criticism and Research,* Cambridge, 1942, pág. 84.

[23] FRIEDRICH GUNDOLF: *Goethe,* Berlín, 1915.

[24] HERMANN NOHL: *Die Kunststile in Dichtung und Musik,* Jena, 1915, y *Stil und Weltanschauung,* Jena, 1920.

[25] *Motiv und Wort, Studien zur Literatur- und Sprachpsychologie;* HANS SPERBER: *Motiv und Wort bei Gustav Meyrink;* LEO SPITZER: *Die groteske Gestaltungs- und Sprachkunst Christian Morgensterns,* Leipzig, 1918; JOSEF KÖRNER: *Arthur Schnitzlers Gestalten und Probleme,* Munich, 1921. Cf. también JOSEF KÖRNER: "Erlebnis-Motiv-Stoff", *Vom Geiste neuer Literaturforschung: Festschrift für Oskar Walzel,* Wildpark-Potsdam, 1924, págs. 80-9; LEO SPITZER: *Studien zu Henri Barbusse,* Bonn, 1920.

²⁶ LEO SPITZER: "Zu Charles Péguys Stil", *Vom Geiste neuer Literaturforschung: Festschrift für Oskar Walzel* (Wildpark-Potsdam, 1924), páginas 162-183 (reproducido en *Stilstudien*, loc. cit., vol. II, págs. 301-64); "Der Unanimismus Jules Romains im Spiegel seiner Sprache", *Archivum Romanicum*, VIII (1924), págs. 59-123 (reproducido en *Stilstudien*, loc. cit., II, págs. 208-300). Sobre Morgenstern, cf. nota 25.

²⁷ SPITZER: *Die Wortbildung als stilistisches Mittel (bei Rabelais)*, Halle, 1910; "Pseudo-objektive Motivierung bei Charles-Louis Philippe", *Zeitschrift für französische Sprache und Literatur*, XLVI (1923), págs. 659-85 (reproducido en *Stilstudien*, loc. cit., vol. II, págs. 166-207).

²⁸ SPITZER: "Zur sprachlichen Interpretation von Wortkunstwerken", *Neue Jahrbücher für Wissenschaft und Jugendbildung*, VI (1930), páginas 632-51 (reproducido en *Romanische Stil- und Literaturstudien*, Marburgo, 1931, vol. I); cf. también "Wortkunst und Sprachwissenschaft", *Germanisch-romanische Monatsschrift*, XIII (1925), págs. 169-86 (reproducido en *Stilstudien*, loc. cit., vol. II, págs. 498-536); "Linguistics and Literary History", *Linguistics and Literary History*, Princeton, 1948, págs. 1-40.

²⁹ SPITZER: "Klassische Dämpfung in Racine", *Archivum Romanicum*, XII (1928), págs. 361-472 (reproducido en *Romanische Stil- und Literaturstudien*, Marburgo, 1931, vol. I, págs. 135-270). Cf. también *ibid.* artículos sobre Quevedo, Góngora y Voltaire.

³⁰ Verbigracia, FRITZ STRICH: "Der lyrische Stil des siebzehnten Jahrhunderts", *Abhandlungen zur deutschen Literaturgeschichte, Franz Muncker... dargebracht*, Munich, 1916, págs. 21-53, especialmente pág. 37.

³¹ Cf. el excelente ensayo de MORRIS W. CROLL "The Baroque Style in Prose", *Studies in English Philology: A Miscellany in Honor of F. Klaeber*, Minneapolis, 1929, págs. 427-56; y también GEORGE WILLIAMSON: *The Senecan Amble*, Chicago, 1951.

³² Cf. bibliografía, sección IV.

³³ Cf. bibliografía, sección IV.

CAPÍTULO XV

IMAGEN, METÁFORA, SÍMBOLO, MITO

¹ MAX EASTMAN: *The Literary Mind in an Age of Science*, Nueva York, 1931, pág. 165.

² Sobre las clases de elocución, cf. CHARLES MORRIS: *Signs, Languages, and Behavior*, Nueva York, 1946, págs. 123 y ss. Morris distingue doce clases de elocución, de las cuales las que interesan a este capítulo —y a los cuatro términos de su título— son "ficticia" (el mundo de la novela), "mitológica" y "poética".

³ *Monosigno* y *plurisigno* son términos que emplea PHILIP WHEELWRIGHT en "The Semantics of Poetry", *Kenyon Review*, II (1940), páginas 263-83. El plurisigno es "semánticamente reflexivo en el sentido de que es parte de lo que significa. Es decir, del plurisigno, del símbolo poé-

tico, no se hace uso simplemente, sino que se goza' de él; su valor no es enteramente instrumental, sino en gran parte estético, intrínseco".

⁴ Cf. E. G. BORING: *Sensation and Perception in the History of Experimental Psychology*, Nueva York, 1942; JUNE DOWNEY: *Creative Imagination: Studies in the Psychology of Literature*, Nueva York, 1929; JEAN-PAUL SARTRE: *L'Imagination*, París, 1936.

⁵ I. A. RICHARDS: *Principles of Literary Criticism*, Londres, 1924, cap. XVI, "The analysis of a Poem".

⁶ EZRA POUND: *Pavannes and Divisions*, Nueva York, 1918; T. S. ELIOT: "Dante", *Selected Essays*, Nueva York, 1932, pág. 204; ELIOT: "A Note on the Verse of John Milton", *Essays and Studies by Members of the English Association*, XXI, Oxford, 1936, pág. 34.

⁷ "La psicología moderna nos ha enseñado que estos dos sentidos del término "imagen" se superponen. Podemos decir que toda imagen mental espontánea es, hasta cierto punto, simbólica" (CHARLES BAUDOUIN: *Psychoanalysis and Aesthetics*, Nueva York, 1924, pág. 28).

⁸ J. M. MURRY: "Metaphor", *Countries of the Mind*, segunda serie, Londres, 1931, págs. 1-16; L. MACNEICE, *Modern Poetry*, Nueva York, 1938, pág. 113.

⁹ Un estudio admirable de un movimiento literario y de su influencia sobre otro lo constituye' el de RENÉ TAUPIN titulado *L'Influence du symbolisme français sur la poésie américaine...*, París, 1929.

¹⁰ Para la terminología que aquí se adopta, cf. CRAIG LA DRIERE: *The American Bookman*, I (1944), págs. 103-4.

¹¹ S. T. COLERIDGE: *The Statesman's Manual: Complete Works* (ed. Shedd), Nueva York, 1853, vol. I, págs. 437-8. La distinción entre símbolo y alegoría la estableció claramente por vez primera Goethe. Cf. CURT RICHARD MÜLLER: *Die geschichtlichen Voraussetzungen des Symbolbegriffs in Goethes Kunstanschauung*, Leipzig, 1937.

¹² J. H. WICKSTEED: *Blake's Innocence and Experience...*, Londres, 1928, pág. 23; W. B. YEATS, *Essays*, Londres, 1924, págs. 95 y ss., sobre los "símbolos dominantes" en Shelley.

¿Cuándo se convierten las metáforas en símbolos? *a)* Cuando el "vehículo" de la metáfora es concreto-sensorial, como el cordero. La cruz no es una metáfora, sino un símbolo metonímico, que representa a Él, que murió en ella, como la parrilla de San Lorenzo y la rueda de Santa Catalina, o que representa el sufrimiento, caso en que el *instrumento* significa lo que hace, el efecto de su acción. *b)* Cuando la metáfora es reiterativa y central, como en Crashaw, en Yeats y en Eliot. El procedimiento normal es convertir las imágenes en metáforas y las metáforas en símbolos, como hace Henry James.

¹³ La "heterodoxia blakiana", dice M. O. PERCIVAL (*Blake's Circle of Destiny*, Nueva York, 1938, pág. 1), "era igualmente tradicional en la ortodoxia de Dante". MARK SCHORER (*William Blake*, N. York, 1946, pág. 23) dice: "Blake, como Yeats, halló apoyo metafórico para su concepción dialéc-

tica en... el sistema de correspondencia de Swedenborg y Boehme, en las prácticas analógicas de los cabalistas y en la alquimia de Paracelso y Agripa".

14 Cf. los comentarios que sobre- Frost hace CLEANTH BROOKS en _Modern Poetry and the Tradition_, Chapel Hill, 1939, págs. 110 y ss.

15 Cf. NIETZSCHE: _Die Geburt der Tragödie_, Leipzig, 1872.

16 Para un conjunto representativo de definiciones, cf. LORD RAGLAN: _The Hero..._, Londres, 1937.

17 Cf. FRITZ STRICH: _Die Mythologie in der deutschen Literatur von Klopstock bis Wagner_, Berlín, 1910, 2 vols.

18 S. H. HOOKE: _Myth and Ritual_, Oxford, 1933; J. A. STEWART: _The Myths of Plato_, Londres, 1905; ERNST CASSIRER: _Philosophie der symbolischen Formen_, vol. II; "Das mythische Denken", Berlín, 1925, páginas 271 y ss.

19 GEORGES SOREL: _Réflexions sur la violence;_ REINHOLD NIEBUHR: "The Truth Value of Myths", _The Nature of Religious Experience..._, Nueva York, 1937.

20 Cf. especialmente R. M. GUASTALLA: _Le Mythe et le livre: essai sur l'origine de la littérature_, París, 1940.

21 Cf. DONALD DAVIDSON: "Yeats and the Centaur", _Southern Review_, VII (1941), págs. 510-16.

22 ARTHUR MACHEN: _Hieroglyphics_, Londres, 1923, defiende hábilmente (aunque de un modo nada técnico, y en versión sumamente romántica) el punto de vista de que la religión (es decir, el mito y el ritual) representa el clima más amplio dentro del cual solamente puede alentar y crecer la poesía (es decir, el simbolismo, la contemplación estética).

23 La clasificación clásica de esquemas y tropos es la de las _Instituciones_ de Quintiliano. Para el estudio isabelino más completo, cf. el _Arte of English Poesie_, de PUTTENHAM (ed. Willcock y Walker), Cambridge, 1936.

24 KARL BÜHLER: _Sprachtheorie_, Jena, 1934, pág. 343; STEPHEN J. BROWN: _The World of Imagery_, págs. 149 y ss., y ROMAN JAKOBSON: "Randbemerkungen zur Prosa des Dichters Pasternak", _Slavische Rundschau_, VII (1935), págs. 357-73.

25 D. S. MIRSKY: "Walt Whitman: Poet of American Democracy", _Critics Group Dialectics_, n.º 1, 1937, págs. 11-29.

26 G. CAMPBELL: _Philosophy of Rhetoric_, Londres, 1776, págs. 321, 326.

27 RICHARDS (_Philosophy of Rhetoric_, Londres, 1936, pág. 117) llama "metáfora verbal" al primer tipo de Campbell, pues mantiene que la metáfora literaria no es un vínculo verbal, sino una transacción entre contextos, una analogía entre objetos.

28 Cf. MILMAN PARRY: "The Traditional Metaphor in Homer", _Classical Philology_, XXVIII (1933), págs. 30-43. Parry explica la ahistórica identificación que Aristóteles hizo del metaforismo de Homero con el de poetas posteriores; compara las "metáforas fijas" de Homero con las de poetas ingleses antiguos y (de un modo más restringido) con las de los clásicos del siglo XVIII.

²⁹ Cf. C. BALLY: *Traité de stylistique française*, Heidelberg, 1909, vol. I, págs. 184 y ss.: "Le langage figuré". En las páginas 194-5, hablando no como teórico de la literatura, sino como lingüista, Bally clasifica las metáforas del modo siguiente: "Images concrètes, saisies par l'imagination, images affectives, saisies par une opération intellectuelle..." A sus tres categorías las llamaría yo: 1) metáfora poética; 2) metáfora ritual ("fija"), y 3) metáfora lingüística (etimológica o soterrada).

³⁰ Para una defensa de la metáfora ritual y de las imágenes gremiales al estilo de Milton, cf. C. S. LEWIS: *Preface to Paradise Lost*, Londres, 1942, págs. 39 y ss.

³¹ Cf. HEINZ WERNER: *Die Ursprünge der Metapher*, Leipzig, 1919.

³² HERMANN PONGS: *Das Bild in der Dichtung. I: Versuch einer Morphologie der metaphorischen Formen*, Marburgo, 1927; *II: Voruntersuchungen zum Symbol*, Marburgo, 1939.

³³ L. B. OSBORN: *The... Writings of John Hoskyns*, New Haven, 1937, pág. 125; GEORGE CAMPBELL: *Philosophy of Rhetoric*, págs. 335-7; A. POPE: *The Art of Sinking*; A. DION: *L'Art d'écrire*, Quebec, 1911, págs. 111-2.

³⁴ THOMAS GIBBONS: *Rhetoric...*, Londres, 1767, págs. 15-16.

³⁵ JOHN DRYDEN: *Essays* (ed. W. P. Ker), Oxford, 1900, vol. I, página 247 ("Dedication of *The Spanish Friar*").

³⁶ Cf. I. A. RICHARDS: *Philosophy of Rhetoric*, Londres, 1936, páginas 117-18: "Puede establecerse una división muy amplia entre las metáforas que operan a través de alguna semejanza directa entre dos cosas, el continente y el vehículo, y las que se forjan mediante alguna actitud común que podamos... adoptar hacia ellas."

³⁷ El Shakespeare de época posterior abunda en figuras de rápido cambio, lo que pedagogos de antaño llamarían "metáforas mixtas". Podría decirse que Shakespeare piensa más de prisa de lo que habla, dice Wolfgang Clemen en *Shakespeares Bilder...*, Bonn, 1936, pág. 144.

³⁸ H. W. WELLS: *Poetic Imagery*, Nueva York, 1924, pág. 127. El pasaje citado es de *The First Anniversary: An Anatomy of the World...*, de Donne, versos 409-12. Como escritores que de un modo característico hacen uso de la imagen radical, Wells (*op. cit.*, págs. 136-7) cita a Donne, Webster, Marston, Chapman, Tourneur y Shakespeare, y de finales del siglo XIX, a George Meredith (a cuyo *Modern Love* lo califica de "corpus de pensamiento simbólico extraordinariamente condensado e interesante"), y a Francis Thompson.

³⁹ Las imágenes de *Macbeth* son objeto de un brillante estudio de CLEANTH BROOKS en "The Naked Babe and the Cloak of Manliness", *The Well Wrought Urn*, Nueva York, 1947, págs. 21-46.

⁴⁰ Ya en tiempos de Quintiliano (*Instituciones*, libro VIII, capítulo VI) se consideraba que una distinción fundamental entre las clases de metáforas correspondía a la distinción entre lo orgánico y lo inorgánico. Las cuatro clases establecidas por Quintiliano son: lo animado por lo animado; lo inanimado por lo inanimado; lo inanimado por lo animado, y lo animado por lo inanimado.

Pongs llama *Beseeltypus* al primero de sus tipos y *Erfühltypus* al segundo. Aquél animiza o antropomorfiza; éste endopatiza.

⁴¹ Sobre RUSKIN acerca de la "Pathetic Fallacy", cf. *Modern Painters*, Londres, 1856, vol. III, parte 4. Los ejemplos citados salvan de la condena al símil, porque separa el hecho natural respecto de la valoración emocional. Sobre las herejías polares del antropomorfismo y el simbolismo, cf. la brillante obra de M. T.-L. PENIDO: *Le Rôle de l'analogie en théologie dogmatique*, París, 1931, págs. 197 y ss.

⁴² M. A. EWER: *Survey of Mystical Symbolism*, Londres, 1933, páginas 164-6.

⁴³ Vossler, Spengler, T. E. Hulme *(Speculations*, Londres, 1924) y Yeats al igual que Pongs experimentaron la influencia de la obra de WILHELM WORRINGER: *Abstraktion und Einfühlung*, Berlín, 1908.

Nuestra primera cita procede del admirable estudio de JOSEPH FRANK: "Spatial Form in Modern Literature", en *Sewanee Review*, LIII (1945), pág. 645; la segunda, de SPENGLER, que cita a Worringer al estudiar la cultura mágica, *La decadencia de Occidente*, vol. I, págs. 290, 296.

⁴⁴ Cf. ERNEST KRIS: "Approaches to Art", en *Psychoanalysis Today* (ed. S. Lorand), Nueva York, 1944, págs. 360-2.

⁴⁵ W. B. YEATS: *Autobiography*, Nueva York, 1938, págs. 161, 219-25.

⁴⁶ K. VOSSLER: *Spirit of Language in Civilization* (Londres, 1932), pág. 4. Vossler observa certeramente que magos y místicos son tipos duraderos y opuestos. "Hay una lucha constante entre la magia, que utiliza el lenguaje como un instrumento, y así trata de extender su dominio todo lo posible, comprendiendo incluso a Dios, y el misticismo, que quebranta, quita valor y rechaza todas las formas".

⁴⁷ H. PONGS: *Das Bild*, vol. I, pág. 296.

⁴⁸ EMILY DICKINSON: *Collected Poems*, Boston, 1937, págs. 192, 161; cf. también pág. 38 ("I laughed a wooden laugh") y pág. 215 ("A clock stopped — not the mantel's").

⁴⁹ Sobre el sentido de Bizancio, cf. *A Vision*, de YEATS, Londres, 1938, págs. 279-81.

⁵⁰ HERMANN NOHL: *Stil und Weltanschauung*, Jena, 1920.

⁵¹ Cf. ÉMILE CAILLIET: *Symbolisme et âmes primitives*, París, 1936, como trabajo en que, con toda tranquilidad y sin la menor crítica, se acepta la equivalencia entre la mentalidad prelógica de los pueblos primitivos y los fines de los poetas simbolistas.

⁵² MacNEICE; *op. cit.*, pág. 111.

⁵³ Cf. HAROLD ROSENBERG: "Myth and Poem", *Symposium*, II (1931), págs. 179 ss.

⁵⁴ GLADYS WADE: *Thomas Traherne*, Princeton, 1944, págs. 26-37. Cf. la reseña crítica de la obra hecha por E. N. S. THOMPSON en *Philological Quarterly*, XXIII (1944), págs. 383-4.

⁵⁵ DR. JOHNSON: *Lives of the Poets*, "Thomson". Sobre el argumento que parte de la falta de imágenes, cf. el penetrante artículo de L. H. HORN-

STEIN: "Analysis of Imagery", en *PMLA*, LVII (1942), págs. 638-53, que contiene los ejemplos que citamos.

[56] MARIO PRAZ: *English Studies*, XVIII (1936), págs. 177-81, reseña con ingenio la obra de CAROLINE SPURGEON: *Shakespeare's Imagery and What It Tells Us* (Cambridge, 1935), especialmente su primera parte, "The Revelation of the Man", con su "falacia de tratar de deducir... de las imágenes de Shakespeare sus sentimientos, gustos e intereses", y elogia con razón a Clemen (cuyo libro apareció en 1936), por creer que "el empleo y selección que Shakespeare hace de las imágenes no está condicionado tanto por sus propios gustos personales como por lo que en cada caso constituyen sus intenciones artísticas".

[57] El ensayo de Caroline Spurgeon se reproduce en ANNE BRADBY: *Shakespeare Criticism, 1919-35*, Londres, 1936, págs. 18-61.

Sobre la autobiografía y *Hamlet*, cf. C. J. SISSON: *The Mythical Sorrows of Shakespeare*, Londres, 1936.

[58] T. S. ELIOT: "Hamlet", *Selected Essays*, Londres, 1932, págs. 141-6.

[59] G. WILSON KNIGHT: *Myth and Miracle: An Essay on the Mystic Symbolism of Shakespeare*, Londres, 1929; *The Wheel of Fire*, Londres, 1930; *The Imperial Theme*, Londres, 1931; *The Christian Renaissance*, Toronto, 1933; *The Burning Oracle*, Londres, 1939; *The Starlit Dome*, Londres, 1941.

[60] Bonn, 1936.

CAPÍTULO XVI

NATURALEZA Y FORMAS DE LA FICCIÓN NARRATIVA

[1] SIDNEY: "Pero el poeta nada afirma, y por eso nunca miente".

[2] WILSON FOLLET: *The Modern Novel*, Nueva York, 1918, pág. 29.

[3] La exhortación del lector a que el novelista "trate de la vida" es a menudo "una exhortación a observar ciertas convenciones de la novelística del siglo XIX" (KENNETH BURKE: *Counterstatement*, Nueva York, 1931, página 238; cf. también págs. 182 y 219).

[4] D. McCARTHY: *Portraits*, Londres, 1931, págs. 75, 156.

[5] J. FRANK: "Spatial Form in Modern Literature", *Sewanee Review*, LIII (1945), págs. 221-40, 433-56. Reproducido en *Criticism* (Schorer, Miles, McKenzie), Nueva York, 1948, págs. 379-92.

[6] Los dos primeros capítulos de *Pride and Prejudice* con casi exclusivamente diálogo, mientras el tercero comienza con un resumen narrativo para luego volver al método "escénico".

[7] CLARA REEVE: *Progress of Romance*, Londres, 1785.

[8] HAWTHORNE: Prólogos a *The House of the Seven Gables* y a *The Marble Faun*.

[9] La "Philosophy of Composition" de Poe empieza con una cita de Dickens: "¿Sabíais que Godwin escribió su *Caleb Williams* hacia atrás?"

Antes, en una reseña de *Barnaby Rudge*, Poe había citado la novela de Godwin como obra maestra de trama densa.

[10] AARNE-THOMPSON: *Types of the Folk-Tale*, Helsinki, 1928.

[11] Cf. G. POLTI: *Thirty-six Dramatic Situations*, Nueva York, 1916; P. VAN TIEGHEM: *La littérature comparée*, París, 1931, págs. 87 ss.

[12] SIR WALTER SCOTT, citado por S. L. WHITCOMB: *Study of a Novel*, Boston, 1905, pág. 6. Whitcomb define la *motivación* como "término técnico que designa los nexos causales del movimiento argumental, especialmente con referencia a su disposición artística consciente".

La frase con que *Pride and Prejudice* da comienzo es un buen ejemplo de *motivación* expresada de un modo explícito (e incluso de parodia): "Es verdad universalmente reconocida que un soltero en posesión de una buena fortuna ha de estar necesitado de esposa".

[13] DIBELIUS: *Dickens*, segunda ed., Leipzig, 1926, pág. 383.

[14] Nos referimos ahora especialmente a la exposición de "Tematología" que TOMASCHEVSKII hace en su *Teoriya literatury*, Leningrado, 1931.

[15] Cf. el estudio que sobre el "tempo" hace CARL GRABO en *Technique of the Novel*, Nueva York, 1928, págs. 214-36, y el capítulo "Zeit", en PETSCH: *Wesen und Formen der Erzählkunst*, Halle, 1934, págs. 92 ss.

[16] Cf. E. BEREND: "Die Namengebung bei Jean Paul", *PMLA*, LVII (1942), págs. 820-50; E. H. GORDON: "The Naming of Characters in the Works of Dickens", *University of Nebraska Studies in Language*, etc., 1917; véase también la *Life of Dickens*, de JOHN FORSTER, libro IX, cap. 7, en que se citan listas de nombres de los "memoranda" del novelista.

HENRY JAMES explica los nombres dados a sus personajes en los "memoranda" puestos al final de sus novelas incompletas *The Ivory Tower* y *The Sense of the Past* (las dos de 1917). Cf. también sus *Notebooks* (ed. Matthiessen and Murdock), Nueva York, 1947, págs. 7-8 y *passim*.

Sobre los nombres de los personajes de Balzac, cf. E. FAGUET: *Balzac*; y sobre los de Gógoll, V. NABOKOV: *Gogol*, Nueva York, 1944, págs. 85 ss.

[17] Sobre la cuestión de los personajes planos y los personajes plásticos, en relieve: cf. E. M. FORSTER: *Aspects of the Novel*, Londres, 1927, páginas 103-4.

[18] Sobre la tipología de las heroínas inglesas, cf. R. P. UTTER y G. B. NEEDHAM: *Pamela's Daughters*, Nueva York, 1936. Sobre la polaridad de las heroínas rubias y morenas, cf. F. CARPENTER: "Puritans Preferred Blondes", *New England Quarterly*, IX (1936), págs. 253-72; PHILIP RAHV: "The Dark Lady of Salem", *Partisan Review*, VIII (1941), págs. 362-81.

[19] DIBELIUS: *Dickens*, Leipzig, 1916.

[20] MARIO PRAZ: *La carne, la morte e il diavolo nella letteratura romantica*, Milán, 1930.

[21] Cf. ARTHUR SEWELL: "Place and Time in Shakespeare's Plays", *Studies in Philology*, XLII (1945), págs. 205-24.

[22] Cf. P. LUBBOCK: *Craft of Fiction*, Londres, 1921, págs. 205-35.

[23] OTTO LUDWIG: "Romanstudien", *Gesammelte Schriften*, VI (1891), págs. 59 ss.; MAUPASSANT: Introducción a *Pierre et Jean* (1887); H. JAMES:

Prólogos a la edición de Nueva York (recogidos con el título de *The Art of the Novel*, Nueva York, 1934). Cf. también OSKAR WALZEL: "Objektive Erzählung", en *Das Wortkunstwerk*, Leipzig, 1926, págs. 182 y siguientes, y J. W. BEACH: *The Twentieth Century Novel*, Nueva York, 1932.
²⁴ LUDWIG: *op. cit.*, págs. 66-7. La estructura de las novelas de Dickens es análoga a la de las obras dramáticas. "Seine Romane sind erzählte Dramen mit Zwischenmusik, *d. i.*, erzählter".
Sobre H. James e Ibsen, cf. FRANCIS FERGUSSON: "James' Idea of Dramatic Form", *Kenyon Review*, V (1943), págs. 495-507.
²⁵ Sobre los términos "descripción" y "escena", cf. JAMES: *Art of the Novel*, págs. 298-300, 322-3.
²⁶ *Ibid.*, págs. 320-1, 327-9. James ataca la narración en primera persona, como también la "encubierta majestad del autor irresponsable (el narrador omnisciente)".
²⁷ R. FERNÁNDEZ: "La méthode de Balzac: Le récit et l'esthétique du roman", *Messages*, París, 1926, págs. 59 ss.
²⁸ OSKAR WALZEL: "Von 'erlebter Rede'", *Das Wortkunstwerk*, Leipzig, 1926, págs. 207 ss.; ALBERT THIBAUDET: *Flaubert*, París, 1935, páginas 229-32; E. DUJARDIN: *Le monologue intérieur...*, París, 1931; W. JAMES: *Principles of Psychology*, Nueva York, 1890, vol. I, pág. 243: el capítulo IX, en que aparece la frase, se titula "The Stream of Thought" [La corriente del pensamiento].
²⁹ LUBBOCK: *op. cit.*, pág. 147. "Cuando el alma de Strether se dramatiza, no se acusa otra cosa que las imágenes transeúntes que cualquiera pudiera sorprender, examinando un alma que se ha hecho visible".
³⁰ Cf. LAWRENCE BOWLING: *Dramatizing the Mind: A Study in the Stream of Consciousness Method of Narration* (Tesis de doctorado. Universidad de Iowa).

CAPÍTULO XVII

GÉNEROS LITERARIOS

¹ CROCE: *Estetica*. Cf. caps. IX y XV.
² N. H. PEARSON: "Literary Forms and Types...", *English Institute Annual, 1940* (1941), págs. 59 ss., especialmente pág. 70.
³ W. P. KER: *Form and Style in Poetry*, Londres, 1928, pág. 141.
⁴ HARRY LEVIN: "Literature as an Institution", *Accent*, VI (1946), páginas 159-68 (reproducido en *Criticism*, Nueva York, 1948, págs. 546-53).
⁵ A. THIBAUDET: *Physiologie de la critique*, París, 1930, págs. 184 ss.
⁶ Pero cf. C. E. WHITMORE: "The Validity of Literary Definitions", *PMLA*, XXXIX (1924), págs. 722-36, especialmente págs. 734-35.
⁷ KARL VIETOR: "Probleme der literarischen Gattungsgeschichte", *Deutsche Vierteljahrschrift für Literaturwissenschaft...*, IX (1931), págs. 425-47 (reproducido en *Geist und Form*, Berna, 1952, págs. 292-309): admirable estudio, que evita el positivismo por un lado y el "metafisicismo" por otro.

8 Goethe llama ·"Dichtarten" a la oda, la balada, etc., en tanto que la épica, la lírica y el drama son "Naturformen der Dichtung": "Es gibt nur *drei echte* Naturformen der Poesie: die klar erzählende, die enthusiastisch aufgeregte und die persönlich handelnde: Epos, Lyrik und Drama" (Notas al *West-östlicher Divan, Goethes Werke,* Jubiläumsausgabe, vol. V, páginas 223-4).

9 "A Platón no se le ocultan en modo alguno los peligros de la personificación desde el punto de vista ético. Pues un hombre perjudica su vocación si se le permite que imite los oficios de otros". JAMES J. DONOHUE, en *The Theory of Literary Kinds...,* Dubuque, Iowa, 1943, pág. 88. Sobre Aristóteles, *ibid.,* pág. 99.

10 HOBBES, en *Critical Essays of the Seventeenth Century* (ed. E. Spingarn), 1908, págs. 54-5.

11 E. S. DALLAS: *Poetics: An Essay on Poetry,* Nueva York, 1852, páginas 81, 91, 105.

12 JOHN ERSKINE: *The Kinds of Poetry,* Nueva York, 1920, pág. 12.

13 ROMAN JAKOBSON: "Randbemerkungen zur Prosa des Dichters Pasternak", *Slavische Rundschau,* VII (1935), págs. 357-73.

14 Hablando sobre la recitación de la poesía, John Erskine *(The Elizabethan Lyric,* Nueva York, 1903, pág. 3). Señala la tradición que había sobrevivido hasta Wordsworth, que en el "Preface" (1815) a sus poesías dice: "Algunas de estas composiciones son esencialmente líricas, y, por tanto, no pueden tener la debida fuerza sin un acompañamiento musical; pero, en la mayor parte de los casos, para suplir la lira clásica o el arpa romántica, lo único que pido es una recitación animada o apasionada, adaptada al asunto".

15 Aunque Shaw y Barrie se dirigían a un doble público con sus prólogos y sus acotaciones escénicas, tan detalladas como una novela, de sugestión imaginista, la tendencia de la teoría dramática actual va completamente en contra de todo juicio de una obra dramática que esté divorciado de su calidad escenográfica o teatral o no la tenga en cuenta: la tradición francesa (Coquelin, Sarcey) y la rusa (Stanislavski, Teatro de arte de Moscú) coinciden en esto. Eric Bentley, en su reseña de *Understanding Drama (Kenyon Review,* VIII (1946), págs. 33 ss.), hace una interesante exposición de las consecuencias que se derivan de dicha tendencia.

16 Veit Valentin ("Poetische Gattungen", *Zeitschrift für vergleichende Literaturgeschichte,* vol. V, 1892, págs. 34 ss.) también pone en cuarentena, por razones distintas, la trinidad canónica. "Hay que distinguir —dice— el género épico, el género lírico y el género reflexivo... La dramática no es un género, sino una forma poética".

17 THIBAUDET: *op. cit.,* pág. 186.

18 ARISTÓTELES: *Poética,* cap. XIV: "No debe buscarse en la tragedia todo deleite, sino sólo el que le es propio".

19 Más exactamente, el siglo XVIII tiene dos secuencias octosílabas: una cómica (que se remonta a *Hudibras* y llega a Swift y Gay) y otra meditativo-descriptiva (que se remonta a "L'Allegro" y especialmente a "Il Penseroso").

²⁰ Al parecer, hasta 1849 no se agrupó definitivamente a los poetas "laquistas" con Shelley, Keats y Byron como románticos ingleses. Cf. WELLEK: "The Concept of Romanticism in Literary History", *Comparative Literature*, vol. I (1949), especialmente pág. 16.

²¹ PAUL VAN TIEGHEM: "La Question des genres littéraires", *Helicon*, I (1938), págs. 95 ss.

²² Existen ya no pocas monografías sobre la novela de terror, verbigracia, EDITH BIRKHEAD: *The Tale of Terror...*, Londres, 1921; A. KILLEN: *Le Roman Terrifiant ou Roman Noir...*, París, 1923; EINO RAILO: *The Haunted Castle*, Londres, 1927; MONTAGNE SUMMERS: *The Gothic Quest...*, Londres, 1938.

²³ *Poética*, cap. XXIV.

²⁴ Cf. la réplica de Arthur Mizener a Ransom: "The Structure of Figurative Language in Shakespeare's Sonnets", *Southern Review*, V (1940), págs. 730-47.

²⁵ Cf. IRVING BABBITT: *The New Laokoön*, 1910. El poeta francés André Chénier afirmaba que la diferencia de géneros es un fenómeno de la naturaleza. En "L'Invention" dice:

> *La nature dicta vingt genres opposés*
> *D'un fil léger entre eux chez les Grecs divisés;*
> *Nul genre, s'écartant de ses bornes prescrites,*
> *N'aurait osé d'un autre envahir les limites.*

²⁶ Las implicaciones sociales de la jerarquía de géneros establecida por el Renacimiento, hace largo tiempo conocidas, las estudia especialmente VERNON HALL en su obra *Renaissance Literary Criticism*, Nueva York, 1945.

²⁷ VAN TIEGHEM: *op. cit.*, pág. 99.

²⁸ Cf., v. gr., WARNER F. PATTERSON: *Three Centuries of French Poetic Theory...*, Ann Arbor, 1935, Parte III, donde se hallará una relación de géneros y subgéneros de verso medieval.

²⁹ Cf. bibliografía.

³⁰ Sobre la "rebarbarización" de la literatura, cf. el brillante artículo de MAX LERNER y EDWIN MIMS, Jr., titulado "Literature", en la *Encyclopaedia of the Social Sciences*, IX (1933), págs. 523-43.

³¹ ANDRÉ JOLLES: *Einfache Formen*, Halle, 1930. La lista de Jolles corresponde *grosso modo* a la lista de tipos folklóricos o "formas de literatura popular" estudiadas por Alexander H. Krappe en su *Science of Folklore*, Londres, 1930: el cuento de hadas, el cuento festivo (o *fabliau*), el cuento de animales, la leyenda local, la leyenda migratoria, la saga en prosa, el proverbio, la canción popular, la balada popular, encantamientos, rimas y acertijos.

³² FERDINAND BRUNETIÈRE: *L'Évolution des genres dans l'histoire de la littérature...*, París, 1890.

³³ VAN TIEGHEM: *Helicon*, I (1938), pág. 99.

³⁴ VIETOR ha mantenido ambas posiciones una tras otra. Cf. su *Geschichte der deutschen Ode* (Munich, 1923) y el ensayo citado en la nota 7; véase también GÜNTHER MÜLLER: "Bemerkungen zur Gattungspoetik", *Philosophischer Anzeiger*, III (1929), págs. 129-47.

CAPÍTULO XVIII

VALORACIÓN

¹ S. C. PEPPER: *Basis of Cristicism*, Cambridge, Mass., 1945, pág. 33: "*Definición*, como criterio *cualitativo* de juicio estético que determina lo que es o no es un valor estético y si su valor es positivo o negativo. Normas intrínsecas, como criterios *cuantitativos* que determinan la medida del valor estético... Las normas se derivan, pues, de las definiciones; los criterios cuantitativos proceden de los cualitativos".

² Hablamos ahora de "literatura" utilizando la palabra como "criterio cualitativo" (si es literaria en su naturaleza, literatura y no ciencia, ciencias sociales o filosofía); no utilizamos el término en su sentido honorífico, comparado, de "gran literatura".

³ PEPPER plantea así una cuestión que corre paralelamente a la expuesta en el texto (*op. cit.*, pág. 87, n.): "Es probable que un escritor hostil plantee el dilema siguiente: o fin práctico explícito con una meta conceptual concreta que se persigue y se consigue, o goce pasivo sin meta alguna. La antinomia kantiana y la paradoja de Bertram Morris de un propósito estético que no es un propósito determinado resuelven el dilema y notablemente ponen de manifiesto esa tercera especie de actividad mental que no es *volición* ni *sensación*, sino *actividad estética específica*".

⁴ Si se considera con criterio amplio, no niega valor estético a la literatura, sino que afirma, coexistentes con él, otros valores; y en su juicio sobre la literatura mezcla lo ético-político y lo estético o formula un juicio doble. Cf. N. FOERSTER: "The Aesthetic Judgment and the Ethical Judgment", *The Intent of the Critic*, Princeton, 1941, pág. 85.

⁵ T. M. GREENE: *The Arts and the Art of Criticism*, Princeton, 1940, página 389.

⁶ "La 'grandeza' de la literatura no puede determinarse solamente por raseros literarios, aunque debemos recordar que el que sea literatura o no sólo puede determinarse por raseros literarios". *Essays Ancient and Modern*, Nueva York, 1936, pág. 93.

⁷ Sobre la forma, cf. W. P. KER: *Form and Style in Poetry*. Londres, 1928, especialmente págs. 95-104 y 137-45; C. LA DRIERE: "Form", *Dictionary of World Literature*, págs. 250 ss.; R. INGARDEN: *Das literarische Kunstwerk*, Halle, 1931; "Das Form-Inhalt Problem im literarischen Kunstwerk", 1931, *Helicon*, I (1938), págs. 51-67.

⁸ El brillante ensayo de EMIL LUCKA, "Das Grundproblem der Dichtkunst", *Zeitschrift für Aesthetik*, XXII (1928), págs. 129-46, estudia "cómo

se transforma el mundo en lenguaje...". En un poema o novela malogrados, dice Lucka, "falta la identidad de mundo y lenguaje".

[9] Cf. DOROTHY WALSH: "The Poetic Use of Language", *Journal of Philosophy*, XXXV (1938), págs. 73-81.

[10] J. MUKAROVSKY: *Función, norma y valor estético como hechos sociales*, Praga, 1936, en checo.

[11] Aquí parece aplicarse en gran parte la crítica "contextualista" de Pepper, pues su piedra de toque fundamental es la cualidad de vívido, insistiendo en que el que más probablemente saldrá airoso de la prueba es el arte contemporáneo. "... si el arte de una época atrae a otra, a menudo es por razones distintas de las originales, de modo que... es menester que los críticos de una época registren los juicios críticos de dicha época" (*op. cit.*, página 68).

[12] GEORGE BOAS: *A Primer for Critics*, Baltimore, 1937, 136 y *passim*.

[13] T. S. ELIOT: *Use of Poetry*, Cambridge, Mass., 1933, pág. 153.

[14] Tal es la "crítica organicista" de Pepper (*op. cit.*, esp. pág. 79), cuya representación clásica es la obra de BOSANQUET: *Three Lectures on Aesthetic*, Londres, 1915.

[15] Cf. LASCELLES ABERCROMBIE: *Theory of Poetry* (1924) e *Idea of Great Poetry* (1925).

[16] L. A. REID: *A Study in Aesthetics*, Londres, 1931, págs. 225 ss.; "Subject-matter, Creatness, and the Problem of Standards".

[17] T. M. GREENE: *The Arts and the Art of Criticism*, Princeton, 1940, págs. 374 ss., 461 ss.

[18] Cf., especialmente, E. E. STOLL: "Milton a Romantic", *From Shakespeare to Joyce*, Nueva York, 1944, y M. PRAZ: *La carne, la morte e il diavolo nella letteratura romantica*, Milán, 1939.

[19] ELIOT: *op. cit.*, pág. 96.

[20] Cf. JACQUES BARZUN: "Our Non-Fiction Novelists", *Atlantic Monthly*, CLXXVIII (1946), págs. 129-32, y J. E. BAKER: "The Science of Man", *College English*, VI (1945), págs. 395-401.

[21] TATE: *Reason in Madness*, Nueva York, 1941, págs. 114-6.

[22] E. E. KELLETT: *Whirligig of Taste*, Londres, 1929, y *Fashion in Literature*, Londres, 1931; F. P. CHAMBERS: *Cycles of Taste*, Cambridge, Mass., 1928, y *The History of Taste*, Nueva York, 1932; HENRI PEYRE: *Writers and their Critics: a Study of Misunderstanding*, Ithaca, 1944.

[23] "Multivalence": cf. GEORGE BOAS: *A Primer for Critics*, Baltimore, 1937.

[24] F. POTTLE: *The Idiom of Poetry*, Ithaca, 1941; nueva ed., 1947.

[25] Los críticos del siglo XVIII "eran incapaces de explicar las virtudes de la poesía de épocas pasadas, y, por tanto, de su propia época" (CLEANTH BROOKS: "The Poem as Organism", *English Institute Annual, 1940*, Nueva York, 1941, pág. 24).

[26] "El Dr. Johnson trató de definir la poesía de Donne por sus defectos...". "La mejor justicia que podemos hacer a sus deficiencias [las de la

poesía filosófica] es juzgarlas por las normas corrientes de la buena poesía, y no excusarlas en atención.a la belleza de lo antiguo o por tendencia intelectual a lo arcaico. Hagamos que Johnson constituya esa norma, y... se verá que la poesía de Donne contiene un gran conjunto de versos que responden a las exigencias corrientes de la poesía inglesa, y que a veces es la mejor" (GEORGE WILLIAMSON: *The Donne Tradition*, Cambridge, Mass., 1930, páginas 21, 211).

[27] F. R. LEAVIS: *Revaluation: Tradition and Development in English Poetry*, Londres, 1936, págs. 68 ss.

[28] ELISEO VIVAS: "The Esthetic Judgment", *Journal of Philosophy*, XXXIII (1936), págs. 57-69. Cf. BERNARD HEYL: *New Bearings in Esthetics and Art Criticism*, New Haven, 1943, págs. 91 ss., especialmente página 123. Heyl rechaza las versiones extremas del "objetivismo" y (mucho más fácilmente) del "subjetivismo" con objeto de exponer el "relativismo", que entiende como una sensata *via media*.

[29] "Ériger en lois ses impressions personnelles, c'est le grand effort d'un homme s'il est sincère". Eliot cita esta frase tomada de la obra de GOURMON, *Lettres à L'Amazon*, como epígrafe de su ensayo "The Perfect Critic" con que se abre *The Sacred Wood*, 1920.

[30] Como la establece Heyl *(New Bearings*, pág. 91).

CAPÍTULO XIX

HISTORIA LITERARIA

[1] THOMAS WARTON: *History of English Poetry*, I (1774), pág. 11. Puede encontrarse un estudio más completo en RENÉ WELLEK: *Rise of English Literary History*, Chapel Hill, 1941, págs. 166-201.

[2] HENRY MORLEY: Prólogo a *English Writers*, I, Londres, 1864.

[3] LESLIE STEPHEN: *English Literature and Society in the Eighteenth Century*, Londres, 1904, págs. 14-22.

[4] W. J. COURTHOPE: *A History of English Poetry*, Londres, 1895, volumen I, pág. XV.

[5] EDMUND GOSSE: *A Short History of Modern English Literature* (Londres, 1897), Prólogo.

[6] Cf. carta a F. C. Roe, de 19 de marzo de 1924, citada por EVAN CHARTERIS en *The Life and Letters of Sir Edmund Gosse*, Londres, 1931, página 477.

[7] Cf. las citas en la conferencia de OLIVER ELTON sobre Saintsbury en *Proceedings of the British Academy*, XIX (1933), y DOROTHY RICHARDSON: "Saintsbury and Art for Art's Sake", *PMLA*, LIX (1944), págs. 243-60.

[8] OLIVER ELTON: *A Survey of English Literature, 1780-1830*, Londres, 1912, vol. I, pág. VII.

[9] L. CAZAMIAN: *L'Évolution psychologique de la littérature en Angleterre*, París, 1920, y la segunda mitad de E. LEGOUIS y L. CAZAMIAN: *Histoire de la littérature anglaise*, París, 1924.

10 W. P. KER: "Thomas Warton" (1910), *Essays*, Londres, 1922, volumen I, pág. 100.

11 T. S. ELIOT: "Tradition and the Individual Talent", *The Sacred Wood*, Londres, 1920, pág. 42.

12 R. S. CRANE: "History versus Criticism in the University Study of Literature", *The English Journal*, College Edition, XXIV (1935), págs. 645-67.

13 F. J. TEGGART: *Theory of History*, New Haven, 1925.

14 Cf. bibliografía, sección IV.

15 Cf. bibliografía, sección IV.

16 R. D. HAVENS: *Milton's Influence on English Poetry*, Cambridge, Mass., 1922.

17 Cf. los siguientes estudios: R. N. E. DODGE: "A Sermon on Sourcehunting", *Modern Philology*, IX (1911-12), págs. 211-23; HARDIN CRAIG: "Shakespeare and Wilson's *Arte of Rhetorique*: An Inquiry into the Criteria for Determining Sources", *Studies in Philology*, XXVIII (1931), págs. 86-98; GEORGE C. TAYLOR: "Montaigne—Shakespeare and the Deadly Parallel", *Philological Quarterly*, XXII (1943), págs. 330-37 (donde hace una curiosa lista de las 75 clases de testimonios que en rigor se emplean en tales estudios); DAVID LEE CLARK: "What was Shelley's Indebtedness to Keats?", *PMLA*, LVI (1941), págs. 479-97 (interesante refutación de los paralelos establecidos por J. L. Lowes).

18 Cf. H. O. WHITE: *Plagiarism and Imitation during the English Renaissance*, Cambridge, Mass., 1935; ELIZABETH M. MANN: "The Problem of Originality in English Literary Criticism, 1750-1800", *Philological Quarterly*, XVIII (1939), págs. 97-118; HAROLD S. WILSON: "Imitation", *Dictionary of World Literature* (ed. J. T. Shipley), Nueva York, 1943, págs. 315-17.

19 SIDNEY LEE: *Elizabethan Sonnets*, 2 vols., Londres, 1904.

20 WOLFGANG CLEMEN: *Shakespeares Bilder, ihre Entwicklung und ihre Funktionen im dramatischen Werk*, Bonn, 1936.

21 GEORGE SAINTSBURY: *A History of English Prosody*, 3 vols., 1906-10; *A History of English Prose Rhythm*, Edimburgo, 1912.

22 BENEDETTO CROCE: "Storia di temi e storia letteraria", *Problemi di Estetica*, Bari, 1910, págs. 80-93.

23 Por ejemplo, ANDRÉ JOLLES: *Einfache Formen*, Halle, 1930; A. N. VESELOVSKI: *Istoricheskaya Poetika*, ed. Zhirmunski, Leningrado, 1940 (selección de escritos que en parte se remontan a 1870 y años siguientes del decenio); J. JARCHO: "Organische Struktur des russischen Schnaderhüpfels (castuska)", *Germano-Slavica*, III (1937), págs. 31-64 (intento de establecer la correlación entre el estilo y el tema por métodos estadísticos, espumando los materiales de un género popular).

24 W. W. GREG: *Pastoral Poetry and Pastoral Drama*, Londres, 1906.

25 C. S. LEWIS: *The Allegory of Love*, Oxford, 1936.

26 KARL VIETOR: *Geschichte der deutschen Ode*, Munich, 1923; GÜNTHER MÜLLER: *Geschichte des deutschen Liedes*, Munich, 1925.

27 Cf. bibliografía, capítulo XVII.

[28] ARTHUR SYMONS: _The Romantic Movement in English Poetry_, Londres, 1909.

[29] Cf. J. ISAACS en el _Times Literary Supplement_, Londres, 9 de mayo de 1935, pág. 301.

[30] Al parecer, el primero en establecer este nexo fue THOMAS SHAW en _Outlines of English Literature_, Londres, 1849.

[31] Cf. A. O. LOVEJOY: "On the Discrimination of Romanticism", _PMLA_, XXXIX (1924), págs. 229-53. Reimpreso en _Essays in the History of Ideas_, Baltimore, 1948, págs. 228-53.

[32] Cf. bibliografía, sección I.

[33] WILHELM PINDER: _Das Problem der Generation_, Berlín, 1926; JULIUS PETERSEN: "Die literarischen Generationen", _Philosophie der Literaturwissenschaft_ (ed. E. Ermatinger), Berlín, 1930, págs. 130-87; EDUARD WECHSSLER: _Die Generation als Jugendreihe und ihr Kampf um die Denkform_, Leipzig, 1930; DETLEV W. SCHUMANN: "The Problem of Cultural Age-Groups in German Thought: a Critical Review", _PMLA_, LI (1936), páginas 1180-1207, y "The Problem of Age-Groups: A Statistical Approach", _PMLA_, LII (1937), págs. 596-608; H. PEYRE: _Les Générations littéraires_ (París, 1948).

[34] Cf. bibliografía, sección II.

[35] JAN MÁCHAL: _Slovanské literatury_, 3 vols., Praga, 1922-29, y LEONARDI OLSCHKI: _Die romanischen Literaturen des Mittelalters_, Wildpark-Potsdam, 1928 (en _Handbuch der Literaturwissenschaft_, ed. Oskar Walzel).

[36] H. M. y N. K. CHADWICK: _The Growth of Literature_, 3 vols., Londres, 1932, 1936, 1940.

BIBLIOGRAFÍA

CAPÍTULO I

LA LITERATURA Y LOS ESTUDIOS LITERARIOS

I. ESTUDIOS GENERALES DE TEORÍA LITERARIA Y METODOLOGÍA DE LOS ESTUDIOS LITERARIOS

BALDENSPERGER, FERNAND: *La Littérature: création, succès, durée*, París, 1913; nueva ed., París, 1919.

BILLESKOV-JANSEN, F. J.: *Esthétique de l'oeuvre d'art littéraire*, Copenhague, 1948.

CROCE, BENEDETTO: *La Critica letteraria: Questioni teoriche*, Roma, 1894; reimpreso en *Primi Saggi* (segunda ed., Bari, 1927), págs. 77-199.

DAICHES, DAVID: *A Study of Literature*, Ithaca, 1948.

DRAGOMIRESCOU, MICHEL: *La Science de la littérature*, 4 vols., París, 1928-9.

ECKHOFF, LORENTZ: *Den Nye Litteraturforskning: Syntetisk Metode*, Oslo, 1930.

ELSTER, ERNST: *Prinzipien der Literaturwissenschaft*, 2 vols., Halle, 1897 y 1911.

ERMATINGER, EMIL (ed.): *Die Philosophie der Literaturwissenschaft*, Berlín, 1930.

FOERSTER, NORMAN; McGALLIARD, JOHN C.; WELLEK, RENÉ; WARREN, AUSTIN; SCHRAMM, WILBUR LANG: *Literary Scholarship: Its Aims and Methods*, Chapel Hill, 1941.

GUÉRARD, ALBERT L.: *A Preface to World Literature*, Nueva York, 1940.

HYTIER, JEAN: *Les arts de littérature*, París, 1945.

KAYSER, WOLFGANG: *Das sprachliche Kunstwerk. Eine Einführung in die Literaturwissenschaft*, Berna, 1948. (Trad. española, *Interpretación y análisis de la obra literaria*, Madrid 1954; 2.ª ed., 1958).

KRIDL, MANFRED: *Wstep do badan nad dzielem literackiem*, Wilno, 1936.

—: "The Integral Method of Literary Scholarship", *Comparative Literature*, III (1951), págs. 18-31.

MARCKWARDT, A.; PECKHAM, M.; WELLEK, R.; THORPE, J.: "The Aims, Methods, and Materials of Research in the Modern Languages and Literatures", *PMLA*, LXVII (1952), núm. 6, págs. 1-37.

MICHAUD, GUY: *Introduction à une science de la littérature*, Estambul, 1950.

MOMIGLIANO, ATTILIO (ed.): *Problemi ed orientamenti critici di lingua e di letteratura italiana. Tecnica e teoria letteraria*, Milán, 1948.

MOULTON, R. G.: *The Modern Study of Literature*, Chicago, 1915.

OPPEL, HORST: *Die Literaturwissenschaft in der Gegenwart: Methodologie und Wissenschaftslehre*, Stuttgart, 1939.

—: "Methodenlehre der Literaturwissenschaft", *Deutsche Philologie im Aufriss* (ed. Wolfgang Stammler), Berlín, 1951. Vol. I, págs. 39-78.

PETERSEN, JULIUS: *Die Wissenschaft von der Dichtung: System und Methodenlehre der Literaturwissenschaft. I. Werk und Dichter*, Berlín, 1939.

REYES, ALFONSO: *El deslinde: Prolegómenos a la teoría literaria*, Méjico, 1944.

SHIPLEY, JOSEPH T. (ed.): *Dictionary of World Literature: Criticism-Forms-Technique*, Nueva York, 1943; 2.ª ed., 1954. (Trad. española, *Diccionario de la literatura mundial*, Barcelona, 1962.)

TOMASCHEVSKII, BORIS: *Teoriya literatury: Poetika*, Leningrado, 1925; segunda ed., 1931.

TORRE, GUILLERMO DE: *Problemática de la literatura*, Buenos Aires, 1951.

WALZEL, OSKAR: *Gehalt und Gestalt im dichterischen Kunstwerk*, Berlín, 1923.

WOSNESSENSKY, A. N.: "Der Aufbau der Literaturwissenschaft", *Idealistische Philologie*, III (1928), págs. 337-68.

II. ESTUDIOS SOBRE LA HISTORIA DE LOS ESTUDIOS LITERARIOS

GAYLEY, CHARLES MILLS: "The Development of Literary Studies during the Nineteenth Century", *Congress of Arts and Science: Universal Exposition: St. Louis, 1904*, vol. III, Boston, 1906, págs. 323-53.

GETTO, GIOVANNI: *Storia delle storie letterarie* [sólo en Italia], Milán, 1942.

KLEMPERER, VIKTOR: "Die Entwicklung der Neuphilologie", *Romanische Sonderart*, Munich, 1926, págs. 388-99.

LEMPICKI, SIGMUND VON: *Geschichte der deutschen Literaturwissenschaft*, Gotinga, 1920.

MANN, MAURYCY: "Rozwój syntezy literackiej od jej poczatków do Gervinusa", *Rozprawy Akademii Umiejetnosci*, Serja, III, tom. III, Cracovia, 1911, págs. 230-360 (historia de la historiografía literaria desde la antigüedad hasta Gervinus).

O'LEARY, GERALD: *English Literary History and Bibliography*, Londres, 1928.

ROTHACKER, ERICH: *Einleitung in die Geisteswissenschaften*, Tubinga, 1920 (la 2.ª ed., 1930, contiene un bosquejo de la historia de la historiografía literaria alemana en el siglo XIX).

UNGER, RUDOLF: "Vom Werden und Wesen der neueren deutschen Literaturwissenschaft", *Aufsätze zur Prinzipienlehre der Literaturgeschichte,* Berlín, 1929, vol. I, págs. 33-48.

WELLEK, RENÉ: *The Rise of English Literary History,* Chapel Hill, 1941 (historia de la historiografía literaria inglesa hasta Warton [1774]).

—: *Historia de la crítica moderna,* 5 vols.: vol. I, *La segunda mitad del siglo XVIII,* Madrid, 1959; vol. II, *El romanticismo,* 1962 (estudia ampliamente el desenvolvimiento de la historia literaria).

III. OBRAS SOBRE EL ESTADO ACTUAL DE LOS ESTUDIOS LITERARIOS

1. *De carácter general*

LUNDING, ERIK: *Strömungen und Strebungen der modernen Literaturwissenschaft,* Aarhus (Dinamarca), 1952.

RICHTER, WERNER: "Strömungen und Stimmungen in den Literaturwissenschaften von heute", *Germanic Review,* XXI (1946), págs. 81-113.

VAN TIEGHEM, PHILIPPE: *Tendances nouvelles en histoire littéraire* (Études françaises, núm. 22), París, 1930.

WEHRLI, MAX: *Allgemeine Literaturwissenschaft,* Berna, 1951.

WELLEK, RENÉ: "The Revolt against Positivism in Recent European Literary Scholarship", *Twentieth Century English* (ed. William S. Knickerbocker), Nueva York, 1946, págs. 67-89.

2. *Obras inglesas*

KNIGHTS, L. C.: "The University Teaching of English and History: A Plea for Correlation", *Explorations,* Londres, 1946, págs. 186-99.

LEAVIS, F. R.: *Education and the University,* Londres, 1944.

—: "The Literary Discipline and Liberal Education", *Sewanee Review,* LV (1947), págs. 586-609.

LEE, SIR SIDNEY: "The Place of English Literature in the Modern University", *Elizabethan and Other Essays,* Oxford, 1929 (este ensayo data de 1911), págs. 1-19.

MCKERROW, RONALD B.: *A Note on the Teaching of English Language and Literature* (English Association Pamphlet, núm. 49), Londres, 1921.

POTTER, STEPHEN: *The Muse in Chains: A Study in Education,* Londres, 1937.

SUTHERLAND, JAMES: *English in the Universities,* Cambridge, 1937.

3. *Obras sobre los estudios literarios en Alemania*

BENDA, OSKAR: *Der gegenwärtige Stand der deutschen Literaturwissenschaft,* Viena, 1928.

BRUFORD, W. H.: *Literary Interpretation in Germany,* Cambridge, 1952.

MAHRHOLZ, WERNER: *Literaturgeschichte und Literaturwissenschaft,* Berlín, 1923 (2.ª ed., 1932).

MERKER, PAUL: *Neue Aufgaben der deutschen Literaturgeschichte,* Leipzig, 1921.

OPPEL, HORST: *Die Literaturwissenschaft in der Gegenwart,* Stuttgart, 1939.

ROSSNER, H.: *Georgekreis und Literaturwissenschaft,* Francfort, 1938.

SCHULTZ, FRANZ: *Das Schicksal der deutschen Literaturgeschichte,* Francfort, 1929.

SCHÜTZE, MARTIN: *Academic Illusions in the Field of Letters and the Arts,* Chicago, 1933.

VIETOR, KARL: "Deutsche Literaturgeschichte als Geistesgeschichte: ein Rückblick", *PMLA,* LX (1945), págs. 899-916.

4. *Monografías sobre el formalismo ruso*

EHRLICH, VICTOR: *Russian Formalism: History-Doctrine* (con prólogo de René Wellek), La Haya, 1955.

GOURFINKEL, NINA: "Les nouvelles méthodes d'histoire littéraire en Russie" *Le Monde Slave,* VI (1929), págs. 234-63.

KRIDL, MANFRED: "Russian Formalism", *The American Bookman,* I (1944), págs. 19-30.

GOURFINKEL, NINA: "Les nouvelles méthodes d'histoire littéraire en Russie", *Le Monde Slave,* VI (1929), págs. 234-63.

VAN TIEGHEM, PHILIPPE, y GOURFINKEL, NINA: "Quelques produits du formalisme russe", *Revue de littérature comparée,* XII (1932), págs. 425-34.

VOZNESENSKY, A.: "Die Methodologie der russischen Literaturforschung in den Jahren 1910-25", *Zeitschrift für slavische Philologie,* IV (1927), páginas 145-62 y V (1928), págs. 175-99.

—: "Problems of Method in the Study of Literature in Russia", *Slavonic Review,* VI (1927), págs. 168-77.

ZHIRMUNSKI, VIKTOR: "Formprobleme in der russischen Literaturwissenschaft", *Zeitschrift für slavische Philologie,* I (1925), págs. 117-52.

IV. ESTUDIOS AMERICANOS SOBRE LA SITUACIÓN DE LA INVESTIGACIÓN
Y LA CRÍTICA LITERARIAS

BABBITT, IRVING: *Literature and the American College,* Boston, 1908.

BROWN, E. K.: "English Studies in the Postwar World", *College English,* VI (1945), págs. 380-91.

CRANE, RONALD S.: *The Languages of Criticism and the Structure of Poetry,* Toronto, 1953.

FOERSTER, NORMAN: *The American Scholar: A Study in Litterae Inhumaniores,* Chapel Hill, 1929.

—: "The Study of Letters", *Literary Scholarship: Its Aims and Methods,* Chapel Hill, 1941, págs. 3-32.

GAUSS, CHRISTIAN: "More Humane Letters", *PMLA,* LX (1945), páginas 1306-12.

HYMAN, STANLEY EDGAR: *The Armed Vision: A Study in the Methods of Modern Literary Criticism*, Nueva York, 1948 (nueva ed.; 1955).

JONES, HOWARD MUMFORD: "Literary Scholarship and Contemporary Criticism", *English Journal* (College edition), XXIII (1934), págs. 740-66.

MILLETT, FRED B.: *The Rebirth of Liberal Education*, Nueva York, 1946.

O'CONNOR, WILLIAM VAN: *An Age of Criticism, 1900-1950*, Chicago, 1952.

PEYRE, HENRI: *Writers and their critics*, Ithaca, 1944.

SCHÜTZE, MARTIN: *Academic Illusions in the Field of Letters and the Arts*, Chicago, 1933.

—: "Towards a Modern Humanism", *PMLA*, LI (1936), págs. 284-99.

SHERMAN, STUART P.: "Professor Kittredge and the Teaching of English", *Nation*, XCVII (1913), págs. 227-30 (reproducido en *Shaping Men and Women*, Garden City, N. Y., 1928, págs. 65-86).

SHOREY, PAUL: "American Scholarship", *Nation*, XCII (1911), págs. 466-69 (reproducido en *Fifty Years of American Idealism*, Boston, 1915, páginas 401-13).

SPITZER, LEO: "A New Program for the Teaching of Literary History", *American Journal of Philology*, LXIII (1942), págs. 308-19.

—: "Deutsche Literaturforschung in Amerika", *Monatshefte für deutschen Unterricht*, XXXVIII (1946), págs. 475-80.

STALLMAN, ROBERT W.: "The New Critics", en *Critiques and Essays in Criticism, 1920-1948*, Nueva York, 1949, págs. 488-506.

TATE, ALLEN: "Miss Emily and the Bibliographer", *Reason in Madness*, Nueva York, 1941, págs. 100-16.

WELLEK, RENÉ: "Literary Scholarship", en *American Scholarship in the Twentieth Century* (ed. M. Curti), Cambridge (Mass.), 1953, págs. 111-45.

WHITE, FREDERICK R.: "Historical Studies and the Humanities", *College English*, II (1941), págs. 568-83.

ZABEL, MORTON D.: "Introduction: Criticism in America", en *Literary Opinion in America* (edición revisada), Nueva York, 1951, págs. 1-43

—: "Summary in Criticism", en *Literary History of the United States* (ed. R. Spiller et al.), Nueva York, 1948, vol. II, págs. 1358-73.

CAPÍTULO II

NATURALEZA DE LA LITERATURA

ESTUDIOS SOBRE LA NATURALEZA DE LA LITERATURA Y DE LA POESÍA

BLANCHOT, MAURICE: *L'espace littéraire*, París, 1955.

BROOKS, CLEANTH, JR.: *Modern Poetry and the Tradition*, Chapel Hill, 1939.

—: *The Well Wrought Urn*, Nueva York, 1947.

BÜHLER, KARL: *Sprachtheorie*, Jena, 1934 (trad. esp., Madrid).

CHRISTIANSEN, BRODER: *Philosophie der Kunst*, Hanau, 1909.

CROCE, BENEDETTO: *Estetica come scienza dell'espressione e linguistica generale*, Bari, 1902.

—: *La Poesia*, Bari, 1936.

—: "La teoria dell'arte come pura visibilità", *Nuovi Saggi di Estetica*, Bari, 1920, págs. 239-54.

DESSOIR, MAX: *Aesthetik und allgemeine Kunstwissenschaft*, Stuttgart, 1906.

EASTMAN, MAX: *The Literary Mind*, Nueva York, 1931.

ELIOT, T. S.: *The Use of Poetry and the Use of Criticism*, Cambridge, Mass., 1933.

GREENE, THEODORE MEYER: *The Arts and the Art of Criticism*, Princeton, 1940.

INGARDEN, ROMAN: *Das literarische Kunstwerk*, Halle, 1931.

JAMES, D. G.: *Scepticism and Poetry*, Londres, 1937.

LÜTZELER, HEINRICH: *Einführung in die Philosophie der Kunst*, Bonn, 1934.

MEYER, THEODOR A.: *Das Stilgesetz der Poesie*, Leipzig, 1901.

MORRIS, CHARLES: "Aesthetics and the Theory of Signs", *Journal of Unified Science*, VIII (1940), págs. 131-50.

—: "Foundation for the Theory of Signs", *International Encyclopedia of Unified Science*, vol. I, número 2.

—: *Signs, Language and Behavior*, Nueva York, 1946.

MUKAROVSKY, JAN: "La dénomination esthétique et la fonction esthétique de la langue", *Actes du quatrième congrès international des linguistes*, Copenhague, 1938, págs. 98-104.

OGDEN, C. K., y RICHARDS, I. A.: *The Meaning of Meaning: A Study of the Influence of Language upon Thought and of the Science of Symbolism*, Londres, 1923; séptima ed., Nueva York, 1945.

POLLOCK, THOMAS C.: *The Nature of Literature*, Princeton, 1942.

POTTLE, FREDERICK A.: *The Idiom of Poetry*, Ithaca, 1941; nueva ed. aumentada, 1946.

RANSOM, JOHN CROWE: *The New Criticism*, Norfolk, Conn., 1941.

—: *The World's Body*, Nueva York, 1938.

RICHARDS, IVOR ARMSTRONG: *Principles of Literary Criticism*, Londres, 1924.

SARTRE, J.-P.: "Qu'est-ce que la littérature?", en *Situations*, II, París, 1948.

SEWELL, ELIZABETH: *The Structure of Poetry*, Nueva York, 1952.

SMITH, CHARD POWERS: *Pattern and Variation in Poetry*, Nueva York, 1932.

STAUFFER, DONALD: *The Nature of Poetry*, Nueva York, 1946.

TATE, ALLEN (ed.): *The Language of Poetry*, Princeton, 1942 (ensayos de Philip Wheelwright, I. A. Richards, Cleanth Brooks y Wallace Stevens).

—: *Reason in Madness: Critical Essays*, Nueva York, 1941.

WARREN, ROBERT PENN: "Pure and Impure Poetry", en *Critiques and Essays in Criticism* (ed. R. W. Stallman), Nueva York, 1949, págs. 85-104.

WIMSATT, WILLIAM K., JR.: *The Verbal Icon: Studies in the Meaning of Poetry*, Lexington, Ky., 1954.

CAPÍTULO III

FUNCIÓN DE LA LITERATURA

ESTUDIOS SOBRE LA LITERATURA COMO CONOCIMIENTO

EASTMAN, MAX: *The Literary Mind: Its Place in an Age of Science*, Nueva York, 1935.

FEIBLEMAN, JAMES: "The Logical Value of the Objects of Art", *Journal of Aesthetics*, I (1941), págs. 70-85.

HAINES, GEORGE: "Art Forms and Science Concepts", *Journal of Philosophy*, XL (1943), págs. 482-91.

HARAP, LOUIS: "What is Poetic Truth?", *Journal of Philosophy*, XXX (1933), págs. 477-88.

HOSPERS, JOHN: *Meaning and Truth in the Arts*, Chapel Hill, 1946.

MEYER, THEODOR A.: "Erkenntnis und Poesie", *Zeitschrift für Aesthetik*, XIV (1920), págs. 113-29.

MORRIS, CHARLES W.: "Science, Art, and Technology", *Kenyon Review*, I (1939), págs. 409-23.

RANSOM, JOHN CROWE: "The Pragmatics of Art", *Kenyon Review*, II (1940), págs. 76-87.

ROELLINGER, F. X., JR.: "Two Theories of Poetry as Knowledge", *Southern Review*, VII (1942), págs. 690-705.

TATE, ALLEN: "Literature as Knowledge", *Reason in Madness*, Nueva York, 1941, págs. 20-61.

VIVAS, ELISEO: "Literature and Knowledge", *Creation and Discovery: Essays in Criticism and Aesthetics*, Nueva York, 1955, págs. 101-28.

WALSH, DOROTHY: "The Cognitive Content of Art", *Philosophical Review*, LII (1943), págs. 433-51.

WHEELWRIGHT, PHILIP: "On the Semantics of Poetry", *Kenyon Review*, II (1940), págs. 263-83.

CAPÍTULO IV

TEORÍA, CRÍTICA E HISTORIA LITERARIAS

ESTUDIOS SOBRE LAS RELACIONES ENTRE LA INVESTIGACIÓN
Y LA CRÍTICA LITERARIAS

BROOKS, CLEANTH: "Literary Criticism", *English Institute Essays 1946*, Nueva York, 1947, págs. 127-58.

—: "The New Criticism and Scholarship", *Twentieth Century English* (ed. William S. Knickerbocker), Nueva York, 1946, págs. 371-83.

CRANE, RONALD S.: "History versus Criticism in the University Study of Literature", *English Journal* (College Edition), XXIV (1935), págs. 645-67.

FEUILLERAT, ALBERT: "Scholarship and Literary Criticism", *Yale Review*, XIV (1924), págs. 309-24.

FOERSTER, NORMAN: "Literary Scholarship and Criticism", *English Journal* (College Edition), XXV (1936), págs. 224-32.

JONES, HOWARD MUMFORD: "Literary Scholarship and Contemporary Criticism", *English Journal* (College Edition), XXIII (1934), págs. 740-66.

PEYRE, HENRI: *Writers and their Critics*, Ithaca, 1944.

TEETER, LOUIS: "Scholarship and the Art of Criticism", *ELH*, V (1938), págs. 173-94.

WARREN, AUSTIN: "The Scholar and the Critic: An Essay in Mediation", *University of Toronto Quarterly*, VI (1937), págs. 267-77.

WIMSATT, WILLIAM K., JR.: "History and Criticism: A Problematic Relationship", *The Verbal Icon*, Lexington (Ky.), 1954, págs. 253-66.

CAPÍTULO V

LITERATURA GENERAL, LITERATURA COMPARADA Y LITERATURA NACIONAL

BALDENSPERGER, FERNAND: "Littérature comparée: le mot et la chose", *Revue de littérature comparée*, I (1921), págs. 1-29.

BEIL, E.: *Zur Entwicklung .des Begriffs der Weltliteratur*, Leipzig, 1915. (en *Probefahrten*, XXVIII).

BETZ, L.-P.: "Kritische Betrachtungen über Wesen, Aufgabe und Bedeutung der vergleichenden Literaturgeschichte", *Zeitschrift für französische Sprache und Literatur*, XVIII (1896), págs. 141-56.

—: *La littérature comparée: Essai bibliographique*, segunda ed., Estrasburgo, 1904.

BRUNETIÈRE, FERDINAND: "La littérature européenne", *Revue des deux mondes*, CLXI (1900), págs. 326-55 (reproducido en *Variétés littéraires*, París, 1904, págs. 1-51).

CAMPBELL, OSCAR J.: "What is Comparative Literature?", *Essays in Memory of Barrett Wendell*, Cambridge, Mass., 1926, págs. 21-40.

CROCE, BENEDETTO: "La letteratura comparata", *Problemi di Estetica*, Bari, 1910, págs. 73-9.

FARINELLI, ARTURO: *Il sogno di una letteratura mondiale*, Roma, 1923.

FRIEDERICH, WERNER P.: "The Case of Comparative Literature", *American Association of University Professors Bulletin*, XXXI (1945), págs. 208-19.

GUYARD, M.-F.: *La littérature comparée*, París, 1951.

HANKISS, JEAN: "Littérature Universelle?", *Helicon*, I (1938), págs. 156-71.

HÖLLERER, WALTER: "Methoden und Probleme der vergleichenden Literaturwissenschaft", *Germanisch-romanische Monatsschrift*, II (1952), páginas 116-31.

HOLMES, T. URBAN, JR.: "Comparative Literature: Past and Future", *Studies in Language and Literature* (ed. G. C. Coffman), Chapel Hill, 1945, págs. 62-73.

JONES, HOWARD MUMFORD: *The Theory of American Literature*, Cambridge, Mass., 1949.

MERIAN-GENAST, E. W.: "Voltaire's Essai sur la poésie épique und die Entwicklung der Idee der Weltliteratur", *Romanische Forschungen*, XL, Leipzig, 1926.

PARTRIDGE, ERIC: "The Comparative Study of Literature", *A Critical Medley*, París, 1926, págs. 159-226.

PEYRE, HENRI: *Shelley et la France*, El Cairo, 1935, Introducción y páginas 7-19.

POSNETT, HUTCHISON MACAULAY: *Comparative Literature*, Londres, 1886.

—: "The Science of Comparative Literature", *Contemporary Review*, LXXIX (1901), págs. 855-72.

TEXTE, JOSEPH: "L'histoire comparée des littératures", *Études de littérature européenne*, París, 1898, págs. 1-23.

VAN TIEGHEM, PAUL: *La littérature comparée*, París, 1931.

—: "La synthèse en histoire littéraire: Littérature comparée et littérature générale", *Revue de synthèse historique*, XXXI (1921), págs. 1-21.

WAIS, KURT (ed.): *Forschungsprobleme der vergleichenden Literaturgeschichte*, Tubinga, 1951.

WELLEK, R.: "The Concept of Comparative Literature", *Yearbook of Comparative Literature* (ed. W. P. Friederich), vol. II, Chapel Hill, 1953, páginas 1-5.

WILL, J. S.: "Comparative Literature: Its Meaning and Scope", *University of Toronto Quarterly*, VIII (1939), págs. 165-79.

CAPÍTULO VI

ORDENACIÓN Y FIJACIÓN DEL MATERIAL

I. CRÍTICA TEXTUAL

BÉDIER, JOSEPH: "La tradition manuscrite du *Lai de l'Ombre*: réflexions sur l'art d'éditer les anciens textes", *Romania*, LIV (1928), págs. 161-96, 321-56.

BIRT, THEODOR: "Kritik und Hermeneutik", en el *Handbuch der Altertumswissenschaft* de Iwan von Müller, I, parte 3.ª, Munich, 1913.

CHAPMAN, R. W.: "The Textual Criticism of English Classics", *Portrait of a Scholar*, Oxford, 1922, págs. 65-79.

COLLOMP, PAUL: *La critique des textes*, París, 1931.

GREG, WALTER WILSON: *The Calculus of Variants*, Oxford, 1927.

—: "Principles of Emendation in Shakespeare", *Shakespeare Criticism, 1919-35* (ed. Anne Bradby), Oxford, 1930, págs. 78-108.

—: "Recent Theories of Textual Criticism", *Modern Philology*, XXVIII (1931), págs. 401-04.

HAVET, LOUIS: *Manuel de critique verbale appliquée aux textes latins*, París, 1911.

KANTOROWICZ, HERMANN: *Einführung in die Textkritik: Systematische Darstellung der textkritischen Grundsätze für Philologen und Juristen*, Leipzig, 1921.

MAAS, PAUL: "Textkritik", en GERCKE-NORDEN, *Einleitung in die Altertumswissenschaft*, vol. I, parte 2.ª, Leipzig, 1927.

PASQUALI, GIORGIO: *Storia della tradizione e critica del testo*, Florencia, 1934.

QUENTIN, DOM HENRI: *Essais de critique textuelle (Ecdotique)*, París, 1926.

SEVERS, J. BURKE: "Quentin's Theory of Textual Criticism", *English Institute Annual, 1941*, Nueva York, 1942, págs. 65-93.

SHEPARD, WILLIAM: "Recent Theories of Textual Criticism", *Modern Philology*, XXVIII (1930), págs. 129-41.

WITKOWSKI, GEORG: *Textkritik und Editionstechnik neuerer Schriftwerke*, Leipzig, 1924.

II. BIBLIOGRAFÍA

GREG, WALTER WILSON: "Bibliography—an Apologia", *The Library*, XIII (1933), págs. 113-43.

—: "The Function of Bibliography in Literary Criticism Illustrated in a Study of the Text of *King Lear*", *Neophilologus*, XVIII (1933), páginas 241-62.

—: "The Present Position of Bibliography", *The Library*, XI (1930), páginas 241-62.

—: "What is Bibliography?", *Transactions of the Bibliographical Society*, XII (1912), págs. 39-53.

McKERROW, RONALD B.: *An Introduction to Bibliography for Literary Students*, Oxford, 1927.

SIMPSON, PERCY: "The Bibliographical Study of Shakespeare", *Oxford Bibliographical Society Proceedings*, I (1927), págs. 19-53.

WILSON, F. P.: "Shakespeare and the 'New Bibliography' ", *The Bibliographical Society, 1892-1942; Studies in Retrospect*, Londres, 1945, páginas 76-135.

WILSON, JOHN DOVER: "Thirteen Volumes of Shakespeare: a Retrospect", *Modern Language Review*, XXV (1930), págs. 397-414.

III. LA EDICIÓN

GREG, W. W.: *The Editorial Problem in Shakespeare: A Survey of the Foundations of the Text*, Oxford, 1942.

LEACH, MACEDWARD: "Some Problems in Editing Middle English Manuscripts", *English Institute Annual, 1939*, Nueva York, 1940, págs. 130-51.

McKERROW, RONALD B.: *Prolegomena for the Oxford Shakespeare: a Study in Editorial Method*, Oxford, 1939.

STAEHLIN, OTTO: *Editionstechnik*, Leipzig-Berlín, 1914.

STRICH, FRITZ: "Ueber die Herausgabe gesammelter Werke", *Festschrift Edouard Tièche*, Berna, 1947, págs. 103-24.

WITKOWSKI, GEORG: *loc. cit.* arriba, en "Crítica textual".

CAPÍTULO VII

LITERATURA Y BIOGRAFÍA

ESTUDIOS TEÓRICOS

BUSH, DOUGLAS: "John Milton", *English Institute Essays, 1946*, Nueva York, 1947, parte del *symposium* "The Critical Significance of Biographical Evidence", págs. 5-11.

CHERNISS, HAROLD: "The Biographical Fashion in Literary Criticism", *University of California Publications in Classical Philology*, XII (1933-44), páginas 279-92.

DILTHEY, WILHELM: *Das Erlebnis und die Dichtung*, Leipzig, 1907.

FERNANDEZ, RAMON: "L'autobiographie et le roman: L'exemple de Stendhal", *Messages*, París, 1926, págs. 78-109.

FIEDLER, LESLIE A.: "Archetype and Signature: A Study of the Relationship between Biography and Poetry", *Sewanee Review*, XL (1952), páginas 253-73.

GUNDOLF, FRIEDRICH: Introducción a *Goethe*, Berlín, 1916.

LEE, SIR SIDNEY: *Principles of Biography*, Cambridge, 1911.

LEWIS, C. S., y TILLYARD, E. N. W.: *The Personal Heresy in Criticism*, Oxford, 1934.

MAUROIS, ANDRÉ: *Aspects de la biographie*, París, 1928.

—: "The Ethics of Biography", *English Institute Annual, 1942*, Nueva York, 1943, págs. 6-28.

OPPEL, HORST: "Grundfragen der literaturhistorischen Biographie", *Deutsche Vierteljahrschrift für Literaturwissenschaft und Geistesgeschichte*, XVIII (1940), págs. 139-72.

ROMEIN, JAN: *Die Biographie*, Berna, 1948.

SENGLE, FRIEDRICH: "Zum Problem der modernen Dichterbiographie", *Deutsche Vierteljahrschrift für Literaturwissenschaft und Geistesgeschichte*, XXVI (1952), págs. 100-111.

SISSON, C. J.: *The Mythical Sorrows of Shakespeare*, conferencia pronunciada en la "British Academy", 1934, Londres, 1934.

STANFIELD, JAMES FIELD: *An Essay on the Study and Composition of Biography*, Londres, 1813.

WHITE, NEWMAN I.: "The Development, Use, and Abuse of Interpretation in Biography", *English Institute Annual, 1942*, Nueva York, 1943, páginas 29-58.

CAPÍTULO VIII

LITERATURA Y PSICOLOGÍA

I. ESTUDIOS GENERALES. LA IMAGINACIÓN. EL PROCESO CREADOR

ARNHEIM, RUDOLF, et al.: _Poets at Work_, Nueva York, 1948.

AUDEN, W. H.: "Psychology and Art", _The Arts Today_ (ed. Geoffrey Grigson), Londres, 1935, págs. 1-21.

AUSTIN, MARY: "Automatism in Writing", _Unpartisan Review_, XIV (1920), páginas 336-47.

BARTLETT, F. C.: "Types of Imagination", _Journal of Philosophical Studies_, III (1928), págs. 78-85.

BÉGUIN, ALBERT: _L'âme romantique et le rêve: essai sur le romantisme allemand et la poésie française_, 2 vols., Marsella, 1937; nueva ed., 1 vol., París, 1946.

BERKELMAN, ROBERT G.: "How to Put Words on Paper" (sobre métodos de trabajo del escritor), _Saturday Review of Literature_, XXVIII (29 diciembre 1945), págs. 18-19.

BÜHLER, CHARLOTTE: "Erfindung und Entdeckung: Zwei Grundbegriffe der Literaturpsychologie", _Zeitschrift für Aesthetik_, XV (1921), págs. 43-87.

BULLOUGH, EDWARD: "Mind and Medium in Art", _British Journal of Psychology_, XI (1920-21), págs. 26-46.

—: "Psychical Distance as a Factor in Art and an Aesthetic Principle", _British Journal of Psychology_, V (1912-13), págs. 87-118. Reproducido, con supresión de las once últimas páginas, en _Modern Book of Aesthetics_ de M. Rader, Nueva York, 1935.

—: "The Relation of Aesthetics to Psychology", _British Journal of Psychology_, X (1919-20), págs. 43-50.

BUSEMANN, A.: "Über lyrische Produktivität und Lebensablauf", _Zeitschrift für angewandte Psychologie_, XXVI (1926), págs. 177-201.

CHANDLER, ALBERT R.: _Beauty and Human Nature: Elements of Psychological Aesthetics_, Nueva York, 1934.

DELACROIX, HENRI: _Psychologie de l'art_, París, 1927.

DE VRIES, LOUIS PETER: _The Nature of Poetic Literature_, Seattle, 1930.

DILTHEY, W.: "Die Einbildungskraft des Dichters", _Gesammelte Schriften_, volumen VI, Leipzig, 1924, págs. 103-241.

DOWNEY, JUNE: _Creative Imagination_, Londres, 1929.

FREY, DAGOBERT: "Das Kunstwerk als Willensproblem", _Zeitschrift für Aesthetik_, XXV (Beilage) (1931), págs. 231-44.

GHISELIN, BREWSTER (ed.): _The Creative Process: A Symposium_, Berkeley, Calif., 1952; nueva ed., Nueva York, 1955.

HARGREAVES, H. L.: "The 'Faculty' of Imagination", _British Journal of Psychology_, Monograph Supplement, III, 1927.

HILL, J. C.: "Poetry and the Unconscious", *British Journal of Medical Psychology*, IV (1924), págs. 125-33.

KOFFKA, K.: "Problems in the Psychology of Art", *Art, A Symposium. Bryn Mawr Notes and Monographs*, IX (1940), págs. 180-273.

KREIBIG, J.: "Beiträge zur Psychologie des Kunstschaffens", *Zeitschrift für Aesthetik*, IV (1909), págs. 532-58.

KRETSCHMER, E.: *Physique and Character*, Nueva York, 1925.

KROH, E.: "Eidetiker unter deutschen Dichtern", *Zeitschrift für Psychologie*, LXXXV (1920), págs. 118-62.

LEE, VERNON: "Studies in Literary Psychology", *Contemporary Review*, LXXXIV (1903), págs. 713-23 y 856-64; LXXXV (1904), págs. 386-92.

LOWES, J. L.: *The Road to Xanadu: A Study in the Ways of the Imagination*, Boston, 1927.

LUCAS, F. L.: *Literature and Psychology*, Londres, 1951.

MALRAUX, ANDRÉ: *Psychologie de l'art*, 3 vols., Ginebra, 1947-50 (nueva versión, *Les voix du silence*, París, 1951).

MARITAIN, JACQUES: *Creative Intuition in Art and Poetry*, Nueva York, 1953; nueva ed., 1955.

MARRET, R. R.: *Psychology and Folk-lore*, Londres, 1920.

MOOG, WILLY: "Probleme einer Psychologie der Literatur", *Zeitschrift für Psychologie und Physiologie der Sinnesorgane*, CXXIV (1932), páginas 129-46.

MORGAN, DOUGLAS N.: "Psychology and Art Today: A Summary and Critique", *Journal of Aesthetics* [ed. E. Vivas y M. Krieger], Nueva York, 1953, págs. 30-47.

MÜLLER-FREIENFELS, R.: *Psychologie der Kunst*, 2 vols., 2.ª ed., Leipzig, 1923.

—: "Die Aufgaben einer Literaturpsychologie", *Das literarische Echo*, XVI (1913-14), págs. 805-11.

MUNRO, THOMAS: "Methods in the Psychology of Art", *Journal of Aesthetics*, VI (1948), págs. 225-35.

NIXON, H. K.: *Psychology for the Writer*, Nueva York, 1928.

PERKY, C. W.: "An Experimental Study of Imagination", *American Journal of Psychology*, XXI (1910), págs. 422-52.

PLAUT, PAUL: *Psychologie der produktiven Persönlichkeit* Stuttgart, 1929.

PONGS, HERMANN: "L'image poétique et l'inconscient", *Journal de Psychologie*, XXX (1933), págs. 120-63.

REICKE, ILSE: "Das Dichten in psychologischer Betrachtung", *Zeitschrift für Aesthetik*, X (1915), págs. 290-345.

RIBOT, TH.: *L'imagination créatrice*, París, 1900.

RUSU, LIVIU: *Essai sur la création artistique*, París, 1935.

SARTRE, JEAN P.: *L'imagination*, París, 1936.

STERZINGER, OTHMAR H.: *Grundlinien der Kunstpsychologie*, vols. I y II, Graz, 1938.

TSANOFF, RADOSLAV A.: "On the Psychology of Poetic Construction", *American Journal of Psychology*, XXV (1914), págs. 528-37.

380   Teoría literaria

II.- ESTUDIOS PSIQUIÁTRICOS Y PSICOANALÍTICOS

BASLER, ROY P.: *Sex, Symbolism, and Psychology in Literature*, New Brunswick, N. J., 1948.
BAUDOUIN, CHARLES: *Le symbole chez Verhaeren* (tr. ingl.: *Psychoanalysis and Aesthetics*, Nueva York, 1924).
BERGLER, EDMUND: *The Writer and Psychoanalysis*, Nueva York, 1950.
BOESCHENSTEIN, HERMANN: "Psychoanalysis in Modern Literature", *Columbia Dictionary of Modern Literature* (ed. H. Smith), Nueva York, 1947, páginas 651-7.
BONAPARTE, MARIE: *Edgar Poe: étude psychanalytique...*, París, 1933.
BRAGMAN, L. J.: "The Case of Swinburne", *Psychoan. Rev.*, XXI (1934), páginas 59-74.
BURCHELL, S. C.: "Dostoevsky and the Sense of Guilt", *Psychoan. Rev.*, XVII (1930), págs. 195-207.
—: "Proust", *Psychoan. Rev.*, XV (1928), págs. 300-3.
BURKE, KENNETH: "Freud and the Analysis of Poetry", *Philosophy of Literary Form*, Baton Rouge, 1941, págs. 258-92.
COLEMAN, STANLEY: "Strindberg: the Autobiographies", *Psychoan. Rev.*, XXIII (1936), págs. 248-73.
DAVIS, ROBERT GORHAM: "Art and Anxiety", *Partisan Review*, XIV (1945), páginas 310-21.
FREUD, SIGMUND: "Dostoevsky and Parricide", *Partisan Review*, XIV (1945), páginas 530-44.
—: "The Relation of the Poet to Day-Dreaming", *Collected Papers* (trad., Londres, 1925), IV, págs. 173-83.
GRANT DUFF, I. F.: "A One-Sided Sketch of Swift", *Psychoan. Quarterly*, VI (1937), págs. 238 ss.
HOFFMAN, FREDERICK J.: *Freudianism and the Literary Mind*, Baton Rouge, 1945.
HOOPS, REINOLD: *Der Einfluss der Psychoanalyse auf die englische Literatur*, Heidelberg, 1934.
HYMAN, STANLEY E.: "The Psychoanalytical Criticism of Literature", *Western Review*, XII (1947-8), págs. 106-15.
JASPERS, KARL: "Strindberg and Van Gogh", *Arbeiten zur angewandten Psychiatrie*, Leipzig, V (1922).
JELLIFFE, SMITH ELY: "Paleopsychology: ...the Origin and Evolution of Symbolic Function", *Psychoan. Rev.*, X (1923), págs. 121-39.
JONES, DR. ERNEST: "A Psychoanalytic Study of Hamlet", *Essays in Applied Psycho-analysis*, Londres, 1923.
—: *Hamlet and Oedipus*, Garden City, N. Y., 1954.
JUNG, C. J.: "On the relation of analytical psychology to poetic art", *Contributions to Analytical Psychology*, Londres, 1928.
—: "Psychology and Literature", *Modern Man in Search of his Soul*, Nueva York, 1934, págs. 175-99.

KARPMAN, BEN: "Swift's Neurotic Traits", *Psychoan. Rev.*, XXIX (1942), págs. 26-45 y 165-84.

KRONFELD, A.: "Der künstlerische Gestaltungsvorgang in psychiatrischer Beleuchtung", *Zeitschrift für Aesthetik*, XIX (1925), págs. 174-81.

LAURILA, K. S.: "Die psychoanalytische Auffassung von der Dichtung", *Helicon*, III (1940), págs. 159-65.

LEWIS, C. S.: "Psychoanalysis and Literary Criticism", *Essays and Studies of the English Association*, XXVII (1941), págs. 7-21.

MORRIS, RUTH: "The Novel as Catharsis", *Psychoan. Rev.*, XXXI (1944), págs. 88-104.

MUSCHG, WALTER: *Psychoanalyse und Literaturwissenschaft*, Berlín, 1930.

OBERNDORF, CLARENCE: "Psychoanalytic Insight of Hawthorne", *Psychoan. Rev.*, XXIX (1942), págs. 373-85.

—: *The Psychiatric Novels of O. W. Holmes*, Nueva York, 1943.

PONGS, H.: "Psychoanalyse und Dichtung", *Euphorion*, XXXIV (1933), páginas 38-72.

PRINZHORN, H.: "Der künstlerische Gestaltungsvorgang in psychiatrischer Beleuchtung", *Zeitschrift für Aesthetik*, XIX (1925), págs. 154-81.

PRUETTE, LORINE: "A Psycho-analytic Study of E. A. Poe", *American Journal of Psychology*, XXXI (1920), págs. 370-402.

RANK, OTTO: *Art and Artist: Creative Urge and Personality Development*, Nueva York, 1932.

ROSENZWEIG, SAUL: "The Ghost of Henry James", *Partisan Review*, XI (1944), págs. 436-55.

SACHS, HANNS: *Creative Unconscious*, Cambridge, Mass., 1942; 2.ª ed., 1951.

SQUIRES, P. C.: "Dostoevsky: A Psychopathological Sketch", *Psychoan. Rev.*, XXIV (1937), págs. 365-88.

STEKEL, WILHELM: "Poetry and Neurosis", *Psychoan. Rev.*, X (1923), páginas 73-96, 190-208, 316-28 y 457-66.

TRILLING, LIONEL: "A Note on Art and Neurosis", *Partisan Review*, XII (1945), págs. 41-9 (reproducido en *The Liberal Imagination*, Nueva York, 1950, págs. 160-80).

—: "The Legacy of Freud: Literary and Aesthetic", *Kenyon Review*, II (1940), págs. 152-73 (reproducido en *The Liberal Imagination*, Nueva York, 1950, págs. 34-57).

CAPÍTULO IX

LITERATURA Y SOCIEDAD

I. ESTUDIOS GENERALES SOBRE LA LITERATURA Y LA SOCIEDAD Y OBRAS SOBRE PROBLEMAS PARTICULARES

BRUFORD, W. H.: *Theatre, Drama and Audience in Goethe's Germany*, Londres, 1950.

DAICHES, DAVID: *Literature and Society*, Londres, 1938.

—: *The Novel and the Modern World*, Chicago, 1939.

—: *Poetry and the Modern World*, Chicago, 1940.

DUNCAN, HUGH DALZIEL: *Language and Literature in Society, with a Bibliographical Guide to the Sociology of Literature*, Chicago, 1953.

GUÉRARD, ALBERT LÉON: *Literature and Society*, Nueva York, 1935.

GUYAU, J.: *L'art au point de vue sociologique*, París, 1889.

HENNEQUIN, ÉMILE: *La critique. scientifique*, París, 1888.

KALLEN, HORACE M.: *Art and Freedom*, 2 vols., Nueva York, 1942.

KERN, ALEXANDER C.: "The Sociology of Knowledge in the Study of Literature", *Sewanee Review*, L (1942), págs. 505-14.

KNIGHTS, L. C.: *Drama and Society in the Age of Jonson*, Londres, 1937.

KOHN-BRAMSTEDT, ERNST: *Aristocracy and the. Middle Classes in Germany: Social Types in German Literature, 1830-1900*, Londres, 1937. (Contiene una introducción titulada "The Sociological Approach to Literature".)

LALO, CHARLES: *L'art et la vie sociale*, París, 1921.

LANSON, GUSTAVE: "L'histoire littéraire et la sociologie", *Revue · de Métaphysique et Morale*, XII (1904), págs. 621-42.

LEAVIS, Q D.: *Fiction and the Reading Public*, Londres, 1932.

LERNER, MAX, y MIMS, EDWIN: "Literature", *Encyclopedia of Social Sciences*, IX (1933), págs. 523-43.

LEVIN, HARRY: "Literature as an Institution", *Accent*, VI (1946), páginas 159-68. Reproducido en *Criticism* (ed. Schorer, Miles, McKenzie), Nueva York, 1948, págs. 546-53.

NIEMANN, LUDWIG: *Soziologie des naturalistischen Romans*, Berlín, 1934 (Germanische Studien, 148).

READ, HERBERT: *Art and Society*, Londres, 1937.

SCHÜCKING, LEVIN: *Die Soziologie der literarischen Geschmacksbildung,* Munich, 1923. (Segunda ed. aumentada, Leipzig, 1931.)

SEWTER, A. C.: "The Possibilities of a Sociology of Art", *Sociological Review*, XXVII, Londres, 1935, págs. 441-53.

SOROKIN, PITIRIM: *Fluctuations of Forms of Art*, Cincinnati, 1937 (vol. I de *Social and Cultural Dynamics*).

TOMARS, ADOLPH SIEGFRIED: *Introduction to the Sociology of Art,* Méjico, 1940.

WITTE, W.: "The Sociological Approach to Literature", *Modern Language Review*, XXXVI (1941), págs. 86-94.

ZIEGENFUSS, WERNER: "Kunst", *Handwörterbuch der Soziologie* (ed. Alfred Vierkandt), Stuttgart, 1931, págs. 301-38.

II. ESTUDIOS SOBRE LA HISTORIA ECONÓMICA DE LA LITERATURA

BELJAME, ALEXANDRE: *Le Public et les Hommes des Lettres en Angleterre au XVIIIe siècle: Dryden, Addison et Pope*, París, 1883.

COLLINS, A. S.: *Authorship in the Days of Johnson*, Nueva York, 1927.

—: *The Profession of Letters (1780-1832)*, Nueva York, 1928.

HOLZKNECHT, KARL J.: *Literary Patronage in the Middle Ages*, Filadelfia, 1923.
LÉVY, ROBERT: *Le Mécénat et l'organisation du crédit intellectuel*, París, 1924.
MARTIN, ALFRED VON: *Soziologie der Renaissance*, Stuttgart, 1932.
OVERMYER, GRACE: *Government and the Arts*, Nueva York, 1939.
SHEAVYN, PHOEBE: *The Literary Profession in the Elizabethan Age*, Manchester, 1909.

III. ESTUDIOS MARXISTAS SOBRE LA LITERATURA Y ANÁLISIS DEL ENFOCAMIENTO MARXISTA

BUKHARIN, NIKOLAY: "Poetry, Poetics, and Problems of Poetry in the U. S. S. R.", *Problems of Soviet Literature*, Nueva York, s. f., páginas 187-210 (reproducido en *The Problems of Aesthetics* [ed. E. Vivas y M. Krieger], Nueva York, 1953, págs. 498-514).
BURGUM, EDWIN BERRY: *The Novel and the World's Dilemma*, Nueva York, 1947.
BURKE, KENNETH: *Attitudes toward History*, 2 vols., Nueva York, 1937.
CAUDWELL, CHRISTOPHER: *Illusion and Reality*, Londres, 1937.
COHEN, MORRIS R.: "American Literary Criticism and Economic Forces", *Journal of the History of Ideas*, I (1940), págs. 369-74.
FARRELL, JAMES T.: *A Note on Literary Criticism*, Nueva York, 1936.
FINKELSTEIN, SIDNEY: *Art and Society*, Nueva York, 1947.
FRÉVILLE, JEAN (ed.): *Sur la littérature et l'art*, 2 vols., París, 1936. (Contiene textos de Marx, Engels, Lenin y Stalin relacionados con el tema.)
GRIB, V.: *Balzac* (trad. del ruso; Critics' Group Series), Nueva York, 1937.
HENDERSON, P.: *Literature and a Changing Civilization*, Londres, 1935.
—: *The Novel of Today: Studies in Contemporary Attitudes*, Oxford, 1936.
ISKOWICZ, MARC: *La littérature à la lumière du matérialisme historique*, París, 1926.
JACKSON, T. A.: *Charles Dickens. The Progress of a Radical*, Nueva York, 1938.
KLINGENDER, F. D.: *Marxism and Modern Art*, Londres, 1943.
LIFSCHITZ, MIJAIL: *The Philosophy of Art of Karl Marx* (trad. del ruso; Critics' Group Series), Nueva York, 1938.
LUKÁCKS, GEORG: *Balzac und der französische Realismus*, Berlín, 1951.
—: *Beiträge zur Geschichte der Aesthetik*, Berlín, 1954.
—: *Der russische Realismus in der Weltliteratur*, Berlín, 1949.
—: *Essays über Realismus*, Berlín, 1948.
—: *Deutsche Realisten des 19. Jahrhunderts*, Berna, 1951.
—: *Goethe und seine Zeit*, Berna, 1947.
—: *Karl Marx und Friedrich Engels als Literaturhistoriker*, Berlín, 1948.
—: *Thomas Mann*, Berlín, 1949.
MARX, K., y ENGELS, F.: *Über Kunst und Literatur* (ed. M. Lifschitz), Berlín, 1948.

NOVITSKY, PAVEL J.: *Cervantes and Don Quixote* (trad. del ruso; Critics' Group Series), Nueva York, 1936.

PLEJANOV, GUEORGUII: *Art and Society*. (trad. del ruso; Critics' Group Series), Nueva York, 1936 (nueva ed. aumentada, Londres, 1953).

SAKULIN, N. P.: *Die russische Literatur*, Potsdam, 1930. (En *Handbuch der Literaturwissenschaft*, ed. O. Walzel.) Trad. del ruso.

SMIRNÓV, A. A.: *Shakespeare* (trad. del ruso; Critics' Group Series), Nueva York, 1936.

SMITH, BERNARD: *Forces in American Criticism*, Nueva York, 1939.

THOMSON, GEORGE: *Aeschylus and Athens: A Study in the Social Origin of the Drama*, Londres, 1941.

—: *Marxism and Poetry*, Londres, 1945.

TROTSKY, LEON: *Literature and Revolution*, Nueva York, 1925.

CAPÍTULO X

LITERATURA E IDEAS

ESTUDIOS TEÓRICOS

BOAS, GEORGE: "Some Problems of Intellectual History", *Studies in Intellectual History*, Baltimore, 1953, págs. 3-21.

CRANE, RONALD S.: "Literature, Philosophy, and Ideas", *Modern Philology*, LII (1954), 78-83.

GILSON, ÉTIENNE: *Les idées et les lettres*, París, 1932.

GLOCKNER, HERMANN: "Philosophie und Dichtung: Typen ihrer Wechselwirkung von den Griechen bis auf Hegel", *Zeitschrift für Aesthetik*, XV (1920-21), págs. 187-204.

JOCKERS, ERNST: "Philosophie und Literaturwissenschaft", *Germanic Review*, X (1935), págs. 73-97 y 166-86.

LAIRD, JOHN: *Philosophical Incursions into English Literature*, Cambridge, 1946.

LOVEJOY, ARTHUR O.: *Essays in the History of Ideas*, Baltimore, 1948.

—: *The Great Chain of Being*, Cambridge, Mass., 1936.

—: "The Historiography of Ideas", *Proceedings of the American Philosophical Society*, LXXVIII (1937-38), págs. 529-43.

—: "Present Standpoint and Past History", *Journal of Philosophy*, XXXVI (1939), págs. 471-89.

—: "Reflections on the History of Ideas", *Journal of the History of Ideas*, I (1940), págs. 1-23.

—: "Reply to Professor Spitzer", *Ibid.*, V (1944), págs. 204-19.

LÜTZELER, HEINRICH: "Gedichtsaufbau und Welthaltung des Dichters", *Euphorion*, NF, XXXV (1934), págs. 247-62.

NICOLSON, MARJORIE: "The History of Literature and the History of Thought", *English Institute Annual, 1939*, Nueva York, 1940, págs. 56-89.

NOHL, HERMANN: *Stil und Weltanschauung,* Jena, 1923.

SANTAYANA, GEORGE: "Tragic Philosophy", *Works* (ed. Triton), Nueva York, 1936, págs. 275-88. (Reproducido en *Literary Opinion in America,* ed. M. D. Zabel, Nueva York, 1937, págs. 129-41.)

SPITZER, LEO: "*Geistesgeschichte* vs. History of Ideas as applied to Hitlerism", *Journal of the History of Ideas,* V (1944), págs. 191-203.

STACE, W. T.: *The Meaning of Beauty: A Theory of Aesthetics,* Londres, 1929, especialmente págs. 164 ss.

TAYLOR, HAROLD A.: "Further Reflections on the History of Ideas", *Journal of Philosophy,* XL (1943), págs. 281-99.

TRILLING, LIONEL: "The Meaning of a Literary Idea", *The Liberal Imagination,* Nueva York, 1950, págs. 281-303.

UNGER, RUDOLF: *Aufsätze zur Prinzipienlehre der Literaturgeschichte,* 2 volúmenes, Berlín, 1929. (El volumen I contiene: "Literaturgeschichte als Problemgeschichte", "Literaturgeschichte und Geistesgeschichte", "Philosophische Probleme der neueren Literaturwissenschaft", "Weltanschauung und Dichtung".)

WALZEL, OSKAR: *Gehalt und Gestalt im dichterischen Kunstwerk,* Berlín-Potsdam, 1923.

WECHSSLER, EDUARD: "Über die Beziehung von Weltanschauung und Kunstschaffen", *Marburger Beiträge zur romanischen Philologie,* IX (1911), 46 págs.

CAPÍTULO XI

LA LITERATURA Y LAS DEMÁS ARTES

I. ESTUDIOS GENERALES

BINYON, LAURENCE: "English Poetry in its Relation to Painting and the Other Arts", *Proceedings of the British Academy,* VIII (1918), páginas 381-402.

BROWN, CALVIN S.: *Music and Literature: A Comparison of the Arts,* Atlanta, 1948.

COMBARIEU, JULES: *Les rapports de la musique et de la poésie,* París, 1894.

GREENE, THEODORE MEYER: *The Arts and the Art of Criticism,* Princeton, 1940.

HATZFELD, HELMUT A.: "Literary Criticism Through Art and Art Criticism Through Literature", *Journal of Aesthetics,* VI (1947), págs. 1-21.

HOURTICQ, LOUIS: *L'Art et la littérature,* París, 1946.

MAURY, PAUL: *Arts et littérature comparés: État présent de la question,* París, 1933.

MEDICUS, FRITZ: "Das Problem einer vergleichenden Geschichte der Künste", *Philosophie der Literaturwissenschaft* (ed. Emil Ermatinger), Berlín, 1930, págs. 188-239.

READ, HERBERT: "Parallels in English Painting and Poetry", *In Defence of Shelley and other Essays*, Londres, 1936, págs. 233-48.

SACHS, CURT: *The Commonwealth of Art: Style in the Arts, Music and the Dance*, Nueva York, 1946.

SOURIAU, ÉTIENNE: *La Correspondance des arts. Éléments d'esthétique comparée*, París, 1947.

VOSSLER, KARL: "Über wechselseitige Erhellung der Künste", *Festschrift Heinrich Wölfflin zum 70. Geburtstag*, Dresde, 1935, págs. 160-67.

WAIS, KURT: *Symbiose der Künste*, Stuttgart, 1936.

—: "Vom Gleichlauf der Künste", *Bulletin of the International Committee of the Historical Sciences*, IX (1937), págs. 295-304.

WALZEL, OSKAR: *Gehalt und Gestalt im Kunstwerk des Dichters*, Berlín-Potsdam, 1923, especialmente. págs. 265 y sigs. y 282 y sigs.

—: *Wechselseitige Erhellung der Künste*, Berlín, 1917.

        II.   OBRAS SOBRE LAS RELACIONES HISTÓRICAS ENTRE LA LITERATURA
                                 Y LAS ARTES

BALDENSPERGER, F.: *Sensibilité musicale et romantisme*, París, 1925.

BONTOUX, GERMAINE: *La Chanson en Angleterre au temps de Elizabeth*, París, 1938.

FAIRCHILD, ARTHUR H. R.: *Shakespeare and the Arts of Design (Architecture, Sculpture, and Painting)*, Columbia, Miss., 1937.

FEHR, BERNHARD: "The Antagonism of Form in the Eighteenth Century", *English Studies*, XVIII (1936), págs. 115-21, 193-205; XIX (1937), páginas 1-13, 49-57. (Reproducido en *Von Englands geistigen Beständen*, Frauenfeld, 1944, págs. 59-118.)

FREY, DAGOBERT: *Gotik und Renaissance als Grundlagen der modernen Weltanschauung*, Augsburgo, 1929.

HATZFELD, HELMUT A.: *Literature through Art: A New Approach to French Literature*, Nueva York, 1952.

HAUTECOEUR, LOUIS: *Littérature et peinture en France du XVIIᵉ au XXᵉ siècle*, París, 1942.

HAUTMANN, MAX: "Der Wandel der Bildvorstellungen in der deutschen Dichtung und Kunst des romanischen Zeitalters", *Festschrift Heinrich Wölfflin*, Munich, 1924, págs. 63-81.

LARRABEE, STEPHEN A.: *English Bards and Grecian Marbles: The Relationship between Sculpture and Poetry*, Nueva York, 1943.

MANWARING, ELIZABETH W.: *Italian Landscape in Eighteenth Century England*, Nueva York, 1925.

PATTISON, BRUCE: *Music and Poetry of the English Renaissance*, Londres, 1948.

SEZNEC, JEAN: "Flaubert and the Graphic Arts", *Journal of the Warburg and Courtauld Institutes*, VIII (1945), págs. 175-90.

SMITH, WARREN H.: *Architecture in English Fiction*, New Haven, 1934.

TINKER, CHAUNCEY BREWSTER: *Painter and Poet: Studies in the Literary Relations of English Painting*, Cambridge, Mass., 1938.

WEBSTER, THOMAS B. L.: *Greek Art and Literature 530-400 B. C.*, Oxford, 1939.

WIND, EDGAR: "Humanitätsidee und heroisches Porträt in der englischen Kultur des achtzehnten Jahrhunderts", *Vorträge der Bibliothek Warburg, 1930-1931*, Leipzig, 1932, págs. 156-229.

CAPÍTULO XII
EL MODO DE SER DE LA OBRA DE ARTE LITERARIA

I. ESTUDIOS SOBRE EL MODO DE SER, SOBRE LA ONTOLOGÍA DE LA LITERATURA

BILSKY, MANUEL: "The Significance of Locating the Art Object", *Philosophy and Phenomenological Research*, XIII (1935), págs. 531-36.

CONRAD, WALDEMAR: "Der aesthetische Gegenstand", *Zeitschrift für Aesthetik*, III (1908), págs. 71-118, y IV (1909), págs. 400-55.

HARTMANN, NIKOLAI: *Das Problem des geistigen Seins*, Berlín, 1933.

HUSSERL, EDMUND: *Méditations Cartésiennes*, París, 1931.

INGARDEN, ROMAN: *Das literarische Kunstwerk*, Halle, 1931.

JOAD, C. E. M.: *Guide to Philosophy*, Nueva York, 1935, págs. 267-70.

KAHN, SHOLOM J.: "What Does a Critic Analyze?", *Philosophy and Phenomenological Research*, III (1925), págs. 237-45.

LALO, CHARLES: "The Aesthetic Analysis of a Work of Art: An Essay on the Structure and Superstructure of Poetry", *Journal of Aesthetics*, VII (1949), págs. 278-93.

MÜLLER, GÜNTHER: "Über die Seinsweise von Dichtung", *Deutsche Vierteljahrschrift für Literaturwissenschaft und Geistesgeschichte*, XVII (1939), págs. 137-53.

SOURIAU, ÉTIENNE: "Analyse existentielle de l'oeuvre d'art", sección de *La correspondance des arts*, París, 1947.

VIVAS, ELISEO: "What is a Poem?", *Creation and Discovery*, Nueva York, 1955, págs. 73-92.

ZIFF, PAUL: "Art and the 'Object of Art' ", *Mind*, LX (1951), págs. 466-80.

II. ESTUDIOS Y APLICACIONES DE LA "EXPLICATION DE TEXTES"

BRUNOT, F.: "Explications françaises", *Revue universitaire*, IV (1895), páginas 113-28, 263-87.

HATZFELD, HELMUT: *Einführung in die Interpretation neufranzösischer Texte*, Munich, 1922.

LANSON, GUSTAVE: "Quelques mots sur l'explication de textes", *Méthodes de l'histoire littéraire*, París, 1925, págs. 38-57.

ROUSTAN, M.: *Précis d'explication française*, París, 1911.

RUDLER, GUSTAVE: *L'explication française*, París, 1902.

VIGNERON, ROBERT: *Explication de Textes and Its Adaptation to the Teaching of Modern Languages*, Chicago, 1928.

III. ESTUDIOS SOBRE EL ANÁLISIS DE TEXTOS Y EJEMPLOS DE MÉTODOS

BLACKMUR, RICHARD P.: *The Double Agent*, Nueva York, 1935.

—: *The Expense of Greatness*, Nueva York, 1940.

—: *Language as Gesture, Essays in Poetry*, Nueva York, 1952.

—: *The Lion and the Honeycomb*, Nueva York, 1955.

BROOKS, CLEANTH: *Modern Poetry and the Tradition*, Chapel Hill, 1939.

— y WARREN, ROBERT PENN: *Understanding Poetry*, Nueva York, 1938.

—: *The Well Wrought Urn*, Nueva York, 1947.

BROWER, REUBEN A.: *The Fields of Light: An Experiment in Critical Reading*, Nueva York, 1951.

BURGER, HEINZ OTTO (ed.): *Gedicht und Gedanke*, Halle, 1942.

COHEN, GUSTAVE: *Essai d'explication du "Cimetière marin"*, París, 1933.

CRANE, RONALD S.: "Interpretation of Texts and the History of Ideas", *College English*, II (1941), págs. 755-65.

EMPSON, WILLIAM: *Seven Types of Ambiguity*, Londres, 1930 (nueva edición, Nueva York, 1948).

—: *Some Versions of Pastoral*, Londres, 1935.

—: *The Structure of Complex Words*, Norfolk, Conn., s. f. (1951).

ÉTIENNE, S.: *Expériences d'analyse textuelle en vue d'explication littéraire*, París, 1935.

GOODMAN, PAUL: *The Structure of Literature*, Chicago, 1954.

HARTMAN, GEOFFREY H.: *The Unmediated Vision: An Interpretation of Wordsworth, Hopkins, Rilke, and Valéry*, New Haven, 1954.

KOMMERELL, MAX: *Gedanken über Gedichte*, Francfort, 1943.

—: *Geist und Buchstabe der Dichtung*, Francfort, 1940.

LEAVIS, F. R.: *New Bearings in English Poetry*, Londres, 1932.

—: *Revaluation: Tradition and Development in English Poetry*, Londres, 1936. (Reimpreso, Nueva York, 1947).

OLSON, ELDER: "Rhetoric and the Appreciation of Pope", *Modern Philology*, XXXVII (1939), 13-35.

—: "Sailing to Byzantium: Prolegomena to a Poetics of the Lyric", *University Review* (Kansas City), VIII (1942), págs. 209-19.

RANSOM, JOHN CROWE: *The New Criticism*, Norfolk, Conn., 1941.

—: *The World's Body*, Nueva York, 1938.

RICHARDS, I. A.: *Practical Criticism*, Londres, 1929; Nueva York, 1955.

SPITZER, LEO: Véase más abajo lista de obras citadas en el Capítulo XIV, Sección I.

STAIGER, EMIL: "Die Kunst der Interpretation", *Neuphilologus*, XXXV (1951), págs. 1-15.

—: *Meisterwerke deutscher Sprache aus dem neunzehnten Jahrhundert,* Zurich, 1943.

TATE, ALLEN: *Reactionary Essays on Poetry and Ideas,* Nueva York, 1936.

—: *Reason in Madness,* Nueva York, 1941.

UNGER, LEONARD: "Notes on *Ash Wednesday*", *Southern Review,* IV (1939), págs. 745-70.

VOSSLER, KARL: *Leopardi,* Munich, 1923.

WALZEL, OSKAR: *Gehalt und Gestalt im dichterischen Kunstwerk,* Berlín, 1923 (parte del *Handbuch der Literaturwissenschaft,* ed. O. Walzel).

—: *Das Wortkunstwerk: Mittel seiner Erforschung,* Leipzig, 1926.

WASSERMAN, EARL R.: *The Finer Tone,* Baltimore, 1953 (sobre Keats).

IV. ESTUDIOS SOBRE LA "INTENCIÓN" EN LA OBRA LITERARIA

COOMARASWAMY, AMANDA K.: "Intention", *American Bookman,* I (1944), páginas 41-8.

WALCUTT, CHARLES CHILD: "Critic's Taste and Artist's Intention", *The University of Kansas City Review,* XII (1946), págs. 278-83.

WALZEL, OSKAR: "Künstlerische Absicht", *Germanisch-romanische Monatsschrift,* VIII (1920), págs. 321-31.

WIMSATT, W. K., JR., y BEARDSLEY, MONROE C.: "Intention", *Dictionary of World Literature* (ed. J. T. Shipley), Nueva York, 1944, págs. 326-29.

—: "The Intentional Fallacy", *Sewanee Review,* LIV (1946), págs. 468-88 (reproducido en *The Verbal Icon,* Lexington, Ky. [1954], págs. 3-18).

CAPÍTULO XIII

EUFONÍA, RITMO Y METRO

I. EUFONÍA, ESTRUCTURAS SONORAS, RIMA, ETC.

BATE, WALTER JACKSON: *The Stylistic Development of Keats,* Nueva York, 1945.

BRIK, OSIP: "Zvukovie povtory" (estructuras sonoras), *Poetika,* San Petersburgo, 1919.

CHAPIN, ELSA, y RUSSELL, THOMAS: *A New Approach to Poetry,* Chicago, 1929.

EHRENFELD, A.: *Studien zur Theorie des Reims,* 2 vols., Zurich, 1897, 1904.

GABRIELSON, ARNID: *Rime as a criterion of the pronunciation of Spenser, Pope, Byron, and Swinburne,* Uppsala, 1909.

KNAUER, KARL: "Die klangästhetische Kritik des Wortkunstwerks am Beispiele französischer Dichtung", *Deutsche Vierteljahrsschrift für Literaturwissenschaft und Geistesgeschichte,* XV (1937), págs. 69-91.

LANZ, HENRY: *The Physical Basis of Rime,* Stanford University Press, 1931.

MASING, W.: *Sprachliche Musik in Goethes Lyrik,* Estrasburgo, 1910.

ORAS, ANTS: "Lyrical Instrumentation in Marlowe", *Studies in Shakespeare* (ed. A. D. Matthews y C. M. Emery), Coral Gables (Fla.), 1953.

—: "Surrey's Technique of Phonetic Echoes", *Journal of English and Germanic Philology*, L (1951), págs. 289-308.

RICHARDSON, CHARLES F.: *A Study of English Rime*, Hanover, N. H., 1909.

SERVIEN, PIUS: *Lyrisme et structures sonores*, París, 1930.

SNYDER, EDWARD: *Hypnotic Poetry: A Study of Trance-Inducing Technique in Certain Poems and its Literary Significance*, Filadelfia, 1930.

VOSSLER, KARL: "Stil, Rhythmus und Reim in ihrer Wechselwirkung bei Petrarca und Leopardi", *Miscellanea di studi critici... in onore di Arturo Graf*, Bérgamo, 1903, págs. 453-81.

WILSON, KATHARINE M.: *Sound and Meaning in English Poetry*, Londres, 1930.

WIMSATT, W. K., JR.: "One Relation of Rhyme to Reason", *Modern Language Quarterly*, V (1944), págs. 323-38 (reproducido en *The Verbal Icon*, Lexington, Ky. [1954], págs. 153-66).

WYLD, HENRY C.: *Studies in English Rhymes from Surrey to Pope*, Londres, 1923.

ZHIRMUNSKI, VIKTOR: *Rifma, ee istoria i teoriya* (La rima. Su historia y teoría), Petrogrado, 1923.

ZSCHECH, FRITZ: *Die Kritik des Reims in England*, Berlín, 1917 ("Berliner Beiträge zur germanischen und romanischen Philologie", volumen 50).

II. EL RITMO Y EL RITMO DE LA PROSA

BAUM, PAULL F.: *The Other Harmony of Prose*, Durham, N. C., 1952.

BLASS, FR.: *Die Rhythmen der antiken Kunstprosa*, Leipzig, 1901.

CHÉREL, A.: *La prose poétique française*, París, 1940.

CLARK, A. C.: *The Cursus in Medieval and Vulgar Latin*, Oxford, 1910.

—: *Prose Rhythm in English*, Oxford, 1913.

CLASSE, ANDRÉ: *The Rhythm of English Prose*, Oxford, 1939.

CROLL, MORRIS W.: "The Cadence of English Oratorical Prose", *Studies in Philology*, XVI (1919), págs. 1-55.

ELTON, OLIVER: "English Prose Numbers", *A Sheaf of Papers*, Londres, 1922, págs. 130-63.

FIJN VAN DRAAT, P.: "Rhythm in English Prose", *Anglia*, XXXVI (1912), págs. 1-58.

—: "Voluptas Aurium", *Englische Studien*, XLVIII (1914-15), págs. 394-428.

GROOT, A. W. DE: *A Handbook of Antique Prose-Rhythm*, Groninga, 1919, vol. 1.

—: "Der Rhythmus", *Neophilologus*, XVII (1931), págs. 81-100, 177-97, 241-65.

MARTIN, EUGÈNE-LOUIS: *Les symétries du français littéraire*, París, 1924.

NORDEN, EDUARD: *Die antike Kunstprosa*, 2 vols., Leipzig, 1898.

PATTERSON, W. M.: *The Rhythm of Prose* (Columbia University Studies in English, n.º 27), Nueva York, 1916.

SCOTT, JOHN HUBERT: *Rhythmic Prose* (University of Iowa Studies, Humanistic Studies, III, n.º 1), Iowa City, 1925.

SEKEL, DIETRICH: *Hölderlins Sprachrhythmus*, Leipzig, 1937.

SERVIEN, PIUS: *Les rhythmes comme introduction physique à l'esthétique*, París, 1930.

VINÓGRADOV, VIKTOR: "Ritm prozy (po Pikovej dame)" (El ritmo de la prosa, según "El caballo de espadas"), *O Stikh, Statyi* (Ensayos sobre el verso), Leningrado, 1929.

WILLIAMSON, GEORGE: *The Senecan Amble. A Study of Prose Form from Bacon to Collier*, Chicago, 1951.

III. MÉTRICA

1. *Obras inglesas.*

BARKAS, PALLISTER: *A Critique of Modern English Prosody, 1880-1930* (Studien zur englischen Philologie, ed. Morsbach y Hecht, 82), Halle, 1934.

BAUM, P. F.: *The Principles of English Versification*, Cambridge, 1922.

CROLL, MORRIS W.: "Music and Metrics", *Studies in Philology*, XX (1923), págs. 388-94.

DABNEY, I. P.: *The Musical Basis of Verse*, Nueva York, 1901.

HAMM, VICTOR M.: "Meter and Meaning", *PMLA*, LXIX (1954), páginas 695-710.

JACOB, CARY T.: *The Foundation and Nature of Verse*, Nueva York, 1918.

LANIER, SIDNEY: *Science of English Verse*, Nueva York, 1880 (nueva edición con introducción por P. F. BAUM en *Centennial Edition*, ed. Charles Anderson, Baltimore, 1945, vol. II, págs. VII-XLVIII).

OMOND, T. S.: *English Metrists*, Oxford, 1921.

POPE, JOHN C.: *The Rhythm of Beowulf*, New Haven, 1942.

SCHRAMM, WILBUR LANG: *Approaches to a Science of Verse* (University of Iowa Studies, Series on Aims and Progress of Research, n.º 46), Iowa City, 1935.

STEWART, GEORGE R., JR.: *Modern Metrical Techniques as Illustrated by Ballad Meter, 1700-1920*, Nueva York, 1922.

—: *The Technique of English Verse*, Nueva York, 1930.

2. *Obras francesas, alemanas, rusas y checas.*

BENOIST-HANNAPPIER, LOUIS: *Die freien Rhythmen in der deutschen Lyrik*, Halle, 1905.

EICHENBAUM, BORIS: *Melodika lyrischeskogo stikha* (La melodía del verso lírico), San Petersburgo, 1922.

FRAENKEL, EDUARD: *Iktus und Akzent im lateinischen Sprechvers*, Berlín, 1928.

GRAMMONT, MAURICE: *Le vers français. Ses moyens d'expression, son harmonie*, París, 1913 (cuarta ed., 1937).

HEUSLER, ANDREAS: *Deutsche Versgeschichte*, 3 vols., Berlín, 1925-29.

—: _Deutscher und antiker Vers,_ Estrasburgo, 1917 (Quellen und Forschungen, n.º 123).

JAKOBSON, ROMAN: _O cheschkom Stikhe_ (Sobre el verso checo), Berlín, 1923.

—: "Über den Versbau der serbokroatischen Volksepen", _Archives néerlandaises de phonétique expérimentale,_ VIII-IX (1933), págs. 135-53.

LOTE, G.: _L'alexandrin français d'après la phonétique expérimentale,_ París, 1913.

MEILLET, ANTOINE: _Les origines indo-européennes des mètres grecs,_ París, 1923.

MORIER, HENRI: _Le rhythme du vers libre symboliste étudié chez Verhaeren, Henri de Régnier, Vielé-Griffin et ses relations avec le sens,_ 3 vols., Ginebra, 1943-44.

MUKAROVSKY, JAN: "Dejiny ceského verse" ("Historia del verso checo"), _Ceskoslovenská vlastiveda,_ Praga, 1934, vol. III.

—: "Intonation comme facteur de rhythme poétique", _Archives néerlandaises de phonétique expérimentale,_ VIII-IX (1933), págs. 153-65.

SARAN, FRANZ: _Deutsche Verslehre,_ Múnich, 1907.

—: _Der Rhythmus des französischen Verses,_ Halle, 1904.

SCRIPTURE, E. W.: _Grundzüge der englischen Verswissenschaft,_ Marburgo, 1929.

SIEVERS, WILHELM: _Rhythmisch-melodische Studien,_ Heidelberg, 1912.

—: _Altgermanische Metrik,_ Leipzig, 1893.

TOMASCHEVSKII, BORIS: _Ruskoe stikhoslozhenye: Metrika_ (La versificación rusa: métrica), San Petersburgo, 1923.

—: _O Stikhe: Statyi_ (Ensayos sobre el verso), Leningrado, 1929.

TYNYANOV, YURYI N.: _Problemy stikhotvornago yazyka_ (Problemas de la lengua poética), San Petersburgo, 1924.

VERRIER, PAUL: _Essai sur les principes de la métrique anglaise,_ 3 vols., París, 1909.

—: _Le vers français,_ 3 vols., París, 1931-2.

ZHIRMUNSKI, VIKTOR: _Kompozitsiya lyrichskikh stikhotvorenii_ (La composición de poemas líricos), Petrogrado, 1921.

—: _Vvediene v metriku: Teoriya stikha_ (Introducción a la métrica. Teoría del verso), Leningrado, 1925.

CAPÍTULO XIV

ESTILO Y ESTILÍSTICA

I. ESTUDIOS TEÓRICOS Y OBRAS GENERALES

ALONSO, AMADO: "The Stylistic Interpretation of Literary Texts", _Modern Language Notes,_ LVII (1942), págs. 489-96. Véase _Materia y forma en poesía_ (Madrid, Gredos, 1955), págs. 107-132.

BALLY, CHARLES: _Le langage et la vie,_ París, 1926 (también Zurich, 1945).

—: _Linguistique générale et linguistique française,_ segunda ed., París, 1944.

BATESON, F. W.: *English Poetry and the English Language*, Oxford, 1934.

BERTONI, GIULIO: *Lingua e Cultura*, Florencia, 1939.

—: *Lingua e Pensiero*, Florencia, 1932.

—: *Lingua e Poesia*, Florencia, 1937.

BRUNOT, FERDINAND.: *La pensée et la langue*, tercera ed., París, 1936.

CASTLE, EDUARD: "Zur Entwicklungsgeschichte des Wortbegriffs Stil", *Germanisch-romanische Monatsschrift*, VI (1914), págs. 153-60.

COOPER, LANE: *Théories of Style*, Nueva York, 1907.

ELSTER, ERNST: *Prinzipien der Literaturwissenschaft*, II, Halle, 1911. (Comprende un estudio sobre estilística.)

GERBER, GUSTAV: *Sprache als Kunst*, 2 vols., Bromberg, 1871 (segunda edición, 1885).

GOURMONT, REMY DE: *Le problème du style*, París, 1902.

HATZFELD, HELMUT: *A Critical Bibliography of the New Stylistics Applied to the Romance Literatures, 1900-1952*, Chapel Hill, 1953. (Trad. española: *Bibliografía crítica de la nueva estilística, aplicada a las literaturas románicas*, Madrid, 1955.)

—: "Stylistic Criticism as Art-minded Philology", *Yale French Studies*, II (1949), págs. 62-70.

JOUILLAND, ALPHONSE G.: Reseña de Charles Bruneau, "L'Époque réaliste", *Language*, XXX (1954), págs. 313-38 (contiene una sinopsis de investigaciones recientes).

KAINZ, FRIEDRICH: "Vorarbeiten zu einer Philosophie des Stils", *Zeitschrift für Aesthetik*, XX (1926), págs. 21-63.

LEO, ULRICH: "Historie und Stilmonographie: Grundsätzliches zur Stilforschung", *Deutsche Vierteljahrschrift für Geistesgeschichte und Literaturwissenschaft*, IX (1931), págs. 472-503.

LUNDING, ERIK: *Wege zur Kunstinterpretation*, Aarhus (Dinamarca), 1953.

MAPES, E. K.: "Implications of Some Recent Studies on Style", *Revue de littérature comparée*, XVIII (1938), págs. 514-33.

MAROUZEAU, J.: "Comment aborder l'étude du style", *Le Français moderne*, XI (1943), págs. 1-6.

—: "Les tâches de la stylistique", *Mélanges J. Rozwadowski*, Cracovia, I (1927), págs. 47-51.

MURRY, JOHN MIDDLETON: *The Problem of Style*, Oxford, 1922.

PONGS, HERMANN: "Zur Methode der Stilforschung", *Germanisch-romanische Monatsschrift*, XVII (1929), págs. 264-77.

RALEIGH, SIR WALTER: *Style*, Londres, 1897.

SCHIAFFINI, ALFREDO: "La stilistica letteraria", *Momenti di storia della lingua italiana*, Roma, 1953, págs. 166-86.

SPITZER, LEO: *Linguistics and Literary History: Essays in Stylistics*, Princeton, 1948.

—: *A Method of Interpreting Literature*, Northampton, Mass., 1949.

—: *Stilstudien*, 2 vols., Munich, 1928.

—: *Romanische Stil- und Literaturstudien*, 2 vols., Marburgo, 1931.

SPOERRI, THEOPHIL: *Die Formwerdung des Menschen*, Berlín, 1938.

VOSSLER, KARL: *Gesammelte Aufsätze zur Sprachphilosophie*, Munich, 1923.
—: *Introducción a la estilística romance*, Buenos Aires, 1932 (nueva edición, 1942).
—: *Positivismus und Idealismus in der Sprachwissenschaft*, Heidelberg, 1904.
WALLACH, W.: *Über Anwendung und Bedeutung des Wortes Stil*, Munich, 1919.
WINKLER, EMIL: "Die neuen Wege und Aufgaben der Stilistik", *Die neueren Sprachen*, XXXIII (1923), págs. 407-22.
—: *Grundlegung der Stilistik*, Bielefeld, 1929.

II. ESTUDIOS ESTILÍSTICOS SOBRE OBRAS Y AUTORES DETERMINADOS

ALONSO, AMADO: *Poesía y estilo de Pablo Neruda*, Buenos Aires, 1940 (2.ª ed., 1951).
ALONSO, DÁMASO: *La lengua poética de Góngora*, Madrid, 1935.
—: *La poesía de San Juan de la Cruz*, Madrid, 1942.
—: *Poesía española. Ensayo de métodos y límites estilísticos*, Madrid, 1950 (4.ª ed., 1962).
AUERBACH, ERICH: *Mimesis. Dargestellte Wirklichkeit in der abendländischen Literatur*, Berna, 1946 (trad. ingl., Princeton, 1953).
CROLL, MORRIS W.: Introducción a la edición de *Euphues* de Lily, preparada por Harry Clemons, Londres, 1916.
DYBOSKI, ROMAN: *Tennysons Sprache und Stil*, Viena, 1907.
HATZFELD, HELMUT: *Don Quijote als Wortkunstwerk: Die einzelnen Stilmittel und ihr Sinn*, Leipzig, 1927 (trad. española, Madrid, 1949).
JIRÁT, VOJTECH: *Platens Stil*, Praga, 1933.
LEO, ULRICH: *Fogazzaros Stil und der symbolistische Lebensroman*, Heidelberg, 1928.
MUKAROVSKY, JAN: *Máchuv Máj: Estetická studie*, Praga, 1928 (con resumen en francés).
VINÓGRADOV, VIKTOR: *Stil Puschkina*, Moscú, 1941.
WIMSATT, WILLIAM K.: *The Prose Style of Samuel Johnson*, New Haven, 1941.

III. ESTUDIOS SOBRE LA LENGUA POÉTICA Y LA DICCIÓN POÉTICA

BARFIELD, OWEN: *Poetic Diction: A Study in Meaning*, Londres, 1925.
DAVIE, DONALD: *Purity of Diction in English Verse*, Nueva York, 1953.
HATZFELD, HELMUT: "The Language of the Poet", *Studies in Philology*, XLIII (1946), págs. 93-120.
MILES, JOSEPHINE: *The Vocabulary of Poetry*, Berkeley (Calif.), 1946.
—: *The Continuity of Poetic Language*, Berkeley (Calif.), 1951.
QUAYLE, THOMAS: *Poetic Diction: A Study of Eighteenth Century Verse*, Londres, 1924.
RAYMOND, MARCEL: "Le poète et la langue", *Trivium: Schweizerische Vierteljahrschrift für Literaturwissenschaft und Stilistik*, II (1944), págs. 2-25.

RUBEL, VERÉ L.: *Poetic Diction in the English Renaissance from Skelton through Spenser*, Nueva York, 1941.

RYLANDS, GEORGE: *Words and Poetry*, Londres, 1928.

TATE, ALLEN (ed.): *The Language of Poetry*, Princeton, 1942.

TILLOTSON, GEOFFREY: "Eighteenth Century Poetic Diction", *Essays in Criticism and Research*, Cambridge, 1942, págs. 53-85.

WHEELWRIGHT, PHILIP: "On the Semantics of Poetry", *Kenyon Review*, II (1940), págs. 263-83.

WYLD, H. C.: *Some Aspects of the Diction of English Poetry*, Oxford, 1933.

IV. ESTUDIOS ESTILÍSTICOS SOBRE ESTILOS DE ÉPOCA

BALLY, CHARLES; RICHTER, ELISE; ALONSO, AMADO; LIDA, RAIMUNDO: *El impresionismo en el lenguaje*, Buenos Aires, 1936.

BARAT, EMMANUEL: *Le style poétique et la révolution romantique*, París, 1904.

CROLL, MORRIS W.: "The Baroque Style in Prose", *Studies in English Philology: A Miscellany in Honor of F. Klaeber* (ed. K. Malone y M. B. Ruud), Minneapolis, 1929, págs. 427-56.

GAUTIER, RENÉ: *Deux aspects du style classique: Bossuet, Voltaire*, La Rochelle, 1936.

HATZFELD, HELMUT: "Der Barockstil der religiösen klassischen Lyrik in Frankreich", *Literaturwissenschaftliches Jahrbuch der Görresgesellschaft*, IV (1929), págs. 30-60.

—: "Die französische Klassik in neuer Sicht", *Tijdschrift voor Taal en Letteren*, XXVII (1935), págs. 213-82.

—: "Rokoko als literarischer Epochenstil", *Studies in Philology*, XXXIII (1938), págs. 532-65.

HEINZEL, RICHARD: *Über den Stil der altgermanischen Poesie*, Estrasburgo, 1875.

PETRICH, HERMANN: *Drei Kapitel vom romantischen Stil*, Leipzig, 1878.

RAYMOND, MARCEL: "Classique et Baroque dans la poésie de Ronsard", *Concinnitas: Festschrift für Heinrich Wölfflin*, Basilea, 1944, págs. 137-73.

STRICH, FRITZ: "Der lyrische Stil des 17. Jahrhunderts", *Abhandlungen zur deutschen Literaturgeschichte: Festschrift für Franz Muncker*, Munich, 1916, págs. 21-53.

THON, LUISE: *Die Sprache des deutschen Impressionismus*, Munich, 1928.

CAPÍTULO XV

IMAGEN, METÁFORA, SÍMBOLO, MITO

I. LA IMAGEN. LA METÁFORA

AISH, DEBORAH: *La métaphore dans l'oeuvre de Mallarmé*, París, 1938.

BRANDENBURG, ALICE S.: "The Dynamic Image in Metaphysical Poetry", *PMLA*, LVII (1942), págs. 1039-45.

BROOKS, CLEANTH: "Shakespeare as a Symbolist Poet", _Yale Review_, XXXIV (1945), págs. 642-65. (Reproducido con el título de "The Naked Babe and the Cloak of Manliness", _The Well Wrought Urn_, Nueva York, 1947, págs. 21-46.)

BROWN, STEPHEN J.: _The World of Imagery: Metaphor and Kindred Imagery_, Londres, 1927.

BURKE, KENNETH: "Four Master Tropes" (metáfora, metonimia, sinécdoque e ironía), _A Grammar of Motives_, Nueva York, 1946, págs. 503-17.

CLEMEN, WOLFGANG: _Shakespeares Bilder: Ihre Entwicklung und ihre Funktionen im dramatischen Werk..._, Bonn, 1936 (trad. ingl.: _The Development of Shakespeare's Imagery_, Cambridge, Mass., 1951).

FOGLE, RICHARD H.: _The Imagery of Keats and Shelley_, Chapel Hill, 1949.

FOSTER, GENEVIEVE W.: "The Archetypal Imagery of T. S. Eliot", _PMLA_, LX (1945), págs. 567-85.

GOHEEN, ROBERT F.: _The Imagery of Sophocles' Antigone_, Princeton, 1951.

HEILMAN, ROBERT B.: _This Great Stage_, Baton Rouge, 1948 (sobre _El Rey Lear_).

HORNSTEIN, LILIAN H.: "Analysis of Imagery: A Critique of Literary Method", _PMLA_, LVII (1942), págs. 638-53.

JAKOBSON, ROMAN: "Randbemerkungen zur Prosa des Dichters Pasternak", _Slavische Rundschau_ (ed. F. Spina), VII (1935), págs. 357-74.

KONRAD, HEDWIG: _Étude sur la métaphore_, París, 1939.

LEWIS, CECIL DAY: _The Poetic Image_, Londres, 1947.

MARSH, FLORENCE: _Wordsworth's Imagery: A Study in Poetic Vision_, New Haven, 1952.

MURRY, J. MIDDLETON: "Metaphor", _Countries of the Mind_, segunda serie, Londres, 1931, págs. 1-16.

PARRY, MILMAN: "The Traditional Metaphor in Homer", _Classical Philology_, XXVIII (1933), págs. 30-43.

PONGS, HERMANN: _Das Bild in der Dichtung_, I: _Versuch einer Morphologie der metaphorischen Formen_, Marburgo, 1927; II: _Voruntersuchungen zum Symbol_, Marburgo, 1939.

PRAZ, MARIO: _Studies in Seventeenth Century Imagery_ ("Studies of the Warburg Institute", III), Londres, 1939.

RUGOFF, MILTON: _Donne's Imagery: A Study in Creative Sources_, Nueva York, 1939.

SPURGEON, CAROLINE: _Shakespeare's Imagery and What it Tells Us_, Cambridge, 1935.

STANFORD, WILLIAM B.: _Greek Metaphor: Studies in Theory and Practice_, Oxford, 1936.

TUVE, ROSEMOND: _Elizabethan and Metaphysical Imagery: Renaissance Poetic and Twentieth-Century Critics_, Chicago, 1947.

—: _A Reading of George Herbert_, Londres, 1952.

WELLS, HENRY W.: _Poetic Imagery: Illustrated from Elizabethan Literature_, Nueva York, 1924.

WERNER, HEINZ: _Die Ursprünge der Metapher_, Leipzig, 1919.

II. SIMBOLISMO. EL MITO

ALLEN, DON CAMERON: "Symbolic Color in the Literature of the English Renaissance", *Philological Quarterly*, XV (1936), págs. 81-92 (con bibliografía sobre heráldica y liturgia).

BACHELARD, GÁSTON: *L'eau et les rêves...*, París, 1942.

—: *La psychanalyse du feu*, cuarta ed., París, 1938.

BLOCK, HASKELL M.: "Cultural Anthropology and Contemporary Literary Criticism", *Journal of Aesthetics*, XI (1952), págs. 46-54.

BODKIN, MAUD: *Archetypal Patterns in Poetry*, Oxford, 1934.

BUSH, DOUGLAS: *Mythology and the Renaissance Tradition in English Poetry*, Minneapolis, 1932.

—: *Mythology and the Romantic Tradition in English Poetry*, Cambridge, Mass., 1937.

CAILLIET, ÉMILE: *Symbolisme et âmes primitives*, París, 1936.

CAILLOIS, ROGER: *Le Mythe et l'Homme* (Collection "Les Essais"), París, 1938.

CASSIRER, ERNST: *Die Philosophie der symbolischen Formen. II: Das mythische Denken*, Berlín, 1924.

CHASE, RICHARD: *Quest for Myth*, Baton Rouge, 1949.

DANIELOU, JEAN: "The Problem of Symbolism", *Thought*, XXV (1950), págs. 423-40.

DUNBAR, HELEN FLANDERS: *Symbolism in Mediaeval Thought and its Consummation in the Divine Comedy*, New Haven, 1929.

EMRICH, WILHELM: *Die Symbolik von Faust II*, Berlín, 1943.

—: "Symbolinterpretation und Mythenforschung", *Euphorion*, XLVII (1953), págs. 38-67.

FEIDELSON, CHARLES, JR.: *Symbolism and American Literature*, Chicago, 1953.

FOSS, MARTIN: *Symbol and Metaphor in Human Experience*, Princeton, 1949.

FRIEDMAN, NORMAN: "Imagery: From Sensation to Symbol", *Journal of Aesthetics*, XII (1953), págs. 24-37.

FRYE, NORTHROP: "Three Meanings of Symbolism", *Yale French Studies*, n.º 9 (1952), págs. 11-19.

—: *Fearful Symmetry: A Study of William Blake*, Princeton, 1947.

GUASTALLA, RENÉ M.: *Le Mythe et le livre: essai sur l'origine de la littérature*, París, 1940.

HINKS, ROGER: *Myth and Allegory in Ancient Art*, Londres, 1939.

HOOKE, SAMUEL H.: *Myth and Ritual*, Oxford, 1933.

HUNGERFORD, EDWARD: *Shores of Darkness*, Nueva York, 1941.

HUNT, HERBERT J.: *The Epic in Nineteenth Century France: A Study in Heroic and Humanitarian Poetry from Les Martyrs to Les Siècles Morts*, Oxford, 1941.

KERÉNYI, KARL, y MANN, THOMAS: _Romandichtung und Mythologie. Ein Briefwechsel_, Zurich, 1945.

KNIGHT, G. WILSON: _The Wheel of Fire: Essays in Interpretation of Shakespeare's Sombre Tragedies_, con introducción de T. S. Eliot, Londres, 1930.

LANGER, SUSANNE K.: _Philosophy in a New Key: A Study in the Symbolism of Reason, Rite, and Art_, Cambridge, Mass., 1942.

—: _Feeling and Form. A Theory of Art Developed from Philosophy in a New Key_, Nueva York, 1953.

NIEBUHR, REINHOLD: "The Truth Value of Myths", en _The Nature of Religious Experience: Essays in Honor of Douglas C. Macintosh_, Nueva York, 1937.

O'DONNELL, G. M.: "Faulkner's Mythology", _Kenyon Review_, I (1939), págs. 285-99.

PRESCOTT, FREDERICK H.: _Poetry and Myth_, Nueva York, 1927.

RAGLAN, LORD: _The Hero: A Study in Tradition, Myth, and Drama_, Londres, 1937; Nueva York, 1956.

SCHORER, MARK: _William Blake_, Nueva York, 1946.

STEWART, JOHN A.: _The Myths of Plato_, Londres, 1905.

STRICH, FRITZ: _Die Mythologie in der deutschen Literatur von Klopstock bis Wagner_, 2 vols., Berlín, 1910.

TROY, WILLIAM: "Thomas Mann: Myth and Reason", _Partisan Review_, V (1938), págs. 24-32, 51-64.

WESTCOTT, BROOKE F.: "The Myths of Plato", _Essays in the History of Religious Thought in the West_, Londres, 1891, págs. 7-50.

WHEELWRIGHT, PHILIP: "Poetry, Myth, and Reality", _The Language of Poetry_ (ed. Tate), Princeton, 1942, págs. 3-33.

—: _The Burning Fountain: A Study in the Language of Symbolism_, Bloomington (Indiana), 1954.

WIMSATT, W. K., JR.: "Two Meanings of Symbolism: A Grammatical Exercise", _Catholic Renascence_, VIII (1955), págs. 12-25.

CAPÍTULO XVI

NATURALEZA Y FORMAS DE LA FICCIÓN NARRATIVA

LA ÉPICA, LA NOVELA Y EL CUENTO

AARNE, A., y THOMPSON, S.: _Types of the Folk-Tale_, Helsinki, 1928.

ALDRIDGE, J. W. (ed.): _Critiques and Essays in Modern Fiction 1920-1951_, Nueva York, 1952.

AMES, VAN METER: _Aesthetics of the Novel_, Chicago, 1928.

BEACH, JOSEPH WARREN: _The Twentieth Century Novel: Studies in Technique_, Nueva York, 1932.

BONNET, H.: _Roman et poésie. Essai sur l'esthétique des genres_, París, 1951.

BROOKS, CLEANTH, y WARREN, R. P.: *Understanding Fiction*, Nueva York, 1943.

CAILLOIS, ROGER: *Sociología de la novela*, Buenos Aires, 1942.

DIBELIUS, WILHELM: *Englische Romankunst: Die Technik des englischen Romans im achtzehnten und zu Anfang des neunzehnten Jahrhunderts*, vols. I y II (*Palaestra*, núms. 92 y 98), Berlín y Leipzig, 1922.

—: *Charles Dickens*, Leipzig, 1916 (segunda ed., 1926), cap. XII: "Erzählungskunst und Lebensbild"; cap. XI: "Dickens als Menschendarsteller".

FOLLETT, WILSON: *The Modern Novel: A Study of the Purpose and Meaning of Fiction*, Nueva York, 1918.

FORSTER, E. M.: *Aspects of the Novel*, Londres, 1927.

FRANK, JOSEPH: "Spatial Form in Modern Literature" (esp. la novela), *Sewanee Review*, LIII (1945), págs. 221-40, 433-56. (Reproducido en *Criticism* [ed. Schorer, Miles y McKenzie], Nueva York, 1948, páginas 379-92).

FRIEDEMANN, KATE: *Die Rolle des Erzählers in der Epik*, 1911.

HATCHER, ANNA G.: "*Voir* as a Modern Novelistic Device", *Philological Quarterly*, XXIII (1944), págs. 354-74.

IRWIN, WILLIAM R.: *The Making of Jonathan Wild: A Study in the Literary Method of Henry Fielding*, Nueva York, 1941.

JAMES, HENRY: *The Art of the Novel: Critical Prefaces*, Nueva York, 1934.

KEITER, HEINRICH, y KELLER, TONY: *Der Roman: Geschichte, Theorie und Technik des Romans und der erzählenden Dichtkunst*, tercera ed., Essen-Ruhr, 1908.

KOSKIMIES, R.: "Theorie des Romans", *Annals of the Finnish Academy*, Serie B, vol. XXXV (1935), Helsinki.

LEAVIS, F. R.: *The Great Tradition: George Eliot, Henry James, Joseph Conrad*, Londres, 1948 (nueva ed., Nueva York, 1955).

LEVIN, HARRY: "The Novel", *Dictionary of World Literature* (ed. J. T. Shipley), Nueva York, 1943, págs. 405-7.

LUBBOCK, PERCY: *The Craft of Fiction*, Londres, 1929.

LUDWIG, OTTO: *Studien* (incl. "Romanstudien"), *Gesammelte Schriften*, VI, Leipzig, 1891.

LUKÁCKS, GEORG: *Die Theorie des Romans: Ein geschichtsphilosophischer Versuch über die Formen der grossen Epik*, Berlín, 1920.

MAURIAC, FRANÇOIS: *Le romancier et ses personnages*, París, 1933.

MUIR, EDWIN: *The Structure of the Novel*, Londres, 1929.

MYERS, WALTER L.: *The Later Realism: A Study of Characterization in the British Novel*, Chicago, 1927.

O'CONNOR, WILLIAM VAN (ed.): *Forms of Modern Fiction*, Minneapolis, 1948.

ORTEGA Y GASSET, JOSÉ: *Ideas sobre la novela*, Madrid, 1925.

PETSCH, ROBERT: *Wesen und Formen der Erzählkunst*, Halle, 1934.

PHILLIPS, WALTER C.: *Dickens, Reade, and Collins, Sensation Novelists*, Nueva York, 1919.

PRAZ, MARIO: *La crisi dell'eroe nel romanzo vittoriano*, Florencia, 1952.

PRÉVOST, JEAN (ed.): *Problèmes du roman*, s. f., París.

RICKWORD, C. H.: "A Note on Fiction", *The Calendar, A Quarterly Review*, III (1926-27), págs. 226-33. Reproducido en O'Connor, *op. cit.*, páginas 294-305.

RIEMANN, ROBERT: *Goethes Romantechnik*, Leipzig, 1902.

SPIELHAGEN, FRIEDRICH: *Beiträge zur Theorie und Technik des Romans*, Leipzig, 1883.

STANZEL, FRANZ: *Die typischen Erzählsituationen im Roman*, Viena, 1955.

TATE, ALLEN: "Techniques of Fiction", *Sewanee Review*, LII (1944), páginas 210-25. Reproducido en O'Connor, *op. cit.*, págs. 30-45.

THIBAUDET, ALBERT: *Le liseur de romans*, París, 1925.

—: *Réflexions sur le roman*, París, 1938.

WENGER, J.: "Speed as a Technique in the Novels of Balzac", *PMLA*, LV (1940), págs. 241-52.

WHARTON, EDITH: *The Writing of Fiction*, Nueva York, 1924.

WHITCOMB, SELDEN L.: *The Study of a Novel*, Boston, 1905.

WHITEFORD, R. N.: *Motives in English Fiction*, Nueva York, 1918.

CAPÍTULO XVII

GÉNEROS LITERARIOS

BEHRENS, IRENE: *Die Lehre von der Einteilung der Dichtkunst: Beihefte zur Zeitschrift für Romanische Philologie*, XCII, Halle, 1940.

BEISSNER, FRIEDRICH: *Geschichte der deutschen Elegie*, Berlín, 1941.

BÖHM, FRANZ J.: "Begriff und Wesen des Genre", *Zeitschrift für Aesthetik*, XXII (1928), págs. 186-91.

BOND, RICHMOND P.: *English Burlesque Poetry*, Cambridge, Mass., 1932.

BRIE, FRIEDRICH: *Englische Rokoko-Epik (1710-30)*, Munich, 1927.

BRUNETIÈRE, FERDINAND: *L'évolution des genres dans l'histoire de la littérature...*, París, 1890.

BURKE, KENNETH: "Poetic Categories", *Attitudes toward History*, Nueva York, 1937, vol. I, págs. 41-119.

CRANE, RONALD S. (ed.): *Critics and Criticism: Ancient and Modern*, Chicago, 1952 (contiene "An Outline of Poetic Theory" de Elder Olson).

DONOHUE, JAMES J.: *The Theory of Literary Kinds:* I: *Ancient Classifications of Literature.* II: *The Ancient Classes of Poetry*, Dubuque, Iowa, 1943.

EHRENPREIS, IRWIN: *The "Types" Approach to Literature*, Nueva York, 1945.

FUBINI, MARIO: "Genesi e storia dei generi letterari", *Tecnica e teoria letteraria* (volumen de la obra *Problemi ed orientamenti critici di lingua e di letteratura italiana*, editada por A. Momigliano, Milán, 1948).

GRABOWSKI, T.: "La question des genres littéraires dans l'étude contemporaine polonaise de la littérature", *Helicon*, II (1939), págs. 211-16.

HANKISS, JEAN: "Les genres littéraires et leur base psychologique", *Helicon*, II (1939), págs. 117-29.

HARTL, ROBERT: *Versuch einer psychologischen Grundlegung der Dichtungsgattungen*, Viena, 1923.

JOLLES, ANDRÉ: *Einfache Formen: Legende, Sage, Mythe, Rätsel, Spiel, Kasus, Memorabile, Märchen, Witz*, Halle, 1930.

KAYSER, WOLFGANG: *Geschichte der deutschen Ballade*, Berlín, 1936.

KOHLER, PIERRE: "Contribution à une philosophie des genres", *Helicon*, I (1938), págs. 233-44; II (1940), págs. 135-47.

KRIDL, MANFRED: "Observations sur les genres de la poésie lyrique", *Helicon*, II (1939), págs. 147-56.

MAUTNER, FRANZ H.: "Der Aphorismus als literarische Gattung", *Zeitschrift für Aesthetik*, XXXII (1938), págs. 132-75.

MÜLLER, GÜNTHER: "Bemerkungen zur Gattungspoetik", *Philosophischer Anzeiger*, III (1929), págs. 129-47.

—: *Geschichte des deutschen Liedes...*, Munich, 1925.

PEARSON, N. H.: "Literary Forms and Types"..., *English Institute Annual, 1940*, Nueva York, 1941, págs. 61-72.

PETERSEN, JULIUS: "Zur Lehre von den Dichtungsgattungen", *Festschrift für August Sauer*, Stuttgart, 1925, págs. 72-116.

PETSCH, ROBERT: *Wesen und Formen der Erzählkunst*, Halle, 1934.

STAIGER, EMIL: *Grundbegriffe der Poetik*, Zurich, 1946.

VALENTIN, VEIT: "Poetische Gattungen", *Zeitschrift für vergleichende Literaturgeschichte*, V (1892), págs. 35-51.

VAN TIEGHEM, P.: "La question des genres littéraires", *Helicon*, I (1938), págs. 95-101.

VIETOR, KARL: *Geschichte der deutschen Ode*, Munich, 1923 (vol. I de *Geschichte der deutschen Literatur nach Gattungen...*).

—: "Probleme der literarischen Gattungsgeschichte", *Deutsche Vierteljahrschrift für Literaturwissenschaft und Geistesgeschichte*, IX (1931), páginas 425-47 (reproducido en *Geist und Form*, Berna, 1952, págs. 292-309).

WHITMORE, CHARLES E.: "The Validity of Literary Definitions", *PMLA*, XXXIX (1924), págs. 722-36.

Capítulo XVIII

VALORACIÓN

ALEXANDER, SAMUEL: *Beauty and other Forms of Value*, Londres, 1933.

BERIGER, LEONHARD: *Die literarische Wertung*, Halle, 1938.

BOAS, GEORGE: *A Primer for Critics*, Baltimore, 1937 (ed. revisada con el título de *Wingless Pegasus*, Baltimore, 1950).

DINGLE, HERBERT: *Science and Literary Criticism*, Londres, 1949.

GARNETT, A. C.: *Reality and Value*, New Haven, 1937.

HEYDE, JOHANNES: *Wert: eine philosophische Grundlegung*, Erfurt, 1926.

HEYL, BERNARD C.: *New Bearings in Esthetics and Art Criticism: A Study in Semantics and Evaluation*, New Haven, 1943.

LAIRD, JOHN: *The Idea of Value*, Cambridge, 1929.

OSBORNE, HAROLD: *Aesthetics and Criticism*, Londres, 1955.

PELL, ORLIE A.: *Value-Theory and Criticism*, Nueva York, 1930.

PEPPER, STEPHEN C.: *The Basis of Criticism in the Art*, Cambridge, Mass., 1945.

PERRY, RALPH B.: *General Theory of Value*, Nueva York, 1926.

PRALL, DAVID W.: *A Study in the Theory of Value* ("University of California Publications in Philosophy", vol. III, núm. 2), 1921.

REID, JOHN R.: *A Theory of Value*, Nueva York, 1938.

RICE, PHILIP BLAIR: "Quality and Value", *Journal of Philosophy*, XL (1943), págs. 337-48.

—: "Towards a Syntax of Valuation", *Journal of Philosophy*, XLI (1944), págs. 331-63.

SHUMAKER, WAYNE: *Elements of Critical Theory*, Berkeley (Calif.), 1952.

STEVENSON, CHARLES L.: *Ethics and Language*, New Haven, 1944.

URBAN, WILBUR: *Valuation: Its Nature and Laws*, Nueva York, 1909.

VIVAS, ELISEO: "A Note on Value", *Journal of Philosophy*, XXXIII (1936), págs. 568-75.

—: "The Esthetic Judgement", *Journal of Philosophy*, XXXIII (1936), páginas 57-69.

WALSH, DOROTHY: "Literature and the Literary Judgement", *University of Toronto Quarterly*, XXIV (1955), págs. 341-50.

WIMSATT, WILLIAM K.: "Explication as Criticism", *The Verbal Icon*, Lexington (Ky.). 1954, págs. 235-52.

CAPÍTULO XIX

HISTORIA LITERARIA

I. ESTUDIOS GENERALES DE HISTORIA LITERARIA

CURTIUS, ERNST ROBERT: *Europäische Literatur und lateinisches Mittelalter*, Berna, 1948 (trad. ingl., Nueva York, 1953; trad. esp., México, 1955).

CYSARZ, HERBERT: *Literaturgeschichte als Geisteswissenschaft*, Halle, 1926.

GREENLAW, EDWIN: *The Province of Literary History*, Baltimore, 1931.

LACOMBE, PAUL: *Introduction à l'histoire littéraire*, París, 1898.

LANSON, GUSTAVE: "Histoire littéraire", *De la méthode dans les sciences*, París (2.ª serie, 1911), págs. 221-64.

—: *Méthodes de l'histoire littéraire*, París, 1925.

MORIZE, ANDRÉ: *Problems and Methods of Literary History*, Boston, 1922.

RENARD, GEORGES: *La méthode scientifique d'histoire littéraire*, París, 1900.

RUDLER, GUSTAVE: *Les techniques de la critique et d'histoire littéraire en littérature française moderne*, Oxford, 1923.

SAUNDERS, CHAUNCEY: *An Introduction to Research in English Literary History*, Nueva York, 1952.

WELLEK, RENÉ: "The Theory of Literary History", *Travaux du Cercle Linguistique de Prague*, IV (1936), págs. 173-91.

II. ESTUDIOS TEÓRICOS SOBRE LA PERIODIZACIÓN

CAZAMIAN, LOUIS: "La notion de retours périodiques dans l'histoire littéraire", *Essais en deux langues*, París, 1938, págs. 3-10.

—: "Les périodes dans l'histoire de la littérature anglaise moderne", *ibid.*, págs. 11-22.

CYSARZ, HERBERT: "Das Periodenprinzip in der Literaturwissenschaft", *Philosophie der Literaturwissenschaft* (ed. E. Ermatinger), Berlín, 1930, páginas 92-129.

FRIEDRICH, H.: "Der Epochebegriff im Lichte der französischen Préromantismeforschung", *Neue Jahrbücher für Wissenschaft und Jugendbildung*, X (1934), págs. 124-40.

MEYER, RICHARD MORITZ: "Prinzipien der wissenschaftlichen Periodenbildung", *Euphorion*, VIII (1901), págs. 1-42.

MILES, JOSEPHINE: "Eras in English Poetry", *PMLA*, LXX (1955), páginas 853-75.

"Le Second Congrès International d'histoire littéraire, Amsterdam, 1935: Les périodes dans l'histoire depuis la Renaissance", *Bulletin of the International Committee of the Historical Sciences*, IX (1937), págs. 255-398.

TEESING, H. P. H.: *Das Problem der Perioden in der Literaturgeschichte*, Groninga, 1949.

WELLEK, RENÉ: "Periods and Movements in Literary History", *English Institute Annual, 1940*, Nueva York, 1941, págs. 73-93.

WIESE, BENNO VON: "Zur Kritik des geisteswissenschaftlichen Periodenbegriffes", *Deutsche Vierteljahrschrift für Literaturwissenschaft und Geistesgeschichte*, XI (1933), págs. 130-44.

III. ESTUDIOS SOBRE LA DEFINICIÓN DE LOS PRINCIPALES PERÍODOS

1. *El Renacimiento.*

BORINSKI, KARL: *Die Weltwiedergeburtsidee in den neuren Zeiten. I. Der Streit um die Renaissance und die Entstehungsgeschichte der historischen Beziehungsbegriffe "Renaissance" und "Mittelalter"*, Munich, 1919.

BURDACH, KONRAD: "Sinn und Ursprung der Worte Renaissance und Reformation", *Reformation, Renaissance, Humanismus*, Berlín, 1926, págs. 1-84.

EPPELSHEIMER, H. W.: "Das Renaissanceproblem", *Deutsche Vierteljahrschrift für Literaturwissenschaft und Geistesgeschichte*, II (1933), páginas 477-500.

FERGUSON, WALLACE K.: _The Renaissance in Historical Thought,_ Boston, 1948.

FIFE, R. H.: "The Renaissance in a Changing World", _Germanic Review,_ IX (1934), págs. 73-95.

HUIZINGA, J.: "Das Problem der Renaissance", _Wege der Kulturgeschichte_ (trad. Werner Kaegi), Munich, 1930, págs. 89-139.

PANOFSKY, ERWIN: "Renaissance and Renascences", _Kenyon Review,_ VI (1944), págs. 201-36.

PHILIPPI, A.: _Der Begriff der Renaissance: Daten zu seiner Geschichte,_ Leipzig, 1912.

2. _El Clasicismo._

MOREAU, PIERRE: "Qu'est-ce qu'un classique? Qu'est-ce qu'un romantique?", _Le Classicisme des Romantiques,_ París, 1932, págs. 1-22.

PEYRE, HENRI: _Le Classicisme français,_ Nueva York, 1942 (contiene un capítulo sobre "Le mot classicisme" y bibliografía anotada).

VAN TIEGHEM, PAUL: "Classique", _Revue de synthèse historique,_ XLI (1931), págs. 238-41.

3. _El Barroco._

CALCATERRA, C.: "Il problema del Barocco", _Quesiioni e correnti di storia letteraria_ (volumen de la obra _Problemi ed crientamenti critici di lingua e di letteratura italiana,_ ed. por A. Momigliano, Milán, 1948).

COUTINHO, AFRANIO: _Aspectos da literatura barroca,_ Río de Janeiro, 1950.

HATZFELD, HELMUT: "A Clarification of the Baroque Problem in the Romance Literatures", _Comparative Literature,_ I (1949), págs. 113-39.

MOURGUES, ODETTE DE: _Metaphysical, Baroque and Précieux Poetry,_ Oxford, 1953.

WELLEK, RENÉ: "The Concept of Baroque in Literary Scholarship", _Journal of Aesthetics,_ V (1936), págs. 77-109 (con bibliografía completa).

4. _El Romanticismo._

AYNARD, JOSEPH: "Comment définir le romantisme?", _Revue de littérature comparée,_ V (1925), págs. 641-58.

BALDENSPERGER, FERNAND:. "Romantique: ses analogues et équivalents", _Harvard Studies and Notes in Philology and Literature,_ XIV (1937), páginas 13-105.

BORGESE, G. A.: "Romanticism", _Encyclopedia of the Social Sciences,_ XIII (1934), págs. 426-34.

CROCE, BENEDETTO: "Le definizioni del romanticismo", _La critica,_ IV (1906), págs. 241-45 (reproducido en _Problemi di estetica,_ Bari, 1910, páginas 287-94).

FRANÇOIS, ALEXIS: "De romantique à romantisme", _Bibliothèque universelle et Revue Suisse,_ CXLI (1918), págs. 225-33, 365-76.

—: "Où en est Romantique?", _Mélanges offerts à Baldensperger,_ vol. I, París, 1930, págs. 321-31.

—: "Romantique", *Annales Jean-Jacques Rousseau*, V (1909), págs. 199-236.

KAUFMAN, PAUL: "Defining Romanticism: A Survey and a Program", *Modern Language Notes*, XL (1925), págs. 193-204.

LEMPICKI, SIGMUND VON: "Bücherwelt und wirkliche Welt", *Deutsche Vierteljahrschrift für Literaturwissenschaft und Geistesgeschichte*, III (1925), págs. 339-86.

LOVEJOY, ARTHUR O.: "On the Discrimination of Romanticisms", *Publications of the Modern Language Association*, XXXIX (1924), págs. 229-53 (reproducido en *Essays in the History of Ideas*, Baltimore, 1948, páginas 228-53).

PETERSEN, JULIUS: *Die Wesensbestimmung der deutschen Romantik*, Leipzig, 1926.

SCHULTZ, FRANZ: "Romantik und romantisch als literaturgeschichtliche Terminologie und Begriffsbildungen", *Deutsche Vierteljahrschrift für Literaturwissenschaft und Geistesgeschichte*, II (1924), págs. 349-66.

SMITH, LOGAN P.: *Four Words: Romantic, Originality, Creative, Genius* (Society for Pure English Tract, N.º 17), Oxford, 1924 (reproducido en *Words and Idioms*, Boston, 1925).

ULLMANN, RICHARD, y GOTTHARD, HELENE: *Geschichte des Begriffs "Romantisch" in Deutschland*, Berlín, 1927.

WELLEK, RENÉ: "The Concept of Romanticism in Literary Scholarship", *Comparative Literature*, I (1949), págs. 1-23, 147-72.

5. *El Realismo.*

BORGERHOFF, E. B. O.: "*Réalisme* and Kindred Words: Their Use as a Term of Literary Criticism in the First Half of the Nineteenth Century", *PMLA*, LIII (1938), págs. 837-43.

LEVIN, HARRY (ed.): "A Symposium on Realism", *Comparative Literature*, III (1951), págs. 193-285.

WEINBERG, BERNARD: *French Realism: The Critical Reaction, 1830-70*, Chicago, 1937.

6. *El Simbolismo.*

BARRE, ANDRÉ: *Le Symbolisme*, París, 1911.

LEHMANN, A. G.: *The Symbolist Aesthetics in France 1885-1895*, Oxford, 1950.

MARTINO, PIERRE: *Parnasse et symbolisme, 1850-1900*, París, 1925, páginas 150-55.

IV. ESTUDIOS SOBRE LA EVOLUCIÓN EN LA LITERATURA Y EN LA HISTORIA

ABERCROMBIE, LASCELLES: *Progress in Literature*, Londres, 1929.

BRUNETIÈRE, FERDINAND: *L'évolution des genres dans l'histoire de la littérature*, París, 1890.

CAZAMIAN, LOUIS: *L'évolution psychologique de la littérature en Angleterre*, París, 1920.

CROCE, BENEDETTO: "Categorismo e psicologismo nella storia della poesia", _Ultimi saggi_, Bari, 1935, págs. 373-79.

—: "La Riforma della storia artistica e letteraria", _Nuovi Saggi di Estetica_, segunda ed., Bari, 1927, págs. 157-80.

CURTIUS, ERNST ROBERT: _Ferdinand Brunetière_, Estrasburgo, 1914.

DRIESCH, HANS: _Logische Studien über Entwicklung_ (Sitzungsberichte der Heidelberger Akademie, Philosophisch-historische Klasse, 1918, núm. 3).

KANTOROWICZ, HERMANN: "Grundbegriffe der Literaturgeschichte", _Logos_, XVIII (1929), págs. 102-21.

KAUTZSCH, RUDOLF: _Der Begriff der Entwicklung in der Kunstgeschichte_ (Frankfurter Universitätsreden, n.º 7), Francfort, 1917.

MANLY, JOHN MATHEWS: "Literary Forms and the New Theory of the Origin of Species", _Modern Philology_, IV (1907), págs. 577-95.

MANNHEIM, KARL: "Historismus", _Archiv für Sozialwissenschaft und Sozialpolitik_, LII (1925), págs. 1-60 (trad. ingl. en _Essays on the Sociology of Knowledge_, Nueva York, 1952, págs. 84-133).

MEINECKE, FRIEDRICH: "Kausalitäten und Werte in der Geschichte", _Historische Zeitschrift_, CXXXVII (1918), págs. 1-27 (reproducido en _Staat und Persönlichkeit_, Berlín, 1933, págs. 28-53).

PAYNE, W. M.: "American Literary Criticism and the Doctrine of Evolution", _International Monthly_, II (1900), págs. 26-46, 127-53.

RICKERT, HEINRICH: _Die Grenzen der naturwissenschaftlichen Begriffsbildung_, Tubinga, 1902 (quinta ed., 1929).

—: _Kulturwissenschaft und Naturwissenschaft_, Tubinga, 1921.

RIEZLER, KURT: "Über den Begriff der historischen Entwicklung", _Deutsche Vierteljahrschrift für Literaturwissenschaft und Geistesgeschichte_, IV (1926), págs. 193-225.

SYMONDS, JOHN ADDINGTON: "On the Application of Evolutionary Principles to Art and Literature", _Essays Speculative and Suggestive_, Londres, 1890, vol. I; págs. 42-84.

TROELTSCH, ERNST: _Der Historismus und seine Probleme_, Tubinga, 1922.

ÍNDICES

ÍNDICE DE NOMBRES PROPIOS

ÍNDICE DE MATERIAS *

---

* Comprende las Notas, pero no la Bibliografía.

ÍNDICE GENERAL